완역 삼명통회 三命通會

총 4-2권

원문 (卷四~卷六)

楚江易水 育吾山人 萬民英 撰

安姬省 번역

BOOKK

완역
삼명통회
三命通會

총 4-2권

원문 (卷四~卷六)

楚江易水 育吾山人 萬民英 撰

安姬省 번역

BOOKK

완역삼명통회(4-2권)

발　행 | 2023년 9월 26일
저　자 | 만민영
역　자 | 안희성
펴낸이 | 한건희
펴낸곳 | 주식회사 부크크
출판사등록 | 2014.07.15.(제2014-16호)
주　소 | 서울특별시 금천구 가산디지털1로 119 SK트윈타워 A동 305호
전　화 | 1670-8316
이메일 | info@bookk.co.kr

ISBN | 979-11-410-4594-4

www.bookk.co.kr

지은이 | 만민영

중국 명나라 때 사람으로 자는 여호汝豪 호는 육오育吾이다. 지금의 하북성(河北省)에서 태어났다. 우리나라에서는 명리학자로 알려졌다. 또한 저서인 삼명통회는 명리학의 백과사전이라고 불릴 만큼, 당대의 명리서를 총망라하여 청나라 견륭제 때 『欽定四庫全書』수록될 정도로 그 가치를 인정받은 책이다.

편저 | 안희성

저자 안희성은

· 충남 청양 출생

· 국립공주대학교 대학원 동양학과 석사졸업

· 동대학원 박사졸업

· 前) 춘천 영산문화원 역학 강의

· 前) 대전대학교 평생교육원 역학 강의

· 現) 동방대학원 대학교 평생교육원 성명사주학 강의 중

· 現) 원광디지털대학교 성명사주학 및 육효학 강의 중

· 現) 상명대학교 경영대학원 부동산학과 풍수 강의 중

· 現) 계룡산 밑 비결원에서 후학 양성 중(문의 010-8451-6442)

譯者의 말

『삼명통회』, 『자평진전』, 『연해자평』, 『궁통보감』, 『명리정종』은 命理學의 5대 고전이라 불리운다. 그 중에서도 『삼명통회』는 방대한 내용과 깊이에서 '명리학 백과사전'이라 일컬어진다. 명리학에 입문한 지 수십 년에 여러 학설도 보고 많은 가르침도 많았다. 학설은 방대하고 해석은 다양하여 가닥을 잡기 힘들었지만, 명리의 전반은 『三命通會』를 벗어나지 않는다는 느낌을 지울 수 없었다. 그동안 배운 공부를 정리하여 玄正 申修勳 선생의 <眞如秘訣>로 학위 논문을 준비하면서 명리학 전반에 대한 틀을 다시 잡을 수 있었다. 이러한 과정에서 『삼명통회』의 방대한 학설과 풍부한 명조는 하나의 큰 '저수지' 같다는 느낌을 받았다. 여러 학설의 물줄기가 모여 다시 갈래로 나누어지는 양상을 보았으며, 무궁한 사색의 원천이 되고 있음을 확인하였다. 역자에게 삼명통회는 이처럼 늘 가까이 있으며 도움을 받았으나 하나로 집적되지 못했다. 여러 봉우리를 올라 보았으나 전체는 보여주지 않는 거대한 '산맥'처럼 느껴지기도 하였다.

그동안 삼명통회에 대하여 여러 동학들과 스터디하면서 틈틈이 옮겨 두었던 것을 다시 정리해서 역서로 출간하게 되었다. 워낙 방대한 내용이라 전문을 번역함에 있어 여러분들의 많은 도움을 받았다. 따라서 이 책은 비록 역자의 이름으로 출간하지만, 초벌 번역을 해주신 수기유행 카페지기 김균 선생님을 비롯한 많은 분들의 共譯이라 불러야 마땅할 것이다. 의문나는 구절에 자문을 구하고, 도움을 받으신 분들을 일일이 다 언급할 수는 없는 실정이다. 번역과 편집과 출판에 도움을 주신 여러분께 감사한 마음을 표한다.

최근 들어 命理에 대한 관점과 고조는 동양적 문화(판소리, 탈춤), 철학(동양철학), 의학(한의학)에 이어 생활문화로까지 확대되고 있다. 생활문화로서의 주요 영역은 무엇보다도 命理, 風水, 觀相을 들 수 있겠다. 이러한 영역들은 이미 우리 생활 깊숙이 자리 잡았으며, 정식 학제에 편입되어 많은 연구 성과들이 양산되고 있다. 가히 동양 생활철학의 르네상스 시대라고 불리어도 좋을 변화로 보여진다. 한편, 이러한 양적 확대에 상응하는 내적 성숙을 고민하는 것은 당면한 과제라 하겠다. 이런 의미에서 본 譯書가 命理에 대한 원론적 고찰의 심화라는 차원에서 명리학이 '術數'를 넘어 '學問'으로 발전해 나가는 데 일조가 되었으면 하는 바람 간절하다.

『삼명통회』의 저자 育吾山人 萬民英은 '命을 들음을 경건히 하라(敬聞命矣)'고 하였다. 이 말은 오늘날의 명리인들이 가슴 깊이 새겨야 할 잠언이 아닐 수 없으니, 나 역시 이 교훈으로 역자의 말을 마무리하고자 한다.

2023년 8월에
安姬省

추천사 (신수훈)

역이란 미래를 읽는 기술이요 천명을 아는 심오한 학문으로 그 이론이 정밀하고 광범하다. 식이 맑고 밝은 소박한 고대인들의 지혜와 노자를 비롯한 귀곡자, 낙록자, 이허중, 서거이, 공자, 장자, 정자, 주자 등의 도가나 유가를 망라한 여러 현인과 학자들이 탐구한 논리를 육오 산인 만민영 선생이 다양하게 수집하고 융합하여 일목요연하게 엮은 것이 삼명통회다.

태극에서 비롯한 음양오행과 천간 지지의 생성원리와 작용, 생극제화의 통변조화 논리전개를 상세하게 다루고 있는 삼명통회는 역리가 재관 녹마 신살 등의 명리로 변천 발전하는 과정을 누구나 쉽게 이해하고 숙지하여 응용할 수 있도록 종합편찬한 학술적인 고전이요 보물이다.

간지 오행, 육친 신살, 격국 용신의 기초 명리 법으로 유인되는 선연 악연 업연 등 인연을 가상 전제로 유추하면 명주의 성격, 직업, 애정 형성은 물론 인간사의 과거 현재 미래의 행불행을 예측하고 분석할 수 있다. 이 같은 진여 명리학을 전거로 천시, 지리, 인사까지 관통하여 피흉취길 하고 개운할 수 있는 <진여비결의 오주론적 특성과 그 사회적 의의에 관한 연구> 논문으로 박사학위를 받으시고 후학들을 위하여 그 어려운 삼명통회까지 일념으로 번역하신 안희성 교수의 박학다식과 열정에 감사와 찬사를 보낸다.

역을 배우고 추명을 하는 학인은 그 뜻을 성실히 하고, 그 마음을 바르게 한 다음에 삼명통회를 학습하여 격물하고, 거경궁리 하여 명리의 궁통 변화를 통달한다면 세상의 스승으로 존경받으며 홍익인간의 길을 갈 것이 분명하다.

옛 성인들이 명을 아는 자는 근심이 없다고 하였고, 천시를 알고 출사하면 허물이 없으며 터를 알고 머무르면 발복 한다고 하였다. 명리를 경건한 마음으로 배우고 익혀 생활에 활용할 수 있는 사람은 조상 음덕과 복이 많은 것이다.

명리에 입문한 사람은 자신의 앎에 한계 짓지 말고 명리의 기초에서부터 고등 실전이론을 겸비한 삼명통회를 학습 집중하여 터득하면 심오한 명리의 문리를 깨치고 달인의 경지에 이를 것이다. 50년 역술인의 길을 살아온 현정은 역우 여러분에게 진심으로 삼명통회 일독을 권하며 자신 있게 추천한다.

2021년 7월　　진여 정사에서 현정 신수훈 서

추천사 (유방현)

동양사상을 하나의 큰 강물로 비유하면 역학은 그 강물을 흐르게 하는 용천이라 할 수 있다. 맹자에 "原泉混混 不舍晝夜" 라는 말이 있다. '원천이 용솟음 쳐서 밤낮을 쉬지 않는다' 라는 의미이다 역학역시 넓고 깊은 샘이어서 끊임없이 無邊廣大한 無限疾走 하는 시간을 두고 온갖 대지를 적셔주고 있다.

우리나라에서 그동안 수많은 역학서 들이 번역되고 출간되어 온 것에 대하여 이견이 없다. 먼저 역학의 성립근거는 기존의 역학의 제학습의 연구를 토대로 하여 사람들이 원하는 사상성을 도출해 내는 새로운 연구 분야이기도 하다. 그러므로 지난날의 내 삶을 거울에 비추듯 지금 반조해 본다면 미래의 길은 더욱 더 환히 열리게 된다. 연구해서 얻어낸 결과이며, 철학적 사고와 종교적 사상 또한 몰입으로부터 나왔다 해도 지나친 말이 아니다. 탐내는 것과 원하는 것은 다르다. 탐내는 것은 노력을 하지 않고 얻으려고 할 때 생기는 마음이다. 원하는 것은 노력해서 얻고자 할 때 생기는 보이지 않는 미래는 오늘에 만들어 지고, 오늘의 참되 삶은 지난날에 의해 정해진다고 할 수 있다. 안희성 선생은 명리, 주역, 육효, 풍수와 더불어 성명학에 정점을 찍고 이제 쉬어가는 인생의 종착역에 또다시 새로운 영역인 방대한 분량의 『삼명통회』의 번역 출간에 방점을 찍었다는 것에 놀라움과 경의를 표할 뿐이다.

내가 아는 안희성 선생은 근 반평생을 역학에 몸 바쳐 전국에 수많은 제자가 있는 것으로 알고 있다. 이를 단적으로 나타내는 것은 역학에서는 無不通知의 경지에 이르렀음은 많은 學人諸賢들께서 이미 알고 있고 더 나아가 음지의 학문을 양지로 끌어올린 장본이기도하다. 그 증표가 되는 것은 4년제 정규 대학에서의 직접 동양학 강의를 마다않고 몸 바쳐 제자 양성에 수고와 노력을 아끼지 않는 몇 안 되는 뛰어난 역학의 고수 중 한 사람일 것이다.

맷돌을 돌리면 깎이는 것이 보이지는 않지만, 어느 땐가 다 하고, 나무를 심고 기르면 자라는 것이 눈에 띄지는 않아도 어느새 크게 자란다. 강의와 더불어 후학을 양성하는 것은 아무나 할 수 있는 것이 아니다. 몸에 밴 겸손함과 열정을 가진 뜨거운 마음을 가진 사람만이 후학을 양성하고 그가 가진 진가를 넘겨주는 그야말로 진기를 탈진하는 하나의 여정일 것이다. 또한 기존의 『三命通會』라 명칭 되어온 수많은 도서류 중 학인들이 마땅히 받아들여 공부할 수 있는 서적이 그다지 많지 않은 중 전4권으로 600여 페이지가 넘는 방대하고 세세한 학술서로서의 출현이 더없이 반갑기 그지없다. 이번에 출간하는 『三命通會』는 뼈와 살을 깎고 인고의 시간을 투자한 역작이다. 쉽지 않은 건강에 극심한 통증의 대상포진을 격고 眼光의 빛을 발하다 얻은 백내장 등 수 없는 역경과 고통을 산고의 고통과 버금가리라 생각이 들며, 일면 안쓰럽고 일면 자랑스럽기도 한 나의 역학제자이자 동지이다. 번역 일에 치중하는가 하면 자신의 내면에 더욱 혹독하게 담금질하여 공주대학교에서 동양학 박사학위도 취득한 지성과 포용을 갖춘 보기 드문 고수이기도 하다. 이는 역학계의 또 다른 자랑이며 자긍심을 심는 기회이기도 하다. 다만 안희성 선생께서 이제는 건강도 돌보고 지켜서 오랫동안 우뚝 선 모습으로 그 자리를 지켜주기를 바랄 뿐이다.

2021년 7월.　　한국전통 과학 아카데미 유방현

『삼명통회三命通會』 서문序文

옛적에 복희황제는 하도낙서河圖洛書를 본받아 괘卦를 그리고 역易을 만들어 수數로써 이理를 강구하니 천지의 신비함이 처음으로 드러났다. 주렴계는 태극도太極圖를 만들고, 『통서通書』[1]에서는 음양오행을 천명하니 이理로서 수數가 밝혀져 성명性命의 이치는 더욱 드러나게 되었다. 이理와 수數가 합일되어 천지의 조화가 이수理數를 넘지 않았다는 말이 이것이다. 지금 성가星家들은 조화造化 중에서 인간이 처음 태어난 때의 年・月・日・時를 취하여 사주四柱라 이름하고 이를 명命이라고 불렀다. 그 학설은 낙록자珞琭子에게서 시작하여 이허중李虛中에서 넓혀지고 서거이徐居易에서 번성해졌다. 그 학설을 자세히 고찰해보면 이치가 없다고 할 수는 없다. 다만, 음양오행은 천지간에 유행하는 것이고 생극제화生剋制化일 뿐이다. 지금 생극제화에 허다한 명목을 교묘히 붙여 사람의 운명에 모두 연결지으니 애초부터 천착穿鑿하는 실수를 면하기 어려웠다. 하물며 세상의 용렬한 술수는 도리를 밝히지 못하고 조화에 통달하지 못하면서 겨우 『연원淵源』과 『연해淵海』 등의 책으로 명命을 안다고 쉽게 말해 버린다. 고인古人이 논명論命한 까닭을 물으면 망망하여 대답을 하지 못한다. 그 중에 아는 자가 있어도 역시 조잡하고 천박하고 막혀서 관통하여 궁구하지 못하니 변화를 통달함에 부족함이 없겠는가. 그저 성명星命의 담론은 맞추느냐 못 맞추느냐에 있을 뿐이었다.

나는 이를 병폐로 여겨 널리 고금의 책을 구하여 음양오행과 생극제화를 언급하여 성명星命에 관련되는 것은 반드시 그 근원과 그렇게 되는 이치를 깊이 탐구하였다. 오랜 시간이 흘러 활연히 관통하여 고인古人의 추명론推命論, 납음론納音論, 간지론干支論, 격국론格局論, 재관론財官論, 녹마론祿馬論, 그리고 신살神煞이 변화를 취하는 요체에 모두 지극한 이치가 담겨 있음을 알게 되었다. 하물며 유학儒學에서의 격물치지格物致知[2]의 학문 또한 마땅히 마음을 먼저 궁구하는데 명리命理가 작은 도리라고 어찌 버리겠는가. 어떤 이는 명命의 이치는 미묘하여 성인도 말한 바가 드물었으니[3] 어찌 쉽고 자세하게 담론하는 것이 가능하겠느냐고 한다.

그러나 명命의 이치는 쉽게 말할 수 없다는 그대의 말로써 문제가 다 해결될 수 있겠는가. 명의 이치는 미묘하여 성인이 드물게 말씀하신 것이지만 그러나 일찍이 말씀하지 않은 것은 아니다. 나는 세상에서 사람들이 천명天命을 알지 못하여 망령되이 행동하고, 또 인사人事를 다하지 못하여 죄에 얽혀지는 것을 슬퍼한다. 천명을 알지 못하는 사람은 진실로 말할 것도 없으며 죄에 얽혀지는 자도 명을 알지 못한 것이다. 어째서인가. 대개 인사人事와 천명天命은 서로 유통하므로 인사를 다할 수 있어야 천명을 다할 수 있는 것이다.

명命에는 궁통窮通이 있으므로 하지 않아도 하게 되며, 이루려 하지 않아도 이르게 된다. 반드시 이르게 되어 어찌할 수 없게 된 연후에는 이런 것을 명命이라 말할 수 있다. 그래서 공자는 "군자는 편안하게 살면서 천명을 기다린다."[4]하였다.

사생死生이 명命에 있다는 성인의 뜻은 결단코 알 수 있는 것이다. 나는 이것을 깊이 생각해

---

1) 주렴계의 저술. 본래 《역통易通》이라 칭하여 《태극도설太極圖說》과 표리表裏관계이나 태극도설이 우주론宇宙論을 설명한 데 반해 이 책은 오로지 윤리설倫理說을 가리키고 있다.
2) 『大學』1, "格物 致知 誠意 正心 修身 齊家 治國 平天下"
3) 『論語』9, "子 罕言利與命與仁"
4) 『中庸』14, "君子 居易以俟命, 小人 行險以徼幸"

보았다. 성인이 가르침을 내리신 뜻은 후세에 밝혀지지 못하였고, 명리의 학설이 은미했던 까닭에 그 설명은 자세하지 않았다. 자세히 말하려면 설명할 자료가 많아야 한다. 어찌 감히 명을 쉽게 말하겠는가. 그래서 자료를 널리 모으고 먼 곳에서 인용하고 근원을 거슬러 올라가 뿌리를 찾아보았다.

그리하여 음양의 요점을 찾았고, 다시 간지干支의 시초를 궁구하고, 신살神煞의 길흉을 해석하였다. 어떤 이치에 의거하여 명해名解와 격국格局의 명의名義를 얻고, 어떤 법에 의거하여 실례를 세웠는지 연구하였다. 녹마祿馬는 어떻게 다르며, 재관財官과 납음納音은 어떻게 달라지는가를 연구하였다. 오행에서 남녀의 위상이 다르고 강유剛柔와 행동이 완전히 다르다. 노유老幼는 기운이 달라서 늙어지기도 젊어지기도 하니 그 취함이 한결같지 않다. 질병은 부여받은 기운의 치우침에 의해 정해진다. 사주가 흉하면 단명한 것은 살이 중한 까닭이다.

사주는 먼저 뿌리와 기반을 살피고, 다음으로 세운歲運의 지위와 배성配星의 어둡고 밝음을 살핀다. 그런 연후에 고금古今의 인명人命은 일시日時가 중요함을 입증한다. 이것은 일日을 얻은 전일적인 이유와 시時를 얻은 단독적인 이유를 자세히 살피는 이유이다. 그러나 사람이 일시日時는 같아도 귀천은 아주 다를 수 있다. 그러므로 월령月令과 절기節氣의 심천淺深을 봐야 한다. 팔자八字에 있어서도 장수하고 요절하는 것은 같지 않은 것은 내외內外의 업연業緣이 감응하는 것이 같지 않기 때문이다. 하물며 시간의 차이와 시각에 따라 기운이 나뉘는데 유세幼世에서는 치란治亂이 나누어지고 운運은 이에 따른다. 고금의 풍수風水는 신공神工을 빼앗을 수 있고, 음즐陰騭[5]은 천명을 바꿀 수 있으니 인생에서 때를 만나는 것을 어찌 하나의 실례에서만 논의할 수 있겠는가. 참으로 깨달으면 정신이 통하고, 밝히면 조화造化와 소식消息의 이치는 나에게 있다. 수요壽夭, 궁통窮通, 빈부貧富는 스스로 도피할 수 없다. 성인도 드물게 말씀하신 것을 감히 말하려니 나의 말로 다할 수 있겠는가.

아! 공자는 대성인이다. 스스로 나이 오십에 비로소 지천명知天命하였다고 하셨다.[6] 그래서 나에게 몇 년을 더 살게 해준다면 역易을 배우겠다고 하셨다.[7] 역易이란 것은 천명天命을 아는 학문이다. 성문聖門 제현諸賢 중에서 자공子貢보다 영오穎悟한 자는 없는데 훌륭하다는 감탄을 들은 적이 없다. 그렇다면 나의 이 저술은 하나의 역易에 대한 이론이요, 천명天命을 알고자 하는 학문이다. 역을 받아들임에 있어 어찌 쉽게 말하겠는가. 옛적에 엄평은嚴平隱군이 성도시成都市에서 점을 치면서 사람들이 얻은 괘를 가지고 점술이 아닌 권선징악勸善懲惡의 교훈을 베풀었는데 군자들은 지금까지 이를 칭송한다. 나의 마음이 또한 이와 같다. 그리고 어찌 내가 역을 안다고 자세하게 말하겠는가. 혹자가 "명을 들음을 공경히 하라."고 말하였는데, 나는 이 말을 펼쳐서 『삼명통회三命通會』의 서문으로 삼는다.

만력萬曆[8] 6년 戊寅年 늦가을 길일에 前進士 楚江易水 育吾山人 萬民英 쓰다.

---

5) 조상의 음덕
6) 『論語』2, "五十而知天命"
7) 『論語』7, "子曰 加我數年 五十以學易 可以無大過矣"
8) 중국 명대明代 神宗 재위의 연호, 萬曆 6년은 1578년이다.

三命通會 序

昔者 羲皇則河圖洛書劃卦作易 乃因數窮理 而天地之秘始洩 周茂叔作太極圖 通書闡陰陽五行 乃因理明數 而性命之蘊益著 理數合一而造化不越是矣. 今聖家者流 乃就造化中於人有生之初 推年月日時 立名四柱 而謂之命 其說肇於珞琭子 衍於李虛中 盛於徐居易 細考其說 不可謂無理也. 但陰陽五行 流行天地間生剋制化而已. 今乃於生剋制化 中巧立許多名目 以盡人之命 未免已失之鑿 矧世庸術 不明道理 達造化 僅能誦淵源 淵海等書 便謂知命 及詢古人論命之所以然 茫然 無以應之間有知者 又粗淺執滯 弗能洞究 達變無怪乎 星命之談 有准與不准也. 余爲此病 乃博求古今之書凡語及陰陽五行生剋制化 有關星命者 必深探其源頭所以然之理 久則豁然通貫 乃知古人推命 論納音 論干支 論格局 論財官 論祿馬 論神煞 取用變化 要皆有至理寓焉 矧吾儒格致之學 玆亦所當究心者 惡可槩以小道棄之哉. 或曰 命之理微 聖人罕言 何談之易 而言之詳 豈命之理 盡於子之言乎. 余曰 命之理微 此聖人所以罕言然 未嘗不言也. 余悲不世人不知天命 而妄圖冥行 又悲夫人事未修而諉罪 天命不知者 固無足言 而諉罪者 則未爲得也. 何也 盡人事與天命 相爲流通 能盡人事 卽所以盡天命 而命有窮通 莫之爲而爲 莫之致而至必至 無可奈何然後 斯可以言命也. 故 孔子曰 君子居易以俟命 又曰 死生有命 聖人之意 斷可識矣. 余深念 聖人垂敎之意 後世不明 而命之理微 故其說不得不詳說之 旣詳故 其術不得不多 而何敢談之易也. 是故博搜遠引遡源求根 旣探陰陽之精 復窮干支之始 釋神煞之吉凶 據何理而得名解 格局之名義 憑何法而立例 祿馬何異乎 財官納音何殊乎. 五行男女位分 剛柔行藏頓異 老幼氣別衰嫩 取用不同 疾病由稟受之偏 凶短本受煞之重 先察根基 次詳歲運地 配星野時 看晦晴然後 証以古今人命 重以日時 參詳以日得之傳 時得之獨故也. 然人有日時同 而貴賤迥然 乃月令節氣淺深之辯 有八字等 而壽夭不齊 寔內外業緣所感之隨 矧時差刻漏 氣判正 幼世分治亂運隨 古今風水可奪神工 陰騭可改天命 人生遭際 修爲安得一例論乎 誠能會而通之神而明之 則造化消息之理在我 而壽夭窮通貴賤貧富 自莫能逃 敢謂聖人罕言 而殫於余之言乎. 嗚呼 孔子大聖人也. 自敍五十始知天命 故曰 加我數年 五十以學易 易也者 知天命之學也. 聖門諸賢 領悟莫如子貢 嘆不可得而聞 然則 予所著述 一易之理 知天命之學也. 豈容以易易言哉 昔嚴君平隱 成都市 假以賣卜 因人所得之卦 而勸善懲惡 君子至今稱之 余之心 亦猶是也. 又惡知談之易 而言之詳乎. 或曰 敬聞命矣. 遂次其言 以爲三命通會敍云.

萬曆 六年 戊寅 季秋 吉日 前進士 楚江易水 育吾山人 萬民英 書.

삼명통회三命通會(4-2권)

삼명통회 第4권

삼명통회 第5권

삼명통회 4권

出處:武陵出版司 著者:萬民英 譯者:秀氣流行

1. 논십간좌지겸득월시급행운길흉
論十干坐支兼得月時及行運吉凶

갑을甲乙

甲木은 陽에 속하여 棟梁의 재목이다. 秋冬節에 生함을 기뻐하고 申子月을 만나면 吉한 것이다. 柱가 庚辛을 보는 것은, 비유하면 부착(도끼로 깎고 다듬는 것)으로 論하여 名利가 있다. 申酉辰戌丑未의 鄕으로 運行하면 뛰어나게 발달하고, 辛金 官을 보면 더욱 妙한 것이다. 寅, 午, 戌 合局을 꺼리는데 丁火傷官이 透出하면 辛金의 애쓴 노력이 헛것이 되어 이룰 수 없는 命이 되는 것이고, 運을 만나도 순탄하기 어려운 것이다. 만약 合局하여 丁火가 투출한다면 사주에 진술축미가 있고 干上에 戊己가 투출하여 다시 財運으로 行한다면 상관생재가 되어 오히려 대발복하게 된다. (甲木屬陽,乃棟梁之材.喜生秋冬,遇申子月爲吉.柱見庚辛,譬斧鑿之論,主名利.運行申酉辰戌丑未鄉,大能發越,見辛官尤妙.忌寅午戌合局,及透丁火傷官,乃辛苦勞力,作事無成之命,運逢亦不順.若合局丁透,柱有辰戌丑未,干上露戊己,再行財運,傷官生財,卻發大福.)

乙木은 陰에 속하여 생기의 목이 되고, 춘절에 생하면 꽃과 지엽이 무성하고 소춘(해월)의 영에 생하는 것을 기뻐하는 것이다. 해묘미, 신자진의 이국을 만나고 다시 북방으로 운행하면 비록 병정경신이 투출하여도 거리끼지 않는 것이다. 꺼리는 바는 인, 오, 술 화와 사, 유, 축 금의 상함이 많고 재차 남방으로 운행한다면 주가 요절하는 것은 의심할 여지가 없다. (詩曰:甲乙은 木을 얻음으로 마땅히 貴한 것이고, 金水가 旺盛하면 기이하게 된다. 봄은 남방을 쫒아서 가을로 가서 겨울로 돌아오고, 겨울과 여름은 서방으로 운행 하여야 발복하는 터가 마련되는 것이다.) (乙木屬陰,爲生氣之木,遇春生而花葉茂盛,亦喜生於小春之令.逢亥卯未申子辰二局,更行北運,雖透丙丁庚辛亦不妨.所忌寅午戌火,巳酉丑金,多傷殘,再行南運,主夭無疑.詩曰,甲乙貴乎木得宜,要知金水旺爲奇.春從南往秋歸北,冬夏西行發福基.)

갑을일 생인은 기신이 巳 酉 丑 申 戌의 金鄕에 坐하면 마땅히 土金분야로 운행하여야 한다. 만약 寅 卯 辰 생하고 木局을 이루지 못하면 마땅히 時는 土金분야로 돌아가야 大貴하는 것이다. 행운 역시 그러하니 즉, 관이 장구한 것이다. 만약 巳 酉 丑 申月 生이면 時는 亥 卯 未 寅으로 돌아가야 貴를 取하며, 時가 아니더라도 태과하거나 불급하면 수목국 분야로 운행함이 중요하고 그러하지 않은 즉 한유(가난한 선비)에 불과하다. 시주의 원국에 재성이 있으면 비겁이 탈취함이 두렵고, 원국에 재성이 없으면 두려움이 없는 것이다. 예컨대, 목이 금을 얻어 그릇을 이루고, 어진사람은 용감함이 있으니 금은 목을 얻어 재목을 만들며, 용감한 사람은 어진 것이 필요하고, 강유는 상제하며 음양이 상정하는 것이다. 행운은 재관을 기뻐하는데, 만약 목은 있고 금이 없다면 즉 경신금은 이지러질 것이니 의리가 적으며, 금은 있고 화가 없다면 즉 용감하나 예의가 없으니 무뢰하고, 금이 태성하고 수가 없으면 나무가 마르고, 목이 태다한데 금이 없으면 번성해지니, 금과 목은 각각 하나같지 않는 것이다. 음양이 한쪽으로 치우치면 명예를 얻기 어려운 명으로서 설사 재관을 만나더라도 역시 발달하지 못하는 것이다. (甲乙日生人,身坐巳酉丑申戌金鄉,運行宜土金分野.若生寅卯辰,不結木局,宜時引歸土金分野大貴.行運亦然.則官長遠.若生巳酉丑申月,時引歸亥卯未寅取貴,非此時者,乃過與不及,卻要運行水木局分野,否則貧儒.柱中原有財星,怕比劫分奪,原無財星不畏.如木得金而成器,仁者有勇,金得木而成材,勇者必仁,是乃剛柔相濟,陰陽相停.運行卻喜財官,若有木無金,則庚辛虧而義寡,有金無火,即勇而無禮則亂,金太盛而無水則枯,木太多而無金則繁,是金木各不一也.偏陰偏陽,難名之命,縱遇財官,亦不發達.)

六甲日 詩曰, 祿은 寅으로 왕성한 鄕이된다. 寅上에는 甲木이 좌록하면, 金은 絶이 되며 土는 死하고, 재관은 背祿하며, 신미시를 보면 가장 귀하다. 추절에 임하면 鬼와 刑傷은 전송 되어야 한다. 申에서는 甲은 絶이되며, 庚이 추절에 生하면 鬼가 旺하여 煞이 된다. 戌중에 坐祿하면 선량한 마음을 품게 된다. 술중에는 신금의 여기가 있으며, 戊土는 정위가 되고, 申에 坐하면 財官이 되고, 身은 焚火를 입을 수 있으니 선한 마음을 가지게 되고, 丙寅時를 만나면 貴한 것이다. 辰의 자리는 財의 性이 암장되니 역시 가량하다. 辰은 戊己土가 入墓하고, 身의 財庫이며 水氣가 발생되어 성품은 선량함이 많고 병인시를 보면 귀한 것이다. 午는 己土 財를 기뻐하며 天赦성이 있다. 오중의 기토는 건왕하며, 정화상관으로 재는 있으나 관은 없으며, 夏節에 생하면 天赦가 되는 것이다. 子수는 비록 沐浴일이나 무방한 것이다. 甲木은 子上에서 비록 목욕일지라도 子중 癸祿이 旺하니 생기인 인수에 좌하고 동절태생이면 천사성이 있는 것이다. 吉은 凶이 되고, 凶은 吉이 되는 것이니, 天時를 볼 때 자세하게 살펴야 한다. (六甲日詩曰,建祿於寅是旺鄉,寅上甲木坐祿,金絶土死,財官兩背,見辛未時最貴. 秋臨傳送鬼刑傷.謂申中甲絶,庚爲煞秋生鬼旺.戌中坐祿心懷善,戌中辛餘氣,戊土正位,身坐財官,身被火焚,心多懷善,見丙寅時貴.辰位藏財性亦良,辰中戊己入墓,身坐財庫,水氣發生,性多善良,見丙寅時貴.午喜己財天有赦,午中己土建旺,丁火傷官,有財無官,夏生爲天赦.子雖沐浴日無妨,甲木子上雖沐浴,子中癸祿旺,坐生氣印綬,冬生爲天赦. 有吉爲凶凶爲吉,更看天時仔細詳.)

六甲 일주에는, 신금을 쓰면 정관이 되고, 경을 쓰면 편관이 되고, 무기는 재성이 되니, 가령 년, 월, 시 중에서 무, 기, 신이 투출하고 3추절과 사계에 생하고 금, 토국이 이루면 재관을 쓸 수 있는 것이다. 가령 3자(戊己辛)가 투출하지 않으면 단지 3추절과 사계에 생하고 금, 토국을 이룬다면 역시 재관으로 논할 수 있는 것이다. 갑을을 보면 탈재 당하고 병정상관을 보면 名利에 어려움이 많다. 만약 춘, 하절에 생하면 목, 화국으로 재관이 無氣하니 비록 도울지라도 名利는 역시 가벼운 것이다. 서방사계로 운행하면 토금의 분야로 관을 향하여 재가 임하는 운이니 기쁜 것이고, 동남목화의 상관과 패재(비겁)의 地는 기뻐하지 않는 것이다. 만약 四柱에서 庚 辛 金을

함께 본다면 관살이 혼잡된 것으로 거유(역주~거관유살, 거살유관)하거나 제복(역주~합살유관, 합관유살)함이 없으면 오히려 빈천하게 되는 것이다. 만약 庚金만 있으면 제복함을 만나지 않아야 하고, 마땅히 鬼로 논하는 것이나, 身과 鬼의 강약을 분별하여 그 길흉과 수요를 정하는 것이다. 만약 제복하게 되면 편관으로 논하는 것이고, 태과하면 오히려 복이 될 수 없는 것이다. 더하여 일간의 소생월내에 유력무력과 유조무조를 살펴야하는 것인데, 절기의 심천과 경중을 분별하여 그것을 말해야 하는 것이다. 신왕하고 鬼는 쇠하는 운으로 운행함을 기뻐하는 것이고, 身衰하고 鬼가 왕성한 운을 꺼리는 것이다. (六甲日,用辛爲正官,庚爲偏官,戊己爲財.如年月時中,透出戊己辛字,生三秋四季及金土局,財官有用. 如不透出三字,只生三秋四季及金土局,亦作財官論.見甲乙奪財,丙丁傷官,名利艱難.若生春夏,及火木局,財官無氣,雖得滋助,名利亦輕.喜行西方四季,金土分野,向官臨財之運,不喜東南木火,傷官敗財之地.若四柱庚辛俱見,謂之官煞混雜,無去留制伏,反主貧賤.如只有庚,不見制伏,當作鬼論,分身鬼強弱,定其吉凶壽夭.若制伏得中,作偏官論,太過反不爲福.更看日干於所生月內,有力無力,有助無助,分節氣淺深輕重言之.喜行身旺鬼衰運,忌身衰鬼旺運.)

六乙의 日主는 詩에서 가로되, 卯宮을 得地하면 祿이 영화롭고 창성한 것이다. 묘상에서는 금은 절하며 토는 사하는데, 乙木이 坐祿하면 財官은 無氣하니 庚辰時면 主는 귀하고, 혹 木局類를 지으면 주는 크게 귀하게 된다. 未上에 財星을 만나면 正鄕이 된다. 미상의 을미는 본국이고 기토는 재성이 되고 정화는 상관이다. 亥중에 壬水가 居하면 失局하지 않는다. 해상의 을목은 사인데, 기쁜 것은 임수가 왕성하면 생기로서 인수가 되어 木局을 잃지 않으며 병자, 임오, 갑신시를 만나면 귀한 것이다. 酉중의 辛金은 制剋하니 傷함을 만날까 두려운 것이다. 酉上의 乙木은 絶이되니, 신을 보면 七殺이 되고 化함이 있으면 吉한 것이고, 화함이 없으면 흉하고, 辛巳로 化氣하여 金神時가 되면 貴하다. 丑의 官庫에 臨하면 夫를 따라 吉한 것이다. 丑은 金局인데 夫를 따라 化金하면 福이 되고, 身이 財, 官, 偏印에 坐한 것인데, 丑 中에는 己 土와 辛 金과 癸水의 餘氣가 있기 때문이다. 巳上에 金宮의 化함이 있으면 가량한 것이다. 巳는 金局인데 化金하게 되면 福이 되는데, 다만 身이 正財에 坐하면, 남자는 처를 극하고, 여자는 남편을 꺼리는데 임수를 보면 가벼워진다. 더불어 천시와 합국이 병행하는가를 살펴야하며, 길흉화복을 자세히 추상하여야 한다. (六乙日詩曰.卯宮得地祿榮昌.卯上金絶土死,乙木坐祿,財官無氣,庚辰時主貴,或類作木局,主大貴. 未上逢財是正鄕.未上乙未本局,有己土爲財,丁火傷官. 亥內壬居不失局.亥上乙木死,喜壬旺爲生氣印綬,不失木局,見丙子壬午甲申時貴.酉中辛剋恐遭傷.酉上乙木絶,見辛爲七殺,有化者吉,無化者凶,辛巳化氣,金神時貴.丑臨官庫從夫吉.丑金局,從夫化金爲福,身坐財官偏印,爲丑中有己土,辛金癸水餘氣故也.巳上金宮有化良.巳爲金局,須化金爲福,但身坐正財,男主剋妻,女主妨夫,見壬水者輕.更看天時併合局,吉凶禍福細推詳.)

六乙 日은 戊土로서 正財가 되고 己土는 偏財이고, 庚은 正官이 되고 辛金은 偏官이 되는데, 만약 年, 月, 時上에 戊, 己, 庚이 투출하고, 三秋와 四季에 生하여 土, 金 局으로서 財, 官을 쓸 수 있는 것이다. 가령, 이 삼자가 투출하지 않았다면 삼추와 사계에 생하여 토, 금국이라면 또한 재관으로 논할 수 있다. 갑을을 보면 탈재하고, 병은 상관으로 명리를 얻기 어려운 것이고, 만약

춘, 하절에 생하면 목, 화국으로서 재관이 무기하다면 비록 滋助를 얻더라도 역시 (복은)가벼운 것이다. 서방사계로 운행하면, 토금분야로서 관을 향하고 재에 임하니 기뻐하고, 목화의 지지로 운행하면 상관과 패지가 되어 꺼리는 것이다. 관살혼잡을 두려워하며 살이 있고 제함이 없으면 鬼로 논하는 것이고, 制 剋하는 것이 太過하거나 不及한 것은 모두 福이 될 수 없다. 일간은 월내(월지)에서 소생하는 것의 유무로 조력하고 경중을 분별하여 그것을 말해야 되는 것이다. 운의 희기는 甲木과 같다. (六乙日,用戊爲正財,己偏財,庚爲正官,辛偏官,若年月時上透出戊己庚字,生三秋四季及金土局,財官有用.如不透此三字,生三秋四季,及金土局,亦作財官論.見甲乙奪財,丙傷官,名利艱難,若生春夏,及火木局,縱有財官無氣,雖得滋助亦輕. 喜行西方四季,金土分野,向官臨財,忌行火木之地,傷官敗財.怕官煞混雜,有煞無制,鬼論,制太過不及,皆不爲福.更詳日干於所生月內,有無力助,分輕重言之.運喜忌同上.)

병정丙丁

丙火는 陽에 속하며 태양의 정기로서 능히 만물을 生한다. 春夏節사이에 生함을 기뻐하며, 자연히 精神을 백배나 성취한다. 그리고 天月二德을 보거나 동방運으로 운행하면 매우 妙하여 비록 壬癸水를 보더라도 방해받지 않는다. 오직 戊土가 투출하여 그 적절함은 감하는 것을 꺼린다. 대운이나 세운에서 서로 犯하면 官府(관부~관청, 관아)에서 刑獄(형벌 감옥)을 당하며 破財하고 喪服(상복)을 입게 된다. 秋 冬節에 태어나고 다시 夜時에 태어나며 地支에서 재차 合하여 水局이 되면, 노비가 되지 않더라도 일생 이별하여 고독하고, 가난하며 항상 病들고 요절한다. (丙火屬陽,乃太陽之正氣,能生萬物.喜生春夏月間,自然成就,精神百倍.更遇天月二德,行東方運,大妙,雖見壬癸水不妨.惟忌戊土透露,減其分數.大運歲君相犯,官府刑獄,破財喪服.生於秋冬,更遇夜時,地支再合水局,非僕即從,一生離別孤獨,貧夭殘疾.)

丁火는 陰에 속하며 보통 火(불)가 되어 만물을 제도한다. 금 은 동 철은 丁의 제함을 얻지 못하면 기물을 이루 수 없고, 밤에 태어나는 것을 기뻐하며 巳 酉 丑월의 月令이면 妙하게 된다. 正月의 寅을 만나면 天德印元인데 다시 卯 字를 얻으면 가장 좋다. 壬 癸水를 꺼리는데 만일 [壬 癸水]日이면 妻子를 剋함이 많다. 南方 運을 만나면 관직을 박탈당해 물러나고, 西北 方으로 運行하면 貴하다. (丁火屬陰,爲凡火,可制萬物.金銀銅鐵,不得丁制,不能成器,喜生夜間,巳酉丑月令爲妙.正月逢寅,乃天德印元,更得卯字最好.忌壬癸水.如日生,多剋妻子.遇南方運,剝官退職,行西北方運貴.)

詩에서 말하기를, 丙丁일주의 火가 根이되면 金 水의 2星이 福의 근원인데, 행운이 만약 西北으로 향하게 되면 그런데 富貴하더라도 온전하지는 못하다. (詩曰 丙丁日主火爲根,金水二星是福源,行運若臨西與北,縱然富貴不週全.)

丙丁日이 申 子 辰 亥의 水位에 자리하고 또 時가 金이 될 적에 만일 寅 午 巳月에 生하면 수화기제가 되어 大貴하다. 夏節의 5월생은 3合하여 火局을 이루는 것을 꺼리는데 火가 뜨거워져 水가 마르기 때문이다. 冬節의 子월생은 3合하여 水局을 이루는 것을 꺼리는데 水가 盛하여 火가 滅하기 때문이다. 水火가 상정(相停)하여야 旣濟를 이룬다. 大運은 金水분야가 마땅하지만 그러나 太過하거나 不及한 것을 꺼리는데 陰陽이 한쪽으로 치우치면 겉만 그럴듯할 뿐 내용〔실속]이 없다. 만약 申 子 辰 亥월생이라면 반드시 寅 午 戌 巳時가 되어야 貴하게 된다. 이 時가 아니면 木 運으로 행하여야 좋으며 그렇지 않으면 虛名으로 貴하지 못한다. (丙丁日,自坐申子辰亥水位,又引歸金時.如生寅午巳月,爲水火旣濟,大貴.夏五月,忌三合火局,火炎水乾.冬子月,忌三合水局,水盛火滅.水火相停,斯成旣濟.大運宜金水分野,卻忌過與不及,偏陰偏陽,苗而不秀.若生申子辰亥月,須要寅午戌巳時取貴.非此時者,行木運方好,否則虛名不貴.)

六丙日 詩曰(6丙日에 대해 詩에서 말하기를) [6丙日]이 寅에 居하면 壽가 으뜸으로 길고 수려하다. (居寅有秀壽偏長.)

寅상에서 金은 絶하며 水는 死하니, 財 官이 모두 등지고, 丙火는 장생하고, 오직 食神만 生旺한다. 그러므로 長壽하고, 己亥 辛卯 辛巳 時를 보면 貴하다. (寅上金絶水死,財官俱背,丙火長生,獨食神生旺.故主有壽,見己亥辛卯辛巳時貴.)

午를 刑衝함이 있으면 자신 역시 强하다. (在午刑衝身亦强.)

午상은 火旺地인데 日刃이라 하여, 刑 衝 破 害를 기뻐하고, 午중에서 金은 敗하며 癸는 絶하니 財 官이 모두 등지고, 남자는 아내를 방해하며 여자는 남편을 방해하고, 癸水 乙木을 보는 것은 輕하다. (午上火旺之地,謂之日刃,喜刑衝破害,爲午中金敗癸絶,財官俱背,男妨婦,女妨夫,見癸水乙木者輕.)

申상에서 鬼가 强하여 月에서 소통하면 吉하다. (申上鬼强通月吉.)

申중의 庚은 財가 되고 壬은 煞이 되니 身이 財 官에 앉으니 庚寅 時를 만나면 貴하고, 癸巳 金神은 化氣하여 貴하다. (申中庚爲財,壬爲煞,身坐財官,見庚寅時貴,癸巳金神化氣貴.)

子중에는 祿 旺하여 時를 창성하게 얻어야한다. (子中祿旺得時昌.)

子중에는 辛이 癸를 生하여 旺한데, 身이 財 官에 앉으니 癸巳 庚寅 時를 만나면 귀하다. (子中有辛生癸旺,身坐財官,見癸巳庚寅時貴)

辰은 官의 庫가 되어 겨울에 生하게 되면 꺼린다. (辰臨官庫冬生忌.)

辰상의 身은 官鄕에 앉으니 壬 癸水가 入墓하여 庚寅 時가 貴하다. (辰上身坐官鄕,爲壬癸入墓,庚寅時貴)

戌은 財鄕과 근접하니 여름은 不良하다.(戌傍財鄕夏不良.)

戌은 墓地로서 중간에 辛金의 여기가 있고, 身은 財鄕과 가까운데 여름에 生하면 財 官이 無氣하다. (戌乃墓地,中有辛金餘氣,身傍財鄕,夏生財官無氣.)

天地의 時運이 변하고 바뀌는 것은 이치가 깊고 오묘한 법인데, 精이 生旺하여야 行藏(행적 내력 내막)을 말한다. 消息盈虛玄妙理,要精生旺說行藏.

병정丙丁

6丙日은 庚辛은 財가 되고, 癸는 正官, 壬은 偏官이 된다. 만약 年 月 時중에 庚 辛 癸자가 투출하고 秋 冬절에 生하여 金 水局중이라면 財 官은 유용하다. 만일 이 3글자(庚 辛 癸)가 투출하지 않아도 秋 冬절에 生하여 金 水局중이면 역시 財 官으로 論한다. 丙丁을 만나면 탈재(奪財)하고, 己는 상관이 되어 명리(名利)는 이루기 어렵다. 만약 9夏(여름의 90일 동안)에 生하여 四季의 火 土局중이면 설령 財 官이 있더라도 無氣하니, 비록 滋助(자조)를 얻을지라도 역시 [名利는] 輕한 것이다. 西北의 金 水분야로 운행하는 것을 좋아하는데 財 官의 運으로 向하기 때문이다. 만약 柱중에서 壬癸水를 모두 보면 관살혼잡이 되어 制하지 않으면 도리어 賤하게 된다. (六丙日,用庚辛爲財,癸正官,壬偏官.若年月時中透出庚辛癸字,生秋冬金水局中,財官有用.如不透此三字,生秋冬金水局中,亦作財官論.見丙丁奪財,己爲傷官,名利艱難.若生九夏四季火土局中,縱有財官無氣,雖得滋助亦輕.喜行西北金水分野,向官臨財之運.若柱中壬癸俱見,官煞混雜,無制反賤.)

만일 壬은 있고 癸가 없을 경우에 制하지 않으면 마땅히 鬼(귀살)로 論하는데, 중요한 것은 身과 鬼의 强弱을 구분하여 吉凶과 壽 夭(수요)를 정한다. 제복(制伏)하면 편관을 사용하지만 태과하면 반대로 福이 되지 않는다. 다시 日干은 月令(태어난 달)에서 자세히 살펴, 有力 無力한지 도움이 있는지 없는지 보고, 節氣의 深淺과 輕重을 구분하여 말해야한다. 身은 旺하고 鬼는 衰하는 運으로 運行하는 것을 좋아하고, 身은 衰하고 鬼는 旺한 곳으로 運行하는 것을 꺼린다. (如有壬無癸,不見制,當作鬼論,要分身鬼強弱,定其吉凶壽夭.制伏得中,作偏官用,太過反不爲福.更詳日干於所生月內,有力無力,有救無救,分節氣淺深輕重言之.喜行身旺鬼衰之運,忌行身衰鬼旺之鄕.)

酉상에 財가 臨하여 學業의 精이다. (六丁日 詩曰.酉上臨財學業精.)

酉상의 丁火는 長生 學堂인데 身에 貴人인 財 官이 앉아, 壬寅 時를 보면 貴하다. (酉上丁火,長生學堂,貴人身坐財官,見壬寅時貴.)

亥중에 貴人이 앉아 官은 영화롭다. (亥中坐貴向官榮.)

亥상에 日 貴人이 있는 가운데 壬이 旺하고, 身은 官에 앉아 壬寅 時를 만나면 貴하고, 己巳는 金神 化氣가 되어 貴하다. (亥上日貴,中有壬旺,身坐官鄕,見壬寅時貴,己巳爲金神化氣貴.)

衝이 심하면 無氣하여 財 官이 배반한다. (太衝無氣財官背.)
卯상에서 水는 死하고 金은 絶하니, 財 官이 함께 배반하여 無氣하다. (卯上水死金絶,財官俱背無氣.)

吉이 작지만 印綬가 生하여 상서롭게 된다. (小吉迎祥印綬生.)
未중에는 木의 여기(餘氣)가 있고, 財 官이 비록 배반할지라도 印綬가 身을 生한다. (未中有木餘氣,財官雖背,印綬生身.)

巳는 火宮에 가까우니 身이 旺相하다. (巳近火宮身旺相.)
남방의 火旺地는 財 官이 制를 받는 것은 巳중의 丙火는 奪財(탈재)하고 [巳중의] 戊土는 奪官(탈관)하기 때문이다. 남자는 아내를 방해하고, 여자는 남편을 방해(해침)하는데, 戊는 重하고 甲寅은 輕하다. (南方火旺之地,財官受制.謂巳中丙火奪財,戊土奪官故也.男妨妻,女妨夫,有戊者重,甲寅者輕.)

丑중에는 金庫가 있어 祿이 영화롭고 풍성하다. (丑中金庫祿榮豐.)
丑중에 庚 辛이 入墓하고, 癸水의 여기(餘氣)가 있어 身이 財 官에 앉으니 辛亥 時를 만나면 貴하다. (丑中庚辛入墓,有癸水餘氣,身坐財官,見辛亥時貴.)

人生에서 吉凶이 어떠한가를 결정하려면 月의 기운과 時중에서 輕重을 봐야한다. (人生吉凶如何定.月氣時中見重輕.)

6丁日은 庚 辛이 財가 되고, 壬은 정관이 되며, 癸는 편관이 된다. 만약 年 月 時중에서 庚 辛 壬자가 투출하고 秋 冬節에 生하여 金 水局중이면 財 官은 유용하다. 만일 이 3글자(庚 辛 壬)가 투출하지 않아도 秋 冬절에 生하여 金 水局이면 역시 財 官으로 論한다. 丙丁을 만나면 탈재(奪財)하고, 戊는 상관이 되어 명리(名利)는 이루기 어렵다. 만약 9夏(여름의 90일 동안)에 生하여 四季의 火 土局중이면 설령 財 官이 있더라도 無氣하니, 비록 滋助(자조)를 얻을지라도 역시 [名利는]輕한 것이다. 西北및 金 水분야로 운행하는 것을 좋아하고, 傷官 敗財를 꺼린다. 運에서 관살혼잡을 두려워하고, 煞이 있는데 制함이 없으면 鬼(귀살)로 論한다. 太過하게 制하면 가난하다. 다시 日干은 月令(태어난 달)에서 자세히 보고 有力 無力함과 도움의 有無와 輕重을 구분하는 것을 말한다. 運의 喜 忌는 위와 같다. (六丁日,用庚辛爲財,壬爲正官,癸爲偏官.若年月時中透出庚辛壬字,生秋冬金水局中,財官有用.如不透此三字,生秋冬金水局,亦作財官論.見丙丁奪財,戊傷官,名利艱辛.若生九夏四季火土局中,縱有財官無氣,雖得滋助亦輕.喜行西北及金水分野,忌傷官敗財.運怕官煞混雜,有煞無制,鬼論.制太過貧.更詳日干於所生月內,有無力助,分輕重言之.運喜忌同上.)

무기戊己

戊土는 陽에 속하며 堤防(제방)과 城의 담장인 土인데, 물(水)을 막아 가둘 수 있으나 만물의 씨앗은 기를 수 없다. 무릇 城(성)과 堤(제방)는 刑 衝 破 害하지 않아야 백성이 편안함을 얻고, 甲 乙木의 煞이 印으로 化하는 地支를 좋아한다. 西方으로 運行하는 것을 꺼리는데, 運이 설령 발전하더라도 破하고 근심이 된다. 火의 生 扶를 원하고 水의 制 剋을 꺼린다. 戊 己가 거듭 犯하면 명리(名利)를 모두 잃고, 庚 辛이 중첩하면 일에 進退를 만든다. (戊土屬陽,乃堤岸城牆之土,止能拒水,不能種養萬物.凡城堤不有刑衝破害,人民得安,喜甲乙木,以煞化印之地.忌行西方,運縱發而當破當憂.要火生扶,嫌水剋制.戊己重犯,名利兩失,辛庚疊逢,作事進退.)

己土는 陰에 속하며 田畓(전답)과 전원의 土인데, 만물의 씨앗을 기를 수 있으며 刑 衝 破 害를 원하니 즉 밭을 경작하는 것으로 論한다. 春 夏節에 生한 辰 巳를 기뻐하는 것은 官星과 印綬의 地支인데, 다시 官星과 印綬를 損傷하지 않아야 發福한다. 주로 전원이 풍성하고 가득한 것을 좋아하는 사람이다. 東北方으로 運行하면 더욱 妙한데, 더군다나 亥 卯 未木局을 겸한다면 반드시 富貴하고, 인물됨이 온후(溫厚)하며 너그럽고 조급하지 않다. 辰 戌 丑 未를 두면 배록축마 및 겁재로 刑傷破耗(형상파모)하여 소송 당함이 한결같지 않다. (己土屬陰,爲田地山園之土,可以種養萬物,要刑衝破害,卽耕鑿之論.喜生春夏辰巳之鄕,乃官印之地,更不値傷官損印發福.主爲人好置造,田園豐盈.行東北方運尤妙,更兼亥卯未木,決主富貴,人物穩厚,大寬小急.値辰戌丑未,乃背祿逐馬,及劫財刑傷,破耗訟服不一.)

詩에서 말하기를, 戊 己일간은 水 木을 찾아야하고 柱중에 원래대로 돌아오면 福이 된다. 運은 북녘 및 東方에 臨해야 身을 윤택하게 하고 재물이 넉넉하며 집도 윤택하게 보인다. (詩曰 戊己日干尋水木,柱中原有還爲福.運臨北野及東方,德潤身兮富潤屋.)

戊己일생이 앉은 곳에 亥 卯 寅이 자리하면 勾陳 得位(구진득위)가 되니, 마땅히 水 木분야로 運行해야한다. 亥 子月에 태어나면 辰 戌 丑 未 巳 午時가 되어야하며, 만약 辰 戌 丑 未 巳 午月에 태어나면 亥 子時가 되어야 貴하게 된다. 대체로 土는 木을 얻어야 소통(疏通)하고, 木은 土를 의지하여 배양한다. 만약 木이 重한데 土가 부족하면 붕괴하고, 土가 重한데 木이 없으면 완고하고 둔탁한 무용한 土가 된다. 己日에 丑의 年 月은 西方이 불길하고 南方은 크게 현달한다.[첨언~기일에 축월은 천한 지동하여 전원이 얼어붙으니 생장할 수 없으므로 남방을 좋아한다.] (戊己日生,坐下亥卯寅位,爲勾陳得位,運行宜水木分野.生亥子月,要引辰戌丑未巳午時,若生辰戌丑未巳午月,要引亥子時爲貴.蓋土得木而疏通,木賴土而培養.若木重而土少則崩,土重而無木,乃頑濁無用之土.己日丑年月,西方不吉,南方大顯.)

六戊日 詩曰

子가 財에 앉으면 역시 상서롭다. (子坐財鄕亦是祥.)

子중에 癸水는 旺한데, 財에 앉고 乙卯 時를 만나면 貴하다. 丁巳 時는 金神 化氣가 되어 貴하다. 子中癸旺,自坐財鄕,見乙卯時貴.丁巳時爲金神化氣貴.

남방 離宮이 破하면 오히려 찬란하게 빛난다. (離南有破卻輝光.)

戊午는 日刃이라 하여 刑 衝 破 害를 기뻐하고, 午중에 水 木이 없으니 財 官이 함께 배반하지만 그러나 남방의 離宮은 火가 旺하니 4~5월에 태어나면 印綬는 비록 破하더라도 오히려 찬란하게 빛난다. (戊午謂之日刃,喜刑衝破害,午中無水木,財官俱背,然南離火旺,生四五月,印綬雖破,卻有輝光.)

申의 자리에 있는 財神은 왕성하다. (在於申位財神旺.)

申위의 壬은 生하지만 甲은 絶하고, 財는 있으나 官은 없다. (申上壬生甲絶,有財無官.)

寅宮에서 장생하여 祿과 鬼가 창성하다. (長生寅宮祿鬼昌.)

寅상에서 火가 土를 생하며, 秀氣를 기른다. 甲木이 당권(當權)하여 身은 偏官에 앉는다. (寅上火生土,秀氣鍾毓,甲木當權,身坐偏官.)

辰상에는 아울러 財가 正位에 머문다. (辰上兼財居正位.)

辰중에는 壬 癸수가 墓에 들고, 乙木의 여기가 있으니, 財 官에 앉아있다. (辰中壬癸入墓,乙木有餘氣,自坐財官.)

戌중의 火에게만 오직 의지한다. (戌中依火是專鄕.)

戌상의 戊는[戊戌] 魁罡(괴강)이 되고, 財 官이 함께 배반하여 柱중에 재관을 보지 않아도 上[格]이 된다. 身旺 重疊함을 기뻐하며, 刑 衝하고 財 官이 旺한 것을 꺼린다. 만약 별격에 들고 年 月 時중에서 財 官을 만나면 水 木분야의 運을 기뻐한다. (戌上戊爲魁罡,財官俱背柱中不見財官爲上.喜身旺重疊,忌刑衝,財官旺.若入別格,年月時中見財官,喜水木分野運.)

柱중에 有用한지 혹 無用한지, 월영(月令)이 어떠한가를 헤아리는 것이 중요하다. (柱中有用或無用,月令如何要忖量.)

6戊日에서 戊戌은 魁罡인데, 그 財 官의 喜忌는 日下에서 논한다. 그 나머지 戊子 戊午 戊申 戊寅 戊辰의 5日은 壬 癸가 財이고, 乙은 正官, 甲은 偏官이 된다. 만약 年 月 時중에서 壬 癸 乙의 글자가 투출하고 春 冬節에 生(태어나고)하여 水 木局이 되면 財官이 유용하고, 이(壬 癸 乙) 3글자가 투출하지 않아도 春 冬節에 生(태어나고)하고 水 木局이 되어도 재관으로 논한다. 戊 己를 보면 奪財(탈재)하고, 辛은 傷官이니 명리(名利)는 이루기 어렵다. 만약 3秋에 生하여 4季 및 金 土局이면 財 官은 無氣하니, 비록 자조(滋助)하더라도 역시 輕하다. (六戊日,除戊戌爲魁罡,其財官喜忌論於日下.其餘戊子戊午戊申戊寅戊辰五日,用壬癸爲財,乙正官,甲偏官.若年月時中,透

壬癸乙字,生春冬水木局中,財官有用,不透此三字,生春冬及水木局中,亦作財官論.見戊己奪財,辛傷官,名利艱難.若生三秋四季及金土局,財官無氣,雖得滋助亦輕.)

東北方 水木분야로 운행하여 재관의 運으로 향하는 것을 기뻐하고, 4季 西方과 敗財 상관의 地支로 行하는 것을 꺼린다. 만약 柱에 甲 乙이 투출하면 官煞混雜하니, 制함이 없으면 도리어 賤하다. 만일 乙은 없고 甲이 있는데 制함이 없으면 마땅히 鬼(귀살)로 論한다. 身과 鬼의 强弱을 구분하여 그 吉凶과 壽夭를 정한다. 제복(制伏)하여 中和되면 편관을 쓰지만 太過하면 반대로 福이 되지 않는다. 다시 日干은 月令(태어난 달)에서 자세히 보고 有力 無力함과 도움의 有無를 보고, 節氣의 淺深과 輕重을 분별하여 그것(日干)을 말해야 한다. 身은 旺하고 鬼가 衰하는 運을 기뻐하고, 身은 衰하고 鬼가 旺한 運을 꺼린다. (喜行東北方水木分野,向官臨財之運,忌行四季西方,敗財傷官之地.若柱透甲乙,官煞混雜,無制反賤.如無乙有甲,無制,當作鬼論.要分身鬼強弱,定其吉凶壽夭.制伏中和,作偏官用,太過反不爲福.更詳日干於所生月內,有力無力,有救無救,分節氣淺深輕重言之.喜身旺鬼衰運,忌身衰鬼旺運.)

六己日 詩曰

酉중에는 財 祿이 서로 배반한다. (酉中財祿兩相背.)
酉중에서 水는 敗浴지이며 木은 死하며 財 官모두가 배반한다. (酉中水敗木死,財官兩背.)

卯 편관을 만나면 力停함이 중요하다. (卯遇偏官要力停.)
卯중에는 乙木이 전권(專權)하고, 身이 편관에 앉으니 모름지기 己토가 司令하고 得地하여야 비로소 역정(力停)한 것이다. (卯中乙木專權,身坐偏官,須己土司令得地,方是力停.)

巳位가 어찌 작은 신의가 이지러지겠는가? (巳位豈能虧小信.)
巳중에는 水는 絶하며, 木은 病 地고, 丙은 旺하니, 財官은 無氣한데 印은 오히려 身을 生하고, 丙寅時가 貴하다. (巳中水絶木病丙旺,財官無氣.印卻生身,丙寅時貴.)

亥중에서 종내 높은 이름을 얻는다. (亥中終是得高名.)
身은 亥중의 財官에 앉고, 丙寅 時를 보면 貴하다. (亥中身坐財官,見丙寅時貴.)

未에는 官庫가 있으니 貴함이 통한다. (未臨官庫時通貴.)
未상에는 官은 있고 財는 없는데 이에 木은 있고 水는 없으니, 丙寅 時를 보면 귀하다. (未上有官無財,乃有木無水,見丙寅時貴.)

丑인 財에 앉아 月이 도우면 영화롭다. (丑坐財鄉月助榮.)
丑상에는 財는 있으나 官은 없고 丙寅 時를 보면 귀하다. (丑上有財無官,見丙寅時貴.)

그 중에 榮枯(영고)가 수없이 많은 형태가 있다. 잠깐 동안의 소식(消息:천지의 시운이 변화하는 것)이 명확해야한다. (中有榮枯千百様.臨時消息要分明.)

6己日은 壬 癸가 財가 되고 甲은 정관 乙은 편관이 된다. 만약 年 月 時에 壬 癸 甲의 글자가 투출하고 春 冬節에 生하여 水 木局이면 財 官이 有氣하다. 만일 이 3글자(壬 癸 甲)가 투출하고 春 冬節에 生하여 水 木局이 되면 역시 財官으로 論한다. 戊己를 보면 탈재(奪財)하고 庚은 상관으로 명리(名利)는 이루기 어렵다. 만약 3秋에 生하여 4季 및 金 土局이면 財 官이 無氣한 것이니, 비록 자조(滋助)함을 얻어도 역시 輕하다. 東北方의 水木분야로 行하는 것을 기뻐하며, 傷官敗財의 運을 꺼리고, 관살혼잡을 두려워하는데 煞이 있고 制함이 없으면 鬼(귀살)로 論한다. 太過하게 制하면 가난하다. 다시 日干은 月令(태어난 달)에서 자세히 보고 有力 無力함과 도움의 有無를 보고, 輕重을 분별하여 그것(日干)을 말해야 한다. 運의 喜忌는 위와 같다. (六己日,用壬癸爲財,甲正官乙偏官.若年月時透壬癸甲字,生春冬水木局,財官有氣.如不透此三字,生春冬水木局,亦作財官論.見戊己奪財,庚傷官,名利艱難.若生三秋四季及金土局中,縱有財官無氣,雖得滋助亦輕.喜行東北水木分野,忌傷官敗財運,怕官煞混雜,有煞無制,鬼論.制太過貧.更詳日干於所生月內,有無力助,分輕重言之.運喜忌同上.)

경신庚辛

庚金은 陽에 속하며 금 은 동 철 등의 종류인데 태양의 기운을 이어받아 이루어진다. 丁火의 制(제련함을)를 만나야 비로소 기물을 이룰 수 있다. 만일 丙 火를 보게 되면 만나도 만나지 않는 것이다. 東南 木火의 運으로 운행함을 기뻐하며 양명(亮明)하니 金이 制함을 얻는다. 만일 寅卯가 있는데 甲 乙에 臨하고 巳 午 未관성과 印元의 氣를 얻은 곳이면 모두 월등하게 발달한다. 단지 西北 方에서는 금침수저(金沉水底)가 되어 기물을 이룰 수 없는 것이다. (庚金屬陽,乃金銀銅鐵之類,稟太陽而成.要見丁火制之,方能成器.如見丙火,遇而不遇.喜行東南火木之運,明亮,金得制.如値寅卯臨於甲乙,及巳午未官星印元得氣之鄕,皆是發越.惟居西北方,爲金沉水底,是不能成器.)

辛金은 陰에 속하며 수은 주사 적벽 진주 등의 종류인데 태양의 精(정기)과 달의 번화함을 가진 秀氣가 모여 이루어진다. 金의 淸함과 水의 秀(빼어남)함이 가장 중요한데 土氣가 두터운 방향과 더불어 西北방의 運이다. 만일 辰 戌 巳 東南 運으로 行하고 四柱에서 五行이 丁 火를 만나지 않으면 妙하게 되고 [丁 火를] 만나게 되면 기물을 이룰 수 없다. 만일 진주(구슬, 보배)가 화로에 떨어진 것에 비유하면 빼어남이 不實하다. 더욱 두려운 것은 寅 午 戌 火局을 이루면 煞旺한데, 身强해야하니 당연히 旺한 것이고, 柱에 亥 卯 未가 있고 다시 丙 丁이 투출하여 午 未運으로 行하면 發福한다. 巳 酉 丑 金局을 이루면 造化가 온화하고 東方 運으로 行하면 大吉하다. 南方운은 마땅치 않다. (辛金屬陰,乃水銀硃砂赤碧珍珠之類,秉日精月華,秀氣結成.最要金清水

秀,土氣豐厚地方,並西北方運.如行辰戌巳東南運,五行四柱,不見丁火爲妙,見則不能成其器.如珠墜爐之喩,秀而不實.尤恐寅午戌成局,煞旺,要身強乃當其旺,柱有亥卯未,更見丙丁透,行午未運發福.巳酉丑成金局,爲溫厚造化,行東方運大吉.不宜南.)

詩에서 말하기를, 庚 辛일주는 金의 천간을 일컫고, 木 火가 상생하면 福은 저절로 받는다. 年 月 時중에서 회합하여 東西로 運이 나아가면 반드시 관직을 맡는다. (詩曰,庚辛日主號金干,木火相生福自專.年月時中如會合,東西運步定居官.)

庚辛일생이 寅 午 戌 巳 火에 앉으며 그리고 寅 午 戌월에 生하고 金 土의 時가 되면 貴하게 된다. 秋節의 3月 및 季冬 혹은 11월이고, 木 火가 旺한 時가 되면 大貴하다. 木火분야로 운행하여 太過하거나 不及한 것을 꺼리고 陰陽의 한곳으로 치우치면 싹이 수려하지 못하다. 만약 火月의 氣에 소통하면 巳 酉 丑 申 時가 아니면 貴하지 않고, 金 土 運이면 吉하다. 比肩이 3合하여 金 局을 이루면 金은 盛하고 火가 미약하니 木 火로 運行함을 기뻐한다. 따라서 金은 火가 아니면 기물을 이룰 수 없고, 火는 金이 없으면 그 쓰임을 나타낼 곳이 없다. 金 火가 相停하여야 비로소 고관의 옷을 입고 수레를 탄다. 만일 火가 太炎한데 土가 없으면 金은 必敗하고, 土가 있으면 주인지상(鑄印之象)되어, 도기를 만들고 고쳐서 기물을 이루니 大人의 命인다. 火가 많고 金이 적거나 金이 盛하고 火가 미약한 것은 모두가 凶暴한 무리이다. (庚辛日生,坐下寅午戌巳火,又生寅午戌月,要引金土時貴.秋三月及季冬,或十一月,引木火旺時大貴.運行木火分野,忌過與不及,偏陽偏陰,則苗而不秀.若通火月氣,非巳酉丑申時不貴,運金土則吉.比肩三合成金局,金盛火微.喜行木火之運.故金非火,不能成其器,火無金,無以顯其用.金火相停,方爲乘軒服冕.若火太炎而無土,則金必敗,有土則爲鑄印之象,陶鎔革化而成器,大人之命也.火多金少,金盛火微,皆凶暴之輩.)

六庚日 詩曰

身이 建旺하면 수명이 길어진다. (居身建旺壽延長.)
申상에 日德이고 建祿에 앉으면, 身旺하므로 壽命이 길다. (申上日德,自坐建祿,身旺,故主壽.)

寅상에서 비록 絶하지만 오히려 창성하다. (寅上雖絶反主昌.)
寅중에 甲 丙이 生旺하고, 身이 편관 편재에 앉아 胎生 元命이 身旺함을 기뻐하는데, 鬼가 변하여 官이 된다. (寅中甲丙生旺,身坐偏官偏財.胎生元命.喜身旺.化鬼爲官.)

辰이 魁星은 용감함과 영화가 많다. (辰是魁星多榮勇.)
庚辰괴강은 身이 財鄕에 앉고, 辰 중에는 乙 木餘氣가 있으니 柱중에서 財 官을 보지 않아야 上(상격)이 된다. 중첩한 身旺함을 좋아하고, 刑 衝을 꺼린다. 만약 財 官이 旺하여 別格에 들게 되면 年 月 時에 財官을 보고 木火 분야로 運行함을 기뻐한다.) (庚辰魁罡.身坐財鄕.謂辰中乙木餘氣.柱中不見財官爲上.喜重疊身旺,忌刑衝.財官旺若入別格.年月時見財官.喜行火木分野之運.)

戌은 魁宿(괴수:으뜸 별자리)가 되며 그리고 마음이 굳세다. (戌爲魁宿亦心剛.)

庚戌 괴강은 身이 7煞에 앉았고, 戌중에는 旺한 丙이 있는데 丙 丁을 거듭 보는 것은 마땅치 않으니 身衰하고 鬼旺하게 된다. 5月생이면 일찍 발전했다가 빨리 물러난다. 身旺함을 기뻐하며 刑 衝을 꺼린다. 財 官이 旺하여 만일 별격에 들면 水運으로 行함을 좋아하고 火運은 꺼린다. (庚戌魁罡.身坐七煞.謂戌中有旺丙.不宜重見丙丁.爲身衰鬼旺.五月生則發早退早.喜身旺.忌刑衝.財官旺.若入別格.喜行水運.忌行火運.)

午宮에 祿이 있는데 어찌 곤궁함을 근심하겠는가! (午宮有祿何憂困.)

午상에 官印이 坐하고 午중에 丁과 巳중에는 金이 있는데, 비록 敗地지이더라도 어찌 근심이겠는가! (午上自坐官印.謂午中丁巳金.雖敗何憂.)

子상은 無形으로 좋지 아니하다. 子上無形不是良.

子상에는 木이 敗地이고, 火는 滅하며, 庚은 死한다. “금침수저”라 하여 그 (形)형체를 볼 수 없다. 財 官이 無氣하고, 身旺한 달(月)이 소통함을 기뻐하고, 柱에 丁 火가 있으면 吉하다. (子上木敗.火滅.庚死.謂金沉水底.不見其形.財官無氣.喜通身旺月.柱有丁火則吉.)

모름지기 天時를 살피고 貴賤을 구분하여, 柱중에서 變通하여 자세하게 추리해야한다. (須看天時分貴賤.柱中通變細推詳.)

6庚일에서 庚戌 庚辰은 魁罡인데 財 官의 喜 忌는 日下에서 論하고, 庚申 庚寅 庚午 庚子의 4日은 甲 乙이 財이고, 丁은 正官이며 丙은 偏官이 된다. 만약 年 月 時중에서 甲 乙 丁의 글자가 투출하고 春 夏節에 生하여 火木 局이면 財 官이 有用하다. 만일 이(甲 乙 丁) 3글자가 투출하지 않아도 春 夏節에 生(태어나고)하고 火木 局이 되면 역시 재관으로 논한다. 庚 辛을 보면 奪財(탈재)하고, 壬 癸는 官을 손상하니 명리(名利)는 이루기 어렵다. 만일 秋 冬節에 生하여 金水局이면 財官이 無氣하니 비록 자조(滋助)하더라도 역시 가볍다. (六庚日,除庚戌庚辰爲魁罡,財官喜忌,論於日下,庚申庚寅庚午庚子四日,用甲乙爲財,丁正官丙偏官.若年月時透甲乙丁字,生春夏火木局中,財官有用.如不透此三字,生春夏火木局,亦作財官論.見庚辛奪財,壬癸傷官,名利艱難.如生秋冬金水中,財官無氣,雖得滋助亦輕.)

東北 水 木분야로 운행하여 재관의 運으로 향하는 것을 좋아하고, 西北 金 水분야로 운행하여 傷官 敗財의 運으로 行하는 것을 좋아하지 않는다. 만약 柱중에 丙 丁이 있으면 관살혼잡인데, 煞을 制하지 못하면 오히려 賤하다. 가령 丁은 없고 丙이 있는데 制(제압)함이 없으면 鬼(귀살)로 論한다. 身과 鬼의 强弱을 구분하여 그 吉凶과 壽夭를 정한다. [煞을] 제복(制伏)하여 중화를 얻으면 편관으로 논하고, 制함이 지나치면 도리어 福이 되지 않는다. 다시 日干은 月令(태어난 달)에서 자세히 보고 有力 無力함과 도움의 有無를 보고, 節氣의 淺深과 輕重을 분별하여 그것(日

干)을 말해야 한다. 身은 旺하고 鬼가 衰하는 運을 기뻐하고, 身은 衰하고 鬼가 旺한 運을 꺼린다. (喜行東南木火分野,向官臨財之運,不喜行西北金水分野,傷官敗財之運.若柱有丙丁,官煞混雜,煞無制反賤.如無丁有丙,無制,作鬼論.要分身鬼強弱,定其吉凶壽夭.制伏得中,作偏官論,制過反不爲福.更詳日干於所生月內,有力無力,有助無助,分節氣淺深輕重言之.喜行身旺鬼衰運,忌身衰鬼旺運.)

六辛日 詩曰

[辛일] 酉중에 祿이 앉아 가장 강하게 된다. (酉中坐祿最爲强.)
酉중에 木은 絶하고 火는 死하며 財 官은 모두 배반한다. 그러나 辛의 建祿으로 가장 강하다. 戊子나 丙申 時를 보면 貴하다. (酉中木絶火死.財官兩背,然辛建祿最强.見戊子丙申時貴.)

身이 亥상에서는 沐浴지가 된다. (亥上身臨沐浴鄕.)
辛金은 子에서 장생하고 亥에서 沐浴이고, 財가 官을 生하며 絶이 된다. (辛金生子,亥上沐浴,財生官絶.)

未의 자리에는 丁이 암장되어 身을 剋한다. (未位暗丁身剋剝.)
未중의 木은 財가되고 丁은 煞이며, 己는 倒食(도식=편인)이 되고, 剋剝傷身하고, 身旺하여 鬼가 官으로 化하는 것을 좋아한다. 丙申 時가 되면 貴하다.) (未中木爲財,丁爲煞,己爲倒食,剋剝傷身,喜身旺化鬼爲官.見丙申時貴.)

丑중에는 癸식신이 암장되어 영화롭고 창성하다. (丑中藏癸食榮昌.)
丑중에는 癸水 食神이 있고, 木 火는 없으니, 재관은 비록 배반하지만 역시 吉하다. (丑中有癸爲食,無火木,財官雖背,亦吉.)

卯의 財地에 있어 衰하여도 걱정이 없다. (卯臨財地衰無懼.)
身이 卯상의 재관에 앉으니 木旺하여 火를 生한다. 戊子 時를 보면 貴하다. (卯上身坐財官,謂木旺生火.見戊子時貴.)

巳는 金局 死에 坐해도 꺼리지 않는다. (巳坐金局死不妨.)
身이 巳[巳중의 丙은 官 戊는 印]상의 官印에 앉아 丙 戊의 建祿이 巳에 있으니, 辛은 비록 死地에 있더라도 의지함이 있다. 戊子 時를 보면 貴하다. (巳上身坐官印,謂丙戊建祿在巳,辛雖死地有倚.見戊子時貴)

旺 相 死 囚는 月의 氣로 구분하고, 다시 유용한지를 보고 자세히 추리하여야 한다. (旺相死囚分月氣,更看有用細推詳.)

6辛日은 甲 乙이 財가 되고 丙은 정관 丁은 편관이 된다. 柱중에 年 月 時에 甲 乙 丙 字가 투출하고 春 夏節에 생하고 木 火局중이면 재관이 有用하다. 만일 이 3字(甲 乙 丙)가 투출하지 않아도 春 夏節에 生하여 木 火局이면 역시 재관으로 論한다. 庚 辛을 만나면 탈재(奪財)하고, 壬은 官을 傷하니 명리(名利) 얻기가 어렵다. 만약 秋 冬節에 生하고 金 水局이 되면 재관이 無氣하니, 비록 자조(滋助)함을 얻더라도 역시 [名利가]가볍다.) 東南 木 火분야의 運은 재관을 向하니 좋아하고, 西北 金 水분야는 傷官 敗財의 運이라 좋아하지 않는다. 관살혼잡을 두려워하고, 煞이 있는데 制함이 없으면 鬼(귀살)로 論한다. 다시 日干은 月令(태어난 달)안에서 자세히 보고 有力 無力함과 도움의 有無를 보고, 輕重을 분별하여 그것(日干)을 말해야 한다. 運의 喜忌는 위와 같다. (六辛日,用甲乙爲財,丙正官丁偏官.柱中年月時透甲乙丙字,生春夏及火木局中,財官有用.如不透此三字,生春夏及火木局,亦作財官論.見庚辛爲奪財,壬傷官,名利艱難.若生秋冬及金水局,財官無氣,雖得滋助亦輕.運喜東南火木分野,向官臨財,不喜西北金水分野,傷官敗財之運.怕官煞混雜,有煞無制,鬼論.制太過不福.更詳日干於所生月內,有無力助,分輕重言之.運喜忌同上.)

임계壬癸

壬水는 陽에 속하며 못의 장류지수(長流之水-끊이지 않고 흐르는 물)로서 능히 草木을 자생(滋生)하며 萬物을 기른다. 오직 春 夏節에 태어난 사람을 기뻐하며 秋 冬節이 되면 생의(生意)가 없다. 만약 寅 午 戌을 만나면 관성이 生助하는 기운을 얻으니 명예(名譽)가 자연히 나타난다. 金局은 8月에 生하면 名利가 따르고, 水局은 3月에 生하면 天德貴人이 되니 貴하다. 地支가 亥 卯 未이며 南方으로 運行하면 發財한다. (壬水屬陽,乃甘澤長流之水,能滋生草木,長養萬物.獨喜春夏生人,秋冬値令,則無生意.若見寅午戌,官星得生助之氣,名譽自彰.金局生八月,名利兩遂,水局生三月,爲天德,主貴.地支亥卯未,行南方運發財.)

癸水는 陰에 속하며 大海의 무애지수(無涯之水- 넓고 멀어 끝이 없는 물)로서 萬物을 生長할 수 없다. 이르기를, 雨露의 윤택한 물(水)로서 萬物을 자조(滋助)한다. 봄 가을동안을 기뻐하고, 巳 午 戌 地로 運行하면 발복(發福)이 비상(非常)하다. 辰 戌 丑 未의 運을 크게 꺼리는데 成敗한다. 地支의 亥 卯 未가 合하면 傷官이 旺하여 財物을 더한다. 寅 甲이 없어도 또한 名利가 발전한다. 가령 己土 丑 未월을 보고 다시 3刑이 있으면 보통 祿을 받는 것이 처음부터 끝까지 영화가 發한다. 만약 오행에 구원함이 있는 身旺한 運이면 재관을 기뻐하므로 역시 尊貴하게 된다. (癸水屬陰,乃大海無涯之水,不能生長萬物.一云雨露潤澤之水,滋助萬物.喜春秋間,運行巳午戌地,發福非常.大忌辰戌丑未運,成敗.地支亥卯未合,傷旺益財.無寅甲,亦發名利,如見己土,丑未月,更帶三刑,平常衣祿,初中未濟,終末榮發.若五行有救,身旺運喜財官,亦主貴顯.)

詩曰, 壬癸일생은 水가 主가 되고 根基(뿌리가 되는 터전)는 오직 火와 土에 있다. 春秋로 왕래하여 재관이 일어나고 冬夏에 東으로 行하면 소득이 있다. (詩曰,壬癸日生水爲主,根基惟在火與土.春秋來往發財官,冬夏東行爲得所.)

壬癸일생이 坐하에 辰戌 丑未 巳午면 현무당권이 된다. 木火분야로 운행하면, 지나치거나 미치지 못하게 된다. 陰陽이 한쪽으로 치우치면 貴가 不實하다. 만약 4季(辰 戌 丑 未)나 巳 午月에 태어나고 亥 子時가 되거나 或 冬節에 生하고 辰 戌 丑 未 巳 午時가 되면 모두 貴하다. 이 時가 아니면 名利는 헛된 것이다. 運은 金水분야를 좋아하며 生助하여야 영화롭게 된다. 金이 없으면 水가 絶된다. 비견 겁재를 꺼리고, 冬節 11월에 3合局을 이루면 물이 넘치니 土가 붕괴된다. 그러므로 水는 土가 없으면 물이 넘치고, 土는 水가 없으면 건조하다. 土가 水를 얻으면 氣가 소통하여 윤택해지고, 水가 土를 얻으면 하천의 제방을 이루니 둘에 차이를 두는 것은 不可하다. 만약 다시 氣運이 적당하면 貴하지 않을 수 없다. 刑合格이나 拱合格 등은 이렇게 論하지 않는다. (壬癸日生,坐下辰戌丑未巳午,爲玄武當權.運行宜火木分野,過與不及,偏陰偏陽,則貴而不實.若生四季巳午月,引亥子時,或冬生,引辰戌丑未巳午時,俱貴.非此時,虛名虛利.運喜金水分野,生助爲榮.無金則水絕.忌比肩劫財.冬十一月三合結局,水漲橫泛而土崩.故水無土則濫,土無水則乾.土得水而受潤通氣,水得土而成隄爲河,二者不可偏倚.若更氣運得宜,無不貴顯.其刑合拱合等格,不在此論.)

六壬日 詩曰

[壬일은] 寅宮에서 기제하여 가장 기이하다.

寅상에서는 水火旣濟하며, 身이 재성과 식신이 生旺한 곳에 앉아, 壬寅 時를 보면 貴하다. (寅宮旣濟最爲奇.(寅上水火旣濟,身坐財食生旺,見壬寅時貴.)

子位에서 刑 衝하면 오히려 좋다. (子位刑衝反是宜.)

壬子日 羊刃은 비천록마인데 刑 衝 破 害를 좋아한다. 子중에 巳는 絶하며 丙은 胎이니, 財官은 無氣한데, 午중에 丁巳를 취하기 때문이다. (壬子日刃,飛天祿馬,喜刑衝破害.子中巳絶丙胎,財官無氣,取午中丁巳故也.)

申상의 生을 만나면 수려(秀麗)함이 많다. (申上逢生多秀麗.)

申중에서 土는 敗하고 火는 病이며 財官이 모두 배반하지만 오히려 水가 長生하여 學堂이 되니 총명하고 수려하다. (申中土敗火病,財官俱背,卻水長生爲學堂,主聰明秀麗.)

辰중에는 建祿이 있지만 오히려 비천하다. (辰中建祿卻卑微.)

壬辰은 魁罡인데 柱중에서 財 官을 보지 않고 중첩하여 압복(壓伏)함을 좋아한다. 刑 衝을 꺼리고 土가 제어하지 않으면 물이 氾濫하고, 비록 글월이 뛰어나더라도 평생토록 공명은 사라진다. 만약 財 官이 生旺하면 별도로 다른 格에 들고, 柱중에서 財 官을 보면 傷 破하는 運을 꺼리고, 火土분야의 運을 좋아한다. (壬辰魁罡,柱中不見財官,喜重疊壓伏.忌刑衝,無土制禦則泛,雖是

文秀,平生於功名中歇滅.若財官生旺,別入他格,柱中見財官,忌傷破運,喜火土分野.)

運에서 [壬일에] 午는 녹마동향이 된다. (運,午爲祿馬同鄕斷.)
壬午는 녹마동향이 되어 身에 財 官이 坐하니 위인이 영리하며 지략이 있다. 壬寅 時를 보면 貴하다. (壬午爲祿馬同鄕,身坐財官,爲人伶俐,有謀斷,見壬寅時貴.)

재관쌍미를 이룬다고 추리한다. (成作財官雙美推.)
壬戌일덕은 身이 丙 戊에 앉아 財 官이 되니, 명칭은 현무당권이다. 무릇 인용하는 분야는 辰午가 같다. (壬戌日德,身坐丙戊爲財官,名玄武當權,凡引用分野,與辰午同.)

造化는 궁극적으로 각각 다르고 柱중에서 配合은 반드시 알아야 한다. (造化窮通各有異,柱中配合要須知.)

6壬일에서 壬辰은 魁罡인데 財官의 喜忌는 日下에서 論한다. 壬寅 壬子 壬申 壬午 壬戌의 5일은 丙丁이 財가 되고, 己는 정관 戊는 편관이 된다. 사주에 丙 丁 己가 투출하고 9夏 4季에 生(태어나고)하여 火 土局이면 역시 財官으로 論한다. 壬 癸를 보면 奪財(탈재)하고 乙은 官을 傷하니 명리(名利)를 얻기 어렵다. 만약 春 冬節에 태어나고 水 木局중이면 財 官은 無氣하니 비록 자조(滋助)하더라도 역시 [名利는]가볍다. (六壬日,除壬辰爲魁罡,財官喜忌論於日下.壬寅壬子壬申壬午壬戌五日,用丙丁爲財,己正官戊偏官.四柱透丙丁己字,生九夏四季火土局中,財官有用.如不透此三字,生九夏火土局,亦作財官論.見壬癸奪財,乙傷官,名利艱難.若生春冬及水木局中,財官無氣,雖得滋助亦輕.)

南方 4季의 火土분야로 운행하여 재관의 運으로 향하는 것을 기뻐한다. 사주에 戊 己를 보면 관살혼잡하여 制함이 없으면 반대로 賤하다. 만일 己는 없고 戊가 있는데 제복(制伏)하지 못하면 鬼(귀살)로 論한다. 身과 鬼의 强弱을 구분하여 그 吉凶을 정한다. [煞을] 제복(制伏)하여 중화를 얻으면 편관으로 논하고, 制함이 지나치면 福이 되지 않는다. 다시 日干은 月令(태어난 달)에서 자세히 보고 有力 無力함과 도움의 有無를 보고, 節氣의 淺深과 輕重을 분별하여 그것(日干)을 말해야 한다. 身은 旺하고 鬼가 衰하는 運을 기뻐하고, 身은 衰하고 鬼가 旺한 運을 꺼린다. (喜行南方四季火土分野,向官臨財運.柱見戊己,煞官混雜,無制反賤.如無己有戊,不見制伏,作鬼論.要分身鬼強弱,定其吉凶.制伏得中,作偏官論,制過不福.更詳日干於所生月內,有無力助,分節氣淺深輕重言之.喜行身旺鬼衰運,忌行身衰鬼旺運.)

六癸日 詩曰

[癸일에] 卯는 日貴가 되며 學堂에 坐한다. (卯爲日貴坐學堂.)
癸卯는 日貴이고 長生 學堂에 앉으며 食神으로 建旺하고, 비록 財 官은 無氣하지만 역시 吉하

다. (癸卯爲日貴,坐長生學堂,食神建旺,雖財官無氣亦吉.)

巳의 建祿인 財官은 가장 상서롭다. (巳建財官最吉祥.)

癸巳는 日貴이며, 身이 財 官 印이 生旺한 곳에 坐하고, 巳중에는 丙 戊의 건록이 되며, 庚금이 長生하고, 丁巳 時를 얻으면 貴하다. (癸巳爲日貴,身坐財官印生旺,謂巳中丙戊建祿,庚金長生,得丁巳時貴.)

未상에서 鬼가 傷하기 때문에 순순하다. (未上鬼傷因質朴.)

未상에서 身은 편관 편재에 앉으니, 身旺하여 鬼가 官으로 변화하는 것을 좋아한다. (未上身坐偏官偏財,喜身旺化鬼爲官.)

亥중에 官은 배반하지만 오히려 영화가 창성하다. (亥中官背卻榮昌.)

亥중에 丙 戊 모두가 絶하며, 財官이 배반한다. 그렇지만 亥가 巳중의 丙 戊를 衝出하여 날아오는 癸를 就하니 재관 록마의 貴가 된다. 만약 癸亥 時를 얻으면 함께 衝하므로 비로소 吉하다. (亥中丙戊俱絶,財官俱背.卻喜亥衝出巳中丙戊,飛來就癸,爲財官祿馬之貴.若得癸亥時,並衝,方吉.)

酉宮이 구해야 허물이 없다. (酉宮得救方無咎.)

酉상에서 癸水는 衰敗하고, 財官은 無氣한데, 신왕月에 통근해야 귀하게 된다. (酉上癸水衰敗,財官無氣,要通身旺月爲貴.)

丑位에서 비록 衝하더라도 재앙을 일으키진 않는다. (丑位雖衝不作殃.)

丑중에 羊刃이 있고, 官은 있으나 財는 없고, 己土는 오직 7煞이니 衝 破 刃을 좋아하며 재앙이 되지 않는다. (丑中羊刃,有官無財,己土專位七煞,喜衝破刃神,不爲災.)

근심인지 근심이 아닌지, 좋은지 좋지 않는가는, 月間의 왕상휴수를 자세히 참작해야한다. (憂不憂兮喜不喜,月間休旺要參詳.)

6癸일은 丙丁이 財가 되고, 戊는 정관 己는 편관이 된다. 만약 四柱에 丙 丁 戊가 투출하고 9夏 4季에 生하여 火 土局이면 재관이 有用하다. 만일 이 3字(丙 丁 戊)가 없고 9夏 4季에 生하여 火 土局중이라면 역시 財官으로 論한다. 壬 癸를 만나면 탈재(奪財)하고, 甲은 官을 傷하니 不利하다. 만약 春 冬節에 生하여 水 木局이면 재관이 無氣하다. 南方 4季의 財 官運으로 行함을 기뻐한다. 관살혼잡을 두려워하며 煞이 있는데 制가 없으면 鬼(귀살)로 論한다. 제살태과는 凶하다. 다시 日干은 月令(태어난 달)안에서 자세히 보고 有力 無力함과 도움의 有無를 보고, 輕重을 분별하여 그것(日干)을 말한다. 運의 喜忌는 위와 같다.
[첨언~傷官을 해석하면 官을 傷하는 것인데, 傷官으로 적지 않고 "官을 傷하니"로 번역한 것은 문맥상 그러한 것 같다.] (六癸日,用丙丁爲財,戊正官己偏官.若四柱透丙丁戊字,生九夏四季火土局,

財官有用,若無此三字,生九夏四季火土局中,亦作財官論.見壬癸奪財,甲傷官,不利.若生春冬水木局中,財官無氣.喜行南方四季財官之運.怕官煞混雜,有煞無制,鬼論.制太過凶.更詳日干於月令內,有無力助,輕重言之.運喜忌同上.)

2. 논십이월지득일간길흉論十二月支得日干吉凶

자월子月

甲乙일에 子월은 印綬가 되고, 官星을 보고 印綬가 나타나면 기뻐하고, 天干에 財가 앉아 印綬를 傷하는 것을 꺼린다. 歲運의 喜忌도 같다. (甲乙日,得子月,爲印綬,喜見官露印,忌坐天財傷印.歲運喜忌同.)

丙丁일에 [子월은] 관성이 되어 貴하고, 陰陽이 화합(和合)한다. 財官이 나타남을 기뻐하고 3合 6合 官印을 보면 月令(월령)중의 氣를 고찰해야한다. 身旺하면 財官을 좋아하고, 身弱하면 印綬(인수)가 旺함을 좋아한다. 7煞 傷官을 꺼리는데 歲運에서 傷하면 福이 되는 地支이고, 丁은 편관이 되니 兩 陰이 서로 공격하고, 身旺하면 合이나 制를 하여야 좋고, 身弱한데 合이 없으면 꺼리고, 정관이 노출되어 사주에 많은데 制伏(제복)이 없으면 身旺한 運을 좋아하고 偏官을 合하고 身弱함을 꺼린다. (丙丁日,爲官貴,陰陽和合.喜露財官,見三合六合官印,須考月令中氣.身旺喜財官,身弱喜印旺.忌七煞傷官,歲運傷爲福之地,丁得之偏官,兩陰相攻,喜身旺有合制,忌身弱無合,露正官,及四柱帶多,無制伏,運喜身旺,合偏官,忌身弱.)

戊己일에 [子월은] 財星이 되고, 財가 노출되면 身旺함을 기뻐하고, 양인에 坐한 비겁이 투출됨을 꺼린다. 亥 子일생을 만나지 못하면 財를 얻기 어렵다. 運은 身旺과 財를 기뻐하는데, 身弱하면 旺함을 좋아하지만 劫(겁재)은 꺼린다.(戊己日,爲財,喜露財身旺,忌坐刃透比.不遇亥子日生,難爲財.運喜身旺與財,身弱喜旺忌劫.)

庚辛일에 [子월은] 財를 生하게 하고, [子가] 재성이 노출한(투출) 것에 앉으면 身旺함을 좋아하고, 재성이 없으면 身弱함을 꺼린다. 만일 四柱에 재성이 전혀 없으면 財를 長生하지 못하므로 단지 傷官背祿(상관배록)하니 月令이 偏官이어야 하고, 庚日의 丙[丙子, 丙戌]時또는 巳[辛巳]時와 辛日의 丁[丁酉]時또는 午[甲午]時는 적절히 制해야 吉하다. 다음으로 日時에 모두 있으면 形을 보지 않아야 貴하다. 만일 年 日 時 3宮에서 모두 만나지 못하면 그 命을 충분히 알 수 있다. 行運에서 신왕하면 財를 기뻐하고, 身弱하면 旺함을 기뻐한다. 소통하여도 比肩과 劫財는 꺼린다. (庚辛日,爲長生財,喜坐露財身旺,忌無財身弱.如四柱全無財星,便不是長生財,只是傷官背祿,月令須時帶偏官,庚日丙時巳時,辛日丁時午時,便爲有制,吉.次宜日時帶諸不見之形,貴.如年日時三宮皆不

遇,其命可知.行運身旺喜財,身弱喜旺.通忌比劫.)

壬癸일에 [子월은] 壬은 帝旺이며 癸는 建祿으로, 단지 身强할 뿐이니 어찌 모든 名利가 月令에 銷鎔(소용)을 다 할 것이니 자못 時에 偏官이 있어야 귀하다. 예컨대 壬日 戊(戊申) 巳(乙巳)時 또는 癸日 己(己未) 午(戊午)時인 것이다. 다음으로 日時에 모두 있으면 形을 보지 않아야 貴하다. 만일 年 日 時 3宮에서 모두 만나지 못하면 그 命을 충분히 알 수 있다. 運이 편관으로 行하는 것을 좋아하고, 정관[으로 行하는 것]을 꺼린다. (壬癸日,壬爲旺,癸爲建祿,只是身強,奈名利二者,卻被月令銷鎔盡了,頗宜時帶偏官貴.如壬日戊巳時,癸日己午時是也.次宜日時帶諸不見之形,貴.如年月時三宮皆不遇,其命可知,運喜行偏官,忌正官.)

축월丑月

丑으로 교체하여도 아직 丑이 아니다. 丑의 초기는 단지 癸이고, 모름지기 완전한 丑에 坐한 丑의 중기는 己 辛이 있으며, 소한 상순상의 7일은 癸水여기가 旺하고, 혹 丑日 丑時이며 冬 春節에 生하면 水로 작용하고, 下8日에는 辛 金으로 작용한다. 대한 節은 모두 己토가 정위이며 혹 夏월과 4季월은 土로 작용하고, 秋節에 生하면 金으로 작용한다. (交丑未是丑,丑初只是癸,須是坐了丑,丑中方有己辛,小寒上旬上七日,癸水餘氣旺,或丑日丑時冬春生,作水用,下八日作辛金用.大寒節,皆是己土正位,或夏月,四季月,作土用,秋生,作金用.)

甲乙일에 丑월은 雜氣의 官으로 貴하다. 관성의 透干을 기뻐하는데 투출하지 않는 것은 衝을 원하지만 투출한 것은 衝을 두려워한다. 運은 財로 行하는 것을 좋아하고, 官이 암장되어 衝이 없거나, 관살혼잡하거나, 상관을 꺼린다. 官은 合多한 것을 좋아한다. 신왕하면 財官 運을 좋아하고, 身弱하면 旺地로 行함을 좋아한다. 煞과 傷官 運을 꺼리며 歲運도 동일하다. (甲乙日,得丑月,爲雜氣官貴.喜官星透干,不透要衝,既透怕衝.運喜行財,忌官藏無衝,官煞混,及傷官.官愛多合.身旺喜財官運,身弱喜行旺地.忌煞傷,歲同.)

丙丁일에 [丑월은] 잡기의 財인데 재성이 透干함을 기뻐하고, 양인 비견의 運을 꺼린다. 신왕하면 재성을 좋아하고, 身弱하면 旺함을 좋아하지만 소통하여도 劫財는 꺼린다. 만약 申 酉 丑日生을 만나지 못하면 財가 되기 어렵다. (丙丁日,爲雜氣財,喜財透干,忌羊刃比肩運.身旺喜財,身弱喜旺,通忌劫財.若不遇申酉丑日生,難爲財.)

戊己일에 [丑월은] 餘氣는 財星인데, 月初의 소한 후7일 半에 生하면 癸水의 餘氣가 있고, 비견 패재 양인이 없어도 또한 능히 發財하여 貴하다. 만일 기일이 지나 丑의 中氣에 生한다면 利도 없고 害도 없으며 平平하다. 日時의 2宮에 모두 있으면 貴格으로 또한 발달할 수 있다. 餘氣에 財가 있어 貴한 것은 財가 노출하고 身旺함을 좋아하며, 財가 衰하고 身弱함을 꺼린다. 運의

喜 忌는 동일하다. (戊己日,爲餘氣財,月初,小寒後七日半生,有癸水餘氣,無比肩敗財羊刃,亦能發財貴.如過期生丑中,無利無害,平平.日時二宮能帶諸貴格,亦可發.有餘氣財貴者,喜財露身旺,忌財衰身弱.運喜忌同.)

庚辛일에 [丑월은] 自庫의 달(月)인데, 단지 身强하면 病이 적어 편안하게 壽를 누리고 月令중에 다시 物이 없어도 채취할 수 있다. 자못 時의 偏官이 貴하고, 日時에 모두 가지고 形을 보지 않으면 여전히 發福하고, 時의 편관은 庚日의 丙[丙子, 丙戌]時또는 巳[辛巳]時와 辛日의 丁[丁酉]時또는 午[甲午]時이다. 運이 偏官을 合하는 곳으로 行함을 좋아하고, 正官을 [合하는 곳으로 行함을] 꺼린다. (庚辛日,爲自庫之月,只得身强少病,多安壽考,月令中更無物可採.頗宜時偏官貴,及帶日時諸不見之形,依然發福,時偏官,庚日丙時巳時,辛日丁時午時.運喜行合偏官,忌正官.)

壬癸일에 [丑월은] 雜氣의 印綬로서 貴하다. 印綬가 투출하여 官星을 보는 것과 刑 衝함을 기뻐하고, 印綬가 장복한 것을 꺼린다. 運은 마땅히 官印의 地支로 行하여야하고 財가 印綬를 손상하는 것을 꺼린다. 나머지는 前論과 동일하다. (壬癸日,爲雜氣印貴.喜透印見官及刑衝,忌印伏.運宜行官印之地,忌財傷印.餘同前論.)

인월寅月

乾 坤 艮 巽의 四維는 地에 달려있으며, 月令은 天에 달려있고, 아래로 四維를 주관하는 立春은 寅이 있고 甲이 있는데, 艮 時辰에 얽매일 필요가 없으며, 분야를 論하면 이곳에 있으니 나머지 巳 申 亥도 이와 동일하다. (乾坤艮巽四維在地,月令在天,下管四維,纔立春,便有寅有甲,不必拘泥於艮時辰,論分野則有之,餘巳申亥同此.)

甲일은 寅이 建祿이 되고 乙일은 旺相(帝旺)하다. 月令에서 格을 취할 것은 없고, 단지 이로운 것은 身旺함을 지속할 뿐이다. 時에 편관이 있고 日時에 모두 形을 보지 않아야 貴하다. 時편관인 경우는 甲일 庚(庚午)時 申(壬申)時, 乙일 辛(辛未)時 酉(癸酉)이다. 만일 年 日 時의 3宮에 格을 취할 것이 없으면, 일생이 알만 하고, 편관이 있으면, 편관을 合하는 運으로 行하는 것을 기뻐하고 정관은 꺼린다.[첨언~ 甲일이 寅월일 때 "時上偏官一位貴格"을 말하는 것 같다.] (甲日得寅建祿,乙日旺相.月令中無格可取,只利得身旺年久.頗宜帶時偏官及日時諸不見之形,貴.時偏官者,甲日庚時申時,乙日辛時酉時.如年日時三宮無格可取,終身可知,有偏官者,喜行合偏官運,忌正官.)

丙丁일에 [寅월은] 印綬가 되어 貴하다. 官이 투출하여 官에 坐[官이 干與地同]하고 다시 印星이 투출된 것을 기뻐한다. 재성의 투출을 꺼린다. 마땅히 官印의 運으로 行하여야하고 財는 印綬를 傷하기에 꺼린다. (丙丁日,爲印貴.喜坐官露官,再露印星.忌露財.宜行官印運,忌財傷印.)

戊일에 [寅월은] 편관으로 貴하다. 두 陽이 서로 공격하니 身旺함을 기뻐하고 身弱함을 꺼린다. 편관이 合을하면 制할 수 없고 合이 없으면 制를 원한다. 運은 身旺하면 合과 制를 좋아하고, 身弱하면 정관 및 거듭 煞地로 行함을 꺼린다. (戊日,爲偏官貴.兩陽相攻,喜身旺,忌身弱.偏官有合莫制,無合要制.運喜身旺合制,忌身弱正官,及再行煞鄕.)

己일에 [寅월은] 정관으로 貴하다. 陰陽이 화합하니 재성이 투출하고 다시 관성이 투출하고 3合 6合과 身旺함을 기뻐한다. 7煞과 傷官을 꺼린다. 官은 명합(明合)을 좋아한다. 신왕하면 재관으로 行함을 기뻐하고, 身弱하면 旺함을 좋아하고 7煞인 偏官을 꺼린다. (己日,爲正官貴.陰陽和合,喜坐露財,再露官星,三合六合身旺.忌七煞傷官.官愛明合.身旺喜行財官,身弱喜旺,忌七煞偏官.)

庚辛일에 [寅월은] 財가 되고 財가 많이 투출하면 身旺함을 좋아하고, 양인에 坐한 비겁이 투출하고도 身弱하면 꺼리고, 寅 卯일을 만나지 않으면 財가 되기 어렵고, 運은 신왕하면 財를 기뻐하고, 身弱하면 旺함을 좋아하고 劫(겁재)을 꺼리는 것은 같다. (庚辛日,爲財,喜財多露身旺,忌坐刃透比身弱,不遇寅卯日難爲財,運身運喜財,身弱喜旺,忌劫同.)

壬癸일에 [寅월은] 재성이 장생하니 財星의 透干함을 좋아하고 복장(伏藏)함을 꺼린다. 만일 柱중에 財가 투출함이 없으면 財를 長生하지 않으니 단지 월영을 상관배록하는 것이다. 시상편관에 해당하는 것은 壬일의 戊(戊申)時 巳(乙巳)時, 癸일의 己(己未)時 午(戊午)時인데, 모름지기 年 日 時에서 形을 보지 않아야 貴하다. 만일 3宮에 모두 格이 없으면 好命이라 말하기 어렵다. 運은 신왕하면 財를 좋아하고 身弱하면 旺함을 좋아한다. 身弱하면 正官을 꺼린다. (壬癸日,爲長生財,喜財透干,忌伏藏.如柱無財透.便不是長生財,只是傷官背祿月令.頗宜時上偏官,壬日戊時巳時,癸日己時午時,須及年日時諸不見之形,貴.如三宮皆無格,難言好命.運身旺喜財,身弱喜旺.忌身弱正官.)

묘월卯月

卯로 교체하여도 아직 卯가 아니다. 卯의 초기에는 단지 甲인데, 모름지기 완전한 卯에 坐한 卯의 중기여야 비로소 乙이다. (交卯未是卯,卯初只是甲,須是坐了卯,卯中方是乙.)

甲일은 卯에 왕상(帝旺)하고, 乙일은 卯에 建祿이 된다. 甲乙이 卯월에 생하면 모든 格은 취할 수 없고, 다만 이로운 것은 身强한 命을 지속할 뿐이다. 時上偏官을 대동하고 모든 柱에서 形을 보지 않아야 貴하다. 편관은, 甲일 庚(庚午)時 申(壬申)時, 乙일 辛(辛未)時 酉(癸酉)이다. 만약 年 日 時의 3宮에 이것이 없으면 그 命은 보통이고, 본래의 命에 편관이 있으면 合을 좋아하고, 정관運을 꺼린다. (甲日,得卯旺相.乙日,得卯建祿,甲乙生卯月,諸格無取,只利得身強命長.頗宜帶時上偏官,及諸不見之形,貴.偏官者,甲日庚時申時,乙日辛時酉時.若年日時三宮無此,其命平常,原帶偏官,喜

合,忌正官運.)

丙丁일에 [卯월은] 印綬가 되고, 官印의 두 星이 투출한 것을 기뻐하고, 천간의 재성은 꺼리며 運은 동일하다. (丙丁日,爲印,喜露官印二星,忌天財,運同.)

戊일에 [卯월은] 정관이 되고, 官星이 투출하여 財에 坐하고 3合 6合하여 身旺함을 좋아한다. 運은 신왕하면 財官을 좋아하고 身弱하면 旺함을 좋아한다. 7煞 傷官을 꺼린다. (戊日,爲正官,喜坐財露官,三合六合身旺.忌煞傷.官愛多合.運身旺喜財官,身弱喜旺.忌七煞傷官.)

己일에 [卯월은] 편관이 되고, 身旺한데 合을 하면 좋아하지만 [合이]없으면 制가 필요하다. 身弱한데 合이 없고 정관이 투출한 것을 꺼린다. 運의 喜 忌는 동일하다. (己日,爲偏官,喜身旺有合,無則要制.忌身弱無合,及露正官.運喜忌同.)

庚辛일에 [卯월은] 財가 되어 투출함을 좋아하고 自旺하다. 寅 卯일에 坐하지 못하면 財가 되기 어렵다. 겁재에 앉거나 비견이 투출한 것을 꺼린다. 運은 신왕하면 財를 좋아하고, 身弱하면 旺함을 좋아한다. 비견 겁재를 함께 꺼린다. (庚辛日,爲財,喜透,自旺.不坐寅卯日難爲財,忌坐劫露比.運身旺喜財.身弱喜旺.忌劫比同.)

壬계일에 [卯월은] 財를 長生하고, 재성이 투출하면 기뻐한다. 만일 柱에 財가 없으면 財가 長生하지 않으니 다만 月令을 傷官背祿하니 時上偏官에 해당한다. 예컨대, 壬일의 戊(戊申)時 巳(乙巳)時, 癸일의 己(己未)時 午(戊午)時라면 모름지기 모든 것에서 形을 보지 않아야 貴하다. 運은 신왕하면 財를 좋아하고, 身弱하면 旺함을 좋아한다. 편관을 띤 것은 편관을 合하는 것을 좋아하고, 겁재 정관을 꺼린다. (壬癸日,爲長生財,喜坐露財,如柱無財,便不是長生財,只是傷官背祿月令,頗宜帶時上偏官.如壬日戊時巳時,癸日己時午時,須是帶諸不見之形,貴.運身旺喜財,身弱喜旺.帶偏官者,喜合偏官.忌劫財,正官.)

진월辰月

辰으로 교체하여도 아직 辰이 아니니, 辰초에는 단지 乙인데 모름지기 완전히 辰에 坐해야 壬癸水가 있고, 청명의 상순 7日 半까지는 乙木 餘氣가 旺하고 혹 辰日 辰時는 乙木으로 論한다. 아래 8日은 癸水로 論하며, 곡우節은 戊土의 正位(바른 자리)이다. 만약 秋節의 辰日 辰時에 生하면 水로 論하고, 4季는 土로 작용한다. (交辰未是辰,辰初只是乙,須是坐了辰,方有壬癸水,淸明上旬七日半,乙木餘氣旺,或辰日辰時,作乙木論,下八日作癸水論,穀雨節是戊土正位.若秋生辰日辰時,作水論,四季作土用.)

甲乙일이 辰월에 生하면 잡기인수가 되고, 官星 및 印星의 투출함을 기뻐하고, 투출하지 않으면 衝이 필요하고, 투출한 것은 衝을 두려워한다. 財가 많아 印綬를 손상하는 것을 싫어하고, 運의 喜忌도 동일하다. (甲乙日,生辰月,爲雜氣印,喜見官星及印露,不露要衝,旣露怕衝.忌見財多傷印.運喜忌同.)

丙丁일이 [辰월에 生하면] 雜氣의 官이 되고, 官이 투출함을 좋아하고, 투출치 않으면 衝이 필요하다. 財를 보고 身强하면 發福한다. 官이 숨을 때에 衝이 없고 煞이 傷하는 것을 싫어한다. 運은 身强하면 財官을 기뻐하고, 身弱하면 旺함을 좋아한다. 煞과 傷官을 꺼리는 것은 동일하다. (丙丁日,爲雜氣官,喜官透,不透要衝.見財身強發福.忌官伏無衝及煞傷.運身強喜財官,弱喜旺.忌煞傷同.)

戊己일이 [辰월에 生하면] 잡기의 財가 되고, 財가 투출하여 旺한 것을 좋아하고, 투출하지 않으면 衝하여 손상한다. 財가 숨었는데 衝이 없는 것과 양인 비견에 坐한 것을 꺼린다. 亥 子 辰日에 坐하지 않으면 財가 되기 어렵다. 運은 身旺하면 財를 기뻐하고, 身弱하면 旺함을 좋아한다. 劫(겁재)을 꺼리는 것은 동일하다. (戊己日,爲雜氣財,喜財露旺,不露傷衝.忌財伏無衝,坐刃比肩.不坐亥子辰日難爲財.運身旺喜財.弱喜旺.忌劫同.)

庚辛일이 [辰월에 生하면] 餘氣는 財가 되고 貴하다. 청명 후 7일 半까지는 乙木 여기가 있으므로 비로소 발달할 수 있다. 만일 月의 초기生인데 비견 양인의 奪財(탈재)함이 없으면 발전할 수 있다. 기한이 지나면 辰중에 이로움과 해로움이 없고 평범하다. 만일 日時에 모두 있으면 貴格이니 역시 발달한다. 運에 餘氣인 財가 있고 身旺하면 財地를 좋아하고, 身弱하면 劫地와 財衰함을 꺼린다. (庚辛日,爲餘氣財,貴.清明後七日半,有乙木餘氣方可發.如月初生,無比刃奪財,皆可發.過期則辰中無利無害,平平.如日時帶諸貴格,亦發.運有餘氣財,身旺喜財地,忌身弱劫地財衰.)

壬癸일이 [辰월에 生하면] 自庫가 되니, 단지 身强하여 질병이 적을 뿐이고 月令에서 貴를 취할 것이 없다. 시상편관에 해당하고 日時에서 모두 形을 보지 않아야 貴하고, 여전히 發福한다. 月令에 얽매여선 안 된다. 運이 時의 편관과 같으면, 合하거나 制로 行함을 좋아하고, 정관과 상관으로 行함을 싫어한다. (壬癸日,爲自庫,只是身强少疾,月令無貴可取.頗宜時上偏官及日時諸不見之形,貴.依然發福.勿拘月令.運如時偏官者,喜行合制,忌行正官傷官.)

사월巳月

甲乙일 巳월은 財가 되고 貴하다. 巳 午일에 生하지 않으면 財가 되기 어렵다. 또 財를 長生

하여 貴하다. 戊土가 투출하면 財星의 영예를 뛰어넘고, 丙火가 투출하면 傷官이 건장함을 더한다. 身旺하면 財의 투출을 좋아하고, 양인에 坐한 비견이 투출함을 꺼린다. 運은 身旺하면 財를 좋아하고, 身弱하면 旺함을 좋아한다. (甲乙日,得巳月爲財,貴.不生於巳午日難爲財.亦名長生財,貴.戊土露則財星愈光,丙火露則傷神益壯.喜身旺財露,忌坐刃露比.運身旺喜財,身弱喜旺.)

丙일에 [巳월은] 建祿이며, 丁일에 [巳월은] 旺相하다. 丙 丁이 巳월에 生하면 取用(취용)할 것이 없지만 福이 되니, 단지 身旺만 지속할 뿐이다. 時에 편관이 있는 것이 좋고 日時에서 貴格이다. 그리고 丙丁의 巳월은 또한 財를 長生하니 貴하므로 財의 투출이 필요하고, 만일 투출하지 않으면 단지 月令을 상관배록할 뿐이다. 財를 長生하니 財運으로 行함을 좋아한다. 편관은 合을 좋아하고 運은 겁재와 정관을 꺼린다. (丙日建祿,丁旺相.丙丁生巳月,無可取用爲福,只是身旺年長.頗宜時帶偏官,及日時之貴格.又丙丁巳月,亦是長生財,貴,要財露,如不露,只是傷官背祿月令.是長生財,喜行財運.帶偏官,喜合,運忌劫財正官.)

戊己일에 [巳월은] 印綬가 되며 또한 建祿인데, 어떻게 이것을 분별할 것인가? 단지 年 月 時에 丙火가 투출하면 印綬가 된다. 丙이 투출치 않고 다시 壬 癸가 있으면 建祿 印綬로 貴하다. 관성이 투출하고 官印의 地支로 行함을 좋아하고, 官印이 損傷하는 것을 꺼린다. 만일 建祿이면 時는 偏官이 마땅하다. 身이 强旺하면 運은 편관을 合하는 것을 좋아하고, 정관은 꺼린다. (戊己日,爲印,亦是建祿,何以別之,只年月時露丙火爲印,丙不露,更有壬癸字者,只是建祿印綬,貴.喜露官星,及行官印之地,忌傷官印.如建祿,時宜帶偏官.喜自身强旺,運宜合偏官,忌正官.)

庚일에 [巳월은] 편관이 되고 貴하다. 印綬와 同宮하여 身旺하니 合과 制를 좋아하고, 合하면 制할 수 없다. 身弱한데 合이 없으면 꺼리고, 정관의 運 또한 같이 論하고, 거듭 편관을 만나는 것을 꺼리고, 制함이 전혀 없으면 요절함이 많다. 오직 庚申일은 그렇지 않는 것은 무엇 때문인가? 巳중에는 土가 있어 능히 金을 生하니, 金이 長生하며 또 祿에 坐하였는데 어찌 요절하겠는가! 다시 壬은 투출하고 丙은 없으며, 癸는 투출하고 丁은 없으며, 甲은 투출하고 戊는 衰하고, 乙은 투출하고 己가 病들면 어떠한가? 辛일의 정관이 되며, 辛은 天德(귀인)이 되고, 官이 거듭 투출하고 財가 드러남을 좋아한다. 官은 合多한 3合 6合의 地支를 좋아하고, 7煞 상관에 坐한 것을 꺼린다. 運은 身强하면 財官을 기뻐하며, 身弱하면 旺함을 기뻐하고, 7煞과 상관을 싫어한다. (庚日,爲偏官,貴.印與同宮,喜身旺合制,有合莫制.忌身弱無合,正官運亦同論,忌再見偏官,全無制,多夭.獨庚申日則不然,何者.巳中有土能生金,金旣長生又坐祿,何夭之有.更看壬露無丙,癸露無丁,甲露戊衰,乙露己病之機何如.辛日爲正官,辛爲天德,喜官再透,及財露.官愛多合,及三合六合之地,忌坐七煞傷官.運身强喜財官,身弱喜旺,忌七煞傷官.)

壬일에 [巳월은] 편관이 되니, 身强함을 좋아하고, 편관이 合하면 制할 수 없다. 身弱하면 관성이 투출함을 꺼린다. 運은 身旺하여 偏官을 合하는 것을 좋아하고, 身弱한데 官이 旺한 것을 꺼리고, 制伏함이 전혀 없으면 요절함이 많다. (壬日,爲偏官,喜身强,偏官有合莫制.忌身弱露官.運喜

身旺合偏官,忌身弱旺官,全無制伏,多夭.)

癸일에 [巳월은] 正官이 되며, 財官이 투출하고 3合 6合하여 身旺함을 기뻐한다. 7煞 상관을 꺼리고, 관성은 合多함을 좋아한다. 運은 身旺하면 官印의 地支를 좋아하고, 身弱하면 印綬를 좋아하고 煞을 꺼린다. (癸日,爲正官,喜露財官,三合六合身旺,忌七煞傷官,官愛多合.運喜身旺及官印之地,弱則喜印,忌煞.)

오월午月

甲乙일에 午월은 財가 되어 貴하다. 그리고 財를 長生하며, 己土가 투출하면 財가 한층 더 나타나고, 丁火가 투출하면 상관이 기세(氣勢)를 더한다. 身旺함을 기뻐하지만 羊刃과 比肩을 꺼린다. 運은 身旺하면 財를 좋아하고 身弱하면 旺함을 기뻐한다. 비견과 겁재를 꺼린다. (甲乙日,得午月,爲財貴.亦爲長生財,己土露則財愈顯,丁火露,傷益壯.喜身旺,忌刃比.運身旺喜財,身弱喜旺.忌比劫.)

丙일에 [午월은] 왕상(帝旺)하고, 丁일에 [午월은] 建祿이 된다. 丙丁人이 5월에 生하면 福이 될 수 없고 단지 身旺함만 연장한다. 時가 편관에 해당하고 日時에 形을 보지 않아야 貴하다. 그리고 丙丁이 午월에 生하면 財를 長生하여 貴하고, 財의 투출이 필요한데 만일 財가 투출하지 않으면 월영을 상관배록할 뿐이다. 偏官이 있으면 合이나 制로 運行함을 기뻐한다. 財를 長生하는 것이 있으면 財로 運行함을 좋아한다. (丙日旺相,丁日建祿.丙丁人生五月,無可作福,只身旺年長.頗宜時帶偏官,及日時諸不見之形,貴.又丙丁生午月,是長生財,貴,要財露,如財不露,只是傷官背祿月令.帶偏官者,喜行合制運.有長生財者,喜行財運.)

戊己일에 [午월은] 印綬가 되며 그리고 建祿이 되는데, 어떻게 이것을 분별할 것인가? 年 月 時의 天干에 丁이 투출하면 印綬가 된다. 官印(관성과 인성)이 투출함을 기뻐하고, 財星을 꺼리고 印綬가 없으면 建祿으로 論한다. (戊己日,爲印,亦爲建祿,何以別之.年月時干露丁,爲印.喜透官印,忌財,無印,作建祿論.)

庚일에 [午월은] 正官 星으로, 身弱하니 旺함을 기뻐한다. 7煞 傷官의 歲運을 꺼리는데, 損傷하면 福地가 된다. (庚日,正官星,身弱喜旺,忌七煞傷官歲運,傷爲福之地.)

辛일에 [午월은] 偏官으로, 身旺하면 合이나 制를 기뻐하고, 合을 하면 制할 수 없고, 또한 土는 나타나고 火는 감추는 것이 이로우며, 身弱한데 合이 없는 것과 정관을 꺼린다. 運은 身旺하면 편관이 合하는 것을 기뻐하고, 정관이 다시 편관을 보는 것을 꺼린다. (辛日,偏官,喜身旺合制,有合莫制,亦利土出火藏,忌身弱無合,及正官.運喜身旺合偏官,忌正官再見偏官.)

壬일에 [午월은] 정관 정재가 되니, 身旺함과 3合 6合을 기뻐하고, 7煞 상관을 꺼리며, 官은 合多함을 좋아한다. 運은 身旺하면 財官을 기뻐하고 身弱하면 旺함을 좋아한다. 7煞 傷官의 歲運을 꺼리는데, 損傷하면 福地가 된다. 癸일에 [午월은] 편관이 되니 身旺함을 기뻐하고, 偏官이 合하면 制할 수 없으며, 身弱한데 合이 없는 것을 꺼린다. 正官의 運은 喜 忌가 동일하다. (壬日,正官正財,喜身旺三合六合,忌七煞傷官,官愛多合.運身旺喜財官,身弱喜旺.忌七煞傷官歲運,傷爲福之地.癸日爲偏官,喜身旺,偏官有合莫制,忌身弱無合.正官運喜忌同.)

미월未月

소서 上旬상의 7일은 丁火의 餘氣가 旺하고, 혹 未日 未時에 春節 生은 木으로 작용하고, 下8일은 乙木의 庫로 작용한다. 대서 節은 모두 己土의 正位인데, 만약 夏節에 生하면 火로 작용하고, 秋節에 生하면 土로 作用한다. (小暑上旬上七日,丁火餘氣旺,或未日未時,春生,作木用,下八日,作乙木庫用.大暑節,皆是己土正位,若夏生,作火,秋生,作土用.)

甲乙일에 未월은 自庫가 되어 身强하여 病이 적으며, 단 하나의 물건을 사용할 수 없어도 福이된다. 時가 편관에 해당하고 日時가 모두 貴格이 되면 月令에 얽매일 필요가 없다. 運은 편관과 合하는 것을 좋아하고, 正官이 다시 偏官을 보는 것을 꺼린다. (甲乙日,見未爲自庫月,主身強少病,但無一物可用爲福.頗宜時偏官,及日時帶諸貴格,不必拘月令.運喜合偏官,忌正官再見偏官.)

丙丁일에 [未월은] 잡기인수로 官星 및 印綬의 투출을 기뻐하고, 투출하지 않으면 衝을 원한다. 印綬가 암장되어 衝이 없는 것과 財星을 꺼린다. 運은 官印을 좋아하고, 傷官을 꺼리는데, 歲運에서 손상하면 福地가 된다. (丙丁日,雜氣印,喜官及印露,不露要衝.忌印伏無衝,與財.運喜官印,忌傷官,歲運傷爲福之地.)

戊己일에 [未월은] 雜氣 官으로 貴하다. 身旺함과 財星 및 官이 투출함을 기뻐하고, 투출하지 않으면 衝을 원한다. 官은 合多함을 좋아한다. 官星은 숨고 衝이 없으며 더불어 煞이 상관과 혼잡함을 꺼린다. 運은 身旺하면 財를 기뻐하고, 身弱하면 旺함을 좋아하고, 7煞 상관을 꺼리지만 歲 運에서 손상하면 福地가 된다. (戊己日,雜氣官貴.喜身旺與財及官透,不透要衝.官愛多合.忌官伏無衝兼煞混傷官.運身旺喜財,身弱喜旺,忌七煞傷官,歲運,傷爲福之地.)

庚辛일에 [未월은] 잡기財인데, 身强하며 財星이 투출하여 旺함을 기뻐하지만 투출하지 않으면 衝을 원한다. 財가 숨어 衝이 없는 것과 양인 비견을 꺼린다. 運은 身旺하면 財를 기뻐하고, 身弱하면 旺함을 좋아한다. 비견 겁재를 꺼리지만 歲運에서 손상하면 福地가 된다. (庚辛日,雜氣財,喜身强財透旺,不透要衝.忌財伏無衝,羊刃比肩.運身旺喜財,身弱喜旺.忌比劫,歲運,傷爲福之地.)

壬癸일에 [未월은] 餘氣가 財이고, 소서 7일후에 태어나면 雜氣는 되지 않지만 財를 長生하여 貴하다. 소서 7일半까지 태어나면 丁의 餘氣가 있으므로 "록마동향"이라 하는데, 상관이 없고 奪財(탈재)함이 없으면 꽤 發福할 수 있다. 만일 기간이 지나서 生(태어나면)하면 未중에 物을 취할 것이 없으니 평범하다. 財官이 투출하고 身旺함을 기뻐하며, 7煞 상관을 싫어한다. 運은 身旺하면 財官을 기뻐하지만 身弱하면 旺함을 좋아한다. 7煞과 상관을 함께 꺼린다. (壬癸日,爲餘氣財,遇小暑七日後生,不爲雜氣,長生財貴.小暑七日半生,有丁餘氣,謂之祿馬同鄕,無傷官,無奪財,頗能發福.如過期生,未中,無物可取,主平常.喜官透財露身旺,忌七煞傷官.運身旺喜財官,弱喜旺.忌七煞傷官同.)

신월申月

甲일 申월은 편관이 되어, 身旺하면 合과 制를 기뻐하고, 身弱하면 正官을 꺼리는데 運 또한 그러하고 거듭 7煞을 보는 것을 더욱 꺼린다. (甲日,申月爲偏官,喜身旺合制,忌身弱正官,運亦然,尤忌再見七煞.)

乙일 申월은 정관이 되어, 신왕하면 재관이 투출하고 3合과 6합을 기뻐하며, 7煞 상관을 꺼린다. 관성은 合多함을 좋아한다. 運은 身旺하면 財를 기뻐하지만, 身弱하면 旺함을 좋아한다. 劫財를 꺼린다. (乙日,申月爲正官,喜身旺露官透財,三合六合,忌七煞傷官.官愛多合.運身旺喜財,弱喜旺.忌劫財.)

丙丁일 [申월은] 財 官인데 丙이 壬을 보면 7煞이며 丁이 壬을 보면 正官이 된다. 身旺하여 財官이 투출함을 기뻐하고 傷官과 7煞을 꺼린다. 運은 身旺하면 財를 기뻐하지만 身弱하면 旺함을 좋아한다. 劫財를 꺼린다. (丙丁日,爲財官,丙見壬七煞,丁見壬正官.喜身旺露財官,忌傷七煞.運身旺喜財,弱喜旺.忌劫財.)

戊己일 [申월은] 財를 長生하며, 財星이 투출함을 기뻐한다. 만일 柱중에 財가 없으면 적절하지 않고, 다만 月令은 傷官뿐이다. 時는 편관과 더불어 貴格이 된다. 月令중에 비록 水를 장생하여 財가 되더라도 戊토가 있으면 害가 된다. 財를 長生한 곳으로 운행함을 기뻐하니 妙하게 된다. 신강하면 財를 기뻐하고 身弱하면 旺함을 좋아한다. 時의 편관은 合 制를 좋아하고, 運은 正官과 身弱함을 꺼린다. (戊己日,爲長生財,喜財露.如柱中無財便不是,只是傷官月令.宜時帶偏官及諸貴格.月令中雖有長生水爲財,內有戊土爲害.運喜行長生財爲妙.身强喜財,弱喜旺.時偏官喜合制,運忌正官身弱.)

庚일 [申월은] 建祿이 되고, 辛일 [申월은] 旺相(제왕)하다. 月令에서 별도로 취할 것이 없어도 福은 되지만, 단지 신강만 연장할 뿐이다. 時에 편관이 있을 경우에 合이 있으면 制할 수 없고,

制가 있으면 合할 수 없다. 運은 正官과 身弱함을 꺼린다. (庚日爲建祿,辛爲旺相.月令別無可取爲福,只是身强年長.頗宜時帶偏官,有合莫制,有制莫合.運忌正官身弱.)

壬癸일 [申월은] 印綬가 되어, 官印이 투출함을 기뻐하고 財를 꺼린다. 運 또한 같다. (壬癸日,爲印,喜露官透印,忌財.運亦如之.)

유월酉月

甲일 酉월은 正官이 되어 身旺과 官이 투출하여 재를 보고 3合 6合을 기뻐하고, 7煞 상관을 꺼린다. 官은 合多함을 좋아한다. 運은 身旺하면 財官을 좋아하고, 身弱하면 旺함을 기뻐하며 7煞 상관을 꺼린다. (甲日,酉月爲正官,喜身旺,露官見財,三合六合.忌七煞傷官.官愛多合.運身旺喜財官,弱喜旺,忌七煞傷官.)

乙일 酉월은 偏官이 되고, 身旺을 기뻐하며 合이 있으면 制할 수 없고, 制함이 있으면 合할 수 없다. 身弱하면 정관을 꺼리는데 運 역시 이와 같다. 재차 7煞 運 만나는 것을 꺼린다. (乙日得酉月爲偏官,喜身旺,有合莫制,有制莫合.忌身弱正官,運亦如之.再忌見七煞運.)

丙丁일 [酉월은] 財가 되며, 身旺하여 財官이 투출하고 3合 6合을 기뻐한다. 刑 衝 破 害 비견 겁재를 싫어한다. 運은 身旺하면 財를 좋아하고, 身弱하면 旺함을 좋아한다. 劫財가 탈취함을 꺼린다. (丙丁日,爲財,喜身旺露財官,三合六合,忌刑衝破害,比肩劫財.運身旺喜財,身弱喜旺.忌劫奪.)

戊己일 [酉월은]財를 長生하게한다. 가령 柱중에 財가 투출하지 않는 것은 적합하지 않으니 단지 월영은 상관일 뿐이다. 時의 편관과 더불어 貴格이며 偏官格으로 合 制를 좋아한다. 運은 身旺하면 財를 좋아하고, 身弱하면 旺함을 좋아하고 劫財를 꺼린다. (戊己日,爲長生財,如柱中不帶財露便不是,只是傷官月令.頗宜時帶偏官及諸貴格,偏官格,喜合制.運身旺喜財,身弱喜旺,忌劫財.)

庚일 [酉월은] 旺相(制旺)하고, 辛일 [酉월은] 建祿이 된다. 月중에는 취할 物이 없고, 단지 身旺함만 年長할 뿐이다. 時의 편관과 더불어 日時에는 貴格이다. 편관은 合혹은 制를 좋아하고. 正官을 꺼리고 運 역시 그러하다. (庚日,爲旺相,辛日爲建祿.月中無物可取,只是身旺年長.頗宜時帶偏官及日時諸貴格.有偏官喜合或制,忌正官.運亦然.)

壬癸일 [酉월은] 印綬가 되고, 官 印이 투출함을 기뻐하고, 財星을 꺼리는데, 運 역시 이와 같다. (壬癸日,爲印,喜露官透印,忌財,運亦如之.)

술월戌月

한로 상순상의 7일까지는 辛金 餘氣가 旺하고, 혹 春節에 生한 戌日 戌時라면 火로 論한다. 下8일에 生하면 丁火로 작용한다. 상강節은 전부 戊土의 正位인데 혹 夏節에 生하거나 4季 에 生하면 土로 작용한다. (寒露上旬上七日,辛金餘氣旺,或春生,戌日戌時,作火論.下八日生,作丁火用,霜降節,皆是戊土正位,或夏生,四季生,作土用.)

甲乙일 戌월은 잡기財가 되어, 財星이 투출하여 生旺함을 좋아하고, 투출하지 않으면 衝이 필요하다. 財星이 암장하여 衝이 없는 것과 비견 양인을 싫어한다. 運 역시 그러하다. (甲乙日,戌月爲雜氣財,喜生旺財透,不透要衝.忌財伏無衝,比肩羊刃.運亦然.)

丙丁일 [戌월은] 自庫월이 되고, 身旺을 연장한다. 戌중에 취할 物이 없어도 福이 되는데, 단지 時에 모든 貴格이 해당되어야 妙하게 된다. 運 역시 그러하다. (丙丁日,爲自庫月,亦主身旺年長.戌中無物可取爲福,只宜時帶諸貴格爲妙.運亦然.)

戊己일 [戌월은] 잡기印綬가 되어, 정관과 인수가 투출하면 기쁘고, 투출하지 않으면 衝이 필요하다. 印綬가 암장하여 衝이 없거나 財가 있어 印綬를 손상하는 것을 꺼린다. 運은 官印이 傷하는 運을 꺼린다. (戊己日,爲雜氣印,喜正官印透,不透要衝.忌印伏無衝,有財傷印.運忌傷官傷印.)

庚辛일 [戌월은] 잡기官이 되어 貴하고, 印綬가 온전하여 身旺해야한다. 만일 衝하여 官이 투출하면 官을 사용하니 貴하다. 衝하여 印綬가 투출하면 印綬를 사용하니 貴한데, 투출하지 않으면 衝이 필요하고, 官이 암장하여 衝이 없음을 꺼린다. 官은 合多함을 좋아한다. 運은 身旺하면 財官을 기뻐하고, 身弱하면 旺함을 좋아하며, 7煞 상관을 꺼린다. (庚辛日,爲雜氣官,貴,要身旺印全.如官透衝,則用官貴.印透衝,則用印貴,不透要衝,忌官伏無衝.官愛多合.運身旺喜財官,身弱喜旺,忌七煞傷官.)

壬癸일 [戌월은] 잡기財가 되어, 財官이 쌍전하면 貴하다. 衝하여 財가 투출하면 財를 사용하고, 衝하여 官이 투출하면 官을 사용하며, 투출하지 않으면 衝이 필요하고, 財가 암장하여 衝이 없음을 꺼린다. 運은 身旺하면 財를 기뻐하고, 身弱하면 旺함을 좋아하며, 겁재가 탈취함을 꺼린다. (壬癸日,爲雜氣財,要身旺,財官雙全爲貴.財透衝則用財,官透衝則用官,不透要衝,忌財伏無衝,運身旺喜財,身弱喜旺.忌劫奪.)

해월亥月

甲乙일 亥월은 印綬가 되어, 官印이 투출함을 기뻐하며 福이 되고, 財를 꺼린다. 運 역시 그러하다. (甲乙日,得亥月爲印,喜露官透印爲福,忌財.運亦然.)

丙일 [亥월은] 偏官이 되어, 合이 있으면 制할 수 없고, 制가 있으면 合할 수 없다. 身旺함을 좋아하고, 身弱 正官을 꺼린다. 歲運도 동일하다. (丙日,爲偏官,有合莫制,有制莫合.喜身旺,忌身弱正官.歲運同.)

丁일 [亥월은] 正官이 되어, 財官이 투출함과 身旺함을 좋아하며, 7煞 상관과 合多함을 꺼린다. 運 역시 그러하다. (丁日,爲正官,喜透財露官,身旺,忌七煞傷官多合.運亦然.)

戊己일 [亥월은] 재성이 되어, 財는 투출하고 身旺함이 필요하고, 양인 비견과 身弱함을 꺼린다. 運 역시 그러하다. (戊己日,爲財,要財露身旺,忌羊刃比肩,身弱.運亦然.)

庚辛일 [亥월은] 財를 長生하는데, 만일 柱중에 財의 투출이 전혀 없으면 단지 월영을 상관배록할 뿐이다. 時가 편관에 해당하고, 日時는 모두 貴格이다. 財星의 투출과 自旺함을 기뻐하며, 無財와 身弱함을 꺼린다. 運 또한 그러하다. (庚辛日,爲長生之財,如柱中全無財露,只是傷官背祿月令.頗宜時帶偏官,日時諸貴格.喜財露,自旺,忌無財身弱.運亦然.)

壬癸일 [亥월은] 壬은 건록이 되며 癸는 旺相하여 福은 취할 것이 없으니, 단지 身旺함만 지속할 뿐이다. 時가 편관에 해당하고, 日時는 모두 貴格이다. 만일 時가 편관이면 運은 편관을 合하는 곳으로 運行함을 좋아하고, 정관을 꺼린다. (壬癸日,壬建祿,癸旺相,福無可取,只是身旺年久,頗宜時帶偏官,及日時諸貴格.如得時偏官,運喜行合偏官,忌正官.)

3. 논오행시지분야길흉論五行時地分野吉凶

왕씨는 말하기를, 二氣는 陰陽이라 하고, 五行은 金木水火土라 하고, 時(때)는 春夏秋冬이라 하고, 地는 冀(기) 靑(청) 兗(연) 徐(서) 揚(양) 荊(형) 梁(량) 雍(옹) 豫(예)라 하였다. 대개 하늘에는 陰陽이 있어 4時로 行하며 地(땅)에는 五行이 있고 9州를 갖춘다. 바르게 朱子가 이르기를, 五行의 質은 地(땅)에서 갖추고, 氣는 天(하늘)에서 운행하므로 天에는 春夏秋冬이 있고, 地에는 金 木 水 火가 있으니 時(4時)와 地가 서로 작용하게 되는 것이다. (按王氏所謂二氣者,陰陽也.五行者,金木水火土也.時者.春夏秋冬也.地者,冀靑兗徐揚荊梁雍豫也.蓋天有陰陽,行於四時.地有五行,具於九州.正朱子所謂五行質具於地,氣行於天,故天有春夏秋冬,地有金木水火,皆以時地相爲用也.)

오늘날 命을 論하는 사람들은 陰陽五行만 論할 줄 알지, 方隅(방우)와 晝夜의 흐리고 맑은 것을 더불어 論하는 것을 알지 못한다. 그래서 年 月 日 時가 동일하여도 貴賤(귀천)과 壽夭(수요~장수와 단명)가 상당히 다른데도, 五行은 터무니없다고 하며 世人들은 命을 의심하며 불신(不信)

하고, 또 무고(誣告)한 것이다. 한심스럽다! 대저 사람은 天地間에 태어나서 五行을 벗어날 수 없다. 9州로 경계를 나누고, 風氣는 당연히 다르며, 흐리고 맑은지 춥고 따뜻한지의 이치가 한결같기 어렵다. (今之談命者,但知論陰陽五行,而不知兼論方隅與晝夜陰晴.所以有年日月時同,而貴賤壽夭迥異,便謂五行無據,啓世人不信命之疑,亦誣矣.嗟,夫人生天地,莫逃五行.九州分疆,風氣異宜,陰晴寒暖,理難一律.)

사람은 天地間에 영기(靈氣)를 받아 태어날 때 순간적인 氣運을 얻으니, 각자가 같지 않기 때문에 귀천(貴賤)과 수요(壽夭)는 八字에 구애받기 어려운 것이다.[八字마다 다른 것이다.] 甲 乙 寅 卯는 木에 속하므로, 兗(연) 靑(청)에서 태어나는 것은 得地가 되고, 春令이 得時하게 된다. 丙 丁 巳 午는 火에 속하므로, 서(徐) 양(揚)에서 태어나는 것은 得地가 되고, 夏令이 得時하게 된다. 戊 己 辰 戌 丑 未는 土에 속하므로, 예(豫)州에서 태어나는 것은 得地가 되고, 4季月이 得時하게 된다. 庚 辛 申 酉는 金에 속하므로, 형(荊) 량(梁)에서 태어나는 것은 得地가 되고, 秋(令)이 得時하게 된다. 壬 癸 亥 子는 水에 속하므로, 기(冀) 옹(雍)에서 태어나는 것은 得地가 되고 , 冬令이 得時하게 된다.. 더구나 晝夜가 흐리고 맑아지는 동안에 寒(추움)과 暖(따뜻함)이 있으며 陰陽의 조화 안에서 喜(기쁨) 忌(싫어함)가 있고, 生 剋 制 化 억양(抑揚) 경중(輕重)으로 그 통변의 妙함을 알 수 있으니 하나의 논리에 집착해서는 안 되는 것이다. (人稟天地靈氣以生,一時得氣,各自不同,所以貴賤壽夭,難以八字拘也.且以甲乙寅卯屬木,生於兗靑爲得地,春令爲得時.丙丁巳午屬火,生於徐揚爲得地,夏令爲得時.戊己辰戌丑未屬土,生於豫州爲得地,四季月爲得時.庚辛申酉屬金,生於荊梁爲得地,秋冬[令]爲得時.壬癸亥子屬水,生於冀雍爲得地,冬令爲得時.況晝夜陰晴之間,有寒有暖,陰陽造化之內,有喜有忌,生剋制化,抑揚輕重,妙在識其通變,不可執一論也.) [문맥상 冬 字는 令 字의 誤記가 아닌가 생각한다.]

논목論木

正월의 春木은 木이 사령하고, 청(晴~개이다.)하면 꽃잎이 왕성해지고, 비오면 싹과 그루터기가 차가워진다. 正月(寅월)에 生하면 비록 3陽이 交泰(교태)하지만 寒氣가 아직은 제거되지 않아서 火를 보면 生意가 융성하므로 富貴는 견줄 수 없다. 火多하면 元氣가 누설되어, 서(徐) 양(揚)人이 낮에 태어나면 病이 든다. 火 土는 궤도가 같으면 富하고 또 貴하다. 土만 있고 火가 없으면 겨우 衣食만 넉넉할 뿐이다. 金을 보면 꺾어져 손상되어 근심이 되니 火를 얻어 制하면 福이 된다. 水를 만나면 母子가 相生하지 않으니 初春의 木은 조금의 生意(생의)는 있지만, 水를 보면 차가워서 도리어 吉하게 되지 않는다. 기(冀) 옹(雍)에서 태어나면 가난하며, 남자는 濫(람~멋대로 행동하다.)하며 그리고 여자는 음란하다. (正春木,令木也,晴則花葉敷榮,雨則寒其萌蘖.正月生者,雖三陽交泰,寒氣未除,見火則生意藹然,富貴無敵.火多泄其元氣,徐揚人晝生者疾.火土同躔,富而且貴.有土無火,僅足衣資而已.逢金折傷之患,得火制之爲福.見水不爲子母相生,蓋初春之木,纔有生意,見水則寒,反不爲吉.冀雍生者貧寒,男濫而女淫也.)

2월의 木은 생의(生意)가 무성해지고 土를 만나면 재배하므로 아름답게 된다. 火 土가 동행하며 富貴하고 壽를 누린다. 火가 盛하여 설기(泄氣)하면 나무에 꽃봉오리를 맺기 시작하는데 참된 陽氣가 발산하기 때문이다. 연(兗) 청(靑)人은 富와 貴가 있으며 근심이 없고, 서(徐) 양(揚)人은 훌륭한 가운데 조금 부족한 점이 있다. 干支에 壬 癸 亥 子가 있으면 근심인데, 水의 生함이 太過하면 성정(性情)이 방탕하여 고향을 떠나서 다른 곳에 산다. 土 金 水가 모이면 요절(夭折)함이 틀림없지만 賤하고 가난하면 壽는 길다. 金을 만나면 작벌(斫伐)되는데, 旺한 곳에서 손상을 당하여 생의(生意)에 害를 입히니 어찌 天地간에 생겨난 物(열매가)이 인자하기만 할 것인가! 선정(先正=先政=선인,현인=前代的賢臣)이 말하길, 春木이 비록 旺할지라도 金을 만나면 마땅하지 않는 것이 이 때문인 것이다. (二月之木,生意暢茂,遇土培植爲佳.火土同行,富貴而壽.火盛亦泄其氣,蓋花木始含英,而眞陽發散故.兗青人富貴無虞,徐揚人美中不足.干支有壬癸亥子者咎也,水生之太過,情性流蕩,離祖遷居.土金水會,夭折無疑,賤貧則壽.逢金伐之,旺處遭傷,戕其生意,豈天地生物之至仁耶.先正有云,春木雖旺,不宜逢金者此也.)

3월의 木은 바른 가지가 무성하게 자라는 시기인데, 春陽이 온화하고 따뜻하여 각양각색의 꽃이 만발하다. 비가 많이 와 땅에 물이 점점 스며들어 나무뿌리가 요동친다. 土를 보면 뿌리가 튼튼하여 쉽게 흔들리지 않아서 福과 壽가 이어져 늘어난다. 火를 보면 "목화통명"하여 문장이 빼어나게 발달한다. 金은 木을 작벌하니 형(荊) 양(梁)에 태어나면 凶하고[형 양은 金地가 된다.], 서(徐) 양(揚)人은 富貴하다.[서 양은 火地가 된다.] 火 土를 좋아하고 金水를 꺼리며, 運은 東南을 좋아하고 西北은 불리하다. 여름의 木은 巳는 病이며 午에 死하고 未는 墓이지만, 南方의 火가 盛하면 眞氣를 설기하기 때문이다. 陰雨(오래 내리는 비)는 吉하고, 亢晴(항청~맑게 개임)은 꺼린다. (三月之木,正條達長茂之時,春陽和煦,萬紫千紅.雨水浸淫,根株搖動.見土則根深蒂固,福壽綿延.見火則木通火明,文章秀發.逢金伐木,荊梁生者凶,徐揚之人富貴.喜火土,忌金水,運喜東南,西北不利.夏木病巳死午墓未者,蓋南方火盛,泄其眞氣故也.陰雨則吉,亢晴則忌.)

4월의 木은 많이 쇠약하지 않으며, 火도 아직은 심하게 旺하지 않으니, 미약한 火를 만나면 가지와 잎이 무성하니 음비(蔭庇~조상의 덕택)로 發福한다. 水가 盛하면 水神은 정처 없이 떠돌며 男女가 음탕한 행동을 한다. 土를 만나면 이로우니 이름을 이룬다. 火 土는 같은 궤도로서 干支에 壬 癸 亥 子가 있으면 富貴한데, 金을 만나면 이를 剋하니, 재앙이나 소송은 면할 수 없고, 서(徐) 양(揚)人은 반대로 吉하다. (四月木未甚衰,火未甚旺,見微火,則枝葉茂繁,蔭庇發福.值盛水,則水神飄蕩,男女淫奔.見土利就名成.火土同躔,干支有壬癸亥子者富貴.逢金剋之,災訟不免,徐揚人反吉.)

5~6월의 木은 雨水(빗물)를 좋아하며 밤 태생은 더욱 뛰어나고, 富貴하며 壽를 누린다. 火가 盛한데 水가 없으면 가난하거나 요절한다. 夏令에는 화염의 위세로 火盛하여 금석을 녹여 흐르게 하므로 木이 마르는 우환이 있으니, 서(徐) 양(揚)인이 天干에 火가 많으면 풍로형료(瘋癆熒燎~발작성 두통, 어지럼증)의 凶함이 있는데, 혹 水가 制하거나 혹 밤 태생이거나 혹은 비오는 날은

凶이 변화하여 吉하게 되는 것이다. 土가 있으면 뿌리를 배양하고, 水가 있으면 가지가 발달하는데, 火 土가 同行하면 단지 富貴할 뿐만 아니라 건강하게 편안히 장수한다. 金이 있어도 木을 剋할 수 없는 것은 火가 旺하여 金이 연약한 것인데 자식이 원수를 갚기 때문이다. 만약 소서이후에 土가 많아도 역시 꺼리는 것은 대개 衰약한 木이 旺한 土를 剋할 수 없는 것이다. 연(兗) 청(靑)에 生한 것은 財가 된다. 대체적으로 여름의 木은 水를 좋아하지만 다른 때(계절은)는 다르다. (五六月之木,喜雨水,夜生尤奇,値此者富貴而壽.火盛無水者貧夭.夏令炎威火盛,爍石流金,木有枯槁之患,徐揚人干火多者,有瘋癆焚燎之凶,或水制,或夜生,或陰雨天,化凶而爲吉矣.得土以培其根,得水以達其枝,若水土同行,非惟富貴,且壽考康寧矣.見金不能剋木,火旺金柔,有子復仇故也.若小暑以後土多亦忌,蓋衰木不能剋旺土也.兗青生者爲財.大抵夏木喜水,與他時不類.)

秋節 3개월의 木은 오로지 청우(晴雨~날이 개이거나 비오는 일)가 적당하여야 하는데, 오랜 가뭄은 物이 모두 마르고, 장맛비는 物을 수확할 수 없다.(秋三月之木,惟欲晴雨得宜,亢旱則物皆枯槁,淫雨則物不收成.)

초가을에는 아직 화염의 위세가 물러가지 않았으니 火와 동행하는 것은 마땅하지 않고 비가 내릴 때 태어나야 가장 아름답다. 金을 만나면 비록 손상당하여 싫어하지만 그러나 火氣는 오히려 남아 있고 金氣가 아직은 盛하지 않으니 害가 되지는 않는다. 처서 이후에는 형(荊) 양(梁)에서 태어난 것을 꺼린다. 金水가 同行하면 凶이 변하여 吉이 된다. 土를 만나면 배양하니 이로운 이름을 이룬다. 水가 盛한데 土가 없으면 기(冀) 옹(雍)[人]은 정처 없이 떠돌며 거처가 없고, 서(徐) 양(揚)人은 도리어 凶함이 吉하게 된다. (初秋之時,炎威未退,不宜與火同行,陰雨生者最妙.見金雖有剝刻之嫌,然火氣尚炎,金氣未盛,不爲害也.處暑以後,荊梁生者忌之.金水同行,化凶爲吉.逢土培植,利就名成.水盛無土,冀雍飄蕩無居,徐揚人反凶成吉.)

8~9월의 木은 완전히 초목이 시들 때이니 晝 火와 같은 궤도면 가난하거나 요절하고, 가을의 햇볕은 조열(燥熱)하니 木은 모두 말라서 떨어지기 때문이다. 혹 밤 태생이거나 혹 비가 내릴 때이거나 혹은 水(물)로 해결하여야 비로소 吉하다. 연(兗) 청(靑)인은 문장가이며 富貴하고, 水를 만나면 표류할 우환이 있으니, 대개 가을의 水는 木이 번성하는 때가 아닌 것이기에 기(冀) 옹(雍)인은 더욱 꺼린다. 土를 얻어 재배하면 뿌리가 편안하고 두텁다. 金은 오히려 吉한데 金이 司令하면 만물이 꺾여 떨어지고 자라지는 않으며 生만 하고, 또 뿌리로 돌아가지 않아도 다시 그 命의 바탕이 되는 것은 하나의 金만 있을 뿐이고 정작 金의 制가 없어도 그릇을 이루고 즉 천지간에 썩는 것은 木일 뿐이므로 도끼의 힘으로 깎고 다듬어 그릇을 이루어 동량(棟梁)으로 사용하지만, 바르게는 소위 도끼로는 산림에 들어갈 때에 材木을 이길 수 없는 것이다. 氣運은 東南方으로 향하는 것이 적합하다. (八九月之木,正凋零之時,晝火同躔者貧夭,蓋秋陽燥烈,木皆枯落故也.或夜生,或陰雨,或水解之 , 方吉.兗青人,文章富貴,見水有漂流之患,蓋秋水非滋木之時也,冀雍人尤忌.得土栽培,根基穩厚.見金反吉,蓋金司令,則萬物摧落,既無長養以遂其生,又未歸根以復其命,所可藉者,在一金耳,苟無金制以成其器,則爲天地間一朽木耳,所以仗斧斤之力,斲削成器,而爲棟梁之用,正所謂斧

斤以時入山林,材木不可勝用也.氣運宜往東方南方.)

겨울의 木은 바르게 肅殺하는 때이니 다시 命이 뿌리로 돌아와 小春의 生意가 있으니 조화는 끝없는 무궁한 이치이니 易에서 말한 "碩果不食"(석과불식)이란 것은 이것이다. 晴明(하늘이 개어 맑음)에 태어나면 가장 아름답고, 계속내리는 비는 결빙되고 눈이 쌓이게 된다.
[석과불식~큰 과실은 다 먹지 않고 남긴다는 뜻으로, 자기만의 욕심을 버리고 子孫에게 福을 끼쳐 줌을 이르는 말] (冬木正肅殺之時,復命歸根,微有小春生意,以見造化無終窮之理,易曰,碩果不食者此也.生於晴明者最佳,值陰雨則凝冰積雪也.)

10월의 木은 火를 만나면 貴하고 壽가 길며, 대개 寒冰에 얼은 土가 火에 의지함은 뿌리가 온난하기 때문이다. 火 土가 運을 도우면 富貴가 雙全한다. 金을 만나면 비록 根本에 害가 없더라도, 골육참상(骨肉參商)을 면하기 어렵다. 水를 얻으면 자조(滋助)하는 뜻이 있고, 서(徐) 양(揚)인은 이로우며 이름을 이루고, 기(冀) 옹(雍)人은 빈한하며 孤剋하다. (十月之木遇火,貴而有壽,蓋冰寒土凍,仗火以溫暖其根故也.火土輔運,富貴雙全.見金,雖無害其根本,未免骨肉參商.得水則有滋助之意,徐揚人利就名成,冀雍人貧寒孤剋.)

만약 子 丑월의 木은 火의 융성함을 좋아하며 土와 궤도가 같으면 台鼎(태정~삼정승)의 자리에 오른다. 水를 보면 凶 剋한데, 대개 겨울은 水가 司令하니 木은 寒木이고, 冬木이 水를 만나서 차가운데 火의 따뜻함이 없으면 얼어붙고 生意가 꺾어진다. 빈천하면 長壽하고 富貴하면 요절한다. (若子丑月之木,喜火融之,與土同躔,位登台鼎.見水凶剋,蓋冬,水令也,木,寒木也,冬木遇水而寒,無火溫之,則冰凝凍合,而生意摧折矣,貧賤者壽,富貴者夭.)

金을 만나면 비록 차갑진 않아도 손상하는데, 木이 冬令에 있고 뿌리로 돌아가는 것은 도끼를 사용할 수 없고, 조락(凋落)하는 것은 깎고 다듬어 그릇을 만들 수 있으니 그래서 金을 만나면 허물이 없는 것이다. 서(徐) 양(揚) 연(兗) 청(青)에 태어나는 것은 하늘로부터 무너지고, 형(荊) 량(梁) 예(豫)인은 비록 꺼릴지라도 역시 지엽(枝葉)이 손상되는 것에 지나지 않을 뿐이니 그 뿌리의 근본은 같은 것이다. 干支에 丙 丁이 있어 相制하면 오히려 富貴할 수 있는데, 어찌 재앙을 면할 뿐이겠는가? 氣運은 南方을 향함이 적당하고, 冬 木은 남쪽으로 나아가는 것을 좋아하고 東方은 그 다음이다. (見金雖傷不寒,蓋木在冬令,歸根者,斧斤無所施,凋零者,斲削可成器,所以見金而無咎也,徐揚兗青生者,有隕自天,荊梁豫人雖忌,亦不過枝葉之傷耳,其本根則自若也.干支得丁丙相制者,卻能富貴,豈獨免禍而已.氣運宜往南方,冬木喜南奔也,東方次之.)

논화論火

3春의 火는 온화한 氣가 처음으로 나타나는 것이다. 하늘이 맑게 개이면 藉木이 밝아지고, 비

가 오면 젖은 木이 어두워진다. 正月은 陽이 미약한 火로서 木중에 숨어있으니 비록 가친가애(可親可愛~가까이 있어 사랑스러움)의 뜻이 있지만 서릿발 같은 기운이 아직 가시지 않으니 木이 [火를] 生하려면 陽氣가 발휘해야한다. 金은 財가 되므로 서(徐) 양(揚)인은 富者로서 예의를 좋아한다. 金 木이 同行하면 정내(鼎鼐~삼공의 벼슬)의 벼슬을 한다. 金이 水에 놓이면 夭折은 의심할 것이 없고[틀림없이 요절하고], 형(荊) 량(梁) 기(冀) 옹(雍)人은 더욱 심하다. 土를 만나면 미약한 陽이 泄氣되니 경박스럽고 비천하다. (三春之火,其氣溫然而始著也.晴則藉木而明,雨則濕木而晦.正月微陽之火,隱於木中,雖有可親可愛之意,但冰霜之氣未消,遇木生之,則陽氣發揮矣.逢金爲財,徐揚人富而好禮.金木同行,官居鼎鼐.逢金值水,夭折無疑,荊梁冀雍之人尤甚.見土盜泄微陽,浮薄卑賤.)

[火는] 2월의 木을 보면, 敗地에서 生을 만나니 木이 빼어나서 火가 밝아지므로 문장가로서 富貴한 사람이다. 단지 水가 있으면 적당하지 않는데, 濕木은 불꽃이 없는 火를 生하지 못하는 것이다. 곡우 이후에 태어나면 水가 약해 凶이 없고, 土가 司令할 때이니 木의 主令은 凶이 변해 吉하게 된다. 연(兗) 청(青) 서(徐) 양(揚)에 태어나면 富貴함을 어찌 의심하겠는가? 土와 金은 正月에는 같이 論하지만, 단지 辰월의 土는 旺함이 다를 뿐이다. (二月見木,敗處逢生,木秀火明,文章富貴人也,但不宜有水,蓋濕木不生無燄火也.穀雨以後生者,微水無凶,蓋土司時,木主令,化凶爲吉也.兗青徐揚生者,富貴何疑.土與金,正月同論,但辰月土差旺耳.)

夏令의 火는 陽氣가 지극하여 草木이 시들게 되고, 강물은 바싹 마르게 된다. 맑게 개이면 금석은 녹아내려 眞陽이 洩氣를 다한다. 비가 오면 水가 그 위세를 구제하여 비로소 中和되니, 조상의 음덕에 반응하여 發福한다. 4월의 火는 세력이 점차 왕성하여 태양이 빛을 다투니 아직은 충성과 사랑을 다하지 않으니, 비록 富貴하더라도 또한 요절하고, 가난하면 장수하며 자식은 많지만 고독하고 간난신고(艱難辛苦)한다. 金을 보면 이름을 이루어 이로우며, 土를 만나면 권모술수가 있고, 木을 보면 富하며 예의를 가진다. 미약한(적은) 水는 木을 구제하니 그 貴함은 말로 다 할 수 없다.[貴가 대단하다는 말] (夏令之火,陽氣之極,草木爲之焦枯,江河爲之乾涸.晴則流金爍石,眞陽盡泄.雨則水濟其威,方得中和,反應蔭庇發福.四月火勢漸盛,逢日爭光,未能全其忠愛,雖富貴亦主夭亡,貧寒者壽而多子,孤獨艱辛.見金名成利就,逢土有權有謀,遇木富而好禮.微水濟木,其貴不可言也.)

[火가] 5~6월에 태어나면 화염이 지극하여 水로 制하게 되면 도성의 장수나 정승이 되고, 오직 기(冀) 옹(雍)에서 태어난 사람은 水가 盛함이 적절하지 않고, 旺한 火는 盛한 水가 있어야하는 것은 손상하지 않을 수 없기 때문인 것이다.[첨언~강력한 火勢에 水가 성하지 않으면 말라버리기 때문이다.] 土가 있는데 木이 制하여 구하면 富貴가 뛰어난 사람이다. 土를 보고 그 盛함을 洩氣하면 권세를 가지는 貴함이 있고, 또 은혜를 베풀기를 좋아하는 사람이지만 그러나 은혜를 베풀면 오히려 원망할 뿐이다. 대개 火는 능히 土를 生할수 있지만 土를 마르게도 할 수 있기 때문이다. (五六月生者,火炎之極,得水制之,則都將相,惟冀雍生人,水不宜盛,蓋旺火投於盛水,不能不傷故也,得土制木解,則富貴過人矣.見土略泄其盛,而有權衡之貴,又好施惠及人,但施恩反怨耳.蓋火能生土,亦

能燥土故也.)

木의 生함이 지나치면 도리어 傷하는데 청(靑) 연(兗) 서(徐) 양(揚)人은 근본적으로 비록 부자일지라도 夭折을 면하기 어렵다. 기(冀) 옹(雍) 형(荊) 량(梁)人은 富에 富함을 더한다. 金은 財가 되는데, 火가 金을 녹여 흐르게 하면 오히려 破財하여 가정이 파탄하는 근심이 있다. 水 土가 同行하면 이름을 이루고 이로움이 있다. 日月이 다투고 刑하면 忠과 孝가 이지러지고, 흉악한 재앙으로 고독하며 밤 태생은 덜어내어 가볍다. 氣運은 西北으로 向함이 적당하고 東南은 크게 꺼린다. (見木生過反傷,青兗徐揚人根基雖富,難免夭亡,冀雍荊梁人富而益富.遇金爲財,火爍金流,反有破財蕩家之患.水土同行,名成利就.日戰月刑,忠孝有虧,凶禍孤剋,夜生減輕.氣運宜往西北,東南大忌.)

초가을의 火는 화염의 위세가 아직 물러가지 않고 土에 生氣를 전하여 水가 剋할 수 없으니 오히려 영예로우며 貴하다. 木을 보면 이를 돕고 서(徐) 양(揚) 연(兗) 청(靑)人은 干支에 火가 많으면, 비록 富貴하더라도 그러나 壽는 길지 않다. 金을 보면 財가 되며, 富貴하고 호사스럽다. 土를 만나면 번식하니 현달(顯達)함이 대단하다. (秋初之火,炎威未退,土傳生氣,水不能剋,反主貴榮.見木助之,徐揚兗青人干支火多者,雖富貴而壽不永.見金爲財,富貴豪侈.逢土則息,顯達非常.)

8~9월은 실시(失時~때를 잃음)한 火인데 木을 만나면 거듭 生하여 뜻이 무궁하고 富貴는 대적할 수 없다. 金 木이 궤도가 같으면 벼슬은 재상이 된다. 金은 있고 木이 없으면 주인은 弱하고 적은 強하니 쟁탈당하는 일을 면할 수 없다. 기(冀) 옹(雍) 형(荊) 양(梁)인은 재물로 인해 재앙을 받는다. 土와 궤도가 같으면 진원(眞元)이 泄하여 고형냉퇴(孤刑冷退)하고, 木이 이를 도우면 아름다운 것이다. 水를 보면 凶하게 요절한다. 運은 東南을 좋아하고 西北은 꺼린다. (八九月失時之火,見木,生生之意無窮,富貴無敵.金木同躔,官居宰輔.有金無木,主弱敵強,不免有爭攘之事.冀雍荊梁人,因財致禍.與土同躔,泄其眞元,孤刑冷退,得木助之,斯爲美矣.見水凶夭.運喜東南,西北忌之.)

겨울의 火는 人多親之하며, 비가 그쳐 맑게 개이면 밝아지고, 비가 계속내리면 [火가] 滅한다. 따라서 水를 보면 凶하게 되고, 木이 生하면 貴하다. 水가 있고 木이 없을 경우에 輕하면 病이 들고 重하면 요절하고, 비록 부유한 집안에서 태어날지라도 냉정하게 물러나는 것을 면할 수 없고, 서(徐) 양(揚) 연(兗) 청(靑)人은 水로 制하면 허물이 없다. 土를 만나면 洩하여 弱한 중에 또 弱하니 종신토록 건체(蹇滯)한다. 소한 후에는 旺土가 밝은 빛을 어둡게 하니 아무것도 모르는 어리석은 소경이 된다. 金을 보면 財가 되고 연(兗) 청(靑) 서(徐) 양(揚)人은 부유하고, 형(荊) 량(梁) 기(冀) 옹(雍)人은 도우면 凶이 되지 않으며, 金의 자식이 水인데, 母를 克한 자식이 곧 원수를 갚는데, 木이 풀지 않으면 도병옥송(刀兵獄訟~칼이나 병장기로 인한 송사)의 재앙이 있고, 종기나 설사와 물에 빠지는 흉이 있고, 干支에 木이 盛하면 경감(輕減)한다. 대체적으로 겨울의 火는 木은 좋아하지만 水를 꺼린다. 運은 東南이 적절하고 西北은 크게 꺼린다. (冬月之火,人多親之,晴霽則明,陰雨則滅.故見水爲凶,木生爲貴.有水無木,輕者疾,重者夭,雖生富厚之家,不免冷退,徐揚兗青人得水制之無咎.逢土泄之,弱中又弱,蹇滯終身,小寒之後,旺土晦其光明,定主昏愚瞽目.見金爲財,

靑兗徐揚人主富,荊梁冀雍人助難爲凶,謂金之子水也,克其母,子則乘勢報仇,無木解之,有刀兵獄訟之厄,腫痢沒溺之凶,干支木盛者減輕.大抵冬火喜木忌水.運宜東南,西北大忌.)

논토論土

土가 봄이 되면 土는 기름지며 혈맥이 상승하여, 만물을 품고 자라나게 하니 木氣가 발생하고, 이전의 哲人은 소위 寅을 病, 卯를 死, 辰을 墓라 하였는데 훌륭한 것이다. 비오면 陰氣가 엉기어 土가 濕하니 싹은 껍질을 터뜨리지 못하고, 날씨가 맑게 개이면(晴) 언 것이 풀려 陽氣가 화순하니 生意가 발생한다. 따라서 봄철의 土는 陽氣를 접하게 되어 만물을 발육할 수 있다. (土値春時,土膏脈起,萬物含生,木氣發泄,前哲所謂病寅死卯墓辰者,良有以也.雨則陰凝土濕,而萌甲不舒,晴則凍釋陽和,而生意發越.故春令之土一接陽氣,就能發育萬物.)

정월의 土는 아직 찬 서리가 있어 비가 내리면 얼어붙고, 水를 만나면 결빙되어, 木은 病이 되니 오직 火를 얻어 온난하게하면 부귀영화는 견줄 수 없다. 金을 보면 木을 制하여 名利 모두를 이룬다. (正月之土,尙有霜寒,遇雨則凍,遇水則冰,値木則病,惟得火以溫之,則榮華莫比.逢金制木,亦名利兩成.)

2월의 土는 정히 木은 盛하고 土는 붕괴할 때인데 木을 보고 궤도가 같으면 비위(脾胃) 장풍(腸風~한의학, 변을 볼 때 피가 나오는 병) 치루(痔漏)의 재앙이 있는데, 輕하면 病이 들고, 重하면 요절한다. 서(徐) 양(揚)人이 干支에 火가 있으며 낮에 날씨가 맑게 개일 경우는 허물이 없다. 火를 만나고 같은 궤도면 지위가 대정(臺鼎~삼정승)에 오른다. 水를 보면 凶한데, 기(冀) 옹(雍) 청(靑) 연(兗)人은 土와 水가 섞여 혼탁하니 종국에는 水가 솟구쳐 土가 무너지는 위태로움이 있고, 대개 水가 旺한 木을 生하면 土를 손상하는데, 이런 경우는 가난하거나 병이 들거나 요절하지만, 서(徐) 양(揚) 예(豫)인의 干支에 火는 반대로 吉하다. 金을 보면 土氣를 洩하기 때문에 재앙을 면하기 어렵다. (二月之土,正木盛土崩之時,遇木同躔,有脾胃腸風痔漏之災,輕者疾,重者夭,徐揚人干支有火,而値晝晴者無咎.見火同躔,位登臺鼎.見水則凶,冀雍靑兗人土渾水濁,終有水湧土潰之危,蓋水生旺木而傷土也,値此者貧寒疾夭,徐揚豫人,干支火者反吉.見金以泄土氣,難免災凶.)

3월의 土는 점점 生意가 있는 것은 土가 旺한 季월인 때문이다. 火의 온난함이 있으면 陽氣가 피어올라 生物이 무성하다. 木을 만나면 질병이 아니면 요절하지만, 서(徐) 양(揚) 예(豫)인은 害가 없다. 水 木이 동도(同度~같은 정도)하면 빈궁(貧窮)하여 무료(無聊)한데, 기(冀) 옹(雍) 연(兗) 청(靑)人은 더욱 심하다. 金을 만나면 木을 制하여 오히려 凶을 吉하게 만든다. 運은 南方을 좋아하고, 西方은 그 다음이다. (三月之土,漸有生意,蓋土旺季月故也,有火溫煥,則陽氣發舒,而生物茂矣.見木非疾則夭,徐揚豫人無害.水木同度,貧薄無聊,冀雍兗靑人尤甚.見金制木,反凶成吉.運喜南方,西方次之.)

土가 장하(長夏~음력 6월)에 旺한 것은 火가 왕성하여 土를 生하기 때문인데, 비가 내리면 濕하여 만물을 기르므로 水를 보면 吉한 것이다. 가뭄이 심하면 논밭이 갈라터지므로 火를 만나면 凶하게 된다. (土旺長夏,火盛土生之故也,陰雨則濕養萬物,故見水爲吉.亢旱則田疇龜拆,故遇火爲凶.)

孟夏(초여름)의 土는 염기(炎氣~불꽃의 기운)가 아직은 盛하지 않으니 결국 火로 도우는 것을 좋아한다. 木을 보면 질병이나 요절을 의심할 것이 없다. 水를 보면 財가 되는데 서(徐) 양(揚)人은 富가 충분하고 金을 보고 木을 만나면 貴하고, 水를 만나면 가난하게 된다. (孟夏之土,炎氣未盛,終喜火以助之.逢木則疾夭無疑.見水爲財,徐揚人富足,見金遇木則貴,逢水則貧.)

5~6월의 土는 火를 보면 燥해 지니 만물이 말라 시들고, 서(徐) 양(揚)人이 干支에 火가 盛할 경우는 화재나 풍혈(風血)의 재앙이 있으니, 輕하면 위태롭고 重하면 죽는데, 혹 비가내리거나 혹 밤 태생은 비록 재앙이지만 심하지 않다. 기(冀) 옹(雍)人은 干支에 壬 癸 亥 子가 있으면 富貴가 비범하다. 水를 보면 만물을 기르니 富貴한 문장가이다. 木을 보면 그 성품이 소통되니 총명하여 특별히 재주가 뛰어나다. 金을 보면 無用한 것은 火가 왕성하면 金이 쇠약하여 木을 制할 수 없으므로 金이 無用한 것이다. 氣運은 西北으로 行하는 것이 적당하고 南方을 가장 꺼리는데, 대개 여름의 土는 火를 만나면 태조(太燥~ 크게 마름)하기 때문이다. 土는 秋令(가을철)이 되면 金氣가 왕성하여 土를 洩하여 기운이 약한 것이다. 날씨가 맑게 개였다가 비가 내리고 하는 것이 적당해야 한다. (五六月之土,見火則燥,而萬物焦枯,徐揚人干支火盛者,有火焚風血之災,輕者危,重者死,或陰雨,或夜生,雖災不甚.冀雍人干支有壬癸亥子者,富貴非凡,見水滋養萬物,主富貴文章.見木疏通其性,多聰明特達.遇金無用,蓋火盛金衰,不能制木,所以金無用也.氣運宜行西北,最忌南方,蓋夏土逢火太燥故也.土逢秋令,金氣盛旺,泄土而氣薄矣.晴雨須要得宜.)

7월의 土는 火氣가 아직 제거되지 않으니 土의 성질은 오히려 燥(건조)하므로 水가 돕는 것을 기뻐하니 만물이 열매를 맺는 것이다. 만약 火가 대단히 왕성하면 燥한 土를 싫어하니 水로 구제하여야 妙(빼어나게 뛰어남)하게 된다. 木을 보면 재앙이 되고, 서(徐) 양(揚) 형(荊) 량(梁)인은 꺼리지 않는다. (七月之土,火氣未除,土性尚燥,喜水滋之,則萬物實矣.若火太盛,亦有燥土之嫌,得水濟之爲妙.逢木爲災,徐揚荊梁人無忌.)

8~9월의 土는 木을 만나도 剋되지 않는 것은 萬物이 시들어 떨어질 때이니 金氣가 生旺하여 자식이 母의 원수를 갚고, 형(荊) 량(梁) 서(徐) 양(揚)인은 富貴하며 그리고 장수한다. 金을 보면 洩氣가 太甚하여 西北인은 차가움을 물리치고 겁이 많아 약해지는 근심을 떨치지 못한다. 火가 도우면 文武에서 명성이 높고, 君子나 小人이 모두가 吉하다. 水는 財가 되는데, 서(徐) 양(揚) 예(豫)인은 부유한 것을 대적할 者가 없고, 기(冀) 옹(雍) 형(荊) 량(梁)인은 水가 지나치게 盛하면 오히려 貧窮하고, 戌월은 조금 나은 편이다. 運은 火 土를 만나는 것을 좋아하고, 水 木 金의 방향은 꺼린다. (八九月之土,見木則不能剋,此萬物凋零之時,金氣生旺,子復母仇,荊梁徐揚人,富貴而壽.

見金泄氣太甚,西北人不免有冷退怯弱之患.見火助之,文武名高,君子小人皆吉.見水爲財,徐揚豫人,富而無敵,冀雍荊梁人,水過盛者反主貧薄,戌月僅可.運喜火土之逢,水木金方有忌.)

土는 겨울이 되면 정히 天地가 肅殺하는 시기로 차가워지니, 비록 1陽이 땅속에서 生할지라도 土의 혈맥이 아직은 따뜻하지 않으니 水와 雪이 冰寒하여 土가 언다. 火인 태양을 보면 "한곡회춘"이 된다.[한곡회춘~추운 골짜기에 봄이 돌아온다.] (土於冬也,正天地肅殺之時,寒亦至矣,雖一陽下生,土脈未溫,値水雪則冰寒土凍.見火日則寒谷回春.)

10월의 土는 오직 火로서 따듯하게 하는 것을 좋아하고, 土의 혈맥이 陽氣로 화순하여야 萬物이 뿌리로 돌아오는 것이다. 土를 보면 凶하고, 金을 만나면 막히고, 水를 보면 쓸쓸하고 가난한데, 서(徐) 양(揚)인은 干支에 火가 많으면 부유하다. (十月之土,惟喜火以溫之,則土脈陽和,而萬物歸根矣.見木則凶,逢金則滯,遇水則主孤寒,徐揚人干支火多者可富.)

子丑월은 한기가 지극하여 火 태양이 융화(融和)하여야 功名을 성취한다. 木을 가장 꺼리는데 火를 만나 풀면 吉하게 된다. 水를 보면 陰氣가 점점 더 甚하여 "수한지동"하니, 輕하면 질병이 들고, 重하면 요절한다. 金을 만나도 역시 貧窮하다. 歲 運은 南方이 가장 아름답고, 北方은 크게 꺼린다.[수한지동~물은 차갑고 땅은 얼어붙는다.] (子丑之月,寒氣之極,火日融和,功名成就.見木最忌.見火解之爲吉.見水則陰氣愈甚,水寒地凍,輕者疾,重者夭.見金亦主貧薄.歲運南方最佳,北方大忌.)

논금論金

봄철의 金은 木 火가 旺相하여 金이 得氣하는 때가 아니니, 寅에서 絶하며 卯 辰에서 胎 養인 것이다. 대저 조화는 끝없는 지극한 이치인 것이다. 봄철의 金은 청명(晴明~하늘이 개어 맑음)하면 吉하고 비가 내리면 蹇滯한다. 土를 만나면 [金을] 生하는 것이 마땅하니 絶하는 것에서 生의 뜻이 있을 뿐이다. (春日之金,木旺火相.非金得氣時也,絕寅,胎養於卯辰者,蓋造化無終極之理也.是以春令之金,晴明吉.陰雨則滯.正宜遇土以生之,謂其將絕而有生意耳.)

정월의 金은 木이 財가 되는데, 木神이 太旺하면 겨우 의식만 충족한다. 土氣는 아직 차가워 生助할 수 없으니 예술로 이름을 나타낼 뿐이다. 火가 만약 같은 궤도면 남녀는 중혼(重婚)이나 중가(重嫁)한다. 火를 보고 土를 만나면 富貴가 대단하고, 水를 만나 洩하면 나약하며 외롭고 가난하다. (正月之金,見木爲財,木神太旺,僅足衣資.土氣尙寒,未能生助,藝術顯名而已.火若同躔,男女重婚重嫁.見火遇土,富貴非常,逢水泄之,孤寒懦弱.)

2~3월의 金은 土를 보면 거듭하여 生하는 뜻이 무궁(無窮)하니 主人은 富貴하고 壽가 길다.

水를 만나 元氣를 洩하면 貧窮하며 無情하다. 火를 보면 곧 金을 가두어 鬼(귀살)를 만난 것이니 가난하거나 요절하는 것은 의심할 것이 없다. 土는 [金을] 生하고 水를 制하면 吉하게 된다. 木을 보면 곤궁하고 막히는 재앙이 있는데, 대개 春木은 旺盛하니 미약한 金이 制하고자 하지만 이것은 오히려 어린애가 강적을 방어하는 것처럼 格이 안 되는 것이 분명하니 이것을 犯하면 반드시 영화를 탐하다가 오히려 욕(辱)을 당하고, 관청의 송사로 다투는 일은 仁義가 相刑하기 때문인 것이고, 형(荊) 량(梁) 예(豫)人이 만나면 부유하다. 서(徐) 양(揚)인의 干支에 土가 많으면 貴함이 나타나고, 氣運은 土가 가장 吉하고 金은 그 다음이다. (二三月之金,見土則生生之意無窮,主人富貴而壽.逢水泄其元氣,亦主貧薄無情.見火則囚金遇鬼,貧夭無疑.土生水制爲吉.見木而有困滯之災,蓋春木盛旺,以微弱之金而欲制之,是猶以嬰兒而禦強敵,其不格也明矣,犯此者,必有求榮反辱之虞,官訟爭攘之事,謂其仁義相刑故也,荊梁豫人逢之主富.徐揚人干支土多者貴顯,氣運土鄉最吉,金鄉次之.)

夏월은 火가 盛하여 金이 유약한데, 晴(날씨가 맑게 개임)하면 태양이 金을 녹여서 흐르고, 비오면 水가 늘어나 金을 적시기 때문에 여름철의 金은 土를 보는 것이 마땅하여, 主人은 "출장입상"[出將入相~나가서는 장수요, 들어와서는 재상이라는 뜻]의 권력을 가지고, 金馬玉堂(금마옥당)으로 貴하다. 火를 보면 화염에 金이 녹아내려 가난하거나 요절함이 대부분인데, 비록 富할지라도 요절하거나 음란하다. 木은 財가 되는데, 형(荊) 량(梁) 예(豫)人은 대부분 富貴하다. 水를 보면 외롭고 가난한 것은, 대개 약한 金은 水를 生할 수 없기 때문인데, 만약 火 土가 同行하면 富貴는 강녕(康寧)하다. 運은 土金을 좋아하고, 木 火는 가장 꺼린다. (夏月火盛,金至柔也,晴則日爍金流,雨則水滋金潤,故夏令之金,俱宜見土,主人有出將入相之權,金馬玉堂之貴.見火則火炎金爍,貧夭居多,雖富而夭淫賤.見木爲財,荊梁豫人多主富貴.遇水孤寒,蓋弱金不能生水故也,若與火土同行,則富貴康寧.運喜土金,木火最忌.)

秋節의 金은 肅殺하니 萬物이 조령(凋零~시들어 떨어짐)하고, 설령 억누르지 않을지라도 거듭하여 生하는 뜻은 끊어진다. 맑게 개이면 火가 金을 단련하여 金이 견고하고, 비오면 水는 金을 윤택하게 하여 金이 뚜렷하기 때문이다. (秋金肅殺,萬物凋零,苟縱而不抑,則生生之意絕矣,晴則火煅金堅,雨則水潤金明故也.)

7~8월의 金은 得令하여 그 성질이 강건하여 火가 制함으로서 위세가 되어 "玉帶金魚"(옥대금어)한 貴가 있다. 대개 완강한 金은 火가 없으면 그릇을 이룰 수 없기 때문인 것이다. 水를 보면 그 旺氣를 洩하니"금백수청"하여 대부분 사림(詞林)에서 淸貴하다. 水 火가 모두 없으면 요절한다. 木은 財가 되는데, 서(徐) 양(揚)인은 富貴하다. 土를 만나면 윤기와 빛을 감추고, 비록 財가 있더라도 발달하지 못하고, 고독함이 많다. 經에서 이르기를, "추금매토"는 오히려 旺하다. 木을 만나면 貴하고, 서(徐) 양(揚) 연(兗) 청(靑)인이 만나면 더욱 아름답다. (七八月之金得令,其性剛強,仗火以制其威,則有玉帶金魚之貴,蓋頑金無火,不能成器故也.見水泄其旺氣,金白水清,多主詞林清貴.水火俱無,則主夭折.見木爲財,徐揚人富而且貴.遇土則隱彩埋光,雖有財而不發,孤者多,經云,秋金埋

土而反旺也.逢木而貴,徐揚兗青人見之尤佳.)

9월에 태어나면, 金氣가 점차 물러나고, 火를 보고 밤에 태어나면 뛰어난데 낮에 태어나면 이로움이 적다. 木을 만나면 剋하여 오히려 골육참상(骨肉參商)을 당한다. 水를 만나면 구제하여 기(冀) 옹(雍)인은 차가움이 물러나는 것을 피하지 못하는데, 서(徐) 양(揚)인은 또 어찌 꺼리겠는가? 土를 만나면 어두워지니, 연(兗) 청(靑)인은 대부분 富貴하고, 예(豫)인은 막혀서 답답하다. 運은 東南을 기뻐하고 西北을 꺼린다. (九月生者,金氣稍退,遇火夜生爲奇,晝生少利.逢木則剋,反應骨肉參商.見水濟之,冀雍人不免冷退,徐揚人又何忌焉.逢土亦晦,兗青人富貴居多,豫人困滯.運喜東南,忌西北.)

冬月은 天氣가 엄숙하여 金이 복장(伏藏)하는 시기이니, 대개 金의 一生은 봄에 배태(胚胎)하여 여름에 태어나서 가을에는 왕성하고 겨울이 되면 死하는 것이니, 寒氣를 두려워하여 生意가 없다고 하였다. 청명(晴明~하늘이 맑게 개임)하면 金이 맑아 水를 빼어나게 하고, 눈비가 오면 水가 冷하여 金을 차갑게 하므로 겨울의 金은 火로 융화한 연후에 寒氣를 빼앗으면 富貴가 대단한 것이다. (冬月天氣嚴肅,金伏藏之時也,蓋金之生也,胎於春,生於夏,旺於秋,至冬而死者,謂其畏寒無生意也.晴明則金清水秀,雨雪則水冷金寒,所以冬月之金,得火融之,然後可以奪其寒氣,則富貴非常矣.)

초겨울의 金은 火를 만나면 손상되고, 서(徐) 양(揚)人이 干支에 土가 없고 낮에 태어나면 가난하거나 요절한다. 밤에 태어나면 외롭고 가난하다. 土를 만나면 衣食이 풍족하다. 水 木을 함께 보면 이롭지 못하다. (初冬之金,見火則爲傷殘,徐揚人干支無土,日生者貧夭.夜生者孤寒.遇土則衣祿豐足.見水木俱不利矣.)

子丑월에 태어나면 火로서 따뜻하게 하는 것을 좋아하고, 서(徐) 양(揚)人은 火가 없는 것을 좋아하는데 土를 만나면 火를 얻어야 貴하고, 기(冀) 옹(雍)인은 土가 있는데 火가 없으면 외롭고 가난하다. 대개 寒土는 金을 生하지 아니한다. 水를 만나면 차가우니 西北인은 貧賤하거나 병으로 요절한다. 서(徐) 양(揚)인이 干支에 火 土가 있으면 수복(壽福)이 강녕(康寧~몸과 마음이 편안함)하다. 木을 보면 財가 되어 주로 부유하고, 한가하며 福을 누리고, 연(兗) 청(靑)인이면 처자식이 신분을 망각하고 윗사람에게 대드는 일을 하는 것은 쇠약한 金이 木을 制할 수 없기 때문이고, 형(荊) 량(梁) 예(豫)人이면 吉하다. 運은 東南을 기뻐하고, 西北은 가장 꺼린다. (子丑月生者,亦喜火以溫之,徐揚人無火亦喜,遇土得火爲貴,冀雍人有土無火者孤貧,蓋寒土非生金之資也.見水則寒,西北人賤貧疾夭.徐揚人干支有火土者,福壽康寧也.遇木爲財主富,享閑中之福,兗青人則有妻孥犯分之事,蓋衰金不能制木故也,荊梁豫人則吉.運喜東南,西北最忌.)

논수論水

봄철의 水는 寅은 病이며 卯는 死이고 辰은 墓이니 누구나 弱하다고 말하지 않겠는가! 특히 水는 陰氣가 되는 것을 알지 못하며, 申에서 長生하여 子에서는 旺하다. 秋 冬節에는 그 氣가 모여서 흩어지지 않기 때문에 水가 항상 마르고, 봄이 되면 陽氣는 상승하며 陰氣는 하강하는데, 따라서 비와 이슬이 되어 水가 발생하니 水의 세력은 변하지 않을 뿐이다. 星家는 活水는 卯에서 長生한다는데 좋은 근거가 된다. 날씨가 맑으면 봄철의 水는 도도히 흐르고, 비가 내리면 넓고 큰물이 범람한다. (春月之水,孰不謂其病寅死卯墓辰,爲至弱矣,殊不知水爲陰氣,生申旺子.秋冬之時,其氣翕聚未散,故水常涸,春至陽氣上蒸,陰氣下降,故雨露旣濡而水生發,此水勢之常耳.星家以活水生於卯者,良有以也.晴則春水溶溶,雨則汪洋泛溢.)

정월에 태어나면, 水에 寒氣가 있으니 火를 보면 얼음이 녹아 언 것이 풀려서 富貴가 평온하다. 金으로 도우며 서(徐) 양(揚)에서 태어나면 가장 아름답다. 木을 만나는데 火가 없으면 水는 冷하고 木이 차가우니 生意가 존재하지 않는다. 土를 만나면 水를 剋하니 빈한(貧寒)하게 된다. 土가 [水는] 制하고 金을 生하면 衣食이 풍부하게 된다. (正月生者,水有寒氣,見火則冰融凍釋,富貴雍容.得金相助,徐揚生者最佳.逢木無火,則水冷木寒,未有生意.遇土剋水,亦主貧寒.土制金生,衣資豐贍.)

2~3월의 水는 크고 끝없어 土로 제방(堤防)해야 하고, 낮[태생]이면 富貴하고, 밤[태생]이면 이동하여 떠돌고, 곡우 후에 태어나면 혹 음란하고 간사하며 몸이 마비되는 病을 앓는데, 대개 土가 水를 혼탁(混濁)하기 때문이다. 火를 만나면 水火가 서로 刑하여 재앙과 송사는 피할 수 없다. 金을 만나 水를 生하면 범람하여 무정(無情)하다. 서(徐) 양(揚)인이 干支에 土가 있으면 허물이 없다. 木을 만나서 설기하면 은혜를 베풀 수 있는 사람이다. 연(兗) 청(晴)인이 2월 중순에 태어나면 木氣가 정히 왕성하여 그 元神을 盜氣하여 風怯의 질병이 생긴다. 金이 도우면 근심이 없다. (二三月之水,浩無邊際,見土則有隄防,晝則富貴,夜則流移,生於穀雨後者,或主淫邪痹癒之疾,蓋土渾水濁故也.見火則水火相刑,災訟不免.遇金生水,泛溢無情,徐揚人干支得土者無咎.見木泄之,能施惠及人.兗青人生於二月中旬者,木氣正旺,盜其元神,則生風怯之疾.得金助之無患.)

여름의 水는 失令하여 火를 만나면 물이 말라붙으니, 따라서 날씨가 맑은 것을 싫어하며 비오는 것을 좋아한다. 초여름에는 水가 오히려 범람하니 土로서 [물이]흐르지 않도록 막으면 福의 기운이 심후한데, 단 火와 同行하는 것은 적절하지 않다. 대개 火가 盛하면 土는 燥해지고 水는 마르니, 서(徐) 양(揚)人은 干支에 金 水가 없으면 病으로 요절한다. 水를 만나면 이로워 명성을 이루고, 金이 만약 水를 生하면 오히려 외롭고 쓸쓸한데, 대개 夏令에는 金이 쇠약하므로, 母가 쇠약하여 子(자식)를 生할 수 없고 도리어 母를 손상하니 형(荊) 량(梁) 예(豫)이면 吉하다. (夏水失令,逢火則乾涸矣,所以忌晴而喜雨也.初夏之時,水猶泛濫,得土止而不流,則福氣深厚,但不宜與火同行,蓋火盛則土燥而水涸,徐揚人干支無金水者,疾夭也,逢水,利就名成,金若生之,反主孤剋,蓋夏令金衰,母弱不能生子,而反傷於母也,荊梁豫人值之則吉.)

5~6월의 水는 정히 만물을 도울 수 있는데, 土와 同行함을 좋아하고 生時(태어날 당시)에 비가 내리면 富貴하며 문장가이고, 火를 보면 水(물)가 마르니 싫어하는데, 輕하면 病이 들고 重하면 요절하지만 水로서 구제하면 凶한 중에 오히려 吉하게 된다. 木을 보면 富貴한 영웅호걸인데, 연(兗) 청(晴)인은 그 眞氣를 洩하여 좋지 않다. 金氣가 약하면 水를 生할 힘이 없으니 例로 母曜를 論함은 不可하니 도리어 孤剋한데, 干支에 金水가 있으면 吉하다. 運은 金水를 좋아하고 火를 가장 싫어한다. (五六月之水,正能滋助萬物,喜土同行,生時更値陰雨者,主富貴文章,見火則有涸水之嫌,輕者疾,重者夭,得水濟之,凶中反吉.見木亦主富貴豪雄,兗青人泄其眞氣,非佳.逢金氣弱,無力生水,不可例以母曜論之,反主孤剋,干支有金水者吉.運喜金水,火鄕最忌.)

水가 秋令(가을철)에 生하면 정히 水는 淸秀한 때인데, 날씨가 맑으면 물이 맑아 티끌이 없고, 비오면 물이 고여서 혼탁(混濁)하다.[秋水通源] (水生秋令,正水淸秀之時也,晴則淸澈無瑕,雨則潦水渾濁.)

7월의 水는 만물의 열매를 자라게 할 수 있으며, 火와 同行하는 것은 적절하지 않은데, 서(徐) 양(揚)人이 火가 많으면 빈요(貧夭)하거나 의지할 곳이 없다. 金은 모요(母曜)로서 때(시기)가 적당하여 母子가 상생하니 문장가로서 청귀(淸貴)하다. 土가 와서 같은 곳이면 재앙이 변화하여 상서롭게 되고, 木이 만일 연행(聯行=連行)하여도 富貴가 나타난다. (七月之水,正能滋實萬物,不宜與火同行,徐揚火多者,貧夭無依.金爲母曜,適當其時,子母相生,文章淸貴.土來同處,化禍爲祥,木若聯行,亦當貴顯.)

8~9월의 水는 영성(令星)을 보면 福과 壽는 헤아리기 어렵다. 金火가 같은 궤도면 功名이 빛나며 밝다. 木을 보면 결국 소통되어 누설하니 먼저는 성공하지만 나중에는 敗함을 피하지 못한다. 火가 만약 함께 있어 金이 힘을 잃는 것은, 비록 백성을 다스려서 무리들이 따르는 덕이 있더라도, 천식의 질병과 刑傷을 피할 수 없다.[당한다.] 土를 만나면 비록 凶하지만 凶이 되지 않는다. 대개 가을의 金은 가장 변화하기 어려우나 福은 된다. 서(徐) 양(揚)人이 干支에 土가 많으면 종신토록 답답하고 건체(蹇滯)한다. 運은 西北은 이롭지만 東南은 적절하지 않다. (八九月之水,遇令星,則福壽難量.金火同躔,則功名烜赫.見木終被疏泄,不免先成後敗.火若同垣,恩金失力,雖有治民服衆之德,未免痰疾刑傷.見土雖凶不凶,蓋秋令金最能化難爲福,徐揚豫人干支土多者,亦困滯終身.運利西北,東南失宜.)

겨울에 司令하는 水는 寒氣가 엄중하여 얼어붙을 때인데, 비오면 얼어붙고, 날씨가 맑게 개이면 언 것이 풀리므로 겨울의 3개월은 모두 火로 온난하게 하는 것을 좋아하니 富貴하여 근심이 없다. 金을 보면 母子가 相生하니 서(徐) 양(揚)人은 금자옥당(金紫玉堂)으로 貴하고, 기(冀) 옹(雍)人은 수냉금한(水冷金寒)하여, 비록 相生할지라도 오히려 빈궁(貧窮)하나 火와 同行하면 吉하게 된다. 土 金을 만나면 "골육참상"(骨肉參商~骨肉간에 서로 만나지 못함)하여, 기(冀) 옹(雍)人은 제방을 믿음으로서 범람할 근심이 없는 것이다. 木을 만나면 水가 寒하여 木이 얼어 모두가

生意가 없으니 가난하가나 요절하는 것은 틀림없고, 서(徐) 양(揚)人이 干支에 火가 많으면 부유하고 장수한다. 木과 土가 같은 울타리면 制煞하여 오히려 吉하다. 丑월에 태어나면 貴함을 나타낸다. 運운 南方을 좋아하고, 東方은 그 다음이다. (冬月司令之水,寒氣嚴凝之時也,雨則冰凝,晴則凍釋,故冬三月俱喜火以溫之,則富貴無虞矣.見金子母相生,徐揚人金紫玉堂之貴,冀雍人水冷金寒,雖相生而反貧薄,得火同行爲吉.逢土金骨肉參商,冀雍人頓以隄防,而無泛濫之患也.遇木,水寒木凍,俱無生意,貧夭無疑,徐揚人干支火多者,富壽.木土同垣,制煞反吉.丑月生者貴顯,運喜南方,東方次之.)

4. 논십간생월길흉論十干生月吉凶

논갑을論甲乙

甲乙은 봄의 寅 卯월에 生하면 金 火를 만나는 것을 기뻐하여 명성이 영예로우니 水 土는 用하지 않고, 곡직(曲直) 유상(類象) 추건(趨乾)은 따로 評한다. (甲乙春生寅卯月,喜逢金火是榮名,莫將水土推爲用,曲直類趨另一評.)

甲乙이 1~2월에 生하면 木은 전왕(專旺)하여, 金을 보고 金을 用하는 것은 木을 재목으로 만드는데 필요하니 金이 정견(定見)인 것이다. 火를 보고 火를 用하는 것은 "목화통명"의 象인 것이다. 水 土는 2월에 死하여 用神이 되기 어려운데, 만약 추건(趨乾) 곡직(曲直) 유상(類象)등의 格을 이룬다면, 비록 金이나 火가 없더라도 공명(功名)을 이룬다. 金을 用할 경우에 火를 보는 것은 좋지 않고, 火를 用할 경우에 金 水를 보는 것은 좋지 않은데, 金을 用할 경우에는 오히려 水의 印綬가 마땅하고, 火를 用할 경우에는 金 水와 相戰하는 것을 가장 싫어한다. (甲乙生正二月,其木專旺,遇金用金,是木要成材定見金也.遇火用火,是木火通明之象也.水土此二月休死,難為用神,若成趨乾曲直類象等格,雖無金火,亦可功名.用金不宜見火,用火不宜見金水,用金者尚宜水印,用火最嫌水金相戰.)

또 만일 甲 木이 申 庚을 만나고 四柱에 巳 酉 丑 辛이 있어 도우면 金이 旺하니 모두가 吉하다. 만일 金이 輕한데 火를 만나고 火의 地支로 行하면 金을 用神하기 어렵다. 만약 辛字가 허립(虛立)하여 干支에 달리 金의 자리가 없으면 단지 평민이다. (且如甲木遇申庚,柱有巳酉丑辛字,扶其金旺皆吉.如金既輕,遇火而行火地,難以金爲用.若辛字虛立,干支別無金位,只是常人.)

甲일간에 丙이 透出하고, 梟煞을 만나지 않으며 다시 寅 辰의 2글자가 많고, 겸하여 身旺하며 火地로 行하는 것은 모두 富貴한 것이다. 柱에서 丁을 꺼리진 않으나 단지 丙은 두려워하는데, 만일 去配의 神이 있으면 잡을 수 없다. 四柱에 官이 없으면 食傷을 사용하는데, 身旺하여 火地로 行하여도 名利를 이룬다. 가령 水 火 金이 서로가 공격하여 싸우는데 다시 去配함이 없으면 下命이다. "독보"에서 이르기를, 甲 乙이 봄철에 生하여 庚 辛을 干상에서 보면 離宮에서는 富貴

하지만, 坎地는 도리어 凶이 된다는 것이, 이것이다. (甲日丙透,不遇梟煞,更得寅辰二字多,兼以身旺行火地,皆主富貴.柱不忌丁,惟怕丙,如有去配之神,亦不執定.四柱無官,專用食傷,身旺行火地,亦主利名.如水火金互相攻戰,更無去配,乃下命也.獨步云,甲乙生春月,庚辛干上逢,離宮推富貴,坎地却爲凶,是也.)

甲乙은 여름의 4~5월에 生하면 庚 辛이 水를 띠는 것이 오히려 적절하고, 未월 土는 金을 用하여 연결하며, 傷官이 투출하지 않으면 貴함을 알 수 있다. (甲乙夏生四五月,庚辛帶水却爲宜,土神未月連金用,不透傷官貴可知.)

甲乙이 여름에 生하면 식상과 재성을 用하는데, 만일 火 土는 투출치 않고 단지 金 水라면 運行도 金 水가 적절하고, 가령 甲은 庚 壬을 用하는데 根이 있으면 동쪽으로 行하여야 吉하다. 만약 丙 丁 庚 辛이 투출하고 서쪽으로 行하면 不吉하다. 오로지 丙 丁을 사용하며 金 水를 만나지 않고 柱중에 比肩이 있고 東方으로 行하면 大發한다. 가령 戊 己가 天干에 투출하고 다시 水를 돕는 것이 없고 運이 서쪽(관살운)으로 흐르면 향록이라고 말하기 어려워 不吉하다고 論한다. 乙이 壬 庚2개가 천간에 투출하고 西方으로 行하면 富貴하다. (甲乙夏生,乃食傷與財為用,如火土不露,只是金水,運行金水得宜,如甲用庚壬有根,行東則吉.若丙丁庚辛互露,行西不吉.專用丙丁,不遇金水,柱有比肩,行東大發.如戊己透干,更無水佐,行西難云向祿,以不吉論.乙見壬庚,兩露干頭,行西富貴.)

만약 火가 투출하여 동쪽으로 行하면 發하고, 火는 있는데 水가 없으면 오히려 主를 불사른다. 그러므로 甲 乙의 2일은 여름에 있어서 마땅히 比肩을 用하고, 火 土를 用하면 金 水를 보는 것은 마땅하지 않고, 金 水를 用하면 火 土를 보는 것은 마땅하지 않다. (若是火透,行東發,遇火無水,反焚其主.故甲乙二日,在夏宜用比肩,用火土不宜見金水,用金水不宜見火土.如庚申壬午乙卯戊寅,庚辰壬午乙未壬午二命,用金水.丙辰乙未甲申己巳,丙寅乙未甲申乙丑,二命,用火土,皆吉命也.)

예) 命造	예) 命造
戊 乙 壬 庚	壬 乙 壬 庚
寅 卯 午 申	午 未 午 辰

상기의 2명조는 金 水를 用神한다.

예) 命造	예) 命造
己 甲 乙 丙	乙 甲 乙 丙
巳 申 未 辰	丑 申 未 寅

상기의 2명조는 火 土를 用神하니 모두 吉한 命이다.

甲乙의 가을에 生하면 2가지 형태로 말하는데, 乙은 金이 많아도 貴하지만 甲은 1개라야 尊貴하다. 兩干飛臨無射月 戌에는 財 官이 있으니 印綬가 필요하다. (甲乙秋生兩樣言,乙多金貴甲單

尊,兩干飛臨無射月,戌內有財官要印存.)

甲木이 秋절에 生하면, 金이 많으면 좋지 못하니 印綬를 만나면 吉하다. 水가 많으면 좋지 못한데 많게 되면 흐른다. 乙은 金이 많은 것을 꺼리지 않으며 印綬를 얻으면 貴하고, 火 土 상관은 印綬을 파괴하여 꺼린다. 만일 甲이 8월에 生한 正官이면, 丁卯(노중 화)火局을 꺼리는데 運이 순행하면 無妨하며 貴하다. 柱중에 壬 癸 子 辰의 水가 있으면 비록 火가 있고 南方으로 行하더라도 역시 吉하다. 가령 土를 用하는데 官이 入墓하면 名利로 나아가긴 어렵다. (甲木秋生,不宜金多,見印則吉.不宜水多,多則流.乙不忌金多,得印則貴,俱忌火土傷官壞印.如甲生八月正官,忌丁卯火局,運順行,不妨貴.柱有壬癸子辰之水,雖有火行南亦吉.如用土兼官入墓,名利難進.)

甲이 9월에 생하면, 당연히 比肩 및 亥 卯 未로 도와야하고, 혹 하나의 金과 하나의 火를 얻어 入格하여 破하지 않으면 모두 吉하다고 論한다. 만약 亥 申 庚 巳 酉 丑의 類들이 丙 丁 戊 己를 보지 않으면 따로 用한다. 혹 趨乾, 胞, 胎, 煞印은 모두 吉하다고 할 만하고, 柱중에 戊 己가 투출하면 身旺하고 旺盛한 방향으로 行하여야하며, 거듭하여 火 金이 투출하는 것은 좋지 않다. 金을 用하는데 火 土를 보는 것은 마땅하지 않고, 火 土를 用하는데 金을 보는 것은 마땅하지 않다. 가령, 단지 金을 用하는데 辛금이 헛되이 투출하여 별도로 地支에 金이 없으면 平常人이다.[用神이 투출하여 地支에 根을 두지 못하면 보통사람이다] (甲生九月,宜比肩及亥卯未佐之,或得一金一火,入格無破,皆為吉論.若亥申庚巳酉丑類,不遇丙丁戊己,別是一用.或趨乾胞胎煞印,皆可言吉,柱戊己透,要身旺行旺方可,不宜再露火金.用金不宜見火土,用火土不宜見金.如只用金,辛虛露,別無地支之金,已是平常.)

乙일 9월은 戌중에 戊 辛 丁이 있는데, 巳 酉 丑 庚 辛 申 辰을 만나면 모름지기 壬 癸 亥 子의 印綬를 보아야 뛰어나는데, 丁 火로 制하여도 무방하다. 만일 오로지 丙 戊만 用하는데 破함이 없으면 富者로만 단정한다. 만약 金 火가 서로 교전하고 兩干이 火局이며 또 火地로 行하면 구치(驅馳~남의 일을 위해 힘을 다함)가 부족한 命이다.[봉사정신이 부족하다] (乙日九月,戌中原有戊辛丁,得遇巳酉丑庚辛申辰,須見壬癸亥子之印方妙,丁火配制無妨.如專用戊丙無破,只以富斷.若金火互相攻戰,及兩干只是火局,又行火地,乃驅馳不足之命.如丙申戊戌甲午乙亥,狀元尚書,是甲趨乾,又地天交泰.己亥甲戌乙亥癸未,官給事,巳運死.)

예) 명조
乙 甲 戊 丙
亥 午 戌 申
장원급제하여 상서(尙書)벼슬을 하였는데, 甲 추건격("趨乾格")이고, 또 천지교태("天地交泰")하였다.

예) 명조

癸 乙 甲 己
未 亥 戌 亥
官給事인데 巳運에 사망(卒)하였다.

甲乙은 冬절에 生하면 木의 근원이 시드는데, 만약 金 土를 만나면 오히려 적절하다. 金이 많으면 官印으로 格을 이루고, 火를 用하는데 水土가 깔려진 것을 더욱 싫어한다. (甲乙冬生木本枯,若逢金土反宜乎,金多成格爲官印,用火尤嫌水土敷.)

甲乙이 冬절에 生하면 印綬로서 金 火 土가 없으면 印綬의 아름다움이 부족하다. 柱중에 申酉 庚 辛 己 丑이 많아서 煞印, 官印格으로 추측되면 上命으로 論한다. 만일 甲이 단지 하나의 辛이며, 乙이 오직 하나의 庚이고, 干支에 별도로 金이 투출하거나 감추어진 것이 없고 또 金地로 行하지 않으면, 官은 투출하여도 根이 없으니 名利는 헛된 것이다. 예컨대 丙 丁 戊 己를 얻고 食傷이 兩旺한 東南의 運으로 行하면 발달한다. 만약 壬 丙이 서로 만나거나, 丁 癸가 서로 대립하면 모두 不吉하다. 壬 癸 印綬를 用하는데 丙 丁 巳 午의 방향으로 行하면 梟神이 食傷을 만나니 刑 戰하여 不吉하다. 申 酉 관살을 用하는데, 만약 水가 太盛하면 吉하지 않으니, 마땅히 상세하게 알아야 한다. (甲乙冬生,本印無金火土,則不足持印之美.柱多申酉庚辛己丑,乃擬煞印官印格,作上命論.如甲只一辛,乙只一庚,干支別無金透藏,又不行金地,官露無根,虛名虛利,如得丙丁戊己,食傷兩旺,行東南運發達.若壬丙相見,丁癸相持,皆不吉.用壬癸印,行丙丁巳午方,梟遇食,刑戰不吉.用申酉官煞,若水太盛,亦不作吉,當細詳之.)

甲이 季春(3월)과 夏절사이에 生하고 丙火가 干頭에 있으면 壽를 길게 한다. 戊토는 본래 財星이고 壬은 印綬인데, 運이 酉地에 臨하면 풍파로 좌절한다. (甲生春季夏間來,丙火干頭作壽胎,戊本是財壬是印,運臨酉地雨風摧.)

甲이 3월과 여름사이에 生하면, 丙 戊 壬으로 用神한다. 酉地로 行하면 向祿으로 본래 吉한데, 어찌 이것이 壬 丙 戊의 敗 死地인 것을 알 것인가! 이것이 있으면 用을 하고 運이 그 가운데로 行하면 모두 吉하지 않다고 論한다. (甲生三月與夏間,以丙戊壬爲用神.行酉地向祿本吉,豈知是壬丙戊敗死之地,有此爲用,運行其中,皆不作吉論.如辛亥丁酉甲辰丙寅,是貴命也.)

예) 명조
丙 甲 丁 辛
寅 辰 酉 亥
貴命이다.

甲이 秋절에 生하고 財星을 만나며, 印綬 官星이 아울러 오고 運이 南方으로 구르면 名利가 나타나고, 상관이 많으면 단지 子星(자성~자식)이 삐뚤어지는 것이 두렵다. (甲生秋月主逢財,印綬

官星併帶來,運轉南方名利顯,傷多只恐子星乖.)

甲일이 7~8월에 生하여, 官煞 印綬가 많으며 또 戊 己 土의 財星을 보고, 南方으로 煞을 손상하는 地支로 運行하고, 官貴가 태과하면 마땅히 깎는 곳으로 行하여 中和를 얻으면 벼슬길에 올라 祿을 더한다. 단 火金이 교전하면 財에 의지하여 貴하게 되는데 자식은 끝내 손상을 당한다. 經에서 이르기를, 木이 계승하는 것은 南에서 아울러 絶하니 자식이 손상하는데 설령 별도로 生하여도 있다. (甲日生七八月,官煞印綬多,又見戊己土財,運行南傷煞之地,官貴太過,宜行剝削之方,乃得中和,主進爵加祿.但火金交戰,賴財生貴,子終有損.經云,木嗣併絶於南,子息則損,縱有別生,如癸酉辛酉甲申戊辰,己未癸酉甲寅己巳,二命俱行南運,雖進職無子.)

예)명조 예)명조

戊 甲 辛 癸	己 甲 癸 己
辰 申 酉 酉	巳 寅 酉 未

두 命은 모두 南方으로 運行하여 비록 벼슬은 하였으나 자식은 없었다.

甲申이 酉월에 官 煞이 함께하여도 혼잡하다고 의심할 필요가 없고, 干상에 다시 庚의 투출을 만나도 地支의 당살(黨煞)은 일반적으로 총괄한다. (甲申 酉月煞官俱,莫要猜疑作混看,干上再逢庚字透,地支煞黨總一般.)

甲申일이 8월에 生하면 官 煞이 혼잡하다고 말하지 말라. 柱중에 庚 辛이 많으면 총괄하여 煞로 論하고, 印綬가 身을 돕거나 煞을 制하면 모두가 吉하다. 만약 火가 많은데 水가 없으면 盜氣되어 不吉하다. 만일 巳 酉 丑時를 만나면 金神이 아니니, 모두 煞로 論한다. (甲申日生八月,莫言官煞混.柱中辛庚多,總作煞論,遇印扶身及制煞皆吉.若火多無水,盜氣不吉.如遇巳酉丑時,亦非金神,皆以煞論.)

甲이 8월의 祿인 당시(當時)에 生하면 卯 丁이 破하는 것을 가장 두려워하고, 北으로 行하면 끝내는 富貴한 것을 누구나 믿고, 運이 남쪽이면 水가 있어야 버틸 수 있다. (甲生八月祿當時,最怕卯丁來破之,誰信北行終富貴,運南有水亦能支.)

甲이 8월에 生하면 辛의 정관이 得時하니, 柱에서 卯 丁 火局을 보는 것을 본래 두려워한다. 만일 順行하는 運은 北地를 지나가므로 火의 制를 만나도 金을 해칠 수 없으니 卯 丁이 더렵혀서 貴하지 않다고 말할 수는 없다. 만약 원국에 水의 破함이 없고 病地인 東南으로 行하면 참으로 不吉하다. 만일 柱에 壬 癸 子 辰 亥의 水가 있고 天干에서 土를 만나지 않으면 남쪽으로 行하여도 발달할 수 있다. 만약 月柱에 火 土가 없으면 印綬를 用하는데 다시 水地롤 흐르면 金(甲生八月,辛官得時,柱遇卯丁火局本畏,如順行運經北地,其火遇制,不能害金,不可言卯丁玷之不貴.若原無水破,帶病行東南,則眞不吉.如柱有壬癸子辰亥水,干不遇土,行南亦能發達.若此月柱無火土,用印再

行水地,盜盡金氣,亦不爲吉,勿執官印之名.)氣가 소진되어 吉하게 되지 않으니, 官印의 명칭을 고집해서는 안 된다.

甲寅이 庚이 투출하고 春 夏절에 생하면, 煞은 엷고 身은 强하니 가장 有情하다. 羊刃은 月時에서 만나면 오히려 高貴함을 거꾸로 보통으로 評한다. (甲寅庚透夏春生,煞淺身强最有情,羊刃如逢時月下,卻將高貴反常評.)

甲寅일이 春夏절에 生하여 柱에서 庚金을 만나면 煞은 엷고 身은 强하니 본래 吉하다. 春夏에는 庚金의 힘이 弱하기 때문에 乙刃으로 煞을 暗合하면 自旺하여 의지할 데가 없으니 吉하다고 論하지 않는다. 만약 庚금이 根이 있거나 혹 별도로 庚이 있으면 이렇게 論하지 않는다. (甲寅日生春夏,柱遇庚金,煞淺身强,本吉.緣春夏庚金力輕,遇乙刃與煞暗合,自旺無倚,不作吉論.若庚金有根,或別有庚字,不在此論.)

甲申이 春월은 두터운 庚을 좋아하며, 壬 乙을 서로 만나면 조정에 들지만 乙이 없으면 마땅히 名利는 얕고, 丙 丁이 파손되어도 보통으로 評한다. (甲申春月喜重庚,壬乙相逢入帝庭,無乙只宜名利淺,丙丁玷破作常評.)

甲일이 봄에 生하여 庚金이 많고 乙 壬 亥 丑이 있으면 貴를 취하지만 乙이 없으면 減한다. 만약 丙 丁을 만나 거듭 싸우면 金의 힘이 약하여 火의 剋을 이기지 못하니 부족한 命으로서, 모름지기 印綬가 있어 合 去하여야 옳은 것이다. (甲日春生,庚金多,遇有乙壬亥丑取貴,無乙則減.若遇丙丁重戰,金力輕,不勝火剋,乃不足之命,須有印去配方可.)

甲戌의 干支가 2~3개로 중하면 火金을 오히려 格중에서 만나는 것을 기뻐하고, 만일 火 金은 없고 다시 水로 흐르면 이 命은 종래에 반드시 곤궁하게 된다. (甲戌干支三兩重,火金卻喜格中逢,如無金火復行水,此命終須主困窮.)

甲이 9월에 生하여, 만약 2~3개의 중한 甲戌이 있으면 간두(干頭)에 하나의 丙 혹은 하나의 庚 하나의 戊가 마땅한데 地支에 申 辰을 얻으면 성인(成人)이라 말할 만하다. 만일 干支에 火金이 없으며, 또 水의 地支로 흐르면 쓸모가 없다. 혹시 運에서 火를 얻으면 福(甲生九月,若有兩三重甲戌,干頭宜一丙,或一庚一戊,得地支申辰,可言成人.如干支無金火,又行水地,則無用.倘運得火鄕,可獲其福,若身弱土火多,亦不足之論.)을 획득할 수 있고, 만약 身弱한데 火 土가 많으면 부족한 것으로 論한다.

甲일이 乙亥 時를 만나고 庚금이 투출하면 乙의 妻를 기뻐하고, 丙 丁이 만약 서로 섞이지 않으며 歲運이 申 庚이면 名利를 갖춘다. (甲日如逢乙亥時,庚金透出喜乙妻,丙丁若也無相混,歲運申庚名利齊.)

甲일이 乙亥 時를 만나면 추건(趨乾)格이다. 柱중에 乙 庚의 合이 있음을 기뻐하는데, 따라서 丙丁은 庚을 害치며 日柱의 氣를 洩氣하기에 꺼린다. 歲運에서 申 庚을 보면 功名하지만, 主(일주)가 死하는 敗地를 사용하여 화분(火焚)하는 地支로 흐르는 것을 꺼린다. (甲日逢乙亥時,趨乾格.喜柱有庚合乙,故忌見丙丁害庚,及泄主之氣.歲運遇申庚,主功名,忌行主死用敗火焚之地.)

甲일이 季월 乙丑 己巳 時에 生하면, 壬癸는 다르게 작용하여 印綬의 뛰어남을 추산하고, 火土가 상봉하면 名利를 이루나, 金 水運은 사정이 더 많이 좋지 않다. (甲生季月乙巳時,壬癸推他作印奇,火土相逢名利遂,水金運底更多非.)

甲이 季월에 生하면, 財 官등이 있다. 乙丑 己巳 時를 만나면 마땅히 壬 癸 印綬가 도와야하니 金神은 水를 꺼린다고 論하지 않는다. 火 土를 만나면 發財하고, 金 水의 방향은 不利하고, 별도의 月및 癸酉 時는 壬 癸를 꺼린다. (甲生季月,有財官等物.時遇乙丑己巳,宜見壬癸印助,非金神忌水之論.逢土火主發財,金水之方不利,別月及癸酉時,忌見壬癸.)

甲일에 다른 것이 없고 巳 丑時이면 金神格이니 의심하지 않아도 되고. 적황(赤黃~화 토)運이면 名利를 이루고, 水 木의 방위는 마땅치 않다. (甲日無他丑巳時,金神格也定非疑,赤黃運遇成名利,水木之方又不宜.)

甲일간이 다른 곳에 별도로 取用할 것이 없어 乙丑 己巳를 보면 金神格인데, 마땅히 火 土運으로 行하여야하고, 金 水 方에 들어 衝 折하는 것을 꺼리니 不吉하다고 論하고, 主가 의중(意中)한대로 亡하게 된다. (甲日他處別無取用,遇乙丑己巳,乃金神格,宜行火土運,忌入金水方衝折,作不吉論,主稱意中亡.)

甲이 冬절에 生하여 亥 午가 많으면 亥가 午를 破하여 도리어 中和되고, 局중에서 다시 申 庚을 사용하면 主는 功名이 있어 과거에 합격하게 된다. (甲生冬月亥午多,以亥破午反中和,局中更得申庚用,定主功名掇顯科.)

甲午가 冬절에 生하여 子時를 만나면 온전히 格은 온전히 印綬로 같은 支를 기뻐하고, 死 敗地로 無用하다고 말하지 말고, 柱중에 酉 辛의 있으면 貴함을 의심해서는 안 된다. (甲午冬生遇子時,格全印綬喜同支,莫言死敗爲無用,柱有酉辛貴莫疑.)

甲이 冬節에 生하여 亥 午가 많으면 두 門에서 貴를 만난 것이라 하는데, 甲木은 午에서 死하고, 庚金은 午에서 敗하니 근본 막히지 않는 象이다. 亥 子가 같은 地支에 만나면, 甲木은 亥에서 長生하고, 乾天은 庚方으로 否而反泰. 만일 甲午日이 子時에 生하면 金이 死 敗地를 만난 것이라 말하지 말고, 酉金으로 도우면 모두 富貴한 命이다. (甲生冬月,亥午字多,謂之兩門遇貴,甲木

死午,庚金敗午,本塞否之象.遇亥子共支,甲木生亥,乾天庚方,否而反泰.如甲午日生子時,莫言金逢死敗,得酉金助之,皆富貴之命.)

甲일이 겨울에 生하면 水가 성한 시기인데, 고명(高明)하지 않으면 지리(支離)를 탄식하고, 年時에 庚 辛을 만나고 運이 東南에 들면 꿈에 곰과 어울린다. (甲日冬生水盛期,高明不遇嘆支離,歲時如得辛庚見,運入東南夢叶羆.)

甲木이 겨울에 生하면 본래 印綬인데, 土 金을 만나면 有用하다. 만약 柱에서 庚 辛 巳 酉 丑의 한 글자라도 얻거나 혹 西方으로 行하면 名利가 발달한다. 만일 火 土가 많아 서로 만나게 되면 둘을 사용하면 하나는 아닌데, 이것을 돌보면 저것을 잃으니 역시 뜻이 맞지 않다. 만약 丙丁 火를 보고 戊 己 土가 경미(輕微)하면 東南의 地支를 만나서 홀연히 발전하고, 혹 貴함은 서로 맞고, 金 水를 보는 것은 마땅하지 않다. (甲木冬生本印,遇金土則有用.若柱得辛庚巳酉丑,有一字或得行西方,發達名利.如火土多互見,則兩用不專,顧此失彼,亦不稱情.若只見丙丁火戊己土輕微,得遇東南之地,忽然發蹟,或遇貴相投,不宜見金水.)

甲은 봄에 乙은 가을에 生하면 官煞이 중첩하여야 福이 넉넉하고 편안하다. 甲은 가을에 乙은 봄에 [官煞을] 많이 보면 印綬가 있어야 貴함을 마땅히 알게 된다. (甲在春生乙在秋,煞官重疊福優游,甲秋春乙如多遇,有印須知亦貴儔.)

甲木이 春절에 生하여 官煞이 많으면 필히 印綬가 도와야 吉하다. 乙 木이 秋절에 生하여 官煞이 많으면 印綬를 보아야 富貴하다. 만약 甲이 秋절에 生하고 乙이 春절에 生하면 官煞이 적으면 富貴하지만 [관살이]많으면 貴하지 않고, 印綬가 없으면 더욱 不利하다. (甲木春生官煞多,要印助之則吉.乙木秋生官煞多,遇印亦富貴.若甲生秋,乙生春,官煞少富貴,多則不貴,無印尤不利.如庚申甲申甲申庚午,煞重木死,無印困窮.庚寅庚辰甲申壬申,甲日春生煞多,有印富.如丁酉癸卯甲申壬申,甲木春生純煞,有印貴.如乙酉乙酉乙酉壬午,乙木秋生純煞,有印貴.)

예) 명조-1

庚 甲 甲 庚

午 申 申 申

煞이 重하여 木이 死하는데, 印綬가 없어 곤궁하였다.

예) 명조-2

壬 甲 庚 庚

申 申 辰 寅

甲일이 春절에 生하고 煞이 많은데 印綬가 있어 富했다.

예) 명조-3
壬 甲 癸 丁
申 申 卯 酉
甲木이 春절에 生하여 순수한 煞인데 印綬가 있어 貴했다.

예) 명조-4
壬 乙 乙 乙
午 酉 酉 酉
乙木이 秋절에 生하여 순수한 煞인데 印綬가 있어 貴했다.

春절의 甲 乙은 火金을 만나길 바라며 南北으로 구별되어 行하여야 名利가 적당하다. 火는 南지가 마땅하고 金은 北지가 마땅한데, 이것은 반대로 둘로 흐르지는 않는다. (甲乙春逢金火期,分行南北利名宜,火宜南地金宜北,反此而行兩不時.)

甲乙이 正월이나 2월에 生하면 金이 用神이 되는데, 火와 다툼이 없으면 마땅히 北地로 行하여야 主는 名利가 있다. 火가 用神이면 金 水와 重하게 다투지 않아야하고, 마땅히 南地로 行하면 名利가 있다. 가령 火局이 南方으로 흐르면 木은 火에게 분소(焚燒)하니 따라서 金을 쓸 때 火를 보고 火方에 들거나, 火를 쓸 때 水를 보고 水地에 들게 되면 보통의 命이다. (甲乙生正二月,金爲用神.無火戰,宜行北地,主名利.火爲用神,無水金重戰.宜行南地,則可名利.如原火局行南方,木被火焚,故用金見火,入火方,用火見水,入水地,乃平常之命.)

甲乙은 炎火를 生하여 土로 펼쳐지면 西쪽으로 行하여 영리(營利)와 貴를 모색하기 어렵다. 東쪽으로 흐르면 겁재를 만나 가업을 이루고, 水가 서쪽으로 通하면 甲은 시드는 것을 두려워한다. (甲乙生炎火土敷,西行營利貴難圖,行東遇刼成家業,値水西通甲怕枯.)

甲木이 夏절에 生하여 火 土가 투출하면 본래 用神이 된다. 西로 行하고 金을 보면 火 土를 버리고 金을 用하고, 金은 원래 火를 만나면 교전(交戰)하여 用神할 수 없으니, 와도 오지 않은 것이고, 가도 가지 않는 것인데, 다만 영리(營利)의 무리인 것이다. 貴 祿을 보고 말하지 않고, 쉽게 富貴를 헤아리려면, 만약 동쪽으로 흐르면 吉하고, 원국에 壬 癸水의 生함이 不足하면 用이 파손된다. 가령 甲일이 火 土를 보고 거듭 水의 生함을 만나면 南과 西로 흐르는 것은 모두 吉하지 않다. 乙일이 허로(虛露~ 無根하고 天干에 透出한 것을 말하는 것 같음)한 官印을 만나면 西地로 흐르면 吉하다. (甲木夏生,遇火土露,本爲用神.行西見金,乃捨去火土用金,金遇原火交戰,亦不能爲用,乃來而不來,去而不去,只是營利之輩.莫言見貴祿,便擬富貴,若行東則吉,原有壬癸水生,不足破用.如甲日遇火土,重遇水生,行南與西,俱不爲吉.乙日遇官印虛露,西地吉.)

乙이 春절에 生하여 强한 金을 보고 酉 丑 亥를 만나면 대길하며 창성하고, 착절반근(錯節盤

根~ 엉클어져 서로 얽힌 나무뿌리)는 탁삭(琢削~ 깎고 다듬는 일)함을 기뻐하고, 만일 南地로 흐르면 도리어 재앙이 된다. (乙生春月見金强,酉丑亥逢大吉昌,錯節盤根喜琢削,如行南地反爲殃.)

乙木이 봄에는 한창 旺盛하고, 착절반근(錯節盤根~ 엉클어져 서로 얽힌 나무뿌리)하여 强한 金이 아니면 그릇을 이룰 수 없으므로 마땅히 깎고 다듬어야하는 것이다. 만일 四柱에 庚 辛 巳 酉 丑이 있으면 "관살혼잡"하니 마땅히 丁火로 制煞해야하고, 歲運에서 丑 酉 亥를 보면 吉하게 된다. 가령 巳월에 生하면 辰 卯 寅으로 역행(逆行)하여도 역시 吉하다. 만약 木 火의 旺地로 흐르면 官星을 傷하여 不吉하다. (乙木春正旺,錯節盤根,非金强不成器,故宜琢削.如柱有庚辛巳酉丑,爲官煞混,宜丁火制煞,歲運見丑酉亥爲吉.如生巳月,逆行辰卯寅亦吉.若行火木旺地,傷去其官不吉.)

乙이 卯월에 生하여 金을 보면 功이 있어, 運에서 金 水를 얻어 火가 通하는 것을 막아서 申子 酉중에 應하면 貴하고, 火가 臨하면 취격(聚格)하여 공허하게 돌아온다. (乙生卯月見金功,運得水金去火通,申子酉中應許貴,火臨相聚格還空.)

庚辰 辛巳 時중에서 만나는데, 乙巳가 牛(丑)을 만나면 함께 합치고, 金 水운에서는 業을 성공하고, 木 火가 상봉(相逢)하면 오히려 허사(虛事)가 된다. (庚辰辛巳時中遇,乙巳逢牛總一同,水金運底成功業,木火相逢反落空.)

乙이 卯월에 生하면 金을 用하는데, 丙火가 天干에 있는 것은 마땅하지 않으니, 地支중의 火와 木이 서로 會合하게 되어 모든 格局이 파괴된다. 마땅히 金 水의 地支로 흘러서 木 火를 제거하면 吉하다. (乙生卯月用金,不宜見丙火在干,引領支中之火,及木相會,皆壞格局.宜行金水之地,去火木則吉.)

乙일이 봄 겨울에 辰時를 보고 다시 辛巳를 만나면 보통으로 論한다. 만일 印綬의 地支로 흐르면 영예와 貴가 주어지는데, 단지 丙 丁이 용신을 손상하는 것이 두렵다. (乙日春冬時遇辰,再逢辛巳一般論,如行印地分榮貴,只怕丙丁損用神.)

乙일이 봄 겨울에 庚辰 辛巳 時를 만나면 같은 用神인데, 壬 癸 子 辰의 印綬를 만나면 富貴하다고 말할 만하고, 혼잡하면 富만 한다. 만약 많은 火를 보면 用神이 손상하니 小人인 것이다. (乙日春冬,遇庚辰辛巳時,只是一用,遇壬癸子辰之印,可言富貴,混則富.若見火多損用,乃小人也.)

乙일이 春절에 生하여 丙 丁을 用하면 金 水를 만나지 않고 南쪽으로 行하면 妙하다. 西北과 겸하여 墓로 돌아가는 것은 적당하지 않고, 身旺한데 梟神인 水地가 없으면 공평하다. (乙日春生用丙丁,水金不遇妙南行,不宜西北兼歸墓,身旺無梟水地平.)

乙木은 春절에 生하여 身旺하면 丙 丁으로 用神하고, 柱중에 金 水가 없고 南地로 行하면 發

福한다. 金 水를 만나는 것과 會木하여 入墓하는 것을 두려워하는데, 만약 身이 旺하여 用하면 北으로 行하여도 무방하고, 土가 투출하면 水를 꺼리지 않는다. (乙木春生身旺,以丙丁爲用,柱無金水,行南地發福.怕逢水金及會木入墓,若身用旺,行北不妨,透土不忌水.)

乙은 辰 巳 午 未時를 만나면 속에 암장(暗藏)한 것을 참으로 알기가 쉽지 않다. 만약 土 金을 얻으면 모두가 有用한데, 다만 旺한 곳에서 다시 의지할 데가 없는 것을 두려워한다. (乙逢辰巳午未時,就裏藏眞未易知,若得土金皆有用,只恐旺處更無依.)

乙木은 제강(提綱)에 구애받지 않고, 辰 巳 午 未時를 얻으면 金地에 들거나 혹 火 土에 들어 行하여도 有用하게 된다. 만약 亥 卯 未의 地支에 들면 柱중에 원래 1~2字가 있어 會合하여 온전히 木局을 이루는 것은 不吉하다. (乙木不拘提綱,得辰巳午未時,行入金地,或入火土,便爲有用.若入亥卯未地,柱原有一二字,會成木局全,不吉.)

여름에 生한 乙木이 壬癸를 만나고 運이 西方으로 向하면 祿은 저절로 번성하고, 乙 丙이 만약 局안에는 없어도 만나게 되면 독서(讀書)하여 功名이 있다. (夏生乙木遇壬庚,運向西方祿自榮,乙丙若無局內見,讀書應許有功名.)

乙이 夏절에 生하여 庚 壬을 만나서 西方으로 行하면 貴하지만 만약 丙丁을 보게 되면 보통의 사람이다. 만일 壬 庚이 유근(有根)하고 金이 旺한 歲運으로 흐른다면 수재(秀才)로서 독서(讀書)하여 반드시 벼슬을 한다. 만일 巳 丑일에 坐하여 壬癸 印綬를 얻으면 吉하지만 酉일은 감당할 수 없다. (乙生夏月,遇庚壬二字,行西方擬貴.若見丙丁,主平常.如庚壬有根,行旺金歲運,是讀書秀才必中.如坐巳丑日得壬癸印,亦吉,酉日不堪.)

乙일이 가을에 生하면 官星이 매우 强한데, 辛 煞을 만나면 오히려 영화롭고, 사우(蛇牛~巳, 丑)는 적절하지만 南方의 火는 꺼리고, 적은 水가 도우면 낭묘(廊廟~조정의 대정을 보살피는 전사)에 들어간다. (乙日秋生官最强,喜逢辛煞反榮昌,蛇牛宜見嫌南火,微水扶持入廟廊.)

乙일이 秋절이면 본래 官(정관)은 庚이지만, 煞을 보는 것이 이로운데, 煞이 없으면 비록 功名은 있을지라도 煞과 같이 쉽게 이루지 못한다. 만약 官煞을 같이 보아도 印綬를 만나면 꺼려하지 않고, 하나의 庚에 煞이 없으면 名利가 나아가고 물러나며, 혹 벼슬을 하지 못하다가 다른 길로 나아간다. 요즘에는 官보다 煞을 많이 사용하는데, 따라서 煞이 官보다 나은 것이다. 만약 丙 火 및 土를 보는데 印綬가 없으면 南方에 들면 不吉하다. (乙日秋官本庚,宜見煞則利,無煞雖功名,未若煞而易成.若官煞互見,遇印綬則無嫌,孤庚無煞,則名利進退,或白身異路之擬,今世達官多用煞,故煞勝官,若遇丙火及土,無印,入南不吉.)

乙일이 辛 煞을 많이 만나서 丁을 보면 서로 공격하여 어찌 해 볼 도리가 없는데, 旺金이 火

를 제거하여 도리어 吉하고, 청적(靑赤~ 목화)이 교체하면 名利가 薄하다. (乙日如逢辛煞多,見丁相擊無奈何,旺金去火翻爲吉,靑赤交持名利薄.)

乙일에 金이 많은데 丁火를 보면 서로 싸워서 不吉하지만, 丁丑 時는 꺼리지 않는다. 原局에 丁火가 있는데 다시 丁을 보게 되면 제복(制伏)이 태과(太過)하니 運이 火를 제거하는 旺한 金의 방향으로 나아가야 역시 吉한 것이다. 만약 木火가 회합하여 旺한 地支에 들어오면 用神은 비록 의지할지라도 名利는 모두 헛된 것이고, 柱중에 丙을 보면 전부 不利한 것이다. (乙日金多,見丁火相戰,不吉,丁丑時不忌.原有丁火,再行見丁,制伏太過.運行去火旺金之方,又吉.若入火木會旺之地,用神雖倚,乃虛名虛利,柱中見丙,皆不利也.)

乙卯는 坐 祿하니 財 官을 만나야하는데, 庚 辛이 水를 대동하여야 名利라 보고(판단하고), 어찌 月時의 辰 巳를 論하지 않고, 丑 午가 상봉(相逢)하여도 또한 무리를 살펴봐야한다. (乙卯坐祿見財官,庚辛帶水利名看,不論何月時辰巳,丑午相逢亦類觀.)

乙일은 丑 辰 巳 午時를 만나면 모두 財 官 煞 印 食神의 뛰어남으로 , 四時는 모두 하나로 作用하고, 功名의 象이다. 만약 庚이 丙에게 손상을 당하면 辛은 丙을 合하여 실제로 用할 수 없으니 不吉하다. (乙日逢丑辰巳午時,俱財官煞印食神之奇,四時皆作一用,但金水互見,乃功名之象,若庚被丙傷,辛被丙合,無實用不吉.)

乙이 巳 酉 丑월중에 生하여 時支가 같은 모양으로 만나는 것을 가장 기뻐하는데 印綬가 다시 年 月에서 도운다면 만자천홍(萬紫千紅~각양각색의 꽃들이 만발함)에 춘풍(春風~봄바람)을 느낀다. (乙生巳酉丑月中,最喜時支一樣逢,印綬再來年月助,千紅萬紫感春風.)

乙일이 巳 酉 丑月에 생하여 다시 巳 酉 丑時를 만나서 柱중에서 만약 印綬가 돕거나 혹 印綬의 地支로 흐르는 것은 모두 富貴하게 된다. 古歌에서 이르길, 6乙로 生하여 巳 酉 丑을 만나면 局중에 財星이 있는 것을 절대 꺼리는데, 만약 行運이 南方에 이르면 그 사람은 壽命이 길지 않다. 또 이르길, 乙목이 酉에 居하면 巳 丑을 절대 만나서는 안 되고, 富貴는 坎 離宮, 貧窮은 申酉가 지킨다. (乙日生巳酉丑月,更逢巳酉丑時,柱中若得印佐,或行印地,皆主富貴.古歌云,六乙生逢巳酉丑,局中切忌財星守,若還行運到南方,管取其人壽不久.又云,乙木生居酉,切勿逢巳丑,富貴坎離宮,貧窮申酉守.如癸卯辛酉乙酉丁丑,此命平常,七十三入卯地,死二子.)

예) 명조-1
丁 乙 辛 癸
丑 酉 酉 卯
이 命은 평상인인데, 73세에 卯의 地支가 되면 두 자식이 사망한다.

乙이 亥월에 生하여 時에서 丙을 보고 年月에서 丁을 만나면 삼기(三奇)가 된다. 丑이 坐한것과 더불어 戌을 인종(引從)하여야 貴하고, 오로지 巳 酉는 별도로 설명하여야 한다. (乙生亥月時遇丙,年月逢丁作三奇,坐丑兼戌引從貴,如專巳酉另詳之.)

乙목이 亥월에 生하면 印綬이고, 가령 乙丑일 丙戌時라면 天干은 三奇이고 地支에 丑은 戌을 引從하여 大貴하다고 본다. 만약 己酉는 앞에 끌어오지 않고, 乙巳는 亥를 衝하여 크게 분수(分數)를 減하니 煞印格으로 또한 輕重을 참작하여 살펴야한다. 水가 많으면 土로 制하여야 기쁘다. 예컨대 "맹중시랑"의 命이다. (乙生亥月印綬,如乙丑日丙戌時,天干三奇,地支丑引戌從,作大貴看.若己酉則無前引,乙巳則衝亥,大減分數,此煞印格,亦有輕重參詳,水多則喜土制.如孟重侍郎,乙亥丁亥乙丑丙戌,崔棟御史,日干乙酉不同,然官止七品,又無子,可例見也.)

예) 명조
丙 乙 丁 乙
戌 丑 亥 亥
최동어사(崔棟御史)는 日干이 乙酉로 같지 않았지만, 그러나 관직은 7품에 그쳤고 또 자식은 없는 것을 보기로서 알 수 있다.

木이 旺한 春절에 生하면 아우가 兄을 꺼리는데, 無情이 오히려 有情한 法이, 혹은 火 혹은 金 하나로 用하는데, 金을 만나지 않으면 火의 格을 더 좋게 評한다. (木生春旺弟嫌兄,誰道無情反有情,或火或金成一用,不逢金火格多評.)

木은 春절에 본래 旺하여 財 官이 함께 絶하는데 다시 比劫을 만나면 無情하다. 가령 하나의 金이나 혹 하나의 火를 사용하면 오히려 비견의 功을 의지하니 福으로 論할 수 있다. 火나 金이 없으면 보통이다. 만일 甲이 庚 辛 申 巳 酉 丑 亥를 얻어 하나를 사용하면 水가 적당하다. 또 만일 丙 丁 火는 金 水가 破하지 않으면, 比肩이 旺하여 食神은 도리어 吉하다. 추건격(趨乾格) 역시 비견이 마땅하니, 또 하나를 用한다. 만일 3월生이면 별도로 取用하며 역시 比肩을 의지한다. (木春本旺,財官俱絶,更遇比刼無情,如遇一金或一火爲用,反賴比肩之功,可以論福.無金火平常.如甲得庚辛申巳酉丑亥一用,宜水.又如丙丁火,無金水破,比肩旺食反吉.趨乾格亦宜比肩,又是一用.如生三月,別有取用,亦賴比肩.)

또 乙일이 金局을 만나고 丙이 투출하지 않으면 또 이는 하나를 사용한다. 丙丁을 보고 身이 旺한데 水가 없으면 또한 하나를 사용한다. 유상(類象)은 하나의 格으로 역시 比肩인 兄弟로 이루면 貴하고, 衝하여 파손되면 이 格을 論하지 않는다. 木이 3월에 生하여도 역시 金 土를 사용함이 있는데, 甲 乙이 庚 辛 官이 허로(虛露~무근하게 투출함)함을 얻으면 比劫이 奪取하거나 合하고, 또 별도의 金이 없으면 역시 별도의 情이 없으니 不吉하다.[官이 無根하게 투출하면 "군비쟁관"을 하니 不吉하다는 말.] (又乙日遇金局無丙透,又是一用.遇丙丁身旺無水,又是一用.類象一格,

亦宜比肩兄弟,成則貴，衝拆不論此格.木生三月,亦有金土之用,其甲乙得庚辛官虛露,比刧分奪合,又無別金,亦無別情,不吉.)

古歌에 이르기를, 陰木으로 生하여 巳 酉 丑을 만나고 子월에 生하면 貴하기 어려운데, 다시 金 水로 흐르면 손상되어 해로우며, 運이 南方으로 흘러가야 福이 淸하게 되돌아온다. (古歌云,陰木生逢巳酉丑,生於子月貴難成,再行金水傷殘害,運轉南方還福清.如丙午癸巳乙亥丙子是丐者.辛巳庚子乙丑丁卯是平人,丁酉運跌死,壬戌辛亥乙亥丙子嫌辛字,卯運不如甲寅,丙合辛貴,由貢而擢御史,無子.)

예) 명조-1
丙 乙 癸 丙
子 亥 巳 午
이 命은 거지다.

예) 명조-2
丁 乙 庚 辛
卯 丑 子 巳
이 命은 평민인데 丁酉 運에 失足하여 사망했다.

예) 명조-3
丙 乙 辛 壬
子 亥 亥 戌
辛을 꺼리며, 卯 運은 甲寅 運보다 못하고, 丙 辛이 合하여 貴하고, 재물을 바쳐 어사(御使)에 발탁되고, 자식이 없었다.

고가에서 말하기를, 乙木이 陽을 만나면 자식이 많은데, 명성은 貴하여 福이 태산 같고, 局중에 남쪽 離宮의 地支가 가장 두려운데, 官 煞이 衝하면 어찌할 도리가 없다. (古歌曰,乙木逢陽遇子多,名爲聚貴福重峩，局中最怕南離地,官煞來衝無奈何.)

木이 夏절에 生하면 가지가 횡행(橫行)하여 地支의 財가 손상하니 劫의 生함이 필요하고, 무성하게 자라서 번화(繁華)하여 뿌리가 旺盛하지 못하니 劫財가 많아서 二重으로 사용하여 마땅히 情이 있다. (木生夏月節枝橫,此地財傷要刧生,暢茂繁華根未盛,刧多用重兩宜情.)

木이 夏절에 生하여 있으면 火 土의 때인데, 만약 간두(干頭)에서 다시 火土를 보면 겁재가 많아서 火를 生하는 것이 가장 필요한데, 火는 土를 生하니 財가 된다. 비견으로서 임무가 다능하지만, 비견이 더 좋다고 말할 수는 없고 도리어 그 財를 나누게 된다. 古歌에 이르기를, 木은 壬

癸水를 만나면 표류(漂流)하고, 日주가 無根하여 가을에는 휘어지고, 歲運이 만약 財旺한 地支로 흐르면 오히려 凶함이 吉이 되어 왕후(王侯)를 보좌한다. (木在夏生,火土之時,若干頭再見火土,最要刼多生火,火生土爲財.以此比肩多能任,莫言比肩多,反分其財也.古歌云,木逢壬癸水漂流,日主無根枉度秋,歲運若行財旺地,反凶爲吉佐王侯.如甲寅庚午乙卯戊寅,乙未壬午甲子丙寅,二命比肩,所以皆吉.)

예) 명조-1
戊 乙 庚 甲
寅 卯 午 寅

예) 명조-2
丙 甲 壬 乙
寅 子 午 未
상기의 두 命은 比肩이기 때문에 모두 吉하다.

논병정論丙丁

丙丁이 1~2월은 印綬로서 봄이 되고, 壬 癸가 많은 格이 제일 나쁘고, 부재(浮財)를 꺼리지 않으니 化하는 것이 마땅하고, 辰월에는 子가 申을 연결함을 좋아한다.[正월=1월] (丙丁正二印當春,壬癸多逢格最嗔,不忌浮財宜見化,遇辰月愛子連申.)

丙丁이 春절에는 木으로 印綬로 하고 水는 官 煞이 되니, 丁 壬이 化合함이 가장 알맞다. 만약 官을 보면 다만 官을 用하고, 煞을 보면 단지 煞을 用하지만 [官煞]혼잡은 마땅치 않으며 水가 많아 火를 生할 수 없는 것이 두려운 것이니 印綬의 이름이 있다. 或 一壬 二壬, 一癸 二癸를 얻어 제거하거나 배합하면 害가 되지 않는다. 간두(干頭)의 허금(虛金~根이 없는 金)을 꺼리지 않고, 南으로 흐르면 모두 吉하다. 四柱 원국에 金 水가 많고 또 北地로 흐르는데 除去하거나 配合함이 없는 경우는 모두 不足한 것이라 論한다. 南으로 흐르면 점점 吉하고, 官 煞이 원래 엷은데 北으로 흐르면 吉하다. 만약 原局의 金이 제강(提綱~월령)을 衝하면 벌목(伐木)되어 印綬가 붕괴하여 凶하다. [丙丁이] 3월에 生하면 본래 傷官으로 마땅히 金 水를 用하는데, 만일 申 子가 전부 모이면 발달(發達)한다. (丙丁春月,以木爲印綬,水官爲煞,丁壬合化最宜.若見官只用官,見煞只用煞,不宜混雜,怕水多不能生火,徒有印名.或一壬二壬,一癸二癸,得去配亦不爲害.不忌干頭虛金,行南俱吉.柱原金水多,又行北地,更無去配,皆不足之論.行南稍吉,如官煞原淺,行北亦吉.若原金遇衝擊提綱,伐木壞印則凶.生三月本是傷官,又宜金水之用,如會申子全,主發達.)

丙丁이 夏절에는 본래 염증(炎蒸~ 찌는 듯한 더위)하여 富貴는 모름지기 다른 형상에 의하고,

金 水가 서로 만나서 혼연(渾然)하는데 의지하고, 用神이 손상하고 格이 破하면 고승(高僧)이 된다. (丙丁夏月本炎蒸,富貴須憑別象稱,金水相逢渾有賴,用傷格破作高僧.)

丙丁이 夏절에 生할 경우, 丙은 염상(炎上) 도충(倒衝) 유상(類象)등의 格이고, 丁은 비정(飛晶) 공록(拱祿)등의 格이 있다. 만일 부합(符合)되고 破하지 않으면 모두가 富貴하다. 앞의 格을 이루지 못하고, 혹 하나의 壬 亥 癸를 보고 申 子 辰이 온전하며 運이 西方으로 흐르면 富貴하다고 論한다. 戊 己를 用神하여 梟 煞이 서로 정벌하고 서쪽으로 行하면 발달한다. 丁은 寅 戌 丙으로 行하는 것을 꺼리며, 또한 墓를 꺼리고, 卯 酉 亥 運은 吉하고, 剋傷하여 不成하면 곤고하다. 만일 格局이 안되고 또 用神이 없거나 用神이 있어도 파괴되면 모두 不吉하다. 대부분 면직(免職)되어 녹봉을 받지 못하는 무리가 된다. (丙丁夏生,丙有炎上倒衝類象等格,丁有飛晶拱祿等格,如合不破,皆主富貴.不成前格,或見一壬亥癸,及申子辰全,運行西方,以富貴論.有戊己爲用,梟煞相征,行西亦發.丁忌行寅戌丙,亦嫌墓,卯酉亥運吉,亦傷剋不成之困.如非格局,又無用神,及有用破壞,皆主不吉.多避穀休糧之輩也.)

丙丁이 秋절 모두가 財가 되고, 丁은 융통할 수 있고 丙은 꺼리는가! 甲일은 만나는 것을 두려워하고 아울러 羊刃을 두려워하니 行運이 南地가 되면 자세히 추리해야한다. (丙丁秋月總爲財,丁可通融丙忌哉,甲日怕逢兼怕刃,運行南地細推排.)

丙丁이 가을에 生하면 金은 時令을 얻어 모두 財로 論한다. 만약 金 水가 크게 盛하면 오직 丁火만이 감당할 수 있고, 丙火는 官煞이 많은 것을 두려워하고, 매우 弱하여 制가 없으면 손상한다. 가령 丙이 7월에 生하여 煞地를 만나거나, 혹 官 煞이 투출하면 마땅히 戊 己의 수성(壽星)을 보아야하고, 다시 官으로 흐르면 貴가 발달하게 된다. 子 辰 卯의 地支를 만나는 것을 두려워하고, 8월은 丙이 死하는데 만약 財多하면 빼어나지만 부실(不實)하다. 가령 壬水가 制하거나 혹 卯 辰時로 종화(從化)하고, 陽의 글자를 많이 얻고 旺地로 흘러야 또한 좋다. 단 甲木을 아우르는[더하는] 것과 比肩이 相見하는 것은 마땅하지 않다. (丙丁秋生,金得時令,俱作財論.若金水太盛,獨丁火能任,丙火怕逢煞官多,弱甚無制則傷.如丙生七月,遇煞地,或透煞官,宜見戊己爲壽星,再行官貴發達.怕逢子辰卯地,八月丙死,若財多則秀而不實.如壬水得制,或卯辰時從化,得陽字多,行旺地亦可.但不宜甲木併,比肩相見.)

9월은 겨울이 가까운 시기인데 일귀(一貴)는 많지 않지만 辰 巳時는 一貴格이고, 官 煞이 많이 필요하지 않다. 만약 염상격의 부류면 貴하다. 만약 庚 辛을 만나서 용신을 삼으면 四柱에서 官煞을 보는 것은 마땅치 않다. 戊 己를 용신으로 삼으면 甲 乙 壬 癸를 보는 것은 마땅하지 않다. 만일 壬 亥를 用하면 별도로 一格인데 그 중에 다시 官 煞과 木 土 가 상전(相戰)하는 것이 두렵다. (九月近冬時,一貴不多,或辰巳時,是一貴格,亦不要官煞多,若類炎上格亦貴.若遇庚辛爲用,四柱不宜見官煞.戊己爲用,不宜見甲乙壬癸.如用壬亥,别是一格,其中更怕官煞,及木土相戰.)

丁이 7월[申]에 生하여 官煞 및 財의 重함을 보면, 마땅히 남쪽으로 흘러야 吉한데, 木 印綬를 쓰지 않는다. 만약 초가을에 生하여 劫의 重함을 만나고 남쪽으로 역행하면 不吉하니 순행함이 좋다. 만약 官煞이 없는데 戊土를 보고 혹 地支에 子 辰 水會局을 보면 南 北으로 흘러도 모두 吉하다. 오직 子 午 寅 運은 꺼리지만 재앙이 있지는 않다. 壬寅 時를 만나면 비록 化木을 한다고 論할지라도 金地에 木이 없으니 情(본성)은 化할 수 없기 때문인 것이다. (丁生七月,遇官煞及財重,宜行南則吉,不用木印.若生新秋遇劫重,逆行南不吉,順則可.若無官煞遇戊土,或支遇子辰會水,行南北皆吉.惟忌子午寅運,未有咎.遇壬寅時,雖作化木論,以金地無木,情不能化故也.)

8월은 기명취재(棄命就財~命을 버리고 財를 따르다.)하니 財格이 마땅하며 巳 酉 丑이 온전하여야 아름답고, 丁酉를 爲主로 하여 관성이 不利하고, 比肩 印綬는 꺼리지 않으며 南으로 행하여도 吉하나 寅 午 子의 歲運을 꺼린다. (八月棄命就財,宜財格,巳酉丑全爲美,丁酉爲主,不利官星,比肩印綬無忌,行南亦吉,忌寅午子歲運.)

9월은 官煞을 만나니 아마도 겨울의 경계에 가까우니 從化하나, 단 木 土는 꺼리고, 만일 庚辛을 用하면 木地로 흘러야 富貴하다. 또한 子運 午運을 꺼린다. 戊 己를 쓰면 마땅히 弱地로 行하여야 하고, 만약 水 木이 內에 있으면 不足하게 된다. 대체로 丙 丁의 두 火에서, 丙은 弱함을 두려워하고, 丁은 旺함을 두려워하니 마땅히 자세히 살펴야 한다. (九月遇煞官,或近冬界從化,但忌土木,如用庚辛,行木地富貴.亦忌子運午運.用戊己,宜行弱地,若水木在內,亦爲不足.大抵丙丁二火,丙怕弱,丁怕旺,宜細詳之.)

丙丁이 冬절은 當令한 垣[관살]을 쓰는데, 從化하는 것은 마땅히 根을 지니지 않아야 하고, 官煞일 때에는 日이 旺한 것을 싫어하고, 生함이 없어야 용신이 淸하며 은혜롭게 된다. (丙丁冬月用當垣,從化都宜不帶根,官煞當時嫌日旺,無生清用便爲恩.)

丙丁이 冬절에는 水가 當令한 때이니 官煞이 旺한데, 만약 從化하면 上命이 된다. 만일 丙이 차제(此際~때마침 주어진 이 기회)에 生하면 壬癸가 天干에 투출하여 상련(相連)하고 혹 申 子 辰이 會局하여 柱중에 辛이 있으면 化한다. 戊 己가 있으면 制하니 모두 功名이 있다. 丁이 辛을 손상하면 壬 癸가 있어야 無妨하다. 甲을 보면 梟神인데 庚의 制가 있어야 비로소 제거된다. 丙이 子월에 生하면 財官으로 柱중에 壬 亥가 없고 申에 坐하여도 모두 財官으로 論한다. 刑 衝하여 破壞함을 두려워하고, 官을 구분하고 日이 弱하면 빼어나지만 不實하다. 煞格은 일주가 휴수사패(休囚死敗)의 地支를 꺼리는데, 煞이 旺하면 食傷으로 제거하고, 合과 化를 하지 않아야 한다. 丙이 丑월에 生하여 戊 己가 있으면 用하는데 身旺함이 마땅하고 木이 파괴함을 두려워한다. 丑은 財庫인데 만일 庚辛이 투출하고 官煞을 보는 것은 마땅치 않고, 일주가 건왕(健旺)하여야 吉히니, 일주가 弱하고 용신이 破하면 凶하다. (丙丁冬月水當時,官煞旺,若從化,作上命看.如丙生此際,遇壬癸干透相連,或申子辰會,柱有辛則化.有戊己則制,皆主功名.遇丁傷辛,有壬透不妨.遇甲是

梟,有庚制方去.丙生子月財官,柱無壬亥及坐申,皆以財官論.怕刑衝破壞,及分官日弱,乃秀而不實.其煞格,忌日主休囚死敗之地,及煞旺去食,拆合拆化之方.丙生丑月,有戊己爲用,宜身旺,怕木壞之,丑爲財庫,如透辛庚,不宜見官煞,要日主健旺則吉,破用主弱則凶.)

丙일이 秋절에 生하여 官煞이 많은데 生이 없으면 變化하여 中和를 이루고, 生은 있고 制가 없으면 모두 弱하다 말하고, 兩地財名坦復波. (丙日秋生官煞多,無生得化致中和,有生無制皆言弱,兩地財名坦復波.)

丙이 8월에 生하여 官 煞이 많으면 마땅히 食傷이 制하거나 合化하여야 吉하게 된다. 子 辰 卯에 드는 것이 두려운데, 만일 制나 合은 없고 梟神과 食神을 만나면 설령 旺한 地支로 흘러도 不吉하다. 만일 9월에 겨울이 가까우면 시상일위귀격(時上一位貴格)이 되고, 梟神인 偏印월을 만나고, 戊 食神이 있으면 運이 身旺에 들어야 寅 辰이 비로소 吉하다. (丙生八月官煞多,宜食制合化俱吉.怕入子辰卯鄕,如無制合,遇梟食,縱行旺地不吉.如九月近冬,遇時上一位貴格,逢梟偏印月,有戊食,運入身旺,寅辰方吉.)

丙申이 4월은 戊가 날아와서 끝없이 넓은 전원(萬頃田園)의 부자로다! [戊土와] 梟神이 함께 透干하면 가장 두려운데, 평생토록 고생할 命이 된다. (丙申四月戊飛來,萬頃田園主富哉,最怕梟神同透干,平生辛苦命安排.)

丙申일이 4월에 生하고 土가 투출하면 食神이 坐祿하여 富하다. 만약 壬 煞과 甲 印綬를 만나고 壬을 쓸 때 戊를 보면 食神이 制煞 한다고 말하지 못하고, 4월은 水가 마르는데, 旺한 戊가 [水를] 제거하면 不吉하게 된다. 柱중에 水局을 얻고 혹 壬 亥의 1~2글자가 있어야 비로소 옳은 것이다. 日이 弱하고 壬 丙이 敗死休囚한 地支로 行하는 것을 꺼리는데, 만약 壬이 많으면 비록 辰時에 일주와 용신이 旺할지라도 모두 上命으로 볼 수 없다. (丙申日生四月,得透土,食神坐祿,主富.若遇壬煞甲食(印),如用壬見戊,莫言食神制煞,四月水涸,遇旺戊去之不吉.柱得水局,或壬亥一二字方可.忌行日弱,及壬丙敗死休囚之地,若壬多,雖是辰時,主旺用旺,皆不作上命看.)

丙이 申位에 臨하여[丙申일주가] 辰을 만나고 春夏절에 生한 사람은 煞이 가장 잘 따르고[순종한다는 뜻], 金 水運을 만나면 비록 큰 못이지만 辰 壬 酉 亥 子 申을 구분해야한다. (丙臨申位遇辰,時,春夏生人煞最循,金水運逢雖臯澤,辰壬酉亥子申分.)

丙申일이 壬辰 時를 만나면 申辰 煞이 會局하여도, 春夏절은 火가 旺相하니 凶으로 論하지 않는다. 秋冬절은 水가 旺相하여 火는 水의 制를 받지만 식신제살(食神制煞)을 의지하니 險한 가운데 명성을 찾고 발달하며 위험한 중에 온전히 믿으니 强한데, 辰 壬 酉 亥 子 申 卯는 모두가 主의 休 敗한 地支이니 吉凶은 마땅히 자세하게 살펴야한다. (丙申日遇壬辰時,申辰會煞,春夏火旺相,不以凶論.秋冬水旺相,火受水制,全頼食神制煞,主險中求名發達,險中全仗主强,辰壬酉亥子申卯,皆

主休敗之地,吉凶宜細詳之.)

丙이 冬절에 生하여 辛을 만나면 기뻐하고, 格안에 土가 있어야 吉하다고 論한다. 時상에서 壬을 보아도 無妨하고, 丁이 合化하여도 함께 꺼리지 않는다. (丙生冬月喜逢辛,格內土來作吉論,時上不妨壬字見,有丁合化俱無嗔.)

丙은 冬절에 生하면 辛과 化合함을 기뻐하고, 마땅히 土가 制하는 것이 食神이 되므로 吉한 것이다. 時 月의 煞은 害가 되지 않는데, 만약 丁이 辛을 剋하여 時에 壬이 合을 하면 丁은 辛에게 害할 겨를이 없으니 온전하게 化한다. 歲運에서 丁을 만나면 妻子를 剋傷하고 輕한 자는 약간 그렇지만 重한 자는 매우 심하다. (丙生冬月,喜見辛化,宜土制爲食,乃吉.時月煞不以爲害,若見丁剋辛,時遇壬合,則丁不暇害辛,各全其化.歲運逢丁,剋傷妻子,輕者稍可,重者尤甚.)

丙이 3支 寅 午 戌에 坐하고 月에서 火局을 만나 모두 동일하여 格이 炎上을 이루니 名利가 있고, 土는 부유하지만 水에 臨하면 싸움으로 싫어한다. (丙坐三支寅午戌,月逢火局總皆同,格成炎上多名利,土富嫌臨水戰功.)

丙이 寅 午 戌일에 坐하며 生월에 또 局이 온전하고 水의 破함을 만나지 않으면 곧 염상(炎上), 도충(倒衝), 비천(飛天), 유상(類象), 종왕(從旺)으로 土를 보면 吉하다. 水를 보면 비천(飛天), 유상(類象)이 실국(失局)하고 실원(失垣~관성의 전실을 말함)하여 즉 凶하다. (丙坐寅午戌日,及生月又得局全,不遇水破,卽炎上倒飛,類象從旺,見土亦吉.忌見水,類飛失局失垣,則凶.如丙寅甲午丙戌乙未,庚寅戊寅丙戌甲午二命,合格富貴.)

예) 명조-1
乙 丙 甲 丙
未 戌 午 寅

예) 명조-2
甲 丙 戊 庚
午 戌 寅 寅
두 命은 格에 부합(符合)하니 富貴하였다.

丙己는 본래 相逢하면 傷인데 관성을 곧 만나는 것이 또 무슨 상관(相關)이 있겠는가? 火는 土가 旺한 시기이니 마땅히 金 水를 要하고 夏節에는 그러나 寅이 적절하니 따로 자세히 살펴야한다. (丙己相逢本是傷,官星就見又何妨,火時土旺宜金水,時夏惟寅宜另詳.)

丙이 季월에 生하면 [季月] 속에 戊 己가 있으니 혹 透出하고 혹 透出하지 않는데, 透出하지 않으면 從土하여 無中生有(억지로 말썽거리를 만들어 일으킴)하고, 寅 午 戌時가 되면 入格된다. 土가 透出하여도 吉하고 官星을 꺼리지 않는다. 만일 [羊]刃을 만나면 조상(照象) 호입(虎入) 중당(中堂)등의 格으로 妻를 손상하지 않으면 자식이 적은데, 官煞을 거듭 보면 재앙이 있고, 가령 煞을 만나면 煞로 論하는데 이 格은 比肩을 가장 좋아한다. 6월은 回寅하니 마땅히 따로 자세히 살펴야한다. 卯未가 乙을 따르는 것은 마땅하지 않고 도리어 傷官은 바르게 사용한다. (丙生季月,內有戊己,或透或不透,不透從土,無中生有,得寅午戌時,俱入格.土透亦吉,不忌官星.如遇刃,及照象虎入中堂等格,非傷妻,則少子,官煞重遇則禍,如遇煞,以煞論,此格最喜比肩,如六月回寅,宜另詳之.不宜卯未隨乙,而反傷正用.)

丁火가 10월에 生하여 寅時를 얻고 화상(化象)을 이룬다면 富貴하다고 추리한다. 만약 다시 丁에게 辰 戌이 온다면 戌는 官貴를 분할하여 庶人(서인, 서민, 평민)이 된다. (丁生十月得寅時,化象成都富貴推,若再丁來暨辰戌,戌分官貴庶人期.)

丁이 亥월에 생하고 寅時를 만나면 正 化格을 이루어 富貴하다. 만약 다시 丁을 보면 官이 분할되고, 辰을 보면 官이 入墓한다. 戌을 보면 戊癸는 傷官에 상당(相當)하고, 申 酉를 만나면 破木으로 쓰니, 이들은 모두 格이 파괴되어 不吉하다. 만일 이것이 이지러짐이 없으면 크게 富貴하다. 午 巳 申 酉의 地支로 흐르면 吉한 가운데 主는 凶하다. (丁生亥月遇寅時,成正化格,富貴.若再見丁,則分官,見辰,則官入墓.見戌字,戊癸乃折合傷官,遇申酉乃破木之用,此等皆壞格不吉.如無此玷,乃大富貴.行午巳申酉地,吉中主凶.)

丁壬이 化木하여 卯 羊(未) 寅인데, 提綱(제강)이 破함이 없으면 祿이 새롭고, 官이 旺하면서 身旺한 地支가 마땅하고, 兎(卯)가 兌(酉)를 만나면 변하고 虎(寅)는 坤(申)을 근심한다. (丁壬化木卯羊寅,無破提綱利祿新,官旺且宜身旺地,兎逢兌變虎愁坤.)

丁壬이 10월에는 官印이 함께 旺하여 正(바르게) 化하고, 寅 卯 未는 垣(官)에 치우치고, 寅은 申으로 흐르는 것을 꺼리고, 卯는 酉로 흐르는 것을 꺼리고, 未는 寅으로 흐르는 것을 꺼린다. 나머지 戌 子 午 巳의 運도 꺼린다. (丁壬十月,官印俱旺,乃正化,其寅卯未偏垣,寅忌行申,卯忌行酉,未忌行寅.餘亦忌戌子午巳運.)

丁일은 秋절에 生하면 格이 가장 아름답고, 無根하고 煞이 있으면 영화롭고, 有根하고 煞이 없으며 남쪽으로 흐른다면 마치 옥에 결점인 티가 없는 것 같이 좋다. (丁日秋生格最佳,無根有煞兩榮華,有根無煞行南域,好似良瓊玷缺瑕.)

丁일은 陰으로 柔弱하며, 柱에 官이 輕한데 南으로 흐르면 不吉하고, 만약 土를 보고 官煞이 輕하면 北으로 흘러야 大發하고, 四柱에 比劫과 印綬가 없을 경우는 두 地支로 行하여야 모두 吉하다. 만약 7~8월 寅時라면 化로 보지 않고, 9월은 化煞하여 化木하니 마땅히 겨울에 가까우며 木地로 흘러야 吉하고, 午 申 寅 巳를 꺼린다. 8월의 柱중에는 煞을 쓰며 戊 己가 투출하면 寅 午 子의 運으로 行함을 꺼리고, 9월은 戊 己를 사용하며 甲 乙을 보는 것을 꺼린다. 만약 6월의 경계라면 7월로 추산하며 다시 金 水가 없는데 逆行하면 不吉하니 順行하여야 한다. (丁日陰柔宜弱,柱官輕,行南不吉,若遇土,官煞輕,行北大發,柱無比印,行兩地皆吉.若七八月寅時,不作化看,九月化煞化木,宜近冬界,及行木地吉.忌午申寅巳,八月柱中用煞,透戊己,忌行寅午子運,九月用戊己,忌見甲乙.若六月界,作七月推,更無金水,逆行不吉,順行則可.)

丁卯의 秋冬절은 煞이 첩첩히 번성하여 休한 印綬가 身强함을 도와야 亥 子에서 아름다우며 두터운 火를 싫어하니 木 火가 오면 도리어 傷한다. (丁卯秋冬煞疊昌,休來印綬助身强,美乎亥子嫌重火,火木如來反主傷.)

丁卯一日은 煞 印의 근원으로 官煞이 많아도 충분히 맡을 수 있고, 柱중에 亥 子가 많고 運에서 만나도 모두 吉하다. 만약 比肩과 印綬가 生하면 도리어 不利하고, 金 水로 흘러야 大發하고, 比劫으로 흐르거나 원국에 土가 있으면 子 申 運은 凶하다. 예컨대 고문천도헌(高文薦都憲)이다. (丁卯一日,乃煞印之源,能任官煞之多,柱多亥子,及運遇之皆吉,若比肩印生,反不爲利,行金水大發,行比劫及原有土神,子申運凶.如高文薦都憲,丁亥癸卯丁卯庚子,柱多亥子,煞印爲貴.)

예) 명조
庚 丁 癸 丁
子 卯 卯 亥
四柱에 亥 子가 많아 煞印[相生]으로 貴하였다.

丁은 午의 離間을 가장 두려워하고 金 水가 없으면 名利를 얻기 어렵고, 運이 兌宮인 西로 향하면 利와 祿을 이루고, 만일 東쪽의 地支로 行하면 얼굴에 근심이 반쯤 된다. (丁生最怕午離間,金水無逢名利難,運往兌西成利祿,如行東地半愁顔.)

丁이 5월에 生하면 日元이 自旺한데, 만약 金 水를 보면 비정(飛晶)과 공록(拱祿)은 이루지 못하고, 戊 己가 透出하지 않으면 단지 地支의 土를 用하는데 西로 行하면 土가 財 官을 生하여 利와 祿이 있다. 東으로 行하면 원래 格局이 없으며 土를 쓰는데 土가 木의 剋을 받아 의지할 데가 없으니, 自旺하여 다만 고요함을 얻어야 경영을 위탁할 수 있는 것이다. (丁生五月,日元自旺,若遇金水,不成飛晶拱祿,戊己不透,只支土爲用,行西則土生財官,亦堪利祿.行東原無格局而用土,土受木剋,竟無倚賴,其主自旺,只宜入靜,及營托可也.)

丁의 根은 石竹(패랭이꽃)이며 수원(水源)이 胎로서 金 水 地가 오면 물길이 열린다. 寅 午 戌로 行하여 弱을 도우면 관료는 직무를 傷하고 평민은 재앙이 생긴다. (丁根石竹水源胎,金水鄕來道利開,寅午戌方行補弱,官傷職掌庶生災.)

丁火의 房(28수의 하나)은 太陽(日의)이 근원이며 太陰(月)이 나머지이다. 酉를 만나면 밝아지고, 寅을 만나면 꺼지고, 弱한 陰으로 나아가면 밝아지고 旺한 陽으로 나아가면 어두워진다. 요즘 사람들은 火(불)를 얻을 때 대나무를 꺾어 돌을 쳐서 불을 얻으니, 가령 弱地로 나아가면 도리어 밝음을 보게 되고 旺地로 나아가면 不吉하다. 그러나 化格은 木이니 木을 사용하여 金地로 行하는 것을 꺼린다. 만일 秋冬절에 生하면 午와 元地로 行함을 꺼린다. 命에 木 土가 있으면 申 子로 行하는 것을 꺼리고, 化木이 아니면 寅 申을 꺼린다. 夏절에 生하면 寅 戌을 꺼리고 春절에 生하면 木旺한데 비록 午일지라도 어둡다. 原局에 官煞이 있으면 吉하다고 論한다. 木 印綬는 西方을 꺼리는데 輕하면 꺼리지 않지만 重하면 凶하다. (丁火房日之源,太陰之餘也.逢酉則明,遇寅則滅,行弱陰則明,行旺陽則昧.今人取火,截竹擊石得之,如行弱地,反見麗明.行旺地不吉.惟化格則是木,用木忌行金地.如生秋冬,忌行午及元地.命有土木,忌行申子,非化木,亦忌寅申.夏生忌寅戌,春生木旺,雖午晦昧.原有煞官,又爲吉論.木印忌西,所忌之方,輕則非,重則凶.)

丁일에 提綱이 蛇(巳)인데 酉 丑을 만나고 金 水運에는 名利가 순탄한데, 四柱 原局에 있으면 더욱 上格이고, 寅 戌로 行하면 싸움을 일으킨다. (丁日蛇提酉丑逢,水金運底利名通,柱中原有尤爲上,寅戌行來起戰鋒.)

丁이 4월에 生하여 혹 丑 酉日이거나 혹 金局을 얻어 西쪽으로 흐르면 富貴하다. 金 水 土를 만나도 또한 吉하고 양쪽으로 行하여도 모두가 有情한 地支인데 오직 寅 午 戌과 子중에는 싸움이 있다. 어쩌다 枝葉이 傷하지만 그래도 허물이 아닌 것이니 이곳을 지나면 吉하다. (丁生四月,或丑酉日,或得金局,行西富貴.遇金水土亦吉,兩行俱是有情之地,惟寅午戌,及子中有戰.倘傷枝葉,或非咎也,過此又吉.如甲子己巳丁酉庚戌,癸未丁巳丁巳戊申,俱行戊子運,凶.)

예) 명조-1
庚 丁 己 甲
戌 酉 巳 子

예) 명조-2
戊 丁 丁 癸
申 巳 巳 未
모두 戊子 運으로 行하여 凶했다.

丁이 卯월에 生하면 寅 卯를 끌어와 비록 化壬하더라도 본래 나뭇가지인데, 木火는 오히려 旺한 官煞을 맡아야하니 申 酉運은 몹시 좋지 않다. (丁生卯月卯寅提,雖化壬兮本木枝,木火卻當官煞旺,酉申運底動離悲.)

丁이 寅 卯월에 生하여 官化와 煞을 만나면 印綬가 근본으로 北方의 官煞로 行하면 마땅히 旺한 地支가 되어 功名 發財 한다. 만약 申 酉로 흐르면 비록 財 官일지라도 오히려 본래의 印綬를 損傷하여 不吉하다. (丁生寅卯,遇官化及煞,乃印之本,行北方官煞,當其旺地,主功名發財.若行申酉,雖是財官,反傷本印,不吉.)

丁일이 辰[월]에 時에 戊申을 만나면 傷官時내에서 壬을 生하는데, 煞星이 만약 干上에 나타나면 會水하여 서로 다투어 재앙이 생긴다. (丁日逢辰時戊申,傷官時內有生壬,煞星若出干頭上,會水相征禍始侵.)

丁이 3월 傷官에 生하여 가령 干上에 煞을 보고 地支에 水局이 있을 경우, 만약 戊가 투출하고 水局이 온전하면 發達한다. 子 申 酉의 지지로 흐르면 "傷官見官"하여 水와 土가 서로 싸워서, 輕하면 재앙이 아니지만 重하면 파멸(破滅)하고, 뜻을 펴는 가운데 亡한다. (丁生三月傷官,如干上見煞,地支已有水局,若透戊字及水局全,發達.行子申酉地,傷官見官,水土相戰,輕則非災,重則破滅,稱意中亡.如癸未丙辰丁卯戊申,戊子丙辰丁卯戊申,合此.)

예) 명조-1
戊 丁 丙 癸
申 卯 辰 未

예) 명조-2
戊 丁 丙 戊
申 卯 辰 子
이 命에 符合한다.

丁巳는 蛇(巳)에 居하니 弟가 兄을 계승하고, 寅 申의 月令은 壬 庚을 기뻐하고, 둘이 用神의 運으로 行하면 영귀(榮貴)함이 높고, 提綱을 공격하면 재앙이 생긴다. (丁巳居蛇弟襲兄,寅申月令喜壬庚,兩行運用尊榮貴,相擊提綱禍始成.)

丁巳 己巳 2日(날)에서, 丁巳일 申월, 己巳일 寅월이 壬 水가 透干하고 원국에 刑이 있으나 완전하지 않으니 用神을 얻어 의지하면 富貴를 이룬다. 재차 이 運을 만나면 3刑이 완전하니, 輕하면 장배회박(杖配晦駁?)하고 重하면 위멸(危滅)하는데, 原局에 煞刃이 있으면 더욱 凶하다. 가령 順行하여 財官을 만나지 못하면 도재(屠宰~가축을 도살함=백정)로 나아가지만 큰 허물은 없다. 만일 富貴를 누린다면 큰 위태함이 있다. (丁巳己巳二日,丁日申月,己日寅月,得壬水透干,原本有刑未全.得用神倚賴,則成富貴.再見此運,三刑全,輕則杖配晦駁,重則危滅,原有煞刃者尤凶.如順行不遇財官,乃屠宰奔趨,亦無大咎,如享富貴,中有大險.)

丁의 戊 傷官은 財를 원하는데 원국에 치우침이 없으면 運에서 다시 오는 것을 좋아하고, 만약 寅 戌을 만나면 비록 허물이 되지만 누구라도 子 申을 믿으나 다시 재앙이 있다. (丁戊傷官要見財,原無偏喜運重來,若逢寅戌雖爲咎,誰信子申更主災.)

丁일이 戊 傷官을 보면 庚 辛 申 巳 酉 丑의 財를 만나는 것을 기뻐하고, 四柱에 없으면 마땅히 財地로 흘러야한다. 丁이 夏월에 生하여 戊土를 쓰면 마땅히 金 水의 방향으로 흘러야 名利가 있다. 寅 戌에 이르면 旺하여 머무르고 혹 전극(戰剋)하여 정체하고, 子 申으로 흐르면 싸움이 일어난다. (丁日遇戊傷官,喜見庚辛申巳酉丑爲財,柱無宜行財地,丁生夏月,用戊,宜行金火方,利名.至寅戌主旺一停,或剋戰晦滯,行子申一戰.)

丁이 7월에 生하면 戊를 쓰는데 金 水가 장복(藏伏)한 가운데 午 戌 寅으로 행하여 節이 머무르고, 子 寅 運은 재앙이라 꺼린다. 9월은 甲寅을 만나지 않고 戊(土)가 투출하면 淸貴하고, 서로를 用하면 富하고, 丑 壬중으로 나아가면 大吉하다. 運에서 甲 乙을 만나도 역시 富貴를 말할 만하고, 寅 午를 꺼린다. 만일 流年에 會煞 會傷하는 곳의 地支라면 禍福이 응대하고, 運이 긴 사람은 오랫동안 발전하고, 運이 짧은 사람은 쉽게 모였다가 흩어진다. (丁生七月,用戊,金水伏中,行午戌寅停節,子寅運妨禍.九月不遇甲寅,得戊透,淸者貴,互用者富,丑壬中行大吉.運遇甲乙,亦可言富貴,忌寅午.如流年會煞會傷基之地,禍福響應,運長者發久,短者易聚散.)

논무토論戊土

戊己土는 봄이 되면 官煞이 强하여 火 金이 서로 만나면 영화로움이 번성한다. 干支에 財가 투출하여 겁재에 臨하지 않고, 運이 財로 向하면 농사짓는 사람이다. (戊己當春官煞强,火金相見主榮昌,干支財透無臨劫,運向財鄕田舍郎.)

戊土가 正月에 生하여 官 煞이 투출하면 단지 煞로 論하는데, 柱에서 水를 얻고 南쪽으로 흐르면 吉하고, 火는 비록 印綬이지만 많은 것은 못마땅한데, 많으면 土가 燥해진다. 火地로 行하여 午를 만나면 刃은 旺하고 甲은 死하니, 木은 旺盛한 火를 만나면 用하여도 역시 불살라지고, 土 燥하면 木이 虛하여 官 煞은 유명무실(有名無實)한데, 만약 金 水가 많은 地支로 흐르면 吉하다. 만약 金 水는 많고 印綬가 없으면 北方으로 흘러도 凶하다. 2월에 生하면 正官인데 日干은 財를 필요로 하고 南으로 行하여야 功名과 祿이 이롭고, 甲을 만나면 從煞로 論하고, 柱중에 財가 있으면 印綬가 旺한 것을 꺼리지 않으며 南쪽으로 흘러야 吉하다. 만약 偏印 正印이 많은데 財가 없으면 北쪽으로 흘러야 吉하다. 만약 財가 많은 印綬를 만나고 午地로 行하면 원국의 火를 통솔하니, 火 土는 燥하고 水는 木에게 盜氣되어 制할 수 없다. 羊刃은 無情하니 비록 富貴할지라도 재앙과 허물을 면하지 못하는데 重하면 심히 위태롭고, 모두가 刑 衝을 꺼린다. (戊生正月透官煞,只以煞論,柱得水,行南則吉,火雖印亦不宜多,多則燥土.行火地遇午,刃旺甲死,是木遇火盛,

用亦被焚,土燥木虛,官煞有名無實,若金水多,行此地則吉.若金水多無印,行北方亦凶.生二月正官,要日干有財,行南可功名祿利,遇甲則從煞論,柱有財不忌印旺,行南吉.若偏正印多無財,行北亦吉.若財遇印多,行午地引領原火,火土燥水不能制盜木之氣.羊刃無情,雖得富貴,未免災咎,重則危甚,俱忌刑衝.)

己土가 正月에 生하면 官인데 다시 丙火가 투출하면 官印 둘이 行하니 모두 吉하고, 午 戌運과 衝을 하는 곳을 꺼려하고, 子 丑 亥 戌時를 만나면 合化한다. 乙을 보면 煞인데, 印綬를 보고 水가 없으며 北쪽으로 行하면 吉하다. 만약 金 水를 많이 만나고 다시 金水로 흐르면 不吉하고, 南쪽으로 흐르면 발달한다. 2월에 生하면 煞인데, 官煞이 투출하여 아름다운 것이 가장 마땅하고, 財는 있고 印綬는 없는데 順行하면 功名이 있고. 北쪽으로 역행하면 不吉하다. 대체로 木 火運으로 흐르는 것이 적절하고, 金水로 행하는 것을 꺼리며, 午 戌 酉 運으로 行하여도 또한 재앙으로 損傷함이 있다. (己生正月,乃官,再透丙火,官印兩行俱吉,忌午戌運,及衝提之方,遇子丑亥戌時,合化.遇乙是煞,遇印無水,行北亦吉.若水金多見,再行金水不吉,行南發達.生二月是煞,最宜透出官煞爲美,有財無印,順行功名,逆行北不吉.若印多原無水,行北亦吉.大抵宜行木火,忌行金水,行午戌酉運,亦宜有災傷.)

戊土가 3월에 生하여 壬 癸 申 子 만나고 柱중에 煞 劫이 없고 金 水로 行하여야 비로소 發福한다. 만일 劫財를 만나면 발전하지만 또한 妻를 剋하고 자식을 손상하는 것을 반복(反覆)한다. 甲寅 時를 보면 하나의 格으로 富貴하고, 오히려 壬 癸를 꺼리고 庚金을 만나면 기뻐한다. 만일 財局을 보고 더불어 庚 金을 만나고 梟神을 만나지 않는다면 大發하고, 煞을 보는데 梟神을 만나게 되면 不吉하다. (戊生三月,遇有壬癸申子,柱無煞劫,行金水方發福.如遇劫財便發,亦剋妻損子,反覆.見甲寅時是一格,可云富貴,卻忌壬癸,喜見庚金.如遇財局,兼遇庚金,不見梟,大發,見煞遇梟不吉.)

己土가 3월에 生하면 財 官이 온전하여 하나의 格을 이루는 것이 가장 적당하고, 혹 "상관생재"하고 丑 亥가 있으면 富貴할 것이고, 財를 用하여도 역시 吉하다. 만약 庚 辛 巳 酉 丑의 金을 만나고 火 木을 보지 않으며 金 水의 방향으로 行하면 모두 祿에 이롭다. 만일 時上의 一位로 貴한데 格局이 淸할 경우에는 과거에 급제한다. 또 말하기를, 戊 己가 正月에는 天干에서 金局을 보거나 金이 투출하여 木을 보는 것은 가장 마땅하지 않는데, 柱에 있으면 근심을 남기고, 후에 근심인 旺地로 나아가면 用神이 파괴되고, 煞을 用하면 金을 보는 것을 꺼리지 않는다. (己生三月,最宜財官全乎一格,或是傷官生財,及丑亥,俱擬富貴,用財亦吉.若遇庚辛巳酉丑金不見火木,行金水方,皆利祿,如時上一位貴,格局淸者,可發科目.又云,戊己正月,干見金局及透金,最不宜見木,在柱遺患,後行患旺地壞用,用煞不忌見金.)

戊己가 마땅한 때는 夏日(여름 날)을 바라는데, 土가 그을리면 마땅히 水로서 相滋해야한다. 木 金으로 格이 되면 그릇을 이루고, 印綬가 輕할 때는 水가 가득한 것을 두려워한다. (戊己當時夏日期,土焦宜水乃相滋,木金得格成其器,印綬輕時怕水瀰.)

戊己가 夏節에 生하면 垣(관)이 마땅한데, 印綬가 또 생부(生扶)하면 土가 지나치니, 마땅히 작은 水(물)로서 윤택하게 하는데 金 水가 함께 作用함이 필요하다. 만약 印綬를 用하면 財가 두려운데 財로 흐르면 不吉하다. 또 戊일의 午월, 戊寅일 甲寅 時 戊午 時에서 木을 사용하면 富貴하다고 말할 수 있다. (戊己夏生當垣,印又生扶土過,宜微水滋澤其間,俱要金水作用.若用印怕財,行財鄕不吉.且如戊日午月戊寅日,甲寅時戊午時乃木用,富貴可言.)

6월은 木이 庫로서 甲 乙을 사용하는데, 天干에 투출하고 甲寅 時면 功名이 있으나 나머지 甲은 그렇지 않고, 乙 역시 煞이 섞이므로 마땅하지 않고, 淸한 것은 貴하고 濁한 것은 不利하다. 모두가 작은(적당한)水라야 印綬를 파괴하지 않는다. 가령 金을 쓰는데, 4月에 庚 辛 巳 酉 丑 亥를 많이 보면 用할 수 있고, 壬水 혹은 水局을 만나면 月(巳의 丙)의 丙火를 破하니 金 水의 지지로 行하여야 祿에 이로운 사람이다. 만약 水는 없고 다시 甲 丙을 보면 모두 不吉하다. (六月木庫,用甲乙,須透天干,甲寅時功名,餘甲則否,遇乙亦不宜混煞,淸者取貴,濁者不利.俱宜微水,不爲壞印.如用金,四月遇庚辛巳酉丑亥多,則可用,見壬水或水局,破月丙火,行金水地,利祿人也.若無水,更遇甲丙,皆不吉.)

5~6월은 金氣가 輕하게 藏伏하여 用할 수 없다고 말하는데 두터워야 비로소 사용한다. 가령 6월은 7월 가을이 가까이 있으니 사용하고, 6월을 추론하는 것은 金이 많고 順行하여야 用할만하고, 行運은 金 水 方이라야 發財한다. (五六月,金氣輕伏,無可言用,須多方取.如六月用在七月近秋,作六月推者,遇金多,順行亦可言用,行運金水方發財.)

戊가 夏節에 生하였는데, 만약 時上에서 偏財를 보고 金이 돕는다면 西方으로 흘러야 發財한다. 만약 丁 火가 투출하고 財가 없으면 印綬로 論하고, 壬 癸 乙 및 化格을 만나면 富貴하다. 提綱(월영)을 衝하고 다시 財에 드는 것을 두려워한다. (戊生夏,若遇偏財時上,及金助之,行西方發財.若露丁火無財.印綬論,遇壬癸乙字及化格,富貴.怕衝提,再入財方.)

己일 4월은 庚 辛 酉 丑 申이 온전하고 日支에 또 酉 丑이 居하면 甲 乙 卯 未 丁을 보지 않고 西北으로 흐르면 大發한다. 戊 寅의 2運이 들어오는 것을 꺼리는데, 만약 戊 子 丑 亥時라면 官印이나 煞印으로 論하고 官 煞로 行하여야 모두 吉하다. (己日四月,得庚辛酉丑申全,日支又居酉丑,不見甲乙卯未丁字,行西北大發.忌入戊寅二運.若戊子丑亥時,以官印煞印論,行官煞方皆吉.)

5월에 生하여 木을 보면 東方으로 흘러야 名利를 말할 만하고, 金을 用하여 木이 絶하면 水는 마땅한데, 만일 木이 絶하여 金局을 얻으면 北方으로 흘러들어야 吉하다. 6月에 官煞을 보고 東方으로 行하여야 富貴하고, 西方으로 行하면 그 다음인데 또한 旺할까 두렵다. 金水를 用하면 가을이 가까우니 가능하고, 運이 順行하면 마땅하지만 逆行하면 不吉하다. (五月生遇木,行東方可言名利,用金絶木宜水.如絶木得金局,行入北方亦吉.六月遇官煞,行東方,可擬富貴,西行次之,亦怕入旺.用金水,近秋則可,運宜順行,反則不吉.)

대체로 戊 己의 2天干이 金 水를 用하면 火木을 보아도 투출하는 것은 마땅하지 않고, 火木을 用하면 金 水를 보아도 투출하는 것은 마땅하지 않는데, 그 가운데 拱祿格 拱貴格이 있으니, 마땅히 자세히 살펴야한다. (大抵戊己二干用金水,不宜露見火木,用火木,不宜露見金水,中間又有拱祿拱貴格,宜細詳之.)

戊己는 秋節에 生하면 본래 洩氣하여 줄어드는데 壬 癸를 많이 만나는 것을 두려워한다. 만일 오직 金을 쓰는데 靑赤(木火)이 온다면 설령 財名이 있더라도 역시 작중(酌中~중간을 취함)한다. (戊己秋生本泄氣,少宜壬癸怕多逢,如專金用來靑赤,縱有財名亦酌中.)

戊己는 秋節에 生하면 본래 金 水를 사용하는데, 火를 보면 用을 害치고, 木을 보면 身을 해친다. 이와 같은 日(날)에 生하여 庚 辛 壬 癸를 만나고 身旺하다면 양쪽으로 흘러도 功名이 있는 사람이다. 만약 癸를 보고 化合하면 水地에서는 不利하고 火地는 吉하며 丁 乙은 꺼리지 않는다. 만약 완전한 金을 用하면 단지 丙 甲을 用하지만 不吉하다. 가령 丙辰 時를 보면 마땅히 壬이 투출하여 制하고 寅이 있거나 혹 地支에 甲 丙 숨었는데, 庚 壬이 天干에 있으면 물러나고, 北으로 흐르면 한때 발달하며, 寅 午 運에 들면 두 원수가 旺하게 일어나 不吉하다. (戊己秋生,本用金水,遇火則害用,遇木則害身.如此日生,遇庚辛壬癸,身旺兩行,功名人也.若遇癸化合,不利水地,火地則吉,丁乙不忌,若全金用,惟用丙甲不吉.如遇丙辰時,宜壬透制,及有寅字,或支隱甲丙,遇庚壬在干,屛之,行北,發達一度,入寅午運,二仇旺起,不吉.)

만약 歲(年) 月의 丙이 申 子 辰상에 居하면, 비록 壬이 투출하지 않더라도 子 丑 辰 巳 運의 天干에 壬 癸 庚 辛을 얻어 去玷會用하여 財名이 된다. 만일 이것이 없고 西로 흘러도 역시 자못 뜻을 이룬다. 만약 丙이 있는데 庚과 申이 노출되거나 혹 寅을 감추고 制함이 없으면 층등(蹭蹬~권세를 잃고 어정거림)하는 사람이다. (若歲月丙居申子辰上,雖無壬透,子丑辰巳運干得壬癸庚辛,去玷會用,爲財名.如無此,西行亦頗可遂意,若丙有庚及申露,或隱寅無制,蹭蹬人也.)

運이 寅午에 들어 重하면 위태롭고 輕하면 病이 들고, 剋傷한 것은 아니다. 만약 丙年 丁月이 연이어 보고 丙 甲이 함께 보이면 小人은 꺼려할 것이 없으니 양쪽으로 행하여도 發達하고, 또 丙 甲의 歲運은 꺼리고 辰 巳 子 丑 運은 크게 이롭다. 만약 歲에서 丁을 보면 印綬가 되는데 癸丑을 만나면 正化하며 丁을 傷하여 貴하다. 만일 2癸가 爭合하면 마땅히 戊地로 行해야 하고 2戊가 爭合하면 마땅히 癸地로 行하여야한다. 만약 辛이 투출하면 乙을 만나는 것이 두려우며 財多함을 꺼리고 官도 역시 혐의 하고, 丁 辛이 내재(內在)하면 비록 害가 되진 않더라도 해로운 地支가 번갈아 들면 不吉하다. 만약 印綬가 旺하면 두풍(頭風)病이 두렵고, 妻를 剋하며 자식을 해친다. (運入午寅,重則危,輕則病,非剋傷.若丙年丁月連見,及丙甲俱見,小人如無所忌,兩行發達,亦忌丙甲歲運,大利辰巳子丑運.若歲時遇丁,作印綬,逢癸丑正化傷丁則貴.如兩癸爭合,宜行戊地,兩戊爭合,宜行癸地.若辛露,怕見乙俱忌財多,有官亦嫌丁辛在內,雖不爲害,迤遞害地不吉.若印旺,俱入怯瘋之病,

剋妻害子.)

만약 9월에 生하여 甲寅 時가 되면 하나의 格인데, 초겨울이 적절하고, 가령 庚申 時면 겨울이 가까워 이지러지거나 破함이 없고, 木 火 또한 福이 되고, 또 化印格에 비할만하다. 己土가 7월의 卯未일에 甲戌 甲子 乙丑 乙亥 時를 만나 官 煞을 서로 보면 富貴하고, 庚이 투출함은 마땅하지 않다. 만일 庚이 寅 午 戌상에 居하면 害가 없는데 이는 정기(正氣)의 官煞이 아니고 財가 많음을 꺼린다. (若生九月,遇甲寅時則是一格,宜臨冬首.如庚申時,近冬無玷破,及火木亦福,亦有化印格之擬.己土七月,見卯未日,又見甲戌甲子乙丑乙亥時,互見官煞,富貴,不宜透庚.如庚居寅午戌上亦無害,此非正氣官煞,惟忌財多.)

만약 金水를 用하면 木은 마땅치 않고, 8월에 生하여 丑 亥 時를 만나고 중첩되게 乙을 많이 보면 모두 富貴하다. 甲戌 甲子 時도 또한 煞이 混合해야 吉하고, 虛官은 실제로 쓰임이 없다. 만약 壬申 癸酉 時라면 用을 하지만 木을 보는 것은 마땅하지 않다. (若用金水,不宜見木,生八月,遇丑亥時,疊見乙多,皆富貴.甲戌甲子時,亦要煞混方吉,以虛官無實用也.若壬申癸酉時,則是一用,不宜見木.)

9月에 生한 亥 卯 未가 巳時를 만나도 吉하다 말할 수 있고, 淸하면 貴하고, 合을 만나면 노출된 煞은 마땅하지 않고, 合을 從하여도 貴하며 煞에 坐하여도 뛰어난데 단지 혼잡하면 不吉하다. 만약 庚申 辛酉등의 金을 用하면 마땅히 官印을 보아야 祿에 이롭다. 木을 破하는 것은 不吉하고 火 木과 寅 午運으로 行하는 것을 꺼린다. 官 煞을 用하면, 午 戌 運으로 行하여 木用이 入墓하는 것과, 金을 用하여 敗印하는 것은, 寅 午 木火의 歲運으로 行하는 것을 꺼린다. 만일 時上에 一煞을 얻으며 身弱하고 戰剋하지 않으면 황갑(黃甲~과거에 급제, 벼슬길)에 오르고, 戰爭하는 것은 뜻을 펼치는 중에 亡(졸)한다. (九月生亥卯未遇巳時,亦可言吉,淸者貴,遇合不宜露煞,從合亦貴,坐煞亦妙,惟混不吉.若庚申辛酉等金爲用,宜見官印,亦主利祿,受木破者不吉,忌行火木及午寅運.如用官煞,行戌午運,及木用入墓,用金敗印者,忌行午寅木火歲運.如得時上一煞,身弱不戰剋者,許登黃甲.戰爭者,稱意中亡.)

戊己가 冬절에 生하면 財利(재물과 이익)에 가까우며, 柱중에서 金 水가 서로 친하게 지내는 것을 기뻐하고, 金 水가 局을 얻으며 梟 煞이 空하고, 貴를 비교하여 나누면 富는 끝을 초월한다. (戊己冬生財利濱,柱中金水喜相親,水金得局空梟煞,貴比班超富季倫.)

戊己는 冬節에 生하여 化하면 하나의 格으로 官星을 꺼리지 않지만 梟 煞을 두려워한다. 만약 "기명취재(棄命就財)"하면 또 하나의 格인데, 戊日 庚申時에 木火가 없고 申 子 辰을 보며 木火가 없으면 크게 富貴한다. 만약 戊申일이 金 水를 보고 혹 壬 癸時이면 "化格"인데 乙木을 꺼리지 않는다. 이와 같은 四柱는 大貴하며 提綱을 衝하고 羊印을 折하는 곳으로 行할까 두렵다. (戊己冬生遇化,則是一格,不忌官星,更怕梟煞.若棄命就財,又是一格,戊日庚申時無火木,遇申子辰無火木,

主大富貴.若戊申日遇金水,或壬癸時,亦是化格,不忌乙木,如此者大貴.畏行衝提折刃.)

만약 甲寅 時를 만나면 煞로 論하며 가히 功名할 수 있고, 年 月에서 甲을 보게 되면 金이 공격하여 不吉하다. 庚 辛 金을 보면 用하는데 原局에 丙辰이 있으면 이지러지고, 壬 癸 子 丑 辰 巳로 行하거나 申 酉方을 만나면 한번은 뜻에 부합하고, 寅 午 戌 丙 甲으로 行하여, 重하면 위태로우며 輕하면 소모되어 剋傷이 염려된다. 己日이 子 戌 丑 亥時를 만나면 또 한 번 用하는데 卯 未를 보고 金 水가 투출한 것을 꺼린다. (若遇甲寅時,作煞論,可許功名,年月見甲及金相攻,不吉.遇庚辛金爲用,原有丙辰之玷,行壬癸子丑辰巳,及遇申酉方,亦當稱意一度,行寅午戌丙甲,重則危,輕則費,患剋傷.己日遇子戌丑亥時,又一用,見卯未,忌透金水.)

만약 申 酉時를 사용하면 역시 貴를 말할 수 있고, 甲을 꺼리지는 않지만 乙을 꺼리고, 그리고 木 火로 行함을 꺼리는데, 가령 戊日이 合을 하여 水局을 얻으면 "棄命就財" "合祿" "化火"의 4格은 煞을 破함이 없으면 모두 富貴하다. 己일이 木을 從하여도 吉하고, 己일 丑月에 傷官 金이 투출한 2格은 財를 用하니, 金水 申 酉 巳 辰으로 行하여야 吉하고, "時上一貴"를 用하여도 역시 功名을 말할 수 있다. (若申酉時爲用,亦可言貴,不忌甲,忌乙,亦忌火木中行.如戊日合得水局,棄命就財,合祿,化火,四格無煞破,皆富貴.己日從木亦吉,己日丑月,透金傷官,及用財二格,行金水申酉巳辰方吉,用時上一貴,亦可言功名.)

戊일 申時는 金水를 生하고 다시 水局을 兼하여 財祿을 이룬다. 만일 梟煞이 와서 格을 침입하지 않으면 직위(職位)가 숭고(崇高)하여 경성에서 편안하다. (戊日申時金水生,更兼水局祿財成,如無梟煞來侵格,職位崇高莫與京.)

戊일 秋冬節은 金 水가 旺한 局으로 庚申 時를 만나면 "合祿格"이고, 梟煞의 이지러짐을 만나지 않는 戊申일은 크게 富貴한다. 夏節에 生하면 水 木 金의 合 制가 있어야 크게 富貴한다. 富貴를 누리는 것은, 春節에 生하면 말하기 어렵다. (戊日秋冬,金水旺局,遇庚申時,合祿格,不遇梟煞之玷,及戊申日,主大富貴.夏生,有水木金制合,亦主大富貴.享用,春生難言.)

戊의 干이 合化하여 秋 冬節이면 壬 癸를 만나야 化하여 소통되고, 火地에서는 財名의 공적을 따르고, 梟 煞이 相逢하는 것을 가장 싫어한다. (戊干合化在秋冬,遇癸逢壬化始通,火地財名功業就,最嫌梟煞兩相逢.)

合化格은 壬 癸를 만나야 그렇게 되고, 火地로 흐르면 吉하고 2개의 戊를 만나도 또한 無妨하며 丙 甲 己를 두려워하고 丁 乙은 輕하여도 害가 없는데, 만일 丙辰 時라면 水多한 壬을 분할하니 심하게 꺼리지 않는다. (合化格見壬癸爲然,行火地吉,見兩戊亦不妨,怕丙甲己,其丁乙輕無害,如丙辰時,水多壬解,不甚爲忌.)

戊일이 甲寅 時를 만난다고 오히려 從煞格이라고 의심을 하여서는 안 된다. 運은 마땅히 木火가 名利를 通하고, 金 水는 天干을 가로막아 시비(是非~옳고 그름)에 빠진다. (戊日如逢甲寅時.卻從煞格莫拘疑,運宜木火通名利,金水屛干入是非.)

戊日 寅時에 春 夏節에 生하면 마땅히 制하여야 貴하고, 秋節에 生하면 庚이 투출하여 木이 衰弱한 것이 가장 두려우니 그래서 빼어나지만 不實하다. 冬節은 陽이 근접하여 木이 進氣하니 조금 制하는 것은 꺼리지 않으나 많이 制하는 것은 옳지 않고, 木 火 運으로 흘러야 功名한다. 만일 "傷官合財格"이면 寅時와 싸움이 되어 不吉하다. (戊日寅時,生春夏,宜制則貴,生秋.最怕庚露木衰,乃秀而不實,冬陽近木進氣,制稍無忌,亦不宜多,行火木運功名.如傷官合財格,此寅時爲戰不吉.)

戊가 日時에 申 辰 子을 함께하면 金을 用하여 壬 水를 연결하는 功이 있으니, 辰 巳 丑 申은 좋은 運이 되고, 午 寅 丙 甲의 運은 빈궁(貧窮)하다. (戊申辰子日時同,金用壬連水有功,辰巳丑申爲美運,午寅丙甲主貧窮.)

戊日生이 만일 申 子 辰에 坐하고 時의 天干에 庚 辛이 투출하면 富貴하다. 庚 申 辛 酉 子 辰 丑 巳의 地支로 운행하여야 뜻을 이룰 수 있다. 만약 寅 午 戌 丙 甲으로 行한다면 不吉하며 심하면 죽는다. (戊日生,如坐申子辰,及時亦遇天干庚辛透出,富貴.運行庚申辛酉子辰丑巳之地,可云遂意.若行寅午戌丙甲不吉,甚則死.)

戊일 秋 冬의 두 형상은 時에 편재를 만나면 가장 뛰어나게 되고, 傷官의 歲 月은 梟 煞을 싫어하고, 丑 亥는 子 戌時와 같지 않다.[丑 亥 보다 子 戌時가 낫다.] (戊日秋冬兩樣之,偏財時見最爲奇,傷官歲月嫌梟煞,丑亥不如子戌時.)

戊일 秋 冬節은 편재를 보게 되면 아름답고, 丑 亥의 두 時는 天財가 변화하니 格의 貴함이 꺾어져 子 戌 두 時에 미치지 못한다.[丑 亥 보다 子 戌時가 낫다.] 偏財는 吉하지만 官 煞이 많으면 꺼리는 것은, 앞과 동일하다. 戊 己는 秋 冬節에 庚 辛이 투출하면 用하고 金 水方으로 行하면 發財하고, 地支는 申 酉 巳 丑이 마땅하며 壬 癸 申 子 辰 모두 吉하다. 丙時는 水의 制하여야 吉하다. (戊日秋冬,遇見偏財爲美,丑亥二時,天財入化,格貴有玷折,不及子戌二時.偏財爲吉,忌煞官多,與前同.戊己秋冬,遇庚辛透爲用,行金水方發財,支宜申酉巳丑,壬癸申子辰俱吉.遇丙時有水制亦吉.)

金 水地로 行해도 無妨하고, 梟는 꺼린다. 丙申이 有根하고 子 丑 辰 巳 申 酉의 運으로 行하면 모두 뜻한 대로 되고, 丙 甲 午 寅의 運은 不吉하다. 戊 己일은 둘째로 用하는 것은 從木論인데 官煞이 淸하고 吉한 곳으로 行하여야 富貴하다. 金 水를 用하면 甲 丙 寅 午 戌 의 歲運을 꺼리는데, 輕하면 소모되지 않으며 重하면 위태롭다. (行金水地不妨,忌梟.丙申有根,行入子丑辰巳申酉運,俱稱意,丙甲午寅運不吉.戊己日,如用次則從木論,官煞淸,行吉乃富貴,用金水,忌甲丙寅午戌歲

運,輕則耗非,重則危殆.)

己가 卯위에 坐하고 官星이 투출하고 木火를 거듭 보면 사업에 성공한다. 順한 南方의 사람은 富貴하고, 水가 많고 金이 重하면 無情하다. (己臨卯位透官星,木火重逢事業成,順得南方人富貴,水多金重更無情.)

己卯일이 卯 혹은 寅 亥 未월에 生하여 甲이 투출하고 木이 旺하여 火를 從하면 白手로 成家한다. 만일 金 水가 重重하면 일주를 삼양(滲洋)하고, 金이 重하여 木을 破하고. 午 戌 子의 運으로 行하는 것이 두렵고, 流年(세운)이 日柱의 旺한 地支면 不吉하다. (己卯日生卯,或寅亥未月,遇甲透從火木旺,乃白手成家.如遇金水重重,滲洋日主,金重破木,怕行午戌子運,及流年旺主之地,不吉.)

己가 季月에 生하여 身旺한 때에 官 煞이 旺하지 않으면 어찌 되겠는가? 命에서 財 官이 被劫되면 金 水 木으로 運行하여야 뛰어나다. (己生季月旺身時,不遇官煞旺何爲,命有財官如被劫,運行金水木鄕奇.)

己는 辰 戌 丑 未月에 生하여 官 煞을 만나지 않으면 헛되이 旺하니 不吉하다. 만약 財 官을 分奪하게 되면 빼어나지만 不實하니, 木 金 水의 地支로 行하면 運의 도움으로 發展하지만, 이 運을 지나면 예전처럼 된다. (己生辰戌丑未月,不遇官煞,空旺不吉.若遇財官分奪,秀而不實,行木金水地,倚運亦發,過此仍舊.)

己亥 日이 乙亥 時를 만나면 어찌 丁 火를 柱중에서 바라는 것인가? 木 火로 運行하면 더욱 부러운 것이고, 金 水를 거듭 만나면 뛰어나지 않는다. (己亥日逢乙亥時,豈宜丁火柱中期,運行木火尤堪羨,金水重逢不是奇.)

己가 거듭하여 亥를 보면 丁은 己의 梟가 되어 亥중의 壬수는 삼양(滲洋)으로 不利하고, 마땅히 木 火로 들어야 吉하다. 만약 金 水의 地支로 行하면 爭戰하니 더욱 부러워하여 不化한다. 만일 秋 冬節에 東南에 들면 發展하고, 午중에서는 허물이고, 辰 丑 戌의 宮은 하나같이 의심이 된다. (己見重亥,丁爲己梟,亥中壬水滲洋不利,宜入火木則吉.若行金水地爭戰,尤堪羨不化.如在秋冬,入東南則發,午中一咎,辰丑戌宮一疑.)

己는 辰 戌에 生하면 根이 旺하여 木은 破하여도 싹이 겹쳐지니 아직은 衰하지 않았다. 運에서 制하면 다시 煞이 일어나 근심이 되고, 煞이 없으면 시기(猜忌)가 따르게 된다. (己生辰戌旺根荄,木破重重芽未衰,制運更愁驅煞起,煞鄕無謂就降猜.)

己가 3월 9월에 生하면 財 官을 만나서 본래 吉하다. 만약 많은 煞이 身을 만날 경우 身도 약하지 않으면 煞과 身은 和合하니 富貴를 말할 수 있다. 淸하면 과거에 급제 한다. 만약 制하는 곳으로 行하면 煞을 부딪혀 不吉하다. 煞이 旺한 방향으로 흘러도 煞旺하다고 論할 수 없다. 만약 地支에서 卯木을 보고 다시 火木이 들어오면 吉하다. 金 水로 흐르는 것은 좋지 않고, 煞이 入墓하는 것을 꺼리고, 午 戌 辰은 土燥하며 木焚하는데 만일 歲運에서 만난다면, 輕하면 剋傷하고 重하면 危殆하다. (己生三九,遇財官,本是一吉.若見煞多及身,身亦不弱,煞與身和,可言富貴,淸者堪登科甲.若行制鄕,擊驅其煞不吉.行入煞旺方,亦莫以旺煞論.若支遇卯木,更入火木則吉.行金水不宜,忌煞入墓,及午戌辰土燥焚木,歲運如逢,輕則傷剋,重則危殆.)

己가 夏월에 生하여 庚 辛을 用할 경우에 西로 나아가 水를 보면 사업에 성공한다. 酉 丑이 申子에 연결되어 吉하지만, 만일 木 火의 病을 만나면 生하지 않는다. (己生夏月用辛庚,遇水西行事業成,酉丑喜連申子吉,如逢木火病非生.)

己가 夏월에 生하면 木을 洩하고 火는 감춘다. 만약 庚 辛을 얻는데 壬癸가 투출하고 申 子 酉 丑이 있으면 運이 金 水의 地支로 들어가면 發財한다. 단 木을 一位라도 보면 破格이 되고, 午 寅 戌의 運을 꺼리고, 이것이 곧 무중생유(無中生有~木이 없는 가운데 生함이 있어야 한다는 말)해야 뛰어나니 金 水로 行하여야 吉하다. (己生夏月,火藏木泄.若得庚辛,透壬癸,及有申子酉丑,運入金水地發財.但見木一位,便破格,忌午寅戌運,此乃無中生有之奇,行金水吉.)

己일이 戌 子時를 보면 官이 旺한데 煞이 어찌 두렵겠는가! 丙 丁 火의 印綬가 와서 도우면 木이 나아가는데, 어찌 金에 坐한 地支를 근심 하겠는가? (己日如逢戌子時,節當官旺煞何疑,丙丁火印來相援,木進何愁金坐支.)

己일이 甲子 甲戌 時를 만나면 合化하는데 卯 未日의 地支가 마땅하며 官 煞 혼잡이라 하지 않는다. 만약 官이 旺하며 혹 두 甲과 두 己라면 모두 富貴하다. 만약 合이 파괴되면 金이 나누어 짝이 없고, 庚申 金이 有根한 것은 모두 不吉하다. 만약 金이 寅 午 戌에 坐하면 局중에 木이 있어도 꺼리지 않고 丙丁 火의 印綬가 적절하다. (己日遇甲子甲戌時合化,宜卯未日支,不謂官煞混.若官旺,或兩甲兩己,俱是富貴.若被折合,分金無配,及庚申金有根,皆不吉.若金坐寅午戌,局中有木不忌,亦宜丙丁火印.)

己가 卯 未에 坐하여 卯月을 만나고 天干에 乙이 투출하고 身이 다시 衰弱하면 命을 버리고 거꾸로 從하여야 富貴한다. 만일 身旺한 運으로 行하여 制하면 재앙이 생긴다. (己坐卯未逢卯月,天干透乙身更衰,棄命相從翻富貴,如行旺制便生災.)

己卯 己未일이 다시 卯月에 坐하고 또 하나의 煞이 투출하면 "棄命格"으로 丁 己를 거듭 보는 것은 마땅하지 않다. 만약 制하는 地支와 旺하는 地支를 만나면 是非(시비~옳고 그름)가 다투어 일어나고 꺼려하는 것을 만나지 않으면 發達하여 功名이 있다. (己卯己未日更坐卯月,又透一煞,乃棄命格,不宜丁己重見.若遇制地旺地,是非競起,不遇所忌,發達功名.)

己일이 만일 丑 亥時를 보면 身이 衰弱하니 마땅히 印綬라면 貴를 의심할 수 없으니 木 火로 行하는 것이고, 金 水는 근심이 되는데, 四季에 生한 사람은 각각 따로 추리한다. (己日如逢丑亥時,身衰宜印貴無疑,行來木火愁金水,四季生人各另推.)

己일이 時의 煞을 用하면 春節에는 印綬가 필요치 않으니 역시 "棄命論"과 동일하다. 만약 春月이 아니라면 純陰으로 모두 치우쳐서 역시 梟를 꺼려하지 않는다. 秋절에 生하면 乙 이 많이 보는 것이 가장 좋고, 또 正印을 원하고, 冬절에는 水가 많은 것을 두려워하고, 木 火로 흘러들면 함께 吉하다. 만일 丑 辰 午 戌의 運을 만나면 오로지 歲의 會를 살피고 이 運을 얻으면 허물이 있고 剋傷하지 않으면 꺼리게 되고, 身은 弱하고 煞이 旺하여야 吉하다. 만약 財多한데 다시 金 水가 투출하고 用이 入墓하면 뜻을 펴는 중에 亡(사망)한다. (己日用時煞,春不須印,亦同棄命論.若非春月,純陰俱偏,亦不忌梟,秋生,遇乙多最宜,亦要正印,冬怕水多,行入火木俱吉.如遇丑辰午戌運,專看歲會,得此運,有咎非剋傷爲忌.身弱煞旺吉,若財多更透金水,及用入墓,稱意中亡.)

己일에 戊子 時를 만나면 財 官이 중첩하여야 서로에게 가장 적절하다. 만약 季月에 生하면 財祿이 많고, 身旺한데 用이 衰弱하면 따로 추리한다. (己日加逢戊子時,財官疊見最相宜,若生季月多財祿,身旺用衰作別推.)

己일은 辰 戌 丑 未월에 生하면 日柱는 본래 旺하다. 만약 甲 혹은 財가 중첩하면 복록에 이로운 사람이다. 만일 정월에 生하여 化土하면 卯 未에 坐하여야 더욱 吉하다. 制 合과 寅의 破를 두려워하고, 午 戌 辰 丑으로 行하는 것을 꺼린다. [아래의 例 명조를 보라.] (己生辰戌丑未月,日木(本)旺.若疊見甲或財,利祿之人.如化土生正月,坐卯未更吉,怕制合及寅破,忌行午戌辰丑鄉.如己丑甲戌己丑甲子,二品武職,甲午甲戌己巳甲戌,富貴淸高,甲午甲戌己巳甲子,巨富納貴,辛巳壬辰己巳甲戌,富貴輕.)

예) 명조-1
甲 己 甲 己
子 丑 戌 丑
2품 武職이다.

예) 명조-2
甲 己 甲 甲
戌 巳 戌 午
富貴가 淸高했다.

예) 명조-3

甲 己 甲 甲
子 巳 戌 午
巨富로서 貴하였다.

예) 명조-4
甲 己 壬 辛
戌 巳 辰 巳
富貴가 적었다.

己일이 秋節에 生하면 본래 金을 用하는데, 干상에는 오히려 木이 무성한 것을 기뻐하고, 乙이 3~4개 이어지면 모두 吉하게 되고, 甲이 협력하게 되면 한림(翰林~한원, 황제의 언행을 기록하는 등의 일을 한다.)에 들어간다. (己日秋生本用金,干頭卻喜木森森,乙連三四皆爲吉,遇甲相成入翰林.)

己가 秋월에 生하면 본래 金으로서, 時에 만약 庚 辛이 투출하지 않으면 用하는데 1~2개의 煞을 보면 "食居先 煞居後"[식거선 살거후]가 되고, 丙을 만나도 吉한데, 木 火의 地支로 行하면 富貴하다. 만약 座下에 未 卯이고 다시 2甲을 보면 功名이 있다. 만약 庚 辛이 이미 투출하였는데 甲 乙을 다시 만나면 상호간에 공격하여 도리어 害가 된다. 木 火로 行하는 것을 꺼리고, 金水는 조금은 이루는데, 마땅히 자세히 봐야한다. (己生秋月本金,時若不露庚辛爲用,見一二乙字乃煞,食前煞後,遇丙亦吉,行火木地富貴.若座下未卯,更遇兩甲,亦主功名.若庚辛已露,甲乙再見,互相攻擊反害.忌行木火,稍遂金水,宜詳之.)

"구진득위"하면 명성이 고강(高强)한데, 木 火는 비록 적당하더라도 火가 창성한 것을 꺼리고, 四柱에 만약 金의 방해가 없으면 일생동안 名利가 암랑(巖廊~의정부)에 들어간다. (勾陳得位號高强,木火雖宜忌火昌,四柱若無金作梗,一生名利入嵓廊.)

句陳은 土가 자리를 얻어 木을 만나는 것을 일컫는다. 가령 戊寅 己卯 己未 己亥일이며 다시 亥 卯 未 寅月에 坐하여야 한다. 柱에 火가 있어야 庚 辛을 두려워하지 않고, 木 火運을 만나면 功名이 있다. 만약 火가 太旺하면 土는 그을리고 木焚하여 不吉하다. (勾陳爲土得位,乃逢木之謂.如戊寅己卯己未己亥日,更坐亥卯未寅月方是,柱有火,不怕庚辛,遇木火運,主功名.若火大旺,焦土焚木不吉.)

논경신論庚辛

庚辛이 春월에는 財를 만난 것인데, 干상에 比劫이 오는 것을 가장 꺼리고, 官 煞을 구분하는데 混雜한 것을 싫어하고, 身强하여 用하면 吉하고 편안하도다! (庚辛春月正逢財,最忌干頭比劫

來,官煞要分嫌混雜,身强用吉乃康哉.)

庚辛이 1~2월에 生하면 본래 財인데 官 煞은 단지 하나만 보는 것이 마땅하고, 혼잡해서는 안되고, 身强하여 用하면 吉하여 귀하게 된다. (庚辛生正二月本財,遇官煞只宜獨見,不宜混雜,要身强用吉爲貴.)

庚이 正월에 生하면 財가 旺하여 煞을 생하고, 煞이 투출하면 단지 煞이 마땅하니 官星을 재차 보는 것은 좋지 않다. 壬癸가 없는데 戊 己를 함께 보면 日柱가 旺하니 吉地로 運行하여야 功名을 말할 만하다. 만약 身이 子 午에 坐하여 丙이 투출하고 또 丁을 만나고 戊 己 壬 癸가 없는데, 子 戌 午로 運行하면 허물이 된다. 만약 合 衝 劫을 많이 보면 "재다신약"하여 빼어나지만 不實하다. 또 寅 午 戌과 梟 食의 歲運을 두려워하는데, 재앙이 신속하게 이른다. 만일 庚이 辰에 坐하여 丙 혹은 丁을 보면 木 火와 劫이 모이지 않아야 吉하다. (庚生正月,財旺煞生,透煞只宜煞,不宜再見官星,無壬癸戊己並見,日主旺,運行吉地,可言功名.若身坐子午,遇丙透,又逢丁位,無戊己壬癸,運行子戌午方爲咎.若多遇合衝劫,財多身弱,秀而不實,又怕寅午戌及梟食歲運,殃禍速至,如庚坐辰,遇丙或丁,不會火木及劫則吉.)

2월은 동일하게 論하는데, 2월의 庚辰일에 庚辰 時 혹 庚辰월과 사이에 寅字이면 大格이고, 만약 그렇지 않으면 마땅히 丙 丁은 官 煞로서 印綬를 만난 것으로 論한다. 이 날(日)에 역시 傷官을 쓰는 것은 모름지기 자세히 살펴야한다. 만약 庚이 春절에 生하여 乙을 보고 乙 庚이 合化하면 별도로 論하고, 身이 輕한데 財多함[財多身弱]을 크게 두려워하고, 身弱한데 劫과 水局을 만나는데 水가 많으면 盜氣되고, 火局은 소용(銷鎔~ 金을 녹이다.)되니, 구치(驅馳~말이나 수레를 몰아 빨리 달림, 또는 남의 일을 爲하여 힘을 다함, 金의 기운을 신속하게 소모함)하여 病弱한 것이다.[첨언~庚金이 춘절에 생하여 신약하면 잔병이 많다.] (二月同論,二月庚辰日,連庚辰時,或庚辰月,及間寅字,乃是大格,否則又宜丙丁,爲官煞遇印之論.此日亦有用傷官者,須細詳之.若庚生春遇乙,乙庚合化,另是一論,大怕身輕財多,身弱遇劫及水局,水多盜氣,火局銷鎔,驅馳病弱之輩.)

辛이 1~2월에 生하고 혹 1개의 丙이 투출하면 壬戌 癸亥 壬子 壬申의 歲運을 꺼리지만 柱중의 가까운 곳에서 다시 만날 경우에 丁이 있으면 오히려 壬運을 꺼리지 않으며 양쪽(어느 쪽)으로 行하여도 모두 吉하다. 만약 官 煞을 보면 거배(去配~제거하거나 合:거관유살, 거살유관, 합관유살, 합살유관)함이 없으면 混雜으로 論한다. 만일 地支에서 衝을 만나는데 劫財가 太重하면 火地로 行하는 것이 옳고, 水地는 不吉하니, 兩月이 火를 만나지 못하면 營利만 쫓는 무리인데, 淸하면 조금의 명성은 있어도 貴하다고 論하기는 어렵다. (辛生正二月或透一丙,不宜壬戌癸亥壬子壬申歲運,及柱中傍位再見,有丁,卻不忌壬運,兩行俱吉.若官煞互見,無去配,作混雜論,如遇地衝,劫財太重,行火地亦可,水地不吉,兩月不遇火,亦是營利之徒,淸者微名,難作貴論.)

만약 寅 午 戌時이면 妙함을 이룬다. 그리고 水가 많으면, 原局에는 본래 財가 煞을 生하는데

水가 火를 가로막아 生하지 못하니 모두가 貴하지 못한다. 그러한 중에 명예(名譽)를 구하니 洩氣가 심하여 곤궁하다. 만약 劫財가 많으면 南쪽으로 들어야 자못 옳고, 火를 대동하면 발전한다. 만약 水와 劫財가 없으면 輕하니 戌 亥로 行하면 약간은 낫지만 申 酉는 뜻을 이루지 못한다. 만약 丙 辛의 合이 단지 하나인데 破하지 않았으면 富貴하다. 壬辰時 또한 한 용법이 있는데, 나머지는 官 煞이 被劫되거나 金이 破하고 水가 범람하면 모두 下로 論한다. 火木으로 運行하는 것이 자못 마땅하고 다시 金 水에 들어가면 희망이 없다. (若寅午戌時,成一妙也.若水多,原本是財生煞,見水屛火不生,皆不爲貴.中有沽名釣譽者,太泄困乏.若劫財多,入南頗可,帶火則發,若無水劫,輕行亥戌稍可,酉申不遂,若丙合辛只一,不遇破,富貴.壬辰時亦有一用,其餘被劫官煞,及金破水泛,俱作下論,運行火木之鄕頗宜,再入金水無望.)

辛이 3월에 生하면 印綬격인데, 木 火를 기뻐하고 또한 傷官格으로 論하는 것은 조금도 水를 꺼리지 않지만 나머지는 전부 꺼린다. (辛生三月是印格,喜木火,亦有傷官格論,稍不忌水,餘忌如之.)

庚辛은 夏節에 둘로 나누어 評하는데, 煞을 보고 官을 만나면 각각 有情하고, 庚은 壬 亥가 煞을 制하는 것을 기뻐하고, 辛은 丙을 만나서 合을 하면 名利를 이룬다. (庚辛夏月兩分評,遇煞逢官各有情,庚遇亥壬煞喜制,辛逢丙合利名成.)

庚辛이 夏월에 두 干은 같지 않다. 庚은 4월에 生하면 본래 煞이며, 5~6월에 혹 巳 丙과 寅 午 戌을 보면 모두 煞인데 壬 亥 癸의 水로 制하여야 官星이 혼잡하지 않고, 格 局이 淸하면 貴하며, 다음으로 富하고, 혼탁하고 무너지면 [福이]減하는 것으로 論하고, 制가 없으면 平平하다. 5월은 午가 늘어나 巳를 만나면 煞이 되니, 전부 亥 子 壬 癸로 制伏해야하며 戊 己가 도우면 모두 富貴할 것이고, 그러나 없으면 환난(患難~근심과 재난)으로 궁핍하다. 6월은 同論이다. (庚辛夏月,兩干不一,庚生四月本煞,五六月或遇巳丙及寅午戌,皆煞,得壬亥癸水制之,無官混,格局淸者貴,次者富,混壞減論,無制平平.五月午多,見巳亦煞,皆要亥子壬癸制伏,戊己佐助,皆擬富貴,無則患難困乏.六月同論.)

辛이 4월에 生하면, 正官格으로 丙을 보면 官이라 合하며 丁을 보면 煞이 되는데, 함께 貴하다고 論한다. 西北으로 行하여 得時하면 官을 쓰는데 壬 亥로 재차 行하는 것을 꺼리고, 공격하여 衝하면 반드시 禍를 당하고, 煞을 쓰는 것은 꺼리지 않으며 巳 午 未時를 얻으면 뛰어나다. 歲와 運도 동일하다. (辛生四月,乃正官格,遇丙合官,遇丁爲煞,俱作貴論,行西北得時用官,忌壬亥再行,見攻衝必禍,用煞不忌,得巳午未時爲妙,歲運同.)

5월은 煞 印이 地支에 있는데 투출하는 것은 마땅하지 않으며 투출하면 制해야 한다. 가령 辛亥일 巳 午 未時 吉하여 壬은 害가 없고, 金 水地가 돌아 들어오면 좋지 않다. 원국에 水가 없으면 水로 行하여도 害가 없다. 만일 辛未 辛卯 辛巳일 등은 巳 午 未時를 보면 財 官으로 들어간 것이니, 장원급제로 선택될 수 있고, 이지러진 것이 있으면 減한다고 論한다. (五月煞印在支,

亦不宜透,透則宜制.如辛亥日巳午未時亦吉,遇壬無害,旋入金水之地,欠佳,原無水,行水亦無害.如辛未辛卯辛巳等日,遇巳午未時,行入財官,方堪甲第魁選,有玷減論.)

6월은 火木이 마땅하니 火木의 方向으로 運行해야 한다. 壬水의 旺地는 꺼리지만 癸水는 無妨하다. 만약 火木을 만나지 못하고, 水 土를 만나고, 劫이 自旺한데 다시 金 水로 흐르고, 관살혼잡하거나, 太過한데 制함이 없으면 모두 不吉하다. 運은 丑 酉 亥를 꺼리며 官 煞이 墓에 들면, 輕한 경우는 破하지는 않아도 剋 傷되고, 重한 경우는 더욱 甚하다. (六月宜火木,宜向火木運行,忌壬水旺地,不妨癸水.若不遇火木,遇水土,劫自旺更行金水,官煞混雜,太過無制,俱不吉.運忌丑酉亥,乃官煞投墓,輕者非破剋傷,重者尤甚.)

庚辛이 秋節에는 대단히 身强하고, 卯 未를 地支에서 만나면 매우 吉하고, 庚은 寅 午를 만나면 水를 보아야하고, 辛은 丙을 만나면 매우 기뻐한다. (庚辛秋月太身强,卯未逢支乃吉昌,庚遇午寅宜見水,辛遭丙衆喜非常.)

庚金이 7~8월에 生하면 煞을 만나야 가장 吉한데, 寅 午 戌에 坐하여 官 煞을 보면 마땅히 壬癸 및 印綬를 만나야하고, 南쪽의 運으로 行하면 吉함이 없고, 西쪽으로 行하면 太過하여 좋지 않다. 9월에 官 煞을 보면 淸한 경우는 富貴하며 또한 壬癸 水가 마땅하고, 만약 火局으로 火가 盛한데 救함이 없으면 水의 뜻을 따라서 行하여야하는데, 午 戌 運으로 行하면 재앙이 생기고, 가을에 絶하여 火木의 氣가 없으면 不吉하다. 만약 壬癸를 사용하면 戊 己가 破함이 없으며 水地로 行하면 財名을 가진다. (庚金七八月,遇煞最吉,坐寅午戌,見官煞,宜逢壬癸及印,行南運吉無,行西,太過不宜,九月,遇官煞,淸者富貴,亦宜壬癸水.若火局火盛無救,行水遂意,行午寅運則災生,秋絶無火木氣,不吉.若用壬癸爲引領,無戊己破,行水地,亦擬財名.)

辛金이 7~8월에 生하여 丙 2~3개를 만나면 吉하고, 水地로 行하면 發財하는데, 만약 하나의 丙이 孤立되면 小人인 것이다. 만일 丙은 없고 丁을 보면 重한 것은 좋지 않고, 煞이 많으면 허물이다. 만일 火氣가 없고 亥 卯 未에 坐하고, 甲 乙이 木局을 얻고 南쪽으로 흐르면 大發한다. 午 未時는 貴를 견줄만하다. 9월에 丙을 合하고 丁을 만나지 않으면 하나의 格으로 富貴할만 하다. 또 壬 亥를 꺼린다. 만일 戊 己가 救하여도 吉하다. 만약 煞을 쓰면 오직 煞이 마땅하고, 관살혼잡을 두려워하고, 火旺한 運으로 흐르면 禍가 생기고, 관회(官會~官이 모임)하고 木이 成局하고, 火木 運으로 흐르면 發達한다. (辛金七八月,遇丙二三則吉,行水地發財,若孤立一丙,乃小人也.如無丙遇丁,則不宜重,以煞多則咎.如無火氣,坐亥卯未,得甲乙木局,行南大發.午未時可擬貴.九月遇丙合,不遇丁,乃是一格,可云富貴,亦忌壬亥.如有戊己救亦吉.若用煞,只宜煞,怕官混,行火旺運生禍,有官會木成局,行火木運發達.)

庚辛은 冬月이면 상관이 되고, 丙丁이 없으면 金 水가 차가워지고, 甲乙은 上下로 나누어 서로 연결하고, 마음을 가늠하여 다시 비환(悲歡~슬픔과 기쁨)을 알아야 한다. (庚辛冬月作傷官,丁

丙無逢金水寒,甲乙相連分上下,稱心更要識悲歡.)

庚辛은 冬節에 生하여 官 煞을 보면 모두 富貴하게 된다. 가령 庚이 亥 子月에 生하면 2官 2煞, 1官 1煞을 만나도 모두 祿에 이롭게 되고 飛祿(비천록마격) 夾丘(협구격)도 역시 吉하다. 만일 官이 없으면 煞을 보는 것이 마땅하고 財星이 원국에 없으면 財 官 煞의 運으로 흘러야 아름답다. (庚辛生冬月,遇官煞皆擬富貴.如庚生亥子,遇兩官兩煞,一官一煞,俱主利祿,飛祿夾丘亦吉,如無官煞宜見,財星原無,行財官煞運亦美.)

만약 金水가 있는데 다시 格局과 用神이 없고 木이 없으면 貧寒하다. 辛金이 하나의 煞이 淸하면 富貴하다. 만약 丑 亥時는 飛馬이며 그리고 丙을 만나도 역시 吉하다. 만약 허로(虛露~뿌리없이 透干)한 丙이라면 일을 성취할 수 없고, 만일 辛卯 辛未일에 木局을 얻고 寅 午 戌時가 引火하면 설령 天干에 火가 없더라도 火木의 地로 行하면 역시 발전한다. (若金水自持,更無格局用神,及無木者,貧寒.辛金,一煞淸者,富貴.若丑亥時乃飛祿.如遇丙亦吉,若虛露丙,亦不濟事,如辛卯辛未日得木局,及寅午戌時引火,縱無干火,行火木地亦發.)

만약 梟가 많고 火木의 은로(隱露~숨고 나타남)함이 없고 火木으로 行하면 不吉하고, 丑月은 印綬인데 하나의 煞을 보면 吉하며, 官이 輕하면 마땅히 官旺한 방향으로 行하여야 한다. 만약 木局이 木 火로 行한다면 백수성가(白手成家~빈주먹으로 가업을 세움)하고, 土가 重하면 埋金하고, 水多하면 金沈하니 마땅히 자세히 살펴야한다. 兩干에 火木이 없고 다시 格用이 없으면 기물을 이룰 수 없고, 협구(夾丘)나 비록(飛祿)은 官煞方으로 行하는 것을 두려워한다. 만약 巳 酉 丑局에 格이 없고 辰 巳時를 보고 金 水의 地支로 흐르면 역시 上命으로 論한다. (若梟多無火木隱露,行火木不吉,丑月乃印也,遇一煞則吉,官輕者宜行官旺方.若木局行木火,亦主白手成家,土重則埋,水多則沉,宜細詳之.兩干無火木,更無格用,則不成器,其夾丘飛祿,怕行官煞方,若巳酉丑局無格,遇辰巳時,行水地金地,亦作上命論.)

庚이 4월에 생하여 巳를 많이 만나면 壬癸가 透干하여 制하는 功이 있으니, 南北 양쪽으로 行하여도 모두 富貴(부귀)하고, 그러나 오히려 戊 甲이 그 가운데 있는 것을 꺼린다. (庚生四月巳多逢,壬癸透干作制功,南北兩行皆富貴,卻嫌戊甲在其中.)

庚이 4월에 生하여 巳 午를 많이 보면 마땅히 壬癸를 보아야한다. 만일 丁을 보면 癸가 있어야 모두 功名이 있다. 만일 丙이 투출하고 혹 戊 甲을 보고, 官이 혼잡한데 癸의 破함이 없고 또 壬 亥가 없으면 쇠퇴해진다고 論한다. (庚生四月,遇巳午多,宜見壬亥.如遇丁混有癸,皆主功名,如透丙,或見戊甲,及官混,無癸破之,又無壬亥,減論.)

庚辛은 7~8월에 比肩이 오니 格局을 이루지 못하고 또 財가 없고, 水를 用하여 北으로 행하면

祿이 이롭게 되고, 財를 만나 다투면 한동안 災殃이 있다. (庚辛七八比肩來,格局無成又沒財,水用北行爲利祿,逢財爭競一時災.)

이는 곧 水를 用하는데 庚일 壬午 癸未時, 辛일 壬辰 癸巳時, 外에 己丑 己亥時는 모두가 比肩인데, 다시 火木이 없고 日이 自旺함으로서 用하는데, 戊 己를 만나지 않고 水地로 흘러야 발달한다. 만약 水로 行하고 甲 乙을 만나면 四柱 原局에 比肩이 많고 庚 辛은 財가 없는데 財를 보면 爭奪하니, 財를 만나지 않아야 吉하다고 論한다. (此乃用水,庚日壬午癸未時,辛日壬辰癸巳時,外己丑己亥時,皆比肩,更無火木以自旺日爲用,不逢戊己,行水地發達.若行水,及見甲乙,柱原比肩多,庚辛無財,遇財爭奪,不可以見財爲吉論.)

庚金이 午에 坐하고 또 提綱이면 丁 己가 나란히 나타나 둘 모두 마땅한데, 干支에 丙의 혼잡함이 없으면 水가 絶하고 比肩이 많아도 富하다고 추리한다. (庚金坐午又爲提,丁己齊明兩可宜,干支無丙來雜混,水絶肩多作富推.)

庚午일이 5月에 生하여 丁 己가 투출하면 官印이 함께 나타나 名利가 발달한다. 만약 午가 많으면 壬午時도 또한 吉하다. 만일 丙 煞을 보면 不利하고, 만약 다시 煞格이라면 마땅히 水로 制해야 한다. [예 명조를 보라] (庚午日生五月,透丁己,官印俱明,發達利名.若午多,壬午時亦吉.如遇丙煞不利.若復煞格,宜水制之.如己丑庚午庚午丁丑,巨富.)

예) 명조
丁 庚 庚 己
丑 午 午 丑
거부(巨富)이다.

庚子 庚午日이 月에서 寅을 만나면 官煞이 섞인 것으로 干상에서 評하고, 子 午 運중에 재앙이 생겨 근심하고, 戊 壬이 만약 어두움을 만난다면 밝음으로 되돌아온다. (庚居子午月逢寅,官煞相淆干上評,子午運中愁咎起,戊壬若遇暗回明.)

庚子 庚午가 寅 午 戌월에 生하여 煞을 보면 四柱가 혼란하며 다시 財多함을 보면 水 土가 도와 구제하지 않으면 內實이 弱으로 論하고, 다시 子 午로 行하면 재앙이 있는데, 만약 壬 癸 戊 己를 본다면 도리어 吉로 論한다. (庚子庚午,生寅午戌月,遇煞在柱混淆,更見財多,無水土扶濟,內弱論,再行子午則災,若遇壬癸戊己,反爲吉論.如辛丑庚寅庚子丙戌,身弱,行子亥運顚困,癸卯甲寅庚戌丙戌,此亦不足.)

예) 명조

丙 庚 庚 辛
戌 子 寅 丑
身弱한데 亥 子 運으로 行하여 곤궁하다.

예) 명조
丙 庚 甲 癸
戌 戌 寅 卯
이 命造도 역시 不足하다.

庚金이 冬月이면 본래 피로한데, 壬癸를 많이 만나면 日柱의 脂(지방, 기운)을 盜氣하고, 丙丁이 만약 오면 庚은 다시 따듯한 溫氣를 만나 모두 名利를 이룬다고 추리한다. (庚金冬月本元疲,壬癸多逢盜日脂,丙丁若來庚更暖,逢溫都作利名推.)

庚이 冬월에 生하면 본래 弱하고, 또 水가 많으면 盜氣되니 모름지기 丙 丁火가 비추어야 吉하게 된다. 만일 火가 없으면 財를 보아도 역시 된다. 이 말은 "금수상관"은 마땅히 官 煞을 보아야 功名을 成就할 수 있지만 끝내는 크게 이루지는 못하는데, [四柱의] 原局이 본래 피로한 것이다. (庚生冬月本弱,又遇水多盜氣,須得丙丁火照,乃可謂吉.如無火見財亦可,此言金水傷官,宜見官煞,可以成就功名,終不大就,以本原疲也.)

庚이 寒月에 生하여 丙이 쌍으로 있으면 功名 祿에 이로운 사람인데, 行運이 柱중을 공격하고 싸우면 도리어 사욕에 빠져 곤장을 맞는 근심이 생긴다. (庚生寒月丙雙存,便是功名利祿人,行運柱中攻戰鬪,卻愁稱意沒荊蓁.)

庚이 가을 겨울에 生하여 두 개의 丙을 만나면 협살(夾煞)이 되니 그 세력이 급격하다. 명성(名聲)을 드러낼 경우에는 곧 煞을 쓰며 吉한 것은 매우 吉하고, 凶한 것은 대단히 凶하다. 만약 行運에서 공격하면 煞이 動하는데, 刑 衝이 地支에 모이면 그 凶함을 감당할 수 없으니 대부분 終末이 좋지 않다. (庚生秋冬,逢兩丙爲夾煞,其勢急矣.名彰乃煞之用,吉者甚吉,凶者甚凶.若運行擊觸煞起,及會衝刑之地,其凶不可當,多不善終.)

庚이 寅 午 巳의 提綱(월영)을 만날 경우에 亥와 함께 壬을 만나면 祿 의 이로움이 창성하다. 丙火가 透干하고 水의 制가 없으면 돌이키기 싫을 정도로 처량함을 탄식한다. (庚逢寅午巳提綱,遇亥同壬利祿昌,丙火透干無水制,不堪回首嘆淒涼.)

庚이 寅 午 戌 巳월에 生하여 壬 亥 子를 보면 功名하고 發財한다. 만약 丙이 투출하였는데 水의 制가 없고 印綬도 없으면, 地支의 離宮을 탄식하는 사람이다. 만일 寅 午 戌에 坐하면 丙丁 丙寅 丙午 丙戌의 歲運을 꺼리며, 輕하면 송사로 인해 마음이 슬프고 쓰라리지만, 重하면 환난(患難)이 있다. (庚生寅午戌巳月,遇壬亥子,功名發財.若丙透,無水制及無印,支離惆悵之人.如坐寅午戌,忌丙丁,丙寅,丙午,丙戌歲運,輕者悲傷訟耗,重則患難.)

庚子일이 秋 冬節에 水局이 온전하면 "정란차격"이 정연한 이치인데, 柱중에 火가 없어야 비로소 貴하게 되고, 靑赤(청적~木 火)이 있게 되면 적합하지 않다. (庚子秋冬水局全,井欄叉格理誠淵,柱中無火方成貴,靑赤交持未是便.)

庚子일이 적당한데 申 辰이 모여 寅 午 戌중의 財 官을 衝하고, 天干은 庚이고, 地支의 水局을 쓰고 比肩이 많아야 비로소 된다. 만약 格에서 온전한 金이 아니고 水多하면 傷官이다. 만일 丙火를 만나면 煞로 論하여 이 格을 잡을 수 없다는 말로서, 丙을 보면 破格이다. (庚子日乃中堂,會申辰,衝寅午戌中財官,干是庚,用地支水局,及比肩多方是.若格不全金,水多則是傷官,如逢丙火,煞論,毋執此格言,遇丙破.)

庚일은 丑 亥時도 전부 적당한데, 癸 壬을 보는 것 또한 서로 알맞고, 丙을 만나도 名利가 머물고, 土重하고 財가 많으면 도리어 무너진다. (庚日都宜丑亥時,癸壬相見亦相宜,丙逢亦許居名利,土重財多反壞之.)

庚은 秋 冬節에 丑 亥時를 보면 곧 하나의 用法이다. 만일 壬癸가 투출하면 역시 吉하니 본래 水를 쓰고, 火를 그 다음으로 쓰고, 또 서로[水火] 만나도 꺼리지 않는다. 만약 土가 重하고 木이 많으면 不吉하다. (庚秋冬遇丑亥時,乃一用.如遇壬癸透亦吉,本是水用,以火爲副用,且不嫌相見.若土重木多不吉.)

庚이 壬癸를 만나고 秋 冬節이면 子가 財를 生하여 각각 名利를 얻고, 歲 時의 木星이 서로 合하면 金方은 발달하지만 梟를 만나면 보통이다. (庚逢壬癸在秋冬,有子生財各利名,時歲木星相合見,金方發達見梟平.)

庚일이 秋 冬節에 火가 없으면 火를 사용하여 인도하고 겸하여 癸水는 곧 상관생재하며 또한 "夾丘格"도 있다. 壬午 丁亥 癸未 時 혹은 庚寅日 庚辰時, 庚申日 壬午時는 午運으로 行하는 것을 두려워한다. 이때 寅 辰日은 모두 辰時를 꺼리고 戊土가 庫에 들면 戊의 歲運은 不吉하다. 動하면 지엽(枝葉)이 손상하고, 시비(是非)가 전도(顚倒)하면 재앙이 헤아릴 수 없는데 자식이 있으면 자식을 傷한다. (庚日秋冬無火,用火爲導引,兼癸水,乃傷官生財,亦有夾丘之格.壬午丁亥癸未時,或庚寅日庚辰時,庚申日壬午時,怕行午運,此時寅辰日,俱忌辰時,戊土入庫,及戊歲運,不吉.動傷枝葉,是非顚倒,咎禍不測,有子傷子.)

辛未 辛卯는 地支에 財가 坐하여 丁 丙이 天干에 오는 것이 가장 적절하고, 寅 卯月에 生하여 甲 乙이 투출하면 富는 도주(陶朱~월(越)나라의 재상(宰相) 범 여(范蠡)를 달리 이르는 말. 벼슬은

그만두고 도(陶)의 땅에서 살아 주공(朱公) 이라 일컫은 데서 온 말임)에 비하여도 의심할 필요가 없다. (辛未辛卯坐支財,最宜丁丙向干來,月生寅卯甲乙透,富比陶朱不用猜.)

辛未 辛卯는 財에 坐하여 丁 乙이 투출하는 것을 기뻐하고 吉하게 된다. 마땅히 寅 卯 午 未 亥月에 丙을 用하고, 丁 壬 亥를 꺼리고, 火木의 旺한 地支는 적절하고, 金 水가 旺한 곳은 마땅치 않는데, 秋 冬절에 煞이 旺한 根인 南에 드는 것은 마땅치 않으나 寅 午 戌은 妙하며, 亥일 또한 吉하다. (辛未辛卯坐財,喜透丁乙爲吉,宜寅卯午未亥月,如用丙,忌丁壬亥,宜火木旺地,不宜水金旺鄕,秋冬煞旺根,不宜入南,寅午戌妙,亥日亦吉.)

辛일이 戌 巳 寅의 提綱(월영)은 丙火를 元神으로 하여 貴하고, 財를 用하면 관직에 작위를 더하여 이로우며, 壬 亥를 만나는 것을 가장 두려워한다. (辛日提綱戌巳寅,貴乎丙火擢元神,用財庶利官加爵,最怕相逢見亥壬.)

辛일에 태어난 사람이 巳 戌월에 丙이 투출하면 하나의 貴格으로 공명부귀한데, 만약 壬 亥를 만나 格을 파괴하면 비록 巳 戌을 얻더라도 破하여 格 또한 淸하지 않다. 만일 寅 午 戌時를 만나면 또 吉하지만 丁이 섞이는 것을 두려워한다. (辛日生人,巳戌月透丙,是一貴格,主功名富貴,若遇亥壬壞格,雖得巳戌破之,格亦不淸.如逢寅午戌時,又云一吉,怕丁混.)

辛金이 寒월에 兎(卯) 豬(亥) 羊(未)의 財局을 이루면 富貴하고, 火가 없어도 金 水의 冷함을 말할 수 없으며 온전히 陰德으로 福祿이 있고, 梟神이 傷하는 것을 두려워한다. (辛金寒月兎豬羊,局會財成富貴詳,無火莫言金水冷,全陰福祿怕梟傷.)

辛이 秋 冬절에 生하면 卯가 존귀한데, 만약 局에 亥 未가 온전하면 發財하여 吉하다. 飛祿(비천록마격) 또는 다른 格인데 柱에 丑 亥가 많아 巳를 衝하여 祿馬로 삼는데, 만일 온전히 陰化하여 柱중에 火가 없어도 "금한수냉"하다는 말은 不可하다. 단 格이 없고 梟 煞을 꺼리는데, 이는 辛 癸로서 陰木을 潤澤하게 하여 土를 보면 무리들이 모름지기 木地로 行하여야 吉하다. (辛生秋冬,以卯爲尊,若局全亥未,主發財吉.飛祿,又是他格,柱丑亥多,衝巳爲祿馬,如全陰化,柱中無火,不可以金寒水冷言之.但忌無格梟煞,此以辛癸潤澤陰木,遇土則黨,須行木地則吉.)

辛金은 赤 靑(火木) 만나는 것을 가장 기뻐하는데, 丁 乙이 相逢하면 名利가 통하고, 赤 靑(火木)은 名利를 더하지 않아도 고쳐지고, 水 金이 서로 만나 나락으로 떨어진다. (辛金最喜赤靑逢,丁乙相逢名利通,靑赤不加名利改,水金相見落殘紅.)

辛日은 弱한 것이 마땅하여 火木을 기뻐하고 金 水를 꺼린다. 春夏의 火木을 만나는 양쪽으로 行하여도 모두 吉하지만 오직 西쪽의 地支는 좋지 않다. 만약 원국에 겁재가 많으면 財로 行하는 것은 凶하고, 원국에 財가 比肩을 만나면 戌 亥運으로 行하는 것은 옳지만, 酉運에 들게 되면 역시 凶하고, 丙을 用하면 壬 亥를 꺼리며 癸가 가리는 것을 두려워한다. 이루면 富貴하고 破하면 막혀서 困苦하고, 秋 冬節은 원국에 火木이 있고 重하면 南쪽으로 들어도 不吉하다. 丁 乙을 破하여도 역시 不吉하고, 5陰干은 전도(顚倒)되어 사람에 관해 알지 못하고, 身旺한 것은 마땅하지 않으니 모름지기 中和함이 옳다. (辛日宜弱,喜火木,忌金水,春夏遇火木,兩行皆吉,惟酉地則否.若原劫多,行財則凶,原財遇比,行亥戌運可,入酉亦凶,用丙忌壬亥,怕癸屛之,成則富貴,破則困滯,秋冬原有火木,重者入南不吉.破丁乙又不吉,五陰之干,顚倒而人不知,不宜身旺,須中和則可.)

辛은 春 夏節에 衰하니 서쪽으로 行하는 것이 옳고, 官 煞은 秋 冬節에는 南의 地支가 凶하다. 木 火는 金 水가 破하는 것을 두려워하고, 秋 冬에는 火木으로 두텁게 주조하여야 한다. (辛衰春夏行西可,官煞秋冬南地凶,木火畏逢金水破,秋冬要火木重鎔.)

辛일은 春 夏節에 심히 쇠약한데, 火木을 두루 만나고 원국에 水와 劫이 없으면 西쪽으로 나아가도 역시 吉하다. 만약 辛이 劫과 水를 대동하여 不弱한데 金으로 行하면 역시 不吉하다. 秋冬에 火木이 있어도 마땅히 南으로 들어야하고, 만약 火木을 用한다면 金 水가 破하는 것을 두려워한다. (辛日春夏衰甚,火木週遭,原無水劫,行西亦吉.若辛不弱帶劫水,行金亦不吉.秋冬有火木,亦宜入南,若以火木爲用,怕金水破.)

辛일이 丙 甲 壬을 만나면 相生하며 서로 돕고 또 서로 정벌하니, 東南의 運은 名利를 이루는데 적절하고, 西北은 [名利를] 이룰 수 없으며 酉로 向하면 무너진다. (辛日如逢丙甲壬,相生相益又相征,東南運底宜名利,西北無成向酉傾.)

辛일에 丙 甲 壬의 3物을 보면 壬은 甲을 生하고, 甲은 丙을 生하고, 또 壬은 丙을 剋하여 정벌하니, 西北으로 行하면 되돌아가는 곳인데, 이와 같이 斷定하여 사용한다. (辛日見丙甲壬三物,乃壬生甲,甲生丙,又壬剋丙爲征,行西北,爲歸致之鄕,用如此斷.)

辛일이 東南의 丁酉 時는 火方에서 名利가 도리어 적절하고, 金이 强하고 水旺하면 財 祿이 이지러지고, 西北의 한풍(寒風)으로 지엽(枝葉)이 떨어진다. (辛日東南丁酉時,火方名利卻相宜,金强水旺虧財祿,西北風寒葉自飛.)

辛이 春 夏節에 生하여 丁酉 時는 하나의 格이다. 火木의 方으로 흐르면 功名이 發達하고, 四柱 原局에 劫 水가 있는데 또 金 水로 行하면 財 祿은 이지러지는데, 소위 火木이 盛하여야 일찍 성취하고, 西北에 들면 失意한다. (辛生春夏丁酉時,則是一格.行火木方,功名發達,柱原劫水,又行金水,乃虧財祿,所謂火木盛早成,入西北惆悵[惆愴].)

辛일의 秋生은 煞이 두터운 것을 두려워하고, 冬은 水를 生하여 火의 東쪽과 離宮을 기뻐한다. 赤 靑(木 火)의 月令은 水로 行하는 것을 꺼리고, 火와 傷官이 없으면 西方의 酉는 恨스럽다.

(辛日秋生怕煞肥,冬生水火喜東離,赤靑月令嫌行水,無火傷官恨酉西.)

“금수상관”은 마땅히 官을 보아야하고, 夏節에는 傷官이 없는데, 官印이 水를 만나면 도리어 正官을 破한다. 春節 역시 꺼리며 水는 무익(無益)하고, 木을 用하면 官을 生하며 水의 氣를 盜氣한다. 만약 濕한 木이라면 火를 밝히기 어려우니 官을 生할 수 없다. 오직 秋 冬節의 金 水계절이 되어야 “金水傷官喜見官”[금수 상관은 관성을 기뻐한다.]하고, 煞 또한 같이 論하고 財도 역시 할 수 있다. (金水傷官宜見官也,夏無傷官之名,乃官印遇水,反破正官.春亦忌之,水無益,用木以生官,而水則盜氣.若濕木則火難明,而官不能生.惟至於秋冬金水之時,乃云金水傷官喜見官,煞亦同論,財亦可.)

辛일은 寅 午時를 만나고 戌 亥 卯 未 역시 같은데, 火明하고 木秀하니 財名을 이루고, 金 水에 의지하면 조화되지 않는다. (辛日如逢寅午時,戌亥卯未亦如之,火明木秀財名就,事不諧兮金水依.)

辛일은 만약 寅 午 戌 亥 卯 未의 時를 얻으면 모두 하나같이 吉한데, 木은 빼어나며 火가 밝으니 모두 吉하다. 만약 金 水로 行하여 丑 辰의 運에 들면 金은 墓 絶로 사라지고, 申 酉 亥의 곳은 소모하거나 病으로 손상하지 않는가를 견주어보고, 丁의 煞이 重하면 사망한다. (辛日,若得寅午戌亥卯未時,俱是一吉,宜木秀火明俱吉.若金水行入丑辰運,銷金絶墓,及申酉亥之方,擬其非耗病傷,丁煞重則死.)

논임계論壬癸

壬癸가 봄에 生하여 財가 모이는 것을 좋아하고, 干支에 土를 얻어도 역시 뛰어나다. 財가 없으면 경영하여 이익을 얻기가 어려우며, 木은 金을 보면 많이 이루지만 草根은 단절된다. (壬癸春生喜會財,干支得土亦奇哉.無財營獲難成利,木遇金多成斷荄.)

壬癸가 1~2月에 生하여 木을 用하면 比肩을 좋아하고, 食傷이 透干하면 官煞을 두려워하지 않는다. 財를 만나면 가장 妙하고, 金重함을 절대로 꺼리는데, 도리어 木의 쓰임을 파괴하니 만일 金이 (浮)가벼워도 害가 없다. (壬癸生正二月,用木,喜見比肩,及食傷透干,不畏官煞,最妙見財,切忌金重,反壞木用.如浮金無害.)

壬이 1~2月에 生하여 寅 辰 午 戌을 만나고 1~2개의 甲이 透干하면 온전히 陽을 얻어 寅 辰이 많고 淸하면 貴하다. 寅 風은 있고 雲이 없으면 富하고, 火局 역시 富하니 南쪽으로 行하여도 꺼지지 않는다. 戊가 庚을 겸하여 丙 甲이 투출하여도 역시 적절하고, 丑 亥時가 되면 뛰어나다. 만약 金이 重하면 財가 輕한 것을 꺼리는데, 木이 적은데 西北으로 行하면 不吉하다. (壬生正二月,遇寅辰午戌,干透一甲二甲,得全陽,寅辰多,淸者貴.有寅風無雲者富,火局亦富,南行不忌.戊兼庚透丙甲亦宜,得丑亥時爲妙.若金重忌財輕,木少行西北不吉.)

2월에 寅 午 戌 辰일이 戊 己 庚 辛 巳를 보면 一貴格이다. 南北으로 行하여도 모두 吉하고, 甲이 투출하여 用하면 梟神을 만나는 것을 꺼리고, 丙을 보면 가로막아주니 역시 吉하다. (二月寅午戌辰日,遇戊己庚辛巳,是一貴格.行南北俱吉,透甲爲用,忌見梟,遇丙屛之,亦吉.)

3월은 煞 印으로 이름 하니 官印 格으로 [格을]이루면 부귀하다. 만약 寅 辰 午 戌日이며 干에서 1~2개의 甲을 보면 곧 富하고, "풍운기용호"[용과 범이 구름과 바람을 타다.]가 되면 貴하다. 단 申 酉의 刑 衝을 두려워하는데, 運에서 만약 劫은 旺하고 火 土가 없으면 陰陽이 혼합하여 旺한 金이 木을 剋하고, 또 火로 가로막음이 없으면 구치(驅馳~ 말이나 수레를 몰아 빨리 달림, 또는 남의 일을 위(爲)하여 힘을 다함)한 命인 것이다. (三月有煞印之名,官印一格,成則富貴.若寅辰午戌日,干遇一甲兩甲,乃富,風雲騎龍虎則貴.但怕申酉衝刑,運若劫旺無火土,陰陽交混,旺金剋木,又無火屛,驅馳命也.)

癸일이 正月 寅時에 生하면 "刑合格"인데, 庚 申 巳를 꺼리고 亥 丑 辰時를 얻으면 하나의 格이다. 比肩은 南北으로 行하면 모두 吉하고, 官 煞 財 印이 투출한 것을 꺼리며 南쪽으로 行하면 吉하지 않다. 만일 中和하여 入格하면 양쪽으로 行하여도 富貴하고, 金이 많으면 절대로 안되고 또 財 官 煞 印을 만나면 不吉하다. (癸日生正月寅時,刑合格,忌庚申巳,得亥丑辰時,又是一格.比肩行南北俱吉,忌官煞財印透,行南不吉.如秉中和入格,兩行富貴,切忌金多,又遇財官煞印,不吉.)

2월 寅時는 하나의 貴格으로, 浮土(가벼운 土, 엷은 土)를 꺼리지 않으며, 浮金 또한 꺼리지 않는다. 庚申이 혹 3月 근처라면 庚은 陰이 온전하여 역시 貴하다. 만약 辰 巳 卯 時라면 吉로 行하여 發하고, 土를 그다지 꺼리지 않는다. 만약 金局이 재차 金 水의 地支에 들면 不吉하다. (二月寅時一貴格,不忌浮土,浮金亦不忌.庚申或近三月,庚字全陰,亦可擬貴.若辰巳卯時,行吉亦發,不甚忌土.若金局再入水金之地,不吉.)

3월에 官 煞을 쓰고 辰 巳 午 未時를 보면 하나의 格이고, 申 酉時도 하나의 格인데, 모두 甲木을 꺼린다. 만약 無根하면 土가 많아도 害가 되지 않고, 木이 투출하면 혐의하고, 甲寅時는 比肩을 꺼리지 않고, 원국에 官 煞이 있으면 官 煞로 行하는 것을 꺼린다. (三月有官煞爲用,遇辰巳午未時,是一格,申酉時亦是一格.俱忌甲木.若無根,土多亦不爲害,透木亦嫌,甲寅時,比肩不忌,原有官煞,忌行官煞方.)

春절에는 모두 비견이 마땅하고 火 土를 만나면 전부 富貴하다. 庚申 辛酉를 꺼리는데 金이 會하면 木이 꺾이고, 만약 浮金이라면 꺼리지 않으나, 辰월은 金을 만나도 꺼리지 않고, 1~2月은 원국에 比肩이 없고 財 官이 많으면 財 官運으로 行하는 것을 꺼리니 太過한 것이라 하여, 한번은 "傷妻剋子"하고 重하면 變이 생기는데, 모두 申 子로 運行하는 것을 꺼린다. (此春月俱宜比肩,及見火土,皆主富貴.忌庚申辛酉,會金折木,若浮金不忌,辰月不忌見金,正二月原無比肩,有財官多,忌

行財官運,謂之太過,傷妻剋子一度,重則變,俱忌申子行運.)

壬癸가 炎天에 生하면 旺으로 論하기는 지나친데, 만약 [壬癸가] 梟印을 만나면 盛함이 끝이 없고, 有根한 壬子라야 아름다움을 이루고, 癸水는 無根하여도 大家를 이룬다. (壬癸生炎論旺賒,若逢梟印盛無涯,有根壬子些成美,癸水無根作大家.)

壬癸는 夏節에 生하면 火 土를 쓰며, 比劫은 마땅하지 않다. 夏월에 水는 쇠약하고 官 煞은 旺하니 단지 印綬를 얻어야 士大夫, 君子가 된다. 食傷은 財 官이 되어 꺼리는데, 오직 刑 合 從으로 그것을 論하면, 寅상의 甲을 꺼리지 않는데, 만약 己의 짝을 얻으면 吉하다. (壬癸生夏,以火土爲用,不宜比劫.夏月水衰官煞旺,但得印綬,則成士夫君子.食傷爲財官之忌,惟刑合從彼論,不忌寅上之甲.若得己配則吉.)

壬子, 壬寅, 壬午, 壬戌일은 4~5월에 生하여, 戊 庚 辛을 보고 하나가 투출하면 貴할만하고, 偏官과 偏印은 貴함이 높고 財는 足한데, 正官 印은 그 다음이고, 劫 刃은 財名이 반복(反覆)된다. 만약 甲 丙이 투출하여 不足하면 己의 짝을 얻어 상당히 성취한다. 丙 丁을 두려워하지만 丁이 從化하면 역시 吉하다. (壬子,壬寅,壬午,壬戌日,生四五月,遇戊庚辛一透,可擬貴.偏官偏印,貴高財足,正官印次之,劫刃財名反覆.若甲丙透不足,得己配頗遂,怕丙丁,丁從化亦吉.)

5월은 官을 衝하여 꺼리는데 庚戊가 투출하여 從煞을 꺼리지 않는다. 오직 壬申일은 財 官을 좋아하지 않고, 甲丙이 투출하여 煞 印을 이루면 옳은 것이다. (五月忌衝官,庚戊透,從煞不忌,惟壬申日,不喜財官,丙甲透成煞印可也.)

6월은 傷官으로 하나의 格인데, 온전히 모이면 富貴하고, 또한 正印도 마땅하고, 壬寅, 壬辰, 壬午, 壬戌일이 官印이나 煞印을 보면 하나의 格인데, 淸하면 貴하고 淆(섞일)하면 다음이고, 壬子가 모여 傷하는데 合을 하면 역시 貴한 것이다. (六月傷官一格,會全者富貴,亦宜正印,壬寅,壬辰,壬午,壬戌日,遇官印煞印,一格淸者貴,淆者次,壬子會傷爲合,亦可擬貴.)

癸일이 4~5월에, 만약 財를 就하면 富貴하고, 申 酉 辰 巳 午 未 丑 卯時를 만나면 모두 吉하다고 論한다. 劫이 많으면 不吉하고 陰이 온전하면 大吉하고, 火 木으로 化하면 富貴하며 煞印 역시 그러하다. (癸日四五月,若就財富貴,遇申酉辰巳午未丑卯時,皆作吉論.劫多不吉,全陰大吉,化火大富貴,煞印亦然.)

6월은 煞印이 있는 하나의 格으로 貴하고, 만일 丙辰 丁巳時 또 辛 巳 2時는 모두 功名하고, 甲寅時는 刑合格이며 庚申은 重刑을 두려워하고, 마땅히 亥 卯 未가 온전하면 富貴하다. 戊 己 戌을 꺼리고, 食傷을 쓰고 比肩이 많으며 東方으로 나아가면 財物로 大發한다. 木을 用하면 金을 두려워하고, 土를 用하면 金은 적절하다. 그리고 壬日이 6月은 寅 辰 午 戌일을 얻고 干支에

戊 己가 투출하면 곧 富貴하다. "趨艮"또한 吉하며 丁을 많이 보면 반복(反覆)하고, 甲이 모이면 木 火가 적절하지만 金으로 行하는 것을 꺼린다. (六月有煞印一格貴,如丙辰丁巳時,又辛巳二時,俱主功名,甲寅時刑合格,怕庚申重刑,宜亥卯未全富貴,忌戊己戌,用食傷,比肩多,行東方大發財,木用怕金,土用宜金,又壬日六月,得寅辰午戌日,支干透戊己,富貴可擬,趨艮亦吉,遇丁多反覆,會甲宜木火,忌往金行.)

壬癸가 왕성한 9월의 가을에 生하면 功名은 火土의 情을 따라서 구하는데, 만일 火土는 없고 오히려 北으로 行하면 몇 번은 기뻐하고 몇 번은 근심한다.(壬癸生臨旺九秋,功名火土遂情求.如無火土猶行北,幾度歡娛幾度愁.)

壬癸가 秋절에 生하면 印綬가 되어 火土의 作用을 원하는데, 秋節에 火土는 때가 아니어서 비록 많은 害는 없으나, 만일 火土는 없고 北으로 行하면 이미 中秋에 있고 生을 만나 太過한 것이니 곧 [火土는] 부족하여 흐른다. (壬癸生秋乃印,其作用要火土,火土秋月不時,雖多無害.如無火土行北,既在中秋,逢生太過,乃不足之流.)

壬이 7月에 生하면 歲(年)月에 寅이 있고 또 辰 戌時를 얻으며, 戌申을 얻으면 煞 印으로 論하는데 순행(順行)하면 富貴하다. 子 位는 吉함이 모자라나 南으로 行하면 印綬를 破한다. 만약 하나의 丙에 그치면 거처함이 외롭고, 申 子 辰상이면 南으로 行하여도 害가 없지만, 순행(順行)하면 寅이 두렵다. (壬生七月,歲月俱寅,又得辰戌時,得戌申以煞印論,順行富貴,子位欠吉,行南破印.若止一丙孤棲,申子辰上,行南無害,順行怕寅.)

8月에 戊를 보고 戊申 時로 순행하면 貴하고, 역행하면 富하다. 또한 原局에 火가 없고, 劫財를 보고 火로 行하여도 역시 貴한데, 丙은 꺼리지 않는다. (八月遇戊字,及戊申時,順則貴,逆則富,亦有原無火,遇劫行火,亦貴,不忌丙.)

9月은 煞印 官印으로 또 하나의 格인데 , 地支에 煞印이 있는데, 만약 온전히 陽을 얻고 庚을 보면 富貴하다. 만약 겨울 가까이에서 生하여 다시 辰 午 寅 戌에 坐하고, 干에서 甲木을 보면 大富하고, 清하면 貴하다. 만약 丑 亥 寅 辰時에 干支에 煞을 보면 吉하지만, 만약 두터운 木을 보고 金 木이 서로 다투고 刑 衝하는 것은 凶하다. (九月煞印官印,又是一格,其地自有煞印,若得全陽,及遇庚,富貴.若近冬生,更坐辰午寅戌,干遇甲木,主大富,清者貴.若丑亥寅辰時,干支遇煞則吉,若遇重木,金木交爭,及刑衝者凶.)

癸日이 7~8月에 庚申 時를 만나면 合祿이 되고, 7月에 火를 보고 火 土가 北쪽으로 行하여도 또한 吉하지만, 寅 丙은 꺼리는데, 衝을 끌어와 火의 地支에 모여 火를 만나서 南쪽으로 되돌아오면 破하고, 만약 辰 巳時에 土가 많으면 양쪽(어느 쪽)으로 行하여도 모두 吉하다. (癸日,七八月,遇庚申時合祿,七月遇火,火土行北亦吉,忌寅丙,衝提會火之地,見火返南則破.若辰巳時土多,兩行皆

吉.)

8月에 戊己 丙丁을 만나고 地支의 火土가 北으로 行하면 富貴하다. 그러나 자식은 적고 돌이켜 南쪽으로 行하면 자식이 있다. 또 傷官과 印綬가 衝하는 것은 두려워한다. 만약 癸巳일에 혹 亥 巳 日時이거나 比肩이 많고 申 酉의 印綬을 얻으면 北으로 行하여 功名이 있다. 그러나 재물은 모이지 않는데, 衝하고 刑하는 地支를 만나는 것을 두려워한다. (八月遇戊己丙丁,及地支火土,行北富貴.但子少,返南有子,又怕傷印衝提.若癸巳日,或亥巳日時,比肩多,得申酉印,行北功名.但財不聚,怕遇衝提刑地.)

7~8月의 原局에 戊土가 없는데, 만일 甲을 보고 原局에 甲申이 있고 戊寅으로 行하면 "傷官見官"으로 뜻을 稱한다. 순음(純陰)으로 成格하여도 또한 吉하다. 만약 水와 서로 대립하지 않고 陰陽이 혼잡(混雜)하면 凶하고, [壬癸] 두 干은 7~8月이 가장 적절하고 土 火는 妙하게 된다. (七八月原無戊土,如逢甲及原有甲申,行戊寅,乃傷官見官,亦言稱意,中有純陰成格亦吉.若水不相持,陰陽混雜則凶,此兩干七八最宜,土火爲妙.)

癸일이 9月에는 比肩이 無妨하고, 亥의 日時는 꺼리고, 감추어진 甲이 戊를 害친다. 만약 土가 많으면 富하고, 申 庚 辛 時 巳 辰 午 未 卯는 하나의 格으로 모두 吉하다. 만약 寅 申을 소통하면 설령 名利가 있을지라도 세워진 것이 반복(反覆)하고, 月이 冬令에 들고 甲寅 時가 되면 干을 얻어 從 刑合格으로 論한다. (癸日九月,不妨比肩,忌亥日時,乃隱甲害戊,若土多則富,申庚辛時巳辰午未卯.但得一格俱吉,若通寅申,縱有利名,立見反覆,此月入冬令,甲寅時,得干從刑合格論.)

壬癸는 時에서 比劫을 만나고 運이 旺地가 되면 도리어 成功하는데, 만일 火土를 만나면 다른 格으로 하고, 食傷 木의 飛 刑은 또 不同하다. (壬癸時垣比劫逢,運歸旺地反成功,如逢火土從他格,食木飛刑又不同.)

壬癸가 冬令에 生하고 다시 旺地로 行하면 "飛天祿馬"인데 祿이 從旺하면 吉하고, 火土를 만나는 것을 두려워하는데, 만일 壬이 10~11月에 生하여 많은 比劫을 보면 "飛天祿馬格"인데, 官이 전실(塡實)하는 것을 꺼린다. 만약 水局이 從旺하면 온전히 陽으로 甲 丙을 얻고 東南으로 나아가면 크게 發하여 富貴하고, 丁과 合化해도 역시 吉하다. 만일 戊를 만나면 煞이니 庚 辛 印綬가 적절하지만, 甲을 보는 것은 마땅하지 않다. 만일 [겨울에] 사용하면 地支에 寅 午 戌 辰이 마땅한데, 火土가 있으면 功名이 있지만 경중(輕重)을 말해야 한다. 만일 巳 辰 丑 亥時를 用하여 東南 方으로 行하면 모두 기뻐하고, 淸하면 貴하고 혼탁하면 다음이고, 身旺하여야 감당할 수 있다. (壬癸生冬令,再行旺地,飛天祿馬,祿從旺則吉,怕逢火土.如壬生十月十一月,遇比劫多,是飛祿格,忌官塡實.若水局從旺,如全陽,得甲丙,行東南大發富貴,見丁合化亦吉.如遇戊乃煞,宜庚辛爲印,不宜見甲,如用,地支宜寅午戌辰,有火土,主功名,輕重言之.如巳辰丑亥時一用,俱喜行東南方,淸者貴,混者次,此身旺能任也.)

丑月은 官煞이 두터운데 혹 丙丁을 만나면 마땅히 酉地로 行하여야 吉하다. 偏官 偏印과 寅 午 戌 辰 日時면 食傷의 종류로 모두 吉로 論할수 있다. 癸水가 10月이면 온전히 陰으로 곧 飛天祿馬가 되고, 그리고 乙卯 時이면 食傷을 用하고, 東南방으로 行하여야 發福한다. 己未 時는 煞이 되고, 庚申 辛酉時는 合祿과 飛天祿馬로 印綬를 보면 역시 名利를 얻을 수 있다. 戊를 보면 官印, 己를 [보면] 煞印인데 丙丁으로 行하는 것을 꺼리고, 官殺이 많으면 貴하지만 富는 적다. 마땅히 土金의 旺한 地支로 行하여야하고, 단지 자식이 적다. (丑月官煞多,或遇丙丁,宜行酉地吉,偏官偏印,及寅午戌辰日時,食傷之類,皆可論吉.癸水,十月全陰,乃飛祿,亦有乙卯時,食傷爲用,行東南方發福.己未時,乃煞,庚申辛酉時,乃合祿飛祿,遇印亦可名利.見戊官印,己煞印,忌行丙丁,官殺多貴小富,宜行土金旺地,但子(息)少.)

11月도 역시 飛天祿馬가 되어 食傷 木을 用하고, 刑合 夾丘등의 格도 申 酉 時를 보는 것 또한 적당하다. 己煞이 淸하면 貴하고, 다음이면 富하다. 壬癸의 劫財가 혼합하면 用하는 財가 궁핍하다. 가령 癸巳 癸丑 癸亥 癸酉가 많으면 財 官 煞 印이 되어, 飛天祿馬를 꺼리지 않고, 또한 土가 많이 있으면 煞印으로 邀巳格은 아니지만, 두 月(달)은 같이 論한다. (十一月亦有飛祿食木之用,乃刑合夾丘等格,遇申酉時亦宜,己煞淸者貴,次者富,壬癸混劫,財用乏.如癸巳,癸丑,癸亥,癸酉多互,即財官煞印,不忌飛祿,亦有土多,即煞印,非邀巳格,兩月同論.)

12月은 온전히 陰인 煞로서 飛天祿馬는 아니고, 먼저 바른 것은 소위 煞이 없는 곳을 重하게 쓰고, 煞이 있는 곳은 重하게 사용하기 어렵다. 만일 官을 보면 化하고, 己를 보면 從煞또한 마땅하고, 印綬가 투출하면 吉하다. (十二月全陰即煞,非飛祿也,先正所謂無煞方重用,有煞用難重.如遇官則化,見己從煞亦宜,印透爲吉.)

壬陽은 劫財와 혼합하는 것을 두려워하고, 金 水가 交爭하고, 癸干이 冬月 甲寅 時에 印綬는 없고 土金이 투출하면 劫財 또한 奇이하고, 運은 東 南方이 마땅하다. 乙卯 時는 火 土가 온전한 陰이 마땅하고, 東南으로 行하여야 발달하고, 庚申 辛酉가 干에 있는 것을 꺼리고, 丑月은 合祿格이 없고, 申時 酉時는 煞印으로 財方을 꺼리니, 劫財가 있어도 조금 두렵다. (怕遇壬陽混劫,金水交爭,其癸干,冬月甲寅時無印,土金透劫亦奇,運宜東南方.乙卯時,宜火土全陰,行東南發達,忌庚申辛酉在干,丑月無合祿格,申時酉時,乃煞印,忌財方,有劫小畏.)

壬癸가 秋절에 生하여 比劫은 많고 財가 없는데 財地라면 어떻게 가난하다 할 것인가? 干支에 土가 있고 더불어 火를 만난 것은 비온 후의 복숭아처럼 봄은 이미 지나버린 것이다. (壬癸秋生比劫多,無財財地奈貧何,干支有土兼逢火,雨後桃夭春已過.)

比肩은 많고 原局에 財가 없는데 財地로 行하면 "比肩爭財"하여 不吉하다. 만약 干支에 火 土가 있으면 비록 比劫이 적을지라도 劫에 의지하여 印綬를 가려서 初行은 가난하나 財地로 행하면 發財하지만 오래가지 않을 뿐이다. (此比肩多,原無財,行財地,比肩爭財不吉,若干支有火土,雖少比劫,賴劫蔽印.初行貧乏,行財地發財,但不久耳.)

壬이 巳月에 生하면 戊 丙를 겸하여 煞印이 相逢하면 재목으로 크게 쓰인다. 癸日도 이와 같이 臨하면 富한데, 단지 원국에 食傷을 대동하고 오는 것이 근심된다. (壬生巳月戊丙該,煞印相逢大用材.癸日臨期應擬富,只愁原帶食傷來.)

壬寅 壬戌일이 巳月에 生하면 巳중에 丙 戊 庚 3개의 偏을 사용한다. 癸日은 이것을 만나면 3개의 正으로 뛰어나 모두 富貴하게 된다. 比劫과 甲은 꺼린다. (壬寅壬戌日生於巳月,巳中有丙戊庚三偏奇爲用.癸日遇此.乃三正奇,皆富貴之擬,忌比劫及甲字.)

癸日이 乙卯 時를 만나면 土를 破하고, 甲寅 時도 土가 붕괴하여 不吉하다. 土가 많으면 無妨하지만 대체로 吉한 가운데 凶이 생겨나는데, 甚하면 위험하다. (癸日遇乙卯時,乃破土,甲寅時,乃壞土,不吉.土多亦不妨,大抵吉中生凶,甚則危.)

壬이 7月에 生하면 申으로 印綬에 屬하는데, 火木를 相逢하면 春이니 劫이 없고 官이 많아야 경사스러우며 吉한데, 劫과 함께 오면 가난하다. (壬生七月印屬申,火木相逢便是春,無劫有官多吉慶,劫來相伴主薄貧.)

金은 水의 母가 되고, 秋金은 太旺하여 土가 없으면 흐르게 된다. 따라서 마땅히 財 官을 만나야 아름다운 것이다. 運은 마땅히 順行하고 柱중에 火 土가 없고 梟 食이 서로 대치하고 南쪽의 運으로 흐르면 吉하지만, 北쪽으로 흐르면 不吉하다. (金爲水母,秋金太旺,無土則流,故宜見財官爲美,運宜順行,柱無火土,乃梟食相持,遇南行運則吉,行北不吉.)

壬이 申 辰 子 亥중에 坐하여 완전한 水 局이면 甲은 功이 없다. 東 南 北地는 모두 名利가 있으나, 金을 다시 相逢하면 헛된 것이다. (壬坐申辰子亥中,比全水局甲無功,東南北地皆名利,金再相逢又是空.)

壬日이 冬節에 坐하여 申 子 辰이 온전하면 日干은 본래 旺한데, 만약 辰時를 얻거나 혹 干支에 별도로 寅 甲이 투출하면 食神生財인데 東南으로 흐르면 大發하고, 庚 戊를 만나면 다툼이 일어나 不吉하다. (壬日坐冬,申子辰全,日干本旺.若得辰時,或干支別透寅甲,食神財,行東南大發,見庚戊爭征不吉.)

壬日이 蛇(巳)의 제강에 6獸의 地支중에 壬午는 별도로 하는 것이 적절하다. 나머지는 陽土를 많이 만나야 尊貴하고, 甲 木이 날아오는 것이 의심스럽다. (壬日蛇提六獸支,內中壬午別爲宜.餘逢陽土多尊貴,甲木飛來便可疑.)

壬日이 申 子 辰 寅에 坐하여 4月에 生하면 富貴한데, 庚 辛이 투출하면 다시 吉하다. 만약 羊刃을 띠고 煞을 만나면 권세 있는 직업을 하고[살인상정], 그 중에 比 財 印이 혼합하여 서로 대립하면 재주는 높지만 과거에 들지 못하여, 혹 다른 길로 功名한다. 妾은 많으나 자식이 없다. 壬午일은 地支가 官인데 淸하면 貴하고, 甲 木을 모두 꺼리고, 甲을 보고 己를 合하거나 庚이 투출하여도 無妨하다. 만약 丙 甲 丁이 모두 투출하면 不吉하다. (壬日坐申子辰寅,生四月,乃富貴,得庚辛透更吉.若帶刃逢煞,主權要顯職,其中有混比財印相持,主才高不第,或異路功名,妾多無子,壬午一日,乃支官也,淸者貴,俱忌甲木,遇甲,得己合庚透不妨,若丙甲丁俱露不吉.)

壬戌 戊寅 月生은 干頭에 戊와 庚이 화합하여 투출함을 좋아하고, 煞이 많으면 風雲이 모여 더욱 이롭고 富貴한데 丙 甲 申을 만나는 것은 근심이 된다. (壬戌戊寅散月生,干頭喜透戊和庚,煞多尤利風雲會,富貴愁逢丙甲申.)

壬戌 戊寅生은 柱에 庚 戊을 보는 것이 마땅하고, 辛이 투출하여도 역시 吉하다. 만약 干支에 煞이 많으면 더욱 길하고, 丙과 甲이 만나는 것을 두려워하고, 黨煞은 壞印하고 官星이 혼잡하면 夏月은 더욱 심하다. (此二日散生,柱宜見庚戊,透辛亦吉.若干支煞多尤吉,怕逢丙與甲,黨煞壞印,及官星混,夏月尤甚.)

壬申이 夏月에 生하여 적황(赤黃~木 火)時가 되고 干에서 財 官을 만나면 奇異하지 않다. 庚戊이 만약 들어오면 妙함을 이루는데, 어찌 丙 甲의 둘에게 의지할 것인가? (壬申夏月赤黃時,干遇財官不是奇,庚戊若來成一妙,豈期丙甲兩相依.)

이 日(壬申일)은 夏月에 財 官을 기뻐하지 않는데, 原局에 뿌리가 있는 것이다. (此日,夏月不喜財官,原有根也.)

壬騎龍背(임기용배)는 風雲을 좋아하고, 財局중에서 저절로 기뻐하고, 甲을 보면 온전히 陽으로 名利가 있고, 戊 庚을 일견하면 자세히 분류하여 살펴야한다. (壬騎龍背喜風雲,財局之中亦自欣,遇甲全陽名利客,戊庚一見要詳分.)

壬騎龍背는 辰 寅이 風雲이 되고 많으면 富貴한다. 만약 寅 午 戌의 財局이면 역시 吉하고, 柱에 甲이 투출하면 가장 妙 한데, 만일 庚 戌을 보면 格이 파괴되고, 그리고 戊申時라면 煞로 論하는데 마땅히 세밀히 살펴야한다. (壬騎龍背,以辰寅爲風雲,多者主富貴.若寅午戌財局亦吉,柱透甲最妙,如遇庚戌,乃壞格,若戊申時,以殺論,當細詳之.)

예)命造
庚 壬 戊 己

子 辰 辰 丑

甲子년에 動하여 父를 剋하고, 戊辰년에 煞이 重하여 2월에 사망했다. 이것은 庚戌은 格을 破壞한 것이다. (如己丑戊辰壬辰庚子,甲子年中舉即剋父,戊辰年煞重,二月死,是見庚戌壞格.)

예)命造
庚 壬 甲 壬
子 寅 辰 辰

大貴하였다. 이것은 甲이 투출하고 寅 辰이 온전하여 妙한 것이다. (如壬辰甲辰壬寅庚子,大貴.是透甲全寅辰妙.)

壬이 午에 臨하면 녹마동향(祿馬同鄕)인데 財 官을 중첩하게 만나면 富貴한 家門이고, 春에 金을 보는 것은 기뻐하며 木을 두려워하지 않고, 만일 子月에 土를 만나면 成功한다. (壬臨午位祿馬同,疊見財官富貴翁,春喜見金不怕木,如逢子月土成功.)

壬午일이 丁己를 사용하는데, 봄에 生하면 본래 木이 官을 害치는 것을 꺼린다. 만약 庚 辛 巳 酉 丑보는 것을 꺼리지 않고, 子月에 土가 많으면 癸를 制할 수 있고 , 子는 비록 午와 衝하더라도 丁은 별로 영향이 없다. 만약 여름에 生하면 財 官이 많으면 모두 貴하다. (壬午日丁己爲用,春生本忌木害官.若遇庚辛巳酉丑則不忌,子月得土多,則能制癸,子雖衝午,丁自若也.若生夏月,財官多者皆貴,癸巳,己未,壬午,己酉貴.癸巳,己未,壬午,庚子,丙辰狀元.)

예)命造-1	예)命造-2
己 壬 己 癸	庚 壬 己 癸
酉 午 未 巳	子 午 未 巳

명조 1은 貴하다. 명조 2는 丙辰 運에 장원급제하였다.

癸가 金局에 居하며 巳 辰時가 되고 月에 卯 寅를 두고 水가 木을 생장하면, 煞 官이 와서 入格하는 것을 가장 기뻐하며 평생 名利가 따른다. (癸居金局巳辰時,月値卯寅水木滋,最喜煞官來入格,平生名利自相宜.)

癸일이 巳 酉 丑을 만나면 梟 印인데 春月에 生하면 木을 사용하여도 害가 되지 않으며 官 煞을 보면 吉하다. 辰 巳의 두 時는 財 官인데, 格중에서 破하는 것을 꺼리고 丙 丁 둘은 끌어다 用한다. (癸日逢巳酉丑,梟印也,生春月,以木爲用,亦不相害,遇官煞則爲吉.辰巳二時,乃財官也,格中忌破丙丁二引用.)

癸일이 巳 酉 丑을 만나면 庚申 時와 南쪽의 地支로 가는 것이 이롭고, 木 火는 功名하지만 比劫은 꺼리고, 財 官에 入格하는 命은 드물다. (癸日如逢巳酉丑,時利庚申南地走,木火功名比劫

嫌,財官入格命少有.)

癸酉 癸丑 癸巳, 이 3日에 生하여 庚申 時를 만나면 火木로 行하여야 吉하고, 比肩을 두려워한다. (癸酉癸丑癸巳,此三日生,遇庚申時,宜木火方行吉,怕比肩.)

癸일이 財가 많은 春 夏節의 사이에, 만약 棄命이 되면 福을 붙잡기 어렵다. 干頭에 官 煞이 와서 혼잡하면 오히려 일을 구치[驅馳~말이나 수레를 몰아 빨리 달림, 또는 남의 일을 위(爲)하여 힘을 다함] 하는데 한가함을 풀지 못한다. (癸日多財春夏間,若成棄命福難攀,干頭官煞來相混,猶事驅馳不解閑.)

癸일이 春 夏節에 生하여 많은 財를 만나면 "기명취재(棄命就財)"한다. 만약 庚 辛 戊 己를 보면 또 從 煞印으로 論한다. 넷은 서로 섞이는 것을 두려워하고, 財 印이 서로 공격하는 것을 꺼리고, 만약 戊 己를 사용하면 또 다른 格이 되고, 庚戌 또한 하나를 用하고, 辛巳도 또한 하나를 用한다. (癸日生春夏,遇財多,乃棄命就財,若遇庚辛戊己,又從煞印之論,四者怕相混,以財印有相征之忌, 若戊己爲用,又是他格,庚戌又是一用,辛巳又是一用.)

癸가 春 夏節에 生하면 食傷을 끌어오고, 比劫을 重逢하면 자식과 처를 剋한다. 만일 干支에 火 土가 있고 다시 南쪽의 地支로 흐르면 祿과 財가 정연(整然)하다. (癸生春夏食傷提,比劫重逢剋子妻.如得干支存火土,更行南地祿財齊.)

癸가 春節에 生하면 木을 쓰는데 比劫이 많고 다시 火 土가 감추어져 투출함이 없으면 妻子를 剋하여 감당할 수 없는 命인데, 北으로 흐르면 더욱 不吉하다. 만약 火 土가 돕고 陽干이 많으며 甲이 투출하고 아울러 南쪽의 地支로 흐르면 자식이 다시 많은데, 이는 無中生有[무중생유~없는 中에 生하는 것]로 사람이 알기 어렵다. (癸生春,以木爲用,比劫多,更無火土藏透,乃剋妻子,不堪之命,行北尤爲不吉.若得火土爲佐,及陽干多,甲透,幷行南地,其子更多,此乃無中生有,而人難知.)

癸일이 만일 己未 時를 만나면 煞星인데 다시 戊가 오는 것을 두려워한다. 그리고 혹 制하여 財의 地支로 行하면, 富貴하지 않는다. (癸日如逢己未時,煞星更怕戊來持.如或制盡行財地,不是人間富貴兒.)

癸일의 未時는 煞인데 戊를 보면 從化하길 원하고, 또 己는 투기하여 싫어하므로 戊 己가 함께 투출한 것은 마땅하지 않으니 모름지기 制하는 것이 마땅하며, 또한 太過한 것을 두려워하고, 빼어나지만 부실(不實)하다. (癸日未時乃煞,見戊要從化,又嫌己妬,所以不宜戊己俱透,須宜制,又怕太過,秀而不實.)

癸亥가 比肩이 많고 9月에 生하면 金 水運은 최저하여 이룸이 없고, 만약 南쪽의 地支로 行하여 寅 甲이 없으면 부귀공명(富貴功名)을 이룰 수 있다. (癸亥多肩九月生,金水運底最無成.若行南地無寅甲,富貴功名斷可成.)

癸亥일이 9月에 生하여 比肩을 많이 만나고 金 水의 地支로 흐르면 不吉하고, 南方으로 行하는 것과 火 土는 모두가 吉한데, 오직 甲寅 戊申을 두려워하고, 戊土는 寅 申을 꺼린다. 만일 南으로 行하면 꺼리지 않고, 재차 水地로 行하는 것은 不吉하다. 만약 亥日이 아니라면 寅 申을 만나거나 比肩이 있어도 역시 吉하다. (癸亥日生九月,見比肩多,行金水地不吉,行南方及火土皆吉.惟怕甲寅戊申,戊土忌寅申.如得南行不忌,再行水地不吉.若非亥日遇寅申,有比肩亦吉.)

만일 甲寅 時가 10月에 가까우면 戊月로 추리하여 水가 작용하는 것으로 論한다. 그리고 庚申을 보면 火 土가 두터워도 꺼리지 않는다. 亥 寅 甲은 火 土가 旺하게 行하면 또한 名利할 수 있다. 그리고 己未 時는 煞인데 寅 甲 亥는 두려워하지 않고, 戊午 時는 甲을 두려워하지만 亥寅은 두려워하지 않는다. (如甲寅時,近十月,作戊月推,乃作水論.如遇庚申字,火土多不忌,亥寅甲行火土旺,亦可名利.如己未時煞,不畏寅甲亥,戊午時畏甲不畏亥寅.)

癸가 秋月은 水金이 밝은데 火 土가 相逢하면 有情하고, 比劫은 南地의 祿을 도모(圖謀)할 수 있고, 赤黃(적황~木 火)은 北으로 순행하여야 功名이 있다. (癸生秋月水金明,火土相逢便有情,比劫可圖南地祿,赤黃順北有功名.)

秋節에 生하여 比劫이 많고 火 土가 적으며 南으로 行하면 祿이 있는데, 비록 財 名이 있더라도 부실하다. 원국에 火 土를 많이 만나고 北으로 흐르면 不吉하다. (秋生比劫多,火土少,行南有祿,雖有財名不實.原見火土多,行北不吉,癸亥,庚申,癸亥,乙卯,南貴.)

예)명조
乙 癸 庚 癸
卯 亥 申 亥
南쪽이라 貴하다.

癸가 秋月에 生하면 印綬로 身을 生하고 丙 火를 相逢해도 원망하지 않고, 土를 허락하면 名利는 客이 이루는데, 만약 寅 甲을 만나면 青春은 상실한다. (癸生秋月印生身,丙火相逢亦不嗔,有土許成名利客,若逢寅甲喪青春.)

癸가 丙을 보고 破印하여도 혐의하지 않고, 土가 있어야 吉하고, 巳 午 및 戊 己 辰 戌 丑 未를 만나면 모두 吉하다. 만약 干支에 寅 甲이 있으면 근심을 남기고, 비록 印綬 格을 이루더라도 역시 功名은 없다. 行運에서 다시 寅 甲을 만나면 印綬를 衝하여 쇄인(鎖印)되고 홀연히 바꾸며 고쳐서 그 凶을 측정할 수 없다. (癸遇丙,不嫌破印,有土乃吉,見巳午及戊己辰戌丑未俱吉.若干支有

寅甲遺患,雖印格成,亦無功名,行運再遇寅甲,衝印銷印,變改忽然,其凶不測.)

癸가 羊 兎(未 卯)에 居하고 甲寅 時가 되면 刑合格중에서 가장 뛰어나고, 行運은 단지 申 午의 地支를 싫어하고, 會 靑枝(나뭇가지)의 上에서는 名利가 기약된다. (癸居羊兎兔甲寅時,刑合格中最是奇,行運只嫌申午地,會青枝上利名期.)

癸일의 寅時는 刑合 傷官인데 春節이 마땅하며 亥 卯 未月로 木局이 온전하면 貴하다. 木局으로 行하고 歲 運에서 木이 빼어나면 名利를 할 수 있고, 午 戌도 또한 富貴하고, 戊 庚 申은 꺼리고 戌 戊가 運에서 거듭되면 不吉하다. (癸日寅時,乃刑合傷官,宜春,亥卯未月,要木局全則貴.行木局,及歲運木秀,利名可期,午戌亦富貴,忌戊庚申,及戌戊重運,不吉.甲子丙寅癸丑甲寅,行申中休致.丙子辛卯癸亥甲寅,行申休官.)

예)명조-1
甲 癸 丙 甲
寅 丑 寅 子
申으로 行하던 중에 休致(휴치:나이가 들어서 벼슬을 그만 둠)하였다.

예)명조-2
甲 癸 辛 丙
寅 亥 卯 子
申으로 行하면 休官(휴관:벼슬을 그만두다.)한다.

5. 납음취용가納音取用歌-1

(火는 土를 生하여 旺하고, 이하는 오로지 納音을 重하게 取用한다.) 甲坤黃數五(火生土旺,以下專重納音取用)

甲人은 戊癸[戊辰(대림목), 戊戌(평지목), 癸未(양류목), 癸丑(상자목)]와 본래 다르지 않고, 혹은 從革에 상응하기도 하는데, 4位 土의 地支에서 한둘을 만나면 祿은 두텁고 권력이 淸하니 皇都에서 출현한다. (四庫全書 4권 166면 本) (甲人戊癸木[本]非殊,或加從革應相呼.四位土支逢一二,祿厚權淸出帝都.)

眞火를 用하여 眞土를 生하고, 戊는 있고 癸가 없으면 子로서 [癸를] 대신하고, 癸는 있고 戊가 없으면 巳로서 [戊를] 대신하여, 子 巳는 곧 土의 성실(成實)한 地支이다. 巳 酉 丑은 旺하게 水를 生하여 福元인 것이다. 辰 戌 丑 未 4土에서 만약 한두 개를 만나면 成實之格이다. 子 巳

는 戊 癸를 대신하고, 甲人이 戊癸의 合이 있으면 戊子 癸巳 辰 戌 丑 未가 가장 貴하다. (用眞火生眞土,有戊無癸,以子代之,有癸無戌[戊],以巳代之,子巳乃土成實之地.巳酉丑,福元旺水生焉.辰戌丑未四土,若逢一二位,爲成實之格.子巳代戊癸,甲人有戊癸合,戊子癸巳辰戌丑未最貴.)

운한수기(火중에 水를 보면 暗 金은 官神이다.) 雲漢秀氣(火中見水,暗金官神)

甲人이 火를 만나면 고독(孤獨)한데, 만일 水를 만나면 오히려 淸해진다. 만약 丙을 보고 子午가 와서 더해지면 초년에 진신[縉紳~관복에 붉은 띠를 두르니, 지체가 높은 사람을 일컫는다.]이 된다. (甲人見火爲孤獨,水若相逢卻至淸,若見丙來加子午,定向初年達縉紳.)

木은 火가 金을 손상하면 水를 얻어 制해야한다. 丙子[간하水] 丙午[천하水]의 水중에 火가 있고 火중에 水가 있으니 木人이 이를 얻으면 五行은 淸한 氣가 된다. 木은 火를 많이 얻으면 활달하고 총명하여 학문을 좋아하고 예절에 힘쓰나 입신은 고독하다. 만일 旺한 水를 얻으면 재물은 적으나 貴는 淸하다. (木見火傷金,得水制也,丙子丙午,乃水中有火,火中有水,木人得之,乃五行至淸之氣,木得火多,則馳騁聰明,好學勤禮,立身孤獨,如得旺水,主財薄淸貴.)

論하여 말하기를, 甲人은 金이 福인데, 火가 盛하면 金이 損傷되고, 水를 보면 火가 두려워하는데, 五行에서 억제(抑制)하는 것이 있으면 "전화위복"이 된다. 그리고 甲은 丙子[간하水] 丙午[천하水]가 모인 旺한 水중에서 辛未 辛丑을 合하여 動하고, 本家의 眞 官이며 天乙貴人인데, 無中에 象을 세우니, 五行은 청화(淸華)한 기운(氣運)인 것이다. (論曰,甲人以金爲福,火盛則傷金,見水則火殆,五行要有制抑,則轉禍爲福,又甲會丙子丙午,旺水中合起辛未辛丑,本家眞官,天乙貴人,無中設象,乃五行淸華之氣也.)

복록귀근, (火 土는 官을 生하고 木으로 反元하는 것을 꺼린다.) 福祿歸根(火土生官,忌木反元)

甲乙은 土를 만나면 가장 精하고, 만나지 못하면 木의 진주(珍珠)를 욕되게 하기에 충분하다. 辰 戌 두 자리에 火를 만나면 靑雲의 행보가 나날이 새로움을 더한다. (甲乙相逢土最精,不逢木辱足珠珍,辰戌兩位加逢火,少步靑雲日益新.)

土는 능히 金을 生하여 木의 官이 되어 木이 土를 傷함이 없어야 자연히 福祿이 온후하고 두텁다. 辰 戌의 자리에서 火를 만나면 無窮하게 土를 生할 수 있어 土가 온후하여 金이 자연히 건장하니 무중지유(無中之有)인 것이다. 論하여 말하기를, 辰 戌은 魁罡의 地支이고, 土는 종육(鍾毓)하였는데 다시 干音을 얻고 火神이 滋養하면 運數가 밝고 좋아 子子孫孫 서로 도움이 되어 福祿이 厚한 것이다. (土能生金,爲木之官,無木傷土,福祿自然渾厚,辰戌之位,卽其中逢火,能生無窮之土,土旣渾厚,金自然壯,乃無中之有也.論曰,辰戌乃魁罡之地,土旣鍾毓,更得干音,火神滋養,則氣數明爽,子子孫孫,相爲羽翼,福祿厚矣.)

음조청기(敗金이 旺한 土를 만나면 官神의 더욱 장성해진다.) 蔭助清氣(敗金逢旺土,官神益壯)

丁은 蛇 巳 酉의 金을 偏墓하는데, 설령 火의 盛함을 만나더라도 凶이 되지 않는다. 만약 甲을 보고 子 午가 더해 온다면 가파른 입신출세의 길을 이른 나이에 通한다. (丁蛇巳酉金偏慕,縱逢火盛不爲凶,若見甲來加子午,雲路崢嶸早歲通.)

金은 長生이 巳에 있는데, 오히려 丁巳를 만나면 金旺함이 酉에 있고, 오히려 己酉를 만나면 正 胎중에서 父母를 만나니 전환되어 生旺하다. 비록 火가 暗藏하여 있더라도 어찌 하지 못한다. 대개 근원이 深厚한 것인데, 丁巳[사중土] 己酉[대역土] 2位의 土로서 그 毒을 化할 수 있으니 金을 손상할 수 없다. 그러나 甲子[해중金] 甲午[사중金]의 두 金은 一路 死敗의 氣를 띠지만, 이미 丁巳[사중土] 己酉[대역土]는 本源이 건장한 것이므로 陰陽을 얻은 것은 金神의 德이 매우 뛰어남을 알 수 있고, 또 어찌 敗가 있겠는가? (金生在巳,卻逢丁巳,金旺在酉,卻逢己酉,正胎中逢父母,轉見生旺.雖有火藏,未能奈何,蓋本源深厚也,以丁巳己酉二位土神,能化其毒,不傷於金,然甲子甲午二金,帶一路死敗之氣,旣有丁巳己酉壯其本源,故陰陽得中,金神之德,挺特可知,又何敗之有.)

천지유여(木은 火盛함을 더하면 官神이 소삭(銷鑠~녹는다.)된다.) 天地有餘(木加火盛,官神銷鑠)

甲辰[복등火] 甲戌[산두火]은 모두 炎火이나 木의 干에서 본래 自生하는데, 木을 거듭 보면 나란히 도와서 虛名은 비록 있을지라도 영전(榮轉)하지는 못한다. (甲辰甲戌皆炎火,木作干神本自生,重遇木神駢輔翼,虛名雖有不遷升.)

甲은 木에 속하지만 辰 戌위에 加하면 納音은 火이고, 干은 木을 띤 것으로 나누고, 本位에서 발양(發揚)할 수 있으며 天地에 기운이 남아 있으니 그 외에 木을 더해서는 안 된다. 만약 木이 많으면 辰 戌土를 損傷하니 福이 될 수 없다. 五行중에는 이치가 이와 같으니 더욱 소상(消詳)하게 사용한다. (甲屬木,加辰戌上,納音火,是干分帶木,卽本位自能發揚,天地有餘之氣,不得外加木.若木多,則又傷辰戌之土,不能爲福,五行中如此理,尤用消詳.)

파산이업(木은 火의 旺함을 生한다.) 破散離業(木生火旺)

甲戌[산두火]은 본래 火가 감추어진 것이고, 木은 그 神이 發하면 더욱 분주하게 회전하고, 그리고 木에 寅 午 戌이 臨하면 방탕하여 家業을 버리고 고향을 멀리 떠난다. (甲戌木(本)是火潛藏,木發其神轉更忙,又値木臨寅午戌,蕩除家業遠離鄕.)

甲戌은 본래 火를 복장(伏藏)하고 있어 안정(安靜)하여야 하는데, 오히려 木이 發起(動함을 말함)하여 어찌 이익이겠는가? 五行은 生卽生이 마땅하며 伏卽伏이 마땅한데 이와 반대면 禍가 된다. 하물며 火는 戌 亥에 이르면 四時(계절)로부터 발로(發露)가 不可하므로 破財한다. (甲戌本是伏藏火,要安靜,卻以木發起,何益,五行當生卽生,當伏卽伏,反此爲禍,況火到戌亥,以四時推之,自不可發露,所以破財.)

論하여 말하기를, 甲戌은 본래 木중에 火를 가지고 있어 木을 만나면 火가 치열해 진다. 만약 다시 寅 午 戌 宮에 臨하여 木이 火局을 얻으면 木焚飛灰하니 歸元하지 못하므로, 고향을 등지며 떠돌고 하는 일은 대부분 휴직하거나 망한다. (論曰,甲戌本木中宿火,見木則火熾,若更臨寅午戌宮,木得火局,則焚傷飛馳,不得歸元,所以流移鄕井,事多歇滅.)

요횡무의(祿의 자리에서 火를 만남) 夭橫無依(祿位逢火)

甲人은 寅이 重하면 火를 만나면 안 되고, 火를 만나면 平生 不遇함이 많고, 祿馬라도 그렇지 않으며 승진 영전을 못하고, 그리고 두려운 것이 天壽를 누리는데 걸림돌이 많다. (甲人寅重莫逢火,見火平生多坎坷,不然祿馬不陞遷,又恐天年多摩羅.)

寅은 火의 長生의 地支이고, 寅은 이미 [火가] 重한데, 만약 또 火를 만나면 火는 더욱 有氣하여 庚 辛은 制를 받으므로 하는 일마다 머뭇거린다. 사람들은 모두다 甲의 祿이 寅에 있다고 말하지만, 하나의 火가 害가 된다는 것을 알지 못한다. (寅爲火生之地,寅旣重,若又見火,火更有氣,庚辛受制,所以觸事迍邅,人皆言甲祿在寅,不知一火便能爲害.)

6. 납음취용가納音取用歌-2

을4진금태음화기乙四眞金太陰化氣

6乙人이 丙 辛을 보면 從魁 大吉로 이름을 傳하고, 傳送에 다시 太乙을 만나면 곧 中書에서 조화롭게 잘 다스리는 사람이다. (六乙之人遇丙辛,從魁大吉要傳名,傳送更加逢太乙,便是中書燮理人.)

* 종괴(從魁: 酉) 辰월의 중기부터 酉를 월장으로 하며, 從魁는 금신(金神)으로 모양은 단정하고 색은 희고 맛은 맵다.

* 대길(大吉: 丑) 子월의 중기부터 丑을 월장으로 하며 土神으로 모양은 단신(短身)이고 추하다. 색은 청황색이며 맛은 달고 수는 8이다.

* 전송(傳送: 申) 巳월의 중기부터 申을 월장으로 하며, 傳送은 금신(金神)으로 모양은 목덜미가

짧고 눈버릇이 있다. 색은 백이고 맛은 맵고 수는 7이다.

* 태을(太乙: 巳) 申월의 중기부터 巳를 월장으로 쓰며 만보가 성숙한다는 의미로 太乙이라하며 火神이고 모양은 이마가 높고 입이 크며 색은 반점이 있고 맛을쓰며 수는 4이다.
[中書~한(漢)나라 때의 벼슬 이름 궁정의 문서ㆍ조칙 등을 맡아봄.]

乙은 陰金인데 따라서 水를 生하여 母가 子를 生하는 父母가 된다. 만약 巳 酉 丑을 보면 子(자식)를 生하며, 丙은 있고 辛이 없으면 酉로서 대신하고, 辛은 있고 丙이 없으면 巳로서 대신하는데, 빼어난 氣이므로 貴하다. 論하여 말하기를, 3位의 子母가 모두 旺하여 福이 모여 경사스럽고, 巳 酉로서 丙 辛을 대신하고, 乙은 丙 辛을 보면 合하니, 丙 辛 巳 酉 丑은 貴가 되는 것이다. (乙陰金,故生其水,母生子爲親,若遇巳酉丑生其子,有丙無辛,以酉代之,有辛無丙,以巳代之,爲秀實之氣,故貴.論曰,三位子母俱旺,福會之慶,巳酉以攝丙辛,乙遇丙辛合,丙辛巳酉丑爲貴也.)

자음반원滋蔭返元

6乙로 태어난 사람이 正月내라면 뱀의 둥지에서 土를 만나면 소년시절에 영예롭다. 만약 剛金이 煞에 臨하면 반드시 요충지의 兵權을 가진다. (六乙生人正月內,蛇窠逢土少年榮,若見剛金臨煞位,必主兵權定塞塵.)

乙人이 正月은 戊寅[성두土] 높은 언덕의 土인데, 乙庚의 氣가 絶한 곳에서 父母를 만난 것이므로 기쁜 것이다. 丁巳[사중土]는 사과(蛇窠~뱀의 보금자리, 뱀 굴)의 土로서, 金이 生한 곳에서 父母를 만난 것이고, 또 乙 人이 庚辰을 만나면 羊刃 煞인데, 그러나 五行이 旺盛한데, 다시 이 煞을 더하면 모름지기 병졸을 통솔하며 刑權을 가진다. (乙人正月以戊寅高阜之土,乙庚之氣,絶處逢父母,故喜見之.丁巳乃蛇窠之土,金神生處逢父母,又乙人見庚辰,乃羊刃煞,然而五行壯旺,更加此煞,須領兵刑之任.)

귀작절복鬼作截福

6乙은 丙丁이 盛한 것을 두려워하는데, 만일 구조(救助)가 없으면 凶함이 틀림없다. 만약 五行에서 水의 數가 많으며 陽土에 臨하면 크게 융성한다. (六乙怕逢丙丁盛,如無救助定成凶,若値五行多水數,陽土相臨主大隆.)

丙丁이 만약 盛하면 金이 發生할 수 없고, 乙 人이기 때문에 만나는 것을 좋아하지 않는다. 만약 四柱중에 水를 만나면 火를 制할 수 있으니 1位의 陽土가 돕는 것을 바란다. 만일 戊寅[성두

土] 戊申[대역土]의 種類라면 五行은 오히려 환원한다. "낙녹자"가 이르길, 근심하고 근심하지 않는 것은 五行에서 救助하여야 좋은 것이라 하였다. (丙丁若盛,金神不能發生,乙人所以不喜見之.若四柱中見水,可以制火,要得一位陽神之土扶持,如戊寅戊申之類,五行又卻還元.珞琭子云,當憂不憂,賴五行之救助,良有以也.)

7. 납음취용가納音取用歌-3

병수건룡지수일丙水乾龍之數一

6丙의 生人이 丙을 만나지 않고, 己가 甲과 함께 모이는 格이 가장 淸하다. 大吉[丑]에 만약 太乙[巳]을 아울러 더한다면 과거에 급제하여 이름을 드날려 대대로 명성을 傳한다. (六丙生人不見丙,己來同甲格最淸.大吉若加幷太乙,名標金榜世傳名.)
[從魁~ 酉, 大吉~ 丑, 傳送~ 申, 太乙~ 巳]

水의 종류에서 火에 屬하는 것은 木을 얻고서야 生하는 것이다. 甲 己의 合土는 丙火가 키우며 土旺하면 金을 生하고, 甲은 있고 己가 없으면 未가 대신하고, 己는 있고 甲이 없으면 寅이 대신하는데, 이는 반대로 陰이 陽을 기르는 이치이다. 水는 木을 더하면 淸하고, 丑은 大吉이 되며, 己는 太乙이 되고, 丑은 金神의 墓地이니, 따라서 丙水를 生하는 것은 수실(秀實)인 것이다. 寅 未는 甲 己를 대신하고, 丙 人은 甲 己 未 寅 卯 巳 丑이 있어야 貴한 것이다. (水之類,火之屬,得木而生焉.甲己土合,壯其丙火,土旺金生,有甲無己,以未代之,有己無甲,以寅代之,此爲反陰滋陽之理,水加木而淸,丑爲大吉,己爲太乙,丑乃金神墓地,故生丙水爲秀實也.寅未代甲己,丙人有甲己未寅卯巳丑貴也.)

복록환장福祿還藏

丙人이 從革火하면 좋고, 또 巳위를 타면 旺하여 청양(淸揚)한데, 다시 炎宮을 얻고 天干이 木火면 일찍 조정을 보좌하는 사람이 된다. [立身揚名을 빨리 한다] (丙人從革火爲良,又乘巳位旺淸揚,更得炎宮干木火,定知早達佐朝堂.)

丙人이 좋아하는 것은 巳酉 丑金을 보는 것인데, 만일 巳 酉 丑은 없고 日時중에 金神이 있어도 用을 얻은 것이고, 巳를 얻으면 眞官으로 貴하고, 巳 午의 2位는 干에서 木을 만나면 丙人의

福이 된다. 火 人이 從革의 局을 얻으면 旺한 財가 官을 生하는 象이 된다. 만약 己巳의 類를 얻으면 火 人은 祿의 氣가 순전(純全)한데 다시 寅 午 戌 3位의 干頭에 丙 甲을 얻으면 그 氣는 더욱 더 頑强하다. 소위 陰陽書에는 火 人이 得地하고 水가 없으면 사로(仕路~벼슬길)가 순탄하고, 억제하는 水가 있으면 損傷된다고 하였다. (丙人喜見巳酉丑金位,如無巳酉丑,日時中有金神,亦得用,得巳,乃爲眞官之貴,巳午二位,干逢木乃爲丙人之福,火人得從革局,乃爲旺財生官之象.若得己巳之類,則火人祿氣純全,更寅午戌三位,干頭得丙甲二字,其氣愈見强壯,陰陽書所謂火人得地,無水而仕路優游,抑有自也,有水則損.)

록왕흥원祿旺興元

6丙의 生인이 火의 數가 많은데 다시 하나의 木을 더하면 가장 조화되니 강건(剛健)하고 청명(淸明)하여 영화로운 福祿이 많고, 金神이 다시 건장하면 일찍 우뚝 솟는다. (六丙生人火數多,更加一木最相和,剛明淸健多榮祿,金神更壯早巍峨.)

丙은 본래 自旺하고 盛하여 하나의 木이면 충분하고, 많으면 지나친데, 만약 得地하면 비할 데 없이 기이한 것이므로 五行의 貴神은 청월(淸越~소리가 맑고 가락이 높음.)에 있으며 過한 것은 옳지 않다. 만일 丙 人이 木의 도움을 받으면 그 예리함은 알만하니, 반드시 乙未[사중金]金이 필요한데 그 氣가 雜되지 않으면 吉하고, 火 人이(丙本自旺盛,一木足矣.多爲過,若得地尤奇絶,所以五行之貴神在淸越,不可過,如丙人得木助,其銳可知,須要乙未金不雜其氣則吉,火人官祿基如此,豈不早年享福.) 官祿의 토대가 이와 같다면 어찌 젊은 나이에 福을 누리지 않겠는가?

중앙탈복(亥 子를 만나면 水에게 土가 파손을 당한다.) 中央奪福(亥子見水被土所破)

丙人이 子를 보고 土를 만나면 福은 중앙에게 탈취당하여 제거되고, 또 火를 더해 辰 戌時로 向하면 상잔(傷殘)하여 끝내 敗한다. (丙人見子休逢土,福被中央奪將去,又加火向辰戌時,定主傷殘終敗露.)

子를 만나면 官神이 得位하고, 土를 만나면 水는 이길 수가 없어 土에게 빼앗기게 되는 것이다. 論하여 말하기를, 魁罡의 地支인 土는 鍾을 기르는데, 거듭 辰 戌을 만난다. 만일 甲辰[복등火] 甲戌[산두火]의 類는 土氣가 완강하여 水氣를 소갈(消渴)시켜 害가 甚한 것이다. (見子則官神得位,逢土則水不能勝,爲土所奪也.論曰,魁罡之地土在鍾毓,更逢辰戌,如甲辰甲戌之類,土氣强壯,水氣消渴,爲害甚矣.)

절근무음(火가 盛하면 鬼를 만남.) 截根無蔭(火盛逢鬼)

丙寅은 火가 長生하는 祿으로, 甲寅과 서로 만나면 광영(光榮)하지 못하여 妻子가 害롭고 형제가 없으며 늙어서는 외롭고 가난하며 교만을 떤다. (丙寅爲祿火長生,甲寅相遇不光榮,憂妻害子無兄弟,到老孤貧謾逞能.)

氣를 받는 곳에서 鬼를 만나면 눌리고 막혀서 끝내 害가 된다. 이는 氣를 받는 곳에서 鬼를 보는 것인데, 鬼가 완강하여 丙 火는 서창(舒暢)할 수 없으니, 五行은 順하게 生함이 마땅하고, 逆으로 制하는 것을 가장 싫어하는데, 끝내 고갈(孤竭)하게 된다. (逢鬼於受氣處,被抑塞,終爲害也,此爲受氣處見鬼,鬼卽强壯,丙火不能舒爽,五行宜順生,最嫌逆制,終孤竭矣.)

연멸회비(木 火가 巳 午에 臨하고 水의 구조함이 없다.) 煙滅灰飛(火木臨巳午,無水救助.)

丙丁 巳午가 전부 木을 만나면 炎火의 위풍과 세력이 강맹(强猛)하니, 비록 칭의(稱意)를 만날지라도 반드시 기울어 亡하게 된다. (丙丁巳午皆逢木,炎火威風勢猛强,更若五行無水制,雖逢稱意必傾亡.)

丙丁 巳午는 모두 火의 地支인데 만약 木을 만나면 불꽃의 盛함을 증가하니, 모름지기 水의 制를 얻어 서로 비등하고 또 官神이 있어야 비로소 有益한 것이다. 만약 단순히 불꽃만 盛하다면 어찌 長久할 수 있겠는가? (丙丁巳午皆火之地,若逢木則益炎盛,須得水制,旣相比和,又有官神,方是有益,若一味炎盛,豈能長久.)

식신위귀(干音에 火 土가 많다.) 食神爲鬼(干音火土多.)

丙人이 戊를 보고 申子를 더하면 그 당시의 사람들은 모두 食神이 重하다고 하였는데, 만약 火를 만나고 生하는 자리가 있으면 一生동안 외로우며 순탄치 못하여 祿을 얻기 어렵다. (丙人見戊加申子,時人皆謂食神重,若見火神有生位,一生孤蹇祿難逢.)

丙人이 戊를 보고, 또 火 土의 旺함을 만나면 丙 人의 官을 剋하므로 官이 없게 된다. 土는 申에서 長生하여 子에서 旺한데 干頭에 戊를 대동하면 丙 人은 會乙하여 食神이 되니 名譽의 조짐이다. 土는 이미 견실(堅實)하니 거듭하여 火를 볼 필요 없다. 火 旺하면 土强하여 丙 人은 官을 업신여기는데, 비록 소년시절에 祿을 만날지라도 결국에는 오래 지속하지 못하는 것이다. (丙人見戊,又逢火旺土旺,剋丙人之官,所以無官,土生於申,旺於子,干頭帶戊,丙人會乙爲食神,名譽之兆,土旣成實,不必更見火,火旺則土强,丙人之官蔑然,雖少年見祿,終不爲久長之計耳.)

8. 납음취용가納音取用歌-4

정화부목성수삼丁火父木成數三

6丁 戊癸는 본래 높은데, 만일 己亥[평지木]가 더한다면 용맹스럽고 뛰어나며, 申 子 辰의 宮은 金水가 건장하여 도포에 패옥(佩玉~벼슬아치의 예복(禮服) 위에 좌우(左右)에 늘이어 차는 옥)을 차는 공후(公侯~공작과 후작)의 자리에 이른다. (六丁戊癸本來高,如加己亥勢雄豪,申子辰宮金水壯,位到公侯佩玉袍.)

丁은 戊 癸가 生한 자식인데 맹아(萌芽~식물에 싹이 움터 나옴.)와 같다. 癸은 있고 戊가 없으면 巳로서 대신하고, 戊는 있고 癸가 없으면 子로서 대신하니 모두 수실(秀實)한 氣로서 造化의 공인데 貴할 수 있다. 巳는 戊 癸의 근원이며, 亥는 成實한 地支로 貴가 된다. 子 巳는 戊 癸를 대신하고, 丁으로 태어난 사람은 戊 癸 戊 子 癸 巳 申 子 辰이 있으면 金 水가 淸하고 貴하여 火 土를 만나면 오히려 禍가 되는 것이다. (丁生戊癸爲子如萌芽,有癸無戊以巳代之,有戊無癸以子代之,皆爲秀實之氣,造化之功,可貴,爲巳乃戊癸之源,亥乃成實之地,爲貴,子巳代戊癸,丁生人,有戊癸戊子癸巳,申子辰,金水淸貴,逢火土猶爲禍也.)

비활청수(水가 盛하면 土가 꺼린다.) 飛活淸秀(水盛忌土)

丁人은 北方의 水를 만나면 좋아하는데, 돌연히 食神을 만나서 재차 이어져 오며 局내에서 土數를 만나지 않고, 木神이 보호해주면 삼태(三台=삼공)에 이른다. (丁人愛遇北方水,忽見食神再續來,局內不逢於土數,木神加護至三台.)

丁人이 水를 만나면 官神이 得地하고, 또 金을 보면 官을 生하여 자연히 [이름이] 높이 드러나 빛난다. 北方은 亥 子의 正의 위치이고 壬 癸가 旺한 곳으로, 다시 金이 생육(生育)하면 不絶하는데, 甲子 辛亥의 類인 것이다. 만약 土가 손상함이 없으면 氣가 淸하고, 또 木神이 祿을 보호하므로 基本이 건장한데, 이것이 財 官 印을 설명한 것이다. 水는 官으로 마땅히 北方의 旺地에 居하고, 또 金財가 [水를] 生하면, 木의 印綬가 [火를]보호하는 것이므로 基本이 건장하게 된다. (丁人見水,官神得地,又遇金來生官,自然顯赫.北方乃亥子正位,壬癸旺鄕,更逢金生育不絶,甲子辛亥之類是也.若無土損其氣淸,又得木神護祿,所以基本牢壯,此是財官印之說,見水是官,官宜居北方旺地,又得金財以生之,木印以護之,所以基本牢壯.)

록기성실(子 午는 金을 만나면 土를 두려워한다.) 祿基成實(子午逢金怕土)

金에 子午를 더하면 흉폭(凶暴)함이 많다. 만약 丁 人이라면 만남을 좋아하고, 다시 五行을 보고 土數가 없으면 聖賢이 도와 도용(陶鎔)을 관장한다. (金加子午多凶暴,若是丁人又喜逢,更看五行無土數,定扶聖主掌陶鎔.)

金에 子午를 더하면 死 敗를 대동하기 때문에 凶한데, 甲子[海中金] 甲午[砂中金]의 類인 것이다. 그렇지만 丁 人이 午상에서 金을 만나면 財가 되고, 子상에서 金을 만나면 官을 生한다. 만약 土가 犯함이 없으면 氣는 淸하며 祿은 厚하고, 또 이르기를, 午가 있는데 金을 만나면 祿旺하고, 子가 있는데 金을 만나면 丁의 官이 生出하고, 土를 만나면 水가 傷한다. (金加子午帶死敗故凶,甲子甲午之類是也.然丁人午上見金,則是爲財,子上見金,則生官,若無土犯分,則氣淸祿厚,又云在午見金,則祿旺,在子見金,又生出丁官,見土則傷水.)

록기차지(壬이 많은 것이 亥 子보다 못하다.) 祿氣差遲(壬多不如亥子)

丁이 壬 亥 未를 보면 뛰어난데 亥 子를 상봉하면 바르게 得時한 것인데, 문득 土가 와서 旺한 자리를 다투면 명성이 있어도 숨기며 또한 지체하여 어긋난다. (丁見壬亥未是奇,亥子相逢正得時,忽被土來爭旺位,謾有聲華亦差遲.)

壬이 得地하지 못하면 만나도 만나지 않은 것인데, 비록 壬이 없더라도 水의 正位[亥 子]를 만나면 官神이 旺한 곳이니 자연히 건장하다. 水 土가 혼잡(混雜)하면 결국은 土가 이긴다. (壬不得地,遇而不遇,雖無壬而得水正位,官神旺處,自然壯也.水土混雜,終是土勝.)

파상고독破相孤獨

6丁은 土의 長生을 만나는 것을 꺼리는데, 妻를 손상하고 子(자식)를 害치며 강하게 다툴 수 있고, 설령 허명(虛名)이 있을지라도 달성하기 어렵고, 또한 田宅을 근심하며 흥영(興營)함이 결핍된다. (六丁忌見土長生,損妻害子强爭能,縱有虛名難了達,亦憂田宅乏興營.)

6丁 人의 水는 福이 되는 官인데, 土가 長生하여 傷官이 太旺하면 도리어 水의 자리를 빼앗겨 외쳐도 應함이 없고, 格이 떨어진다. 만약 剋 傷하면 하는 일에 손해를 보거나 감소한다. 6丁 人은 水 土에 官 鬼가 되는데, 水 土는 모두 申에서 長生하는데, 位를 받아도 土가 감소하는 곳이며 壬 癸가 無依하고, 金이 生한 으뜸된 것이 被害를 당하니 貧賤한 것이다. (六丁人,以水爲福官也,土長生傷官太旺,則奪卻水之位,有呼無應,其格卑下,若見剋傷,則觸事虧損,六丁人以水土爲官鬼,水土皆生於申,取位爲土所損,壬癸無依,金生元被害,可貧賤矣.)

9. 납음취용가納音取用歌-5

무화수이戊火數二

6戊의 生人이 곡직(曲直)을 만나고 丁 壬이 合하면 재능이 준수하고, 從革의 位중에서 1~2를

겸하면 반드시 소년시절에 명예를 얻고 우두머리가 된다. (六戊生人逢曲直,丁壬相合主淸才,從革位中兼一二,決須名譽少年魁.)

眞火는 亥 卯 未의 旺을 원하는데, 丁은 있고 壬이 없으면 亥가 대신하며, 壬은 있고 丁이 없으면 未가 대신하고, 本元이 건장하면 福이 깊으며, 戊 癸와 丁 壬의 合은 貴한 것이다. 眞 火는 寅 午 戌을 좋아하고, 화염(火焰)하여 土가 건장하고, 官이 有力하고, 天數는 3乘하며, 子는 父를 生하고, 巳 酉 丑을 많이 만나면 貴하다. (眞火要亥卯未旺,有丁無壬,以亥代,有壬無丁,以未代,本元壯則爲福遠,戊癸丁壬合貴也,眞火愛寅午戌,土壯火炎,官有力,天數乘三,子生其父,巳酉丑多逢則貴也.)

연원자양(金이 水를 生하여 木의 官을 기른다.) 淵源滋養(金生水神,滋木之官)

6戊의 生人이 두터운 水를 만나고, 다시 申 子를 만나며 生한 金이 旺하면, 명예가 점점 오르는 것을 마땅히 알며[立身出世], 소년시절에 청화하여 금림에 든다. (六戊生人見水深,更逢申子旺生金,須知名譽當騰達,少主淸華入禁林.)

命에 이미 水가 官을 生하고 있는데 다시 金이 있고 申 子를 얻으면 金은 또 水를 生하니 甲乙은 자연히 有氣하므로 五行이 끊임이 없게 된다. 만약 金은 있는데 水가 없으면, 木을 해칠 수 있으니 水가 두터우면 木이 强하므로 貴하다. (命巳[已]有水生官,更得金在申子水之鄕,則金又生水,甲乙自然有氣,五行要不斷.若有金無水,又能害木,水深則木强,故貴.)

상위경회(건장한 土가 水와 合하여 木을 生하면 官이 나타난다.) 相爲慶會(土壯合水生木官顯)

寅과 申은 본래 戊 人이 强한데, 癸亥[大海水]가 당두(堂頭)하면 세상에 명성을 드러내 貴하다. 그러나 五行에서 金이 들지 않으면 명망(名望)이 높고 두터워 조정을 보좌한다. (寅申本是戊人强,癸亥堂頭貴顯揚,但得五行金不入,名淸望重佐朝堂.)

戊寅[성두土]은 火가 長生한 곳에서 土를 만나고, 戊申[대역土]은 土가 長生하므로 强하다. 癸亥[대해水]水에서 甲 乙이 生出하므로 뛰어나다. 그러나 金이 있으면 損傷된다. 寅 申은 土의 體를 이루는 地支인데, 근원(根源)이 건장하고, 그리고 모름지기 木神을 빌려서 소통하고, 다시 癸亥[대해水]를 얻으면 양육하는 곳으로 나아가 그 神은 밝은 德이 있으니 맑고 굳세며 비상(非常~범상치 않음)하다. 만약 金神이 없어 도리어 制하면 五行이 편안하여 害가 없고 福이 厚하게 된다. (戊寅火生處逢土,戊申土生,故强,癸亥水生出甲乙,故奇,有金則傷矣.寅申土成體地,本源旣壯,又須借木神疏爽之,更得癸亥,就位滋養,其神明之德,淸健非常,若無金神返制,五行決恬然無害,爲福厚.)

금화상지金火相持

戊人은 南方의 火에서는 貴하지 않는데, 火를 만나면 마땅히 旺한 金을 동반하여야하고, 金은 있는데 火가 없으면 결국 허물이 있고, 火는 있는데 金이 없어도 역시 새롭지 않다. (戊人不貴南方火,見火須還帶旺金,有金無火終成咎,有火無金亦不新.)

戊人은 南方의 火의 곳에서는 貴하지 않으니 太過하고 盛함을 주의해야한다. 만약 火가 없으면 金이 세력을 얻어 木을 침공하며, 金은 없는데 火만 있어도 역시 無用한 것이다. (戊人不貴南方火者,戒其太過盛,若無火則金得勢來侵木,無金有火,亦無用也.)

간귀위영(甲이 戊元을 傷하면 金이 구해야한다.) 干鬼爲映(甲傷戊元,有金可救)

戊 人은 甲이 있으면 결국 無益한데 水를 대동하면 진흙에 이끌려 처음과 같지 않다. 만약 庚金과 아울러 水局을 얻으면 설령 財 祿은 얻더라도 남는 것이 작다. (戊人有甲終無益,帶水拖泥不似初.若得庚金幷水局,縱能財祿亦微餘.)

甲을 만나는 것이 乙을 만나는 것보다 못함은 陰陽이 화순(和順)하기 때문이다. 甲은 능히 戊를 傷하는데 만약 水를 더한다면 甲이 더욱 건장하여 결국 害치게 되는데, 만약 庚金이 制한다면 이를 오히려 바란다. 甲은 陽火의 神인데 戊 人이 얻으면 "음착양차(陰錯陽差)"이다. 만약 庚金을 얻으면 또 다시 甲을 制하고, 이미 또 水를 얻었으면 戊 人은 財庫의 神이 되는 것은 五行이 상호간에 得失이 있기 때문이다. (逢甲不如見乙,爲陰陽和順,甲能傷戊,若加水,甲益壯,終有害也,若庚金制之,猶庶幾,甲陽火之神,戊人得之,陰錯陽差.若得庚金,又復制甲,旣又得水,則爲戊人財庫之神,五行互有得失故也.)

간귀위영(甲이 戊元을 傷하면 金이 구해야한다.) 干鬼爲映(甲傷戊元,有金可救)

戊人은 甲이 있으면 결국 無益한데 水를 대동하면 진흙에 이끌려 처음과 같지 않다. 만약 庚金과 아울러 水局을 얻으면 설령 財 祿은 얻더라도 남는 것이 작다. (戊人有甲終無益,帶水拖泥不似初.若得庚金幷水局,縱能財祿亦微餘.)

甲을 만나는 것이 乙을 만나는 것보다 못함은 陰陽이 화순(和順)하기 때문이다. 甲은 능히 戊를 傷하는데 만약 水를 더한다면 甲이 더욱 건장하여 결국 害치게 되는데, 만약 庚金이 制한다면 이를 오히려 바란다. 甲은 陽火의 神인데 戊 人이 얻으면 "음착양차(陰錯陽差)"이다. 만약 庚金을 얻으면 또 다시 甲을 制하고, 이미 또 水를 얻었으면 戊 人은 財庫의 神이 되는 것은 五行이 상호간에 得失이 있기 때문이다. (逢甲不如見乙,爲陰陽和順,甲能傷戊,若加水,甲益壯,終有害也,若庚金制之,猶庶幾,甲陽火之神,戊人得之,陰錯陽差.若得庚金,又復制甲,旣又得水,則爲戊人財庫之神,五行互有得失故也.)

10. 납음취용가納音取用歌-6

기오수진토己五數眞土

6己는 巳를 만나면 功이 되고, 乙 庚이 만나면 祿이 크고, 炎上에 火神이 1~2이 더해지면 병권(兵權)으로 변방의 충돌을 조용히 평정한다. (六己相逢巳用功,乙庚相會祿高封,炎上火神加一二,符壓兵權靜塞衝.)

巳는 火의 生旺한 地支이고, 己 人이 寅 午 戌을 보면 造化의 功이 되고, 乙 庚은 土의 子(자식)로서 巳에서 生하여 결실(結實)한다. 乙은 있고 庚이 없으면 申으로 대신하며, 庚은 있는데 乙이 없으면 卯로서 대신하는데 이 方을 얻어야 貴格이 된다. 만일 寅 午 戌의 3宮에서 1位나 2位면 貴하고, 申 卯는 乙 庚을 대신하며, 庚 卯 乙 申은 巳의 炎上 火를 사용하여 맑고 貴하여 명성을 나타낸다. (巳乃火生旺之地,己人遇寅午戌,爲造化之功,乙庚爲土之子,生於巳爲實,有乙無庚,以申代之,有庚無乙,以卯代之,得此方爲貴格,如寅午戌三宮,一位二位爲貴,申卯代乙庚,庚卯乙申,用巳炎上火,而淸貴顯達也.)

포성합록(寅 午 戌은 旺水가 損傷하는 것을 두려워한다.) 包成合祿(寅午戌懼旺水損元)

己人은 正月에 정히 우두머리가 되고, 다시 寅 午 戌이 서로 도우며 局내에서 眞火의 數를 만나지 않으면 文武를 도와 공훈이 오는 것을 알 수 있다. (己人正月正爲魁,更於寅午戌相陪,局內不逢眞火數,定知文武佐功來.)

丙辛은 참된 水의 數가 되고, 己 人이 丙寅[노중火]을 만나면 食神으로 으뜸이 된다. 대개 火는 土를 生하며, 또 寅 午 戌을 얻으면 炎上의 火氣를 접제(接濟)한다. 만약 水가 祿을 손상하지 않으면 天元의 자양(滋養)함이 있어 명예가 영광스러우며 이익은 두터우나 어찌 근심이 없겠는가? (丙辛爲眞水數,己人見丙寅,爲食神之魁,蓋火生土,又得寅午戌,炎上之火氣接濟,若無水損祿,天元有滋養,榮名厚利,何患無矣.)

수특봉생(금이 수를 생하므로 목이 윤기나고 금이 왕성해진다.) 秀特逢生(金生水旺滋木旺金)

6己에 巳를 더하면 功이 되며 申 子 辰에 자리한 甲은 반드시 풍성하고, 다시 金神을 얻어 水로 化함과 같으면 명예(名譽)는 삼공(三公~3정승)에 이른다는 것을 알 것이다. (六己相加巳是功,申子辰位甲須豐,更得金神同水化,定知名譽至三公.)

申子 辰水의 위치에서 甲을 만나면 木은 水의 旺氣를 타서 근본 福이 깊고 두텁다. 金이 水地와 함께하면 水는 더욱 건장하니 甲은 자연히 발생하여 旺한데, 이는 陰陽의 소식(消息)으로 그 形을 나타낼 필요가 없으며 묵회(默會~ 고요히 모임)한 것이다. 그런데 만약 金만 있고 水가 없으면 金은 돌아갈 곳이 없으니 甲 乙의 木을 손상한다. 그러나 水地가 있으면 自生하여 水가 나오니 水를 만날 필요가 없으니 깊이 또 자세하게 살펴야한다. 論하기를, 만약 水를 亥 卯 未위에 더하면 祿元을 양육하는 곳이 있으니 福이 無窮한 것이다. (申子辰水之位,就中見甲,則木乘水旺氣,爲福基甚厚,金同水地,則水益壯,旺甲自然發生,此五行陰陽消息,不必見其形,而默會之可也,若只見金而無水,金無所歸,便傷甲乙之木,惟有水地,則自生出水,不必見水,深且詳之.論曰,若見水加亥卯未上,祿元有所養,爲福無窮矣.)

11. 납음취용가納音取用歌-7

경4금양지수(戊 癸 丑 未는 火 土로 貴가 된다.) 庚四金陽之數(戊癸丑未,火土爲貴)

6庚의 眞數는 아는 사람이 드물고, 戊 癸의 상봉(相逢)은 드물게 만나는 것인데, 大小의 吉神을 1~2개를 만나면 명성이 중화(中華)에 퍼지고 福祿이 빛난다. (六庚眞數少人知,戊癸相逢遇者稀,大小吉神逢一二,名播中華福祿輝.)

대저 眞 白虎의 數는 子生하기에 有用한 것이다. 戊 癸는 火의 眞數이며 庚金의 眞官이 된다. 戊는 있고 癸가 없으면 子로서 대신하며, 癸는 있고 戊가 없으면 巳로서 대신하여야 바야흐로 수실(秀實)한 氣가 된다. 戊 癸가 火로 化하여 2번 吉하고 丑 未는 大小의 吉이 되고, 2吉이 이미 旺하였으면 庚 金을 도와 곧 貴하게 된다. 子 巳는 戊 癸를 대신하고, 庚 金은 巳에서 長生하며 戊 癸의 火는 丑 未에서 發用하니 貴한 것이다. (夫眞白虎數,用有子生焉.戊癸乃火之眞數,爲庚金之眞官.有戊無癸,以子代之,有癸無戊,以巳代之,方爲秀實之氣,戊癸化火,能生二吉,丑未爲大小吉,二吉旣旺,能助庚金,乃爲至貴.子巳代戊癸,庚金生巳,戊癸之火,發用丑未,貴矣.)

성예원치聲譽遠馳

庚人이 巳 午가 剛木을 만나면 학문이 過한 사람으로 세상에서 드물고, 단지 金神은 없고 水에 속하면 어린 시절을 보내면서 명성이 칭송되며 추기(樞機~중요한 기관)를 장악한다. (庚人巳午逢剛木,學問過人世所稀,但無金神幷水屬,少馳聲譽掌樞機.)

火는 正南方으로 官 神이 得地하는데, 다시 剛木을 만나면 자양(滋養)되어 無窮하므로, 소위 본래 근원이 깊으면 氣는 건장하다. 만약 金神과 아울러 水를 만나면 水가 또 生起하여 火가 制하니, 비록 正位를 얻더라도 결국 소멸하는데, 이는 木은 있는데 金 水가 없는 연후에 貴하게 된다. 論하여 말하기를, 火에 巳 午를 더하면 官星이 得地하는데, 만약 납음(納音)으로 木이 오면 火가 南方에 모여 고명(高明~고상하고 현명함, 식견이 높음)하고 활달하여 꺼리는 것은 水일 뿐이다. 본분을 어기지 않는다면 무리에서 특출(特出)하다. (火正南方,官神得地,更逢剛木,滋養無窮,所謂本源深而氣壯,若見金神幷見水,水又生起,便制其火,雖得正位,終發消爍,此有木無金水,然後爲貴,論曰,火加巳午,官星得地,若使納音帶得木來,火聚南方,高明豁達,所憚者水耳.稍無犯分,則挺特出羣.)

상참성경(土 木 火는 祿元을 만나면 도움이 있다.) 相參成慶(見土木火祿元有助)

庚人이 좋아하는 土는 육친이 오는 것이고, 火 數가 상승(相乘)하는 위치는 인륜(예의)이 나타나고, 春夏의 季중의 生月에 속하며, 또 木을 더하여 光榮(광영=영광)하다. (庚人愛得土來親,火數相乘位顯倫,春夏季中生月屬,又加木屬主光榮.)

金은 土의 도움을 얻으면 祿元의 바탕이 있고, 다시 火를 더하고 辰 未의 두 달 중에 臨하면 福이 점점 더 견실하다. 대개 火生은 3月이며, 木의 墓는 6月인데, 소위 근원이 깊고 서로 관여하여 發福이 저절로 되는 그 氣運이 되는 것이다. 妙함은 그 적용함에 있는 것이다. (金得土扶,祿元有藉,更加火臨辰未兩月中,其福愈壯,蓋火生三月,木墓六月,所謂源遠相參,發福有自,其爲氣也,妙在適其用耳.)

록귀고해祿鬼孤害

6庚에서 火祿이 甲申을 向하면 水의 數(운수)는 많은 재능을 만날 수 없고, 다시 金神을 중첩하게 만나면 정상에 도달하기는 고생스럽고 祿은 높기 어렵다. (六庚火祿向甲申,水數才多不可逢,更值金神重疊見,到頭辛苦祿難崇.)

庚人은 火로서 福이 되지만, 오히려 甲申을 보고 다시 다른 자리에서 金神을 만나면 水를 生出하니 水가 한만(汗漫)하여 끊어지지 않는 형태인데, 丙 丁이 이와 같으면 발생(發生)할 수 없으며, 또 어찌 祿이 있겠는가? 결국 현달(顯達)하기 어렵다. “낙녹자”가 이르기를, 遇와 不遇는 祿馬의 설명인데, 그 이치에 정성을 다하고 깊이 연구하여야 비로소 祿 馬의 貴함이 나타나는 것을 알 것이라고 하였다. (庚人以火爲福,卻遇甲申,更有別位見金神,則生出水,水有汗漫不絶之狀,丙丁如此,無以發生,又何祿之有,終難顯達.珞琭子云,遇而不遇,祿馬之說,要在窮究,曲盡其理,方知祿馬貴著.)

12. 납음취용가納音取用歌-8

6신천지수수六辛天之水數

天數는 먼저 6辛을 말하는데, 親자손 丁 壬을 만나는 것을 기뻐하고, 천괴(天魁)가 회합(會合)하여 공조(功曹)가 盛하고, 이름이 조당(朝堂=朝廷)에 들며 직위(職位)가 淸하다. (天數當先號六辛,喜逢親子係丁壬,天魁合會功曹盛,名達朝堂職位淸.)

辛數는 乾 天의 子이며, 天乙 生水하여, 木의 數와 合하니 그래서 陰은 母가 生한 그 子(자식)를 따른다. 丁은 있고 壬이 없으면 亥로서 대신하고, 壬은 있는데 丁이 없으면 未로서 대신하므로 수실(秀實)한 氣가 된다. 천괴(天魁)는 戌이며 공조(功曹)는 寅이고, 亥 未는 丁 壬을 대신하며, 丁 壬 亥 未 가 있으면 寅 午 戌의 세력을 사용하여 貴함이 盛한 것이다. (辛數乾天之子,天乙生水,木數合之,乃陰從母生其子.有丁無壬,以亥代之,有壬無丁,以未代之,故爲秀實之氣,天魁戌,功曹寅也,亥未代丁壬,有丁壬亥未,用寅午戌之勢,爲貴盛也.)

위고지원威高志遠

6辛은 火를 얻어 서로 親해야 하며, 水를 동반하면 모름지기 木神을 만나서 의지하고, 文(학문, 문화, 예술)속에서 도리어 武를 용맹하게 하여, 무록(武祿)이 돌아오니 변방(邊防)을 정리한다. (六辛要得火相親,帶水須憑見木神,文中卻作武中虎,武祿還須靜塞塵.)

水는 능히 木을 생하고, 木은 火를 생하여, 전전(展轉~되풀이 함)相生하여 끝없이 이어진다. 辛金이 火를 얻으면 6氣가 상친(相親)하는데, 만약 水를 만나면 손상하여, 五行에서 가령 또 木을 만난다면, 水는 오히려 木을 따라 化하여 火를 손상할(水能生木,木生火,展轉相生,無有窮盡,辛金得火,六氣相親,若見水則有損,五行若又見木,水卻隨木化,不傷於火,辛人如此,豈不快哉.) 수 없는데, 辛 人이 이와 같으면 어찌 만족스러워하지 아니하겠는가!

선흉후길先凶後吉

辛人은 卯酉를 두면 좋지 않고, 또 水를 만나면 사리에 어두워 늦는데, 만약 火神을 만나면 응당 이기는 위치로, 세력이 대단하여 무리들과 함께하기 어렵다. (辛人卯酉值非喜,又逢水屬主遲矇,若見火神當勝位,定知烜赫衆難同.)

辛은 丙을 官으로 하니 火가 福이 되는데, 卯 酉는 火의 死 敗의 地支인데, 다시 水가 손상함을 더한다면 어찌 福을 얻겠는가? 五行에서 만약 火神을 얻고 寅 午 戌의 자리가 되면 곧 환원(還元)하는데, 이와 같으면 전화위복(轉禍爲福)이 된다. (辛以丙爲官,以火爲福,卯酉乃火死敗之地,

更加水損,何由得福,五行若得火神,位寅午戌,卽還元,如此則轉禍爲福也.)

록기퇴휴祿氣退休

辛人이 火가 西北 地에 머물고 木의 도움이 없으면 벼슬길이 어렵다. 설령 소년시절에 작위(벼슬의 품계)를 얻을지라도 정체하거나 감소하여 관직을 그만둔다. (辛人火居西北地,無木相扶仕祿艱,縱得少年膺爵命,亦須衰蹇見休官.)

火는 西北에 머무르면 無氣한 곳이며, 또 木의 도움이 없다면 어찌 [官職이] 정체하거나 그만두는 것을 면하겠는가? 火가 水鄕에 있으면 결국 현달(顯達)하기 어렵고, 木을 얻어 衝을보호하면 오히려 바라는 되고 약간이라도 만일 흠이 있으면 결국 언건(偃蹇~거드름을 피우며 거만함)하게 된다.
(火居西北無氣之鄕,又無木來助,豈免迍剝.火在水鄕,終難顯達,得木衝護,猶且庶幾,稍若闕此,終當偃蹇.)

13. 납음취용가納音取用歌-9

임위진목수3壬爲眞木數三

6壬은 火를 만나면 자연적으로 빛나고, 丙 辛이 서로 會合하면 세력이 당당하고, 태충(太衝)하면 밝은 것이 모여 되돌아오니, 필히 (紫綬~자수)자줏빛 호패를 차고 대궐문을 드나들게(金門~대궐문) 된다.[壬이 丙을 만나면 적천수에서 말하는 강휘상영을 말하는 것 같다.] (六壬逢火自然光,丙辛交會勢堂堂,太衝還共登明會,必是金門紫綬章.)

壬은 陽木이 되고, 數는 응당 3이고, 주천(周天=공전)하는 火를 사용하면 數는 2가 마땅하고, 數가 2와 3이 合하여 5인데, 己의 數를 받아 壬의 官이 된다. 水의 數는 木을 生하니 곧 母가 그 子(자식)를 生한다. 丙은 있고 辛이 없으면 酉로서 대신하고, 辛은 있는데 丙이 없으면 巳로서 대신하여 수실(秀實)한 氣가 된다. 太衝은 卯가 되고, 登明은 亥가 되니 곧 木은 旺한 氣를 타서 온자(蘊藉~교양이 있고 度量이 크며 얌전함)하다. 巳 酉는 丙 辛을 대신하며, 壬 人이 丙(壬爲陽木,數當三,用周天火,數當其二,數二三合五,乃受己之數,爲壬之官.水數生木,乃母生其子,有丙無辛,以酉代之,有辛無丙,以巳代之,爲秀實之氣,太衝爲卯,登明爲亥,乃木乘旺之氣,爲蘊藉,巳酉代丙辛,壬人有丙辛丙酉辛巳,以火用於木氣,爲眞數入格.) 辛, 丙 酉, 辛 巳,가 있으면 火에 木氣를 사용하니 眞數로 入格된다.

상호집복相呼集福

6壬에 己亥[평지木]는 官이 되지 않고, 돌연히 水의 數를 만나면 祿으로 돌아오고 다시 五行에 대부분 火局이면 높은 벼슬로 금란(金鑾~貴한 마차)에 이른다. (六壬己亥不爲官,忽逢水數祿須還,更値五行多火局,定期高宦達金鑾.)

己亥는 木이 생성되며 干상頭의 己土가 아래에서 絶이되므로 壬 人의 官이 되지 않는다. 만약 五行에서 火의 數가 많으면 己亥 木은 또 火를 따라 변화하여 暗藏되는데, 己宮의 土는 오히려 환원(還元)하지만 반드시 다시 水를 만나는 것은 아니다. 대체로 水는 木을 生할 수 있으며 木은 능히 土를 剋할 수 있으니 곧 官을 파괴하기 때문인 것이다. (己亥爲生成之木,下殘切上干頭己土,所以不爲壬人之官,若五行帶得火數多,己亥之木,又隨火化藏,己宮之土,卻得還元,不必更見水,蓋水能生木,木能剋土,卽爲壞官故也.)

화기속귀火奇續貴

6壬이 丑 未에 申 子를 兼하여 4位에 火數를 만나면 奇이한데 다시 五行이 대부분 土局이면 少年에 名位가 정기(旌旗~5색을 표시하는 깃발)에 든다. (六壬丑未兼申子,四位如逢火數奇,更値五行多土局,少年名位擁旌旗.)

丑未는 土의 성실(成實)한 地支이며, 申 子는 土가 旺한 곳이고, 干音에 火를 얻어 五行중에 다시 土多함을 더하면 壬 人은 福祿이 자연히 나타나는데, 어찌 젊은 나이에 형통하지 아니하겠는가! (丑未,土成實之地,申子乃土旺之鄕,干音帶得火來,五行中更加土多,壬人福祿,自然顯著,豈不早年亨快.)

반흉성경反凶成慶

6壬이 만약 강건한 木을 만나면 반드시 干音에 火를 얻어야하는데, 만약 寅宮에 午位를 兼한다면 반드시 조정에 장상(將相~장수와 재상)의 재능을 가진다. (六壬若逢繁剛木,須得干音帶火來,若是寅宮幷午位,必作朝中將相才.)

甲辰[覆燈火] 甲戌[山頭火]은 모두 干音이 火木이고, 다시 庚寅[松柏木] 壬午[楊柳木]은 함께 도와 火旺하면 土가 盛하여 氣(數)가 순전(純全)하므로 福이 근본 저절로 큰 것이다. (甲辰甲戌,

皆干音火木,更又庚寅壬午,俱來資助,火旺則土盛,氣數純全,福基自壯矣.)

천귀상교天鬼相交

6壬은 干상의 戊를 가장 두려워하고, 혹 辰 戌을 더하면 상잔(傷殘)하니 甲이 와서 구원하지 않는다면 身主는 不安하게 된다. (六壬最怕干頭戊,或加辰戌主傷殘,不見甲來爲救應,定主身中帶不安.)

壬人이 戊를 보면 干의 鬼가 되는데, 만약 괴강(魁罡)의 地支를 더하면 화환(禍患)이 시작되고, 五行에 만약 甲이 干에 있으면 陽木으로 戊土를 剋할 수 있으니 救하게 되고, 그렇지 않으면 鬼氣가 太重하여 壬 人이 두려운 것이다.(壬人見戊爲干鬼,若加魁罡之地,則禍患之端,五行若有甲干,陽木又能剋戊土,卽有所救,不然,鬼氣太重,壬人所懼.)

14. 납음취용가納音取用歌-10

계위진화수2癸爲眞火數二

6癸에 태어난 사람이 曲直을 더하여 만나고, 만일 甲 己에 臨하면 가장 아름답고, 더군다나 전송(傳送)하면 貴한데, 벼슬과 녹봉이 천종(千鍾)이며 福祿과 壽는 장구(長久)하다. (六癸生逢曲直加,如臨甲己最爲佳,更加傳送還爲貴,祿仕千鍾福祿壽遐.)

곡직은 亥 卯 未의 氣이고, 癸는 陰火이니 모름지기 木을 만나야 生하고, 甲 己라는 것은 土가 火를 合한 子 數이며 陰은 母의 生함을 따라 子를 이루게 된다. 甲은 있는데 己가 없으면 未로서 대신하고, 己는 있고 甲이 없으면 寅으로 대신하여 貴氣가 된다. 전송(傳送)이라는 것은 곧 甲 己가 生한 곳인데 甲 己 寅 未는 수실(秀實)한 氣가 된다. 癸 人은 甲 己가 있어야 旺한중에 木氣를 동반하여 淸奇之格이 된다. (曲直,亥卯未之氣也,癸陰火,須逢木而生,甲己者,土合火之子數,陰從母生,其子爲成,有甲無己,以未代之,有己無甲,以寅代之,乃爲貴氣.傳送者,乃甲己生處,甲己未寅,爲秀實之氣.癸人有甲己,旺中帶木氣,爲淸奇之格.)

호상복응互相福應

6癸 生人이 亥子가 많으면 土(數)를 만나지 않아야 영광(榮光)된다. 만약 土가 寅 巳상에 더해

지면 마땅히 亥 子는 곧 淸하지 못한다. (六癸生人多亥子,不逢土數自光榮,若得土加寅巳上,不須亥子卽爲淸.)

亥子는 水가 모인 地支인데, 癸 人이 이를 얻으면 一氣가 모여 이루는데 반드시 土를 만나서는 안 된다. 土를 만나면 水와 다투어 도리어 좋지 않다. 만약 寅 巳상에서 오히려 土神을 만나면 癸 人의 官이지만 반드시 亥 子를 만나야 하는 것은 아니다. 亥 子를 만나게 되면 土와 다투어 오히려 교잡(交雜~서로 어우러져서 뒤섞임)하게 된다. (亥子乃水會之地,癸人得之,聚成一氣,不必見土,見土則水爭强,反爲不好,若寅巳上卻見土神,癸人之官,又不必見亥子.見之則土爭雄,反爲交雜.)

천귀위체天鬼爲滯

6癸人은 己를 만나면 재앙이 되어 甲(數)을 만나지 않으면 어그러지고, 丑 未가 火를 타게 되어서는 안 되고, 오래토록 빈천(貧賤)하여 [먹을]양식이 없는 것을 알게 된다. (六癸人逢己是殃,不逢甲數盡乖張,莫敎丑未乘於火,定知貧賤永無糧.)

癸人은 戊로서 官을 삼는데, 己를 만나면 陰陽이 질서를 잃어 도리어 鬼가 된다. 五行중에서 만약 甲 木의 氣를 얻으면 구조되고, 더군다나 머뭇거리거나 잡된 것을 免할 수 있다.[甲 木을 얻으면 合煞有官으로 淸해진다는 말] 만약 己丑 己未의 類를 만나 협공(挾攻)하면 癸 人은 福의 기운이 아득해진다. (癸人以戊爲官,見己爲陰陽失序,反爲鬼.五行中若得甲木之氣解救,尙可免迍駁.若見己丑己未之類夾功之,癸人福氣藐然.)

자음복원滋蔭福元

木이 癸亥의 바른 長生을 만나면 蔭德의 근원이 더해져 반드시 크게 형통하고, 다시 金이 西北의 위치에 있으면 청화(淸華)한 祿이 저절로 있게 된다. (木逢癸亥正長生,蔭益根元必大亨,更有金臨西北位,定主淸華祿自存.)

木은 亥에서 長生하여 그 위치에서 나아가고, 癸亥 水의 자양(滋養)함을 얻으면 生중에 生을 만나니 가장 기쁘게 모인 것인데, 다시 西北을 얻으면 金에서 生出한 水가 와서 木이 건장(健壯)하고 근원이 깊어 멀리에 도달하여 福祿이 높다. (木生在亥,就其位,得癸亥之水滋養,生中逢生,最爲喜會,更得西北,帶金生出水來,木轉壯健,源深達遠,祿福崇峻.)

변귀위관變鬼爲官

木人은 壬申 만나는 것을 가장 두려워하는데, 만약 癸酉를 만나면 禍가 새롭게 증가하는데, 다만 水가 西北 地에 臨하면 도리어 淸하게 되어 현혁(顯赫~[이름이)높이 드러나 빛남)한 사람이 된다. (木人最怕逢壬申,若逢癸酉禍增新,但得水臨西北地,返作淸達顯赫人.)

壬申 癸酉는 검봉金으로 官이 旺한 地支를 타서 木을 剋하여 甲 乙이 가장 두려워한다. 만약 홀연히 亥 子상에서 水神을 만나면 金毒을 화장(化藏)하는데, 金이 비록 천장(天將)의 이로움을 이을지라도 결국 木을 害칠 수 없다. 대체적으로 福은 상승해야하고 鬼는 制해야하는데, 그러한 후에 보아야한다. (壬申癸酉乃劍金,乘臨官旺地剋木,甲乙最怕之.忽若亥子上,見水神化藏金毒,金雖承天將之利,終不能害木.大抵福欲乘之,鬼欲制之,然後可觀.)

파화성복破禍成福

木은 辛亥[차천金]을 만나면 長生하지 않는데, 火의 制함을 만나지 못하면 祿이 존재하기 어렵고, 火神과 木이 모두 있으면 번성(繁盛)하는데, 어찌 功名을 이루지 못함을 염려하겠는가! (木逢辛亥不長生,不逢火制祿難存,火神與木俱繁盛,何慮功名事不成.)

木은 亥에서 長生하는데, 오히려 生處에서 金을 만나는 것은 이를테면 生地에서 鬼를 만난 것이니, 火를 얻어 [木을] 구하면 金이 감히 用事(장악하다.)하지 못하여 木은 나타나는 것이다. 이는 통변(通變)을 일컫는데, 자연히 輕重이 있으며 五行은 모름지기 승부(勝負)가 분명하고 한 길의 궤도만 取해서는 안 된다. 火木이 번성하면 金은 자연히 소용(銷鎔)되는데, 비록 辛亥는 禍를 만들지언정 火와 木을 얻으면 번성하여 비로소 金이 生煞한 것을 免한다. 만약 辛亥[차천金]가 아니면 火木을 만나서 번성함이 많아 함께 旺하여도 또 불편(不便)한 것이다. (木生在亥,卻於生處逢金,謂之生地見鬼,得火救之,金不敢用事,木乃出焉.此謂通變,自有輕重,五行須明勝負,不可一途取軌,火木繁盛,金自銷爍,雖是辛亥作禍,得火與木繁盛,始免金生煞,若非辛亥,見火木繁多俱旺,又不便也.)

15. 납음취용가納音取用歌-11

귀기임관鬼氣臨官

水人은 흥성한 火神을 만나는 것을 두려워하니, 水가 없이 臨하면 禍을 받고 다시 金이 局內에서 더해 피해를 입게 되면 일생토록 험난하고 편안하지 못한다. (水人怕見火神興,無水相臨主禍迎,更被金來加局內,一生險難不安寧.)

木人은 火가 盛하면 재가 날리며 연기처럼 사라지니 水를 업어 制해야하고, 火局은 水를 만나지 않아야하고, 또 從革의 金局은 그 神이 예리(銳利)하여 甲 乙 木의 氣運이 궁색한 것을 알 수 있다. (木人火盛,則灰飛烟滅,得水可制,火局不見水,又加從革金局,其神銳利,甲乙之木,窘氣可知.)

근원혼후根源渾厚

火人이 日 月 時에서 水를 만나게 되면 마땅히 곡직인 乙 干을 만나야한다. 만약 炎宮이 金을 받아들이는 地支를 얻으면 食祿이 있으며 청백리(淸白吏~깨끗한 벼슬아치)라는 것을 알게 된다. (火人日月時遭水,須逢曲直乙爲干,若得炎宮金納地,定知食祿是淸官.)

火人이 月 日 時에 水(神)를 동반하면 火는 발로(發露)하지 못한다. 만약 亥 卯 未상의 干頭에 陰木이 있으면 水는 오히려 木을 生하고 木은 또 火를 生하여 火의 生은 끊어지지 않는다. 火(神)이 得地하고 만약 寅 午 戌상의 納音이 金을 만나면 오히려 木을 剋하여 木은 制를 받고 火의 官을 生出하여 五行이 "脫體還元"(體를 벗으나 환원함)하니 福이 높게 된다. (火人月日時帶水神,則火無發露,若亥卯未上,干頭帶陰木,水卻又來生木,木又生火,火生不絶,火神得地,更若寅午戌上納音見金,又卻來剋木,木神受制,生出火官,五行脫體還元,乃爲高上之福.)

태궁생귀兌宮生鬼

火神은 敗地에서 金을 만나서는 안 되고 水를 만나서 점점 더해지는 것을 禁하지 않고, 상잔(傷殘)과 아울러 요절(夭折)을 만나지 않으면 마땅히 폐와 연결된 심장의 病이 생긴다. (火神敗地莫逢金,見水加來愈不禁,不見傷殘倂夭折,定須受病肺連心.)

火의 敗地는 본래 衰하고 미약한데 水를 만나면 金은 財가 될 수 없고, 水와 함께 鬼가 된다. 論하여 말하길, 火는 敗地에 이르러 金을 만나면 水를 生出해 오기에 이미 힘을 이길 수 없으니 어찌 傷殘하지 않겠는가! (火敗地,本自衰微,逢水則金不能爲財,而與水爲鬼,論曰,火至敗地,見金則生出水來,力旣不能勝,安得不傷殘也.)

둔건다재迍蹇多災

무리의 火는 水를 막고 寅이 있으면 평생토록 험난하고 수고로운 神으로 재물을 뜻 한대로 가

득 채우기 어렵고, 늙을 때까지 身이 고독하고 六親을 등진다. (衆火須防水在寅,平生迍坎謾勞神,資財心竟難充溢,到老身孤背六親.)

火神은 약간의 무리가 生地에서 오히려 水를 만날 경우, 가령 甲寅[大溪水]의 類가 어찌 감당할 것인가! 그러나 火神이 많을 경우에는 모름지기 적은 木의 자본을 얻어도 불궁(不窮)한 象이 있으니 이 때문에 점점 많아져 결국 害가 되는 것이다. (火神稍衆,於生地卻見水,如甲寅之類何以堪,然火神旣多,須得少木資之,則有不窮之象,稍多於此,終爲害也.)

기수순후氣數淳厚

土人이 土가 重하고 화염(火焰)이 드날리면 직위(職位)가 청화(淸華)하여 祿이 더욱 굳건하고, 火에 巳 午를 더해 모든 土를 만나면 德이 풍부하고 풍채가 뛰어나 곳곳에서 드러난다. (土人土重火炎揚,職位淸華祿益强,火加巳午逢諸土,盛德高風處處彰.)

土(數)가 이미 두터운데, 반드시 火로 도운다면 "生生不窮"(생생불궁~거듭 生하여 窮하지 않음)한 뜻이 된다. 만약 다시 火를 만나고 巳 午의 火旺한 地支를 더하면 土가 더욱 건장하니, 설혹 水를 만나도 결국 火 土를 이길 수가 없으니 곧 財庫의 氣가 되는 것이다. (土數旣重,必藉火扶持,爲生生不窮之意,若更見火,加巳午火旺之地,土又强壯,設或見水,終不能勝火土,則爲財庫之氣矣.)

5목성연五木成煙

土人이 木의 바탕은 文曲이 되고 4位중에 火를 지니고 오면 木神이 巽地에 臨하여 두텁게 만나면 입신양명(立身揚名)하여 福과 慶事가 열린다. (土人藉木爲文曲,四位之中帶火來,重見木神臨巽地,高甲勝名福慶開.)

土는 火가 없으면 그 氣를 시원스레 소통할 수 없고, 木은 土가 없으면 그 뿌리를 안정할 수 없으니, 둘은 서로를 반드시 빠뜨릴 수 없다. 五行중에 만약 火를 지니고 그리고 己土가 木을 만나면 생육(生育)이 반복되어 一體를 이루어 氣(數)가 견실(堅實)하니 火神이 의지할 곳의 바탕이 있는 것이다.(土無火,不能通爽其氣,木無土,不能安植其根,二者相須,皆不可闕.五行中若帶火來,又於己土見木,展轉生育,聚成一體,氣數壯實,火神有所倚藉矣.)

16. 납음취용가納音取用歌-12

구조감복救助減福

土人이 강한자리에서 모든 火를 만나고 다시 旺한 火를 더하면 災禍가 생기고, 그러한 가운데 만약 水(神)의 물결을 만나면 설령 재앙을 면하더라도 고생하게 된다. (土人强位逢諸火,更加火旺生災禍,就中若見水神波,縱免災殃還坎坷.)

火(數)가 旺한데 또 많은데 아울러 1土를 生하면 그 氣가 대단히 燥한데 홀연히 水를 만나서 도리어 火를 制하면 五行은 비록 구조하더라도 결국 吉한 조짐이 되지 않는다. (火數旣旺且多,倂來生一土,其氣大段燥,忽見水返來制火,五行雖有救解,終不爲吉兆.)

기본쇠약基本衰弱

土人이 만약 두터운 巳 酉를 싫어하는 것이 제각기 달라도 결국 고생하고, 水가 土곁에 가까우면 오히려 禍를 만나니 전원(田園)을 모두 팔아서 경작지가 없다. (土人若重嫌巳酉,區區終是謾勞生,水近土傍猶見禍,賣盡田園無地耕.)

巳酉는 土水의 敗地인데 重重하게 만나면 곤란한데, 만약 서로가 우롱하면 결국 福이 되지 않는다. 대체로 水는 火를 이길 수 있는 것이다. "사마季主"가 말하기를, 水가 沐浴(地)을 만나는 것은 土를 만나는 것과 같고, 土가 衰한 곳에 이르는 것은 水보다 못하고, 土가 酉宮에 이르면 (眞)敗地인데, 오히려 癸酉를 만나면 祿이 가득차서 남으니 두 氣는 각각 승부(勝負)만 있을 뿐이다. (巳酉乃土水敗地,重重見之則困,若相陵終不爲福,蓋水能勝於火矣.司馬季主曰,水逢沐浴如逢土,土到衰鄕水不如,土到酉宮眞敗地,卻逢癸酉祿盈餘,二氣各有勝負爾.)

자음성관滋蔭成官

많은 金이 土를 만나도 재앙이 되지 않고, 金(神)이 水를 차고 오는 것을 절대 꺼리고, 木이 火神을 따라 土가 生旺하면 명예가 오르고 재물이 충족된다. (金多逢土不爲災,切忌金神帶水來,木逐火神生旺土,發榮名位足資財.)

단지 生旺하여 鬼가 制를 당하는 것이 두렵고, 金이 많으며 또 自旺하면 火는 害가 되지 않고, 자신이 작고 약하면 "剋我者"(나를 剋하는 者)에서 바야흐로 뜻을 얻는다. (只怕生旺被鬼所制,金多又自帶旺,火不爲害,自己寡弱,則剋我者始得志也.)

천도이향天盜離鄕

金이 乙巳[覆燈火]를 만나면 크게 어그러지고, 木(數)이 와서 만나게 되면 夭亡하고, 水多하여도 抑制하기 어렵고, 骨肉을 해치고 멀리 고향을 떠난다. (金遭乙巳大乖張,木數來逢主夭亡,便使水多難抑制,定殘骨肉遠離鄕.)

金의 長生 地인 乙巳 火를 만나면 火에게 거처(居處)를 잃는데, 더하여 木이 火를 도우면 세력이 더욱 건장하여 金은 녹아 사라진다. (金生處見乙巳火,被火截住,加以木來扶火之勢益壯,金自銷爍.)

원원유청源遠流淸

水人이 木을 만나면 본래 이롭고, 火는 相逢하면 凶하며 害로운데, 다시 火는 없는데 木이 金(神)을 만나면 少年시절에 등과 급제한다. (水人見木爲本利,得火相逢凶害至,更無火木見金神,決主少年登顯第.)

金은 본래 水의 근원인데, 木은 水의 도움을 얻어 두터움을 利用하고, 木을 만나면 오히려 火를 生하여 旺하면 도리어 金을 손상하고, 五行중에 만약 水 火가 없으면 단지 金氣를 얻어 발로(發露)하고, 水의 祿을 生出하여 자연히 맑아진다. (金爲水本源,木得水滋,深爲利用,見木卻生火,旺則反傷於金,五行中若無水火,但得金氣發露,則生出水祿,自然淸澈.)

무구성흉無救成凶

水人은 戊申[대역土] 戊寅[성두土]를 절대 꺼리는데, 근원(根源)을 절단하여 화(禍~재화)가 빈번하고, 局내에서 金의 발로(發露)함을 만나지 못하면 반평생 물결이 험난하여 간난신고(艱難辛苦)한다. (水人切忌戊申寅,截斷根源主禍頻,局內不逢金發露,半生波險受艱辛.)

戊申[대역土] 戊寅[성두土]은 土의 성실(成實)한 地支인데, 水 人은 生한 곳에서 制를 받고, 病地에서 鬼를 만난다. 따라서 말하기를, 根源을 절단(截斷)하니 五行중에 만약 魁罡을 만나면 鬼氣가 化하여 감추어지지 않고, 水(神)가 이와 같으면 困苦하다고 말하는 것이다. (戊申戊寅,乃土成實之地,水人生處受制,病處見鬼,故曰,截斷根源,五行中若見魁罡,則鬼氣無以化藏,水神如此,可謂困矣.)

장귀위앙長鬼爲殃

水人은 화염(火焰)이 날리는 것을 크게 두려워하고, 寅 午가 상봉(相逢)하여 구르면 다시 분주하다. 만약 丙을 만나고 辰 戌을 더하면 요절(夭折)하여 마음이 슬프고 傷하게 된다. (水人大怕火炎揚,寅午相逢轉更忙,若見丙加辰戌位,定知夭折見悲傷.)

寅午는 火의 生旺한 地支인데, 화염(火焰)이 치열함을 알 수 있고, 水(神)이 이와 같으면 마르는 것이다. 五行에 만약 魁罡을 만나고, 만일 丙辰[사중土] 丙戌[옥상土]의 類라면 衰하여 喪하게 된다. (寅午乃火生旺之地,炎熾可知,水神如此則竭矣.五行若見魁罡,如丙辰丙戌之類,轉衰喪矣.)

4卷 終

三命通會 5卷

出處:武陵出版司, 著者:萬民英

1. 논고인립식관재명의論古人立印食官財名義-1~2

1.

서 자평선생께서 말한 格局은 오로지 印 食 官 財의 4가지를 근본으로 삼았는데, 그 명칭이 세워진 뜻은 무엇인가? 무릇 천지간에 조화造化가 流行하는 것은 음양五行에 不過할 뿐이며 음양五行이 상호간에 소용되는 생극制化에 지나지 않을 뿐이다. 지금 甲乙을 例로서 日干을 논한다. (徐子平論格局,獨以印食官財四者爲綱,其立名之義何.蓋造化流行天地間.不過陰陽五行而已,陰陽五行交相爲用,不過生剋制化而已.今指甲乙爲例.以日干論.)

甲乙은 오행에서 木에 屬하는데 甲은 陽이고 乙은 陰이다. 만일 人命에서 甲乙일에 생하면 日主는 자신이 되고, 나를 생하는 것은 壬 癸水이고, 내가 생하는 것은 丙 丁火이며, 나를 극하는 것은 庚 辛金이고, 내가 극하는 것은 戊 己土이니 十干의 전부다.(甲乙在五行屬木,甲陽而乙陰也,如人命得甲乙生,謂之日主屬我,生我者壬癸水,我生者丙丁火,剋我者庚辛金,我剋者戊己土,而十干盡之矣.)

나를 생하는 것은 父母를 뜻하니 따라서 印綬라 이름하고, 印은 蔭이고 綬는 受인데, 비유하면 父母는 은덕恩德이 있으니 자손에게 蔭德을 내리고 자손은 그 복을 받는다. 조정에서는 직책을 구분하여 官을 만들며 印綬에게 주어 그것을 관장하는데, 官은 印이 없으면 어디에 의지할 것이며, 사람이 부모가 없으면 누구를 믿고 의지하겠는가? 그 이치가 하나로 통하며 둘이 아니므로 印綬라고 말하는 것이다. (生我者有父母之義,故立名印綬,印,蔭也.綬,受也,譬父母有恩德,蔭庇子孫,子孫得受其福,朝廷設官分職,畀以印綬,使之掌管,官而無印,何所憑據,人無父母,何所怙恃,其理通一無二.故曰印綬.)

내가 생하는 것은 子孫을 뜻하니 따라서 食神이라 이름하고, 食이라는 것은 벌레가 물질(物質; 음식, 식물)을 먹는 것과 같아 [物質을] 損傷하는 것이다. 벌레가 물物質을 먹으면 배부른 것이고 사람이 食을 얻으면 물物質에 이로운 것이고. 食을 당하면 손상하고, 조화造化로서 자손이 성공하고 양육되니 즉 사람은 자식을 양육하는 것이 父母의 도리이니 따라서 食神이라고 말하는 것이다. (我生者有子孫之義.故立名食神,食者如蟲食物.蓋傷之也,蟲得食物則飽,人得食則益物,被食則損,造化以子成而致養,卽人子致養父母之道也,故曰食神.)

나를 극하는 것은 내가 타인에게 제재制裁 받는 것을 뜻하는데, 따라서 官煞이라 이름하며, 官

은 棺이고 煞은 害이다. 조정에 관과 사람이 있는데, 이는 身이 公家관공서에 속하여 맡은 임무는 물불을 가리지 않고 달려들어 용맹하게 조금도 어긋나지 않고, 관 뚜껑을 덮은 후에 이를 때까지니 이것이 官害인 것이다. 무릇 사람이 棺을 꿈꾸면 官을 얻는 것 또한 이러한 뜻이니 따라서 官煞이라고 말한다. (剋我者,我受制於人之義,故立名官煞,官者棺也,煞者害也,朝廷以官與人,此身屬之公家,任其驅使,赴湯蹈火,不敢有違,至於蓋棺而後已,是官害之也.凡人夢棺則得官,亦是此義.故曰官煞.)

내가 극하는 것은 타인이 나의 제재制裁를 받는 것을 뜻하는 것이므로 妻財라고 이름한다. 만일 사람이 장가들면 妻가 단장하여 전답田畓을 가져와 나를 따르며 종신토록 어기지 않으니, 나는 자연히 형통하여 궁핍하지 않는다. 하물며 가정을 이루고 자산이 일어나니, 마땅히 妻의 內助를 가정에서 얻어야 한다. 그러므로 妻財라고 말하는 것이다. (我剋者是人受制於我之義.故立名妻財.如人娶妻,而妻有妝奩田土,齎以事我,終身無違,我得自然亨用,不致困乏.況人成家立産,須得妻室內助,故曰妻財.)

이 4가지는 술가術家에서 대의大義로 이름을 정한 것이다. 그런데 생은 身에 가까이 있어야 하며, 극은 位에서 떨어져 있어야 하고, 조화造化로서 惡煞을 생함이 기쁜 것인데 곧 자연의 이치인 것이다. 음양은 같은 類를 따르는 가운데, 음양이 배합하는 각각의 이치가 존재하는 것이다. (是四者,術家立名之大義,然生近乎身,剋隔乎位,造化喜生惡煞,乃自然之理也.中間陰陽從類,陰陽配合,各有至理存焉.)

나를 생하고 내가 생하는 것은 가령, 壬은 甲을 생하며, 癸는 乙을 생하고, 甲의 食神은 丙이며, 乙의 食神은 丁인데, 이는 陰이 陰을 생하며, 陽이 陽을 생하고, 陰의 食神은 陰이며, 陽의 食神은 陽으로 음양은 각각 같은 종류를 따른다. 따라서 甲은 壬이 생하는 것을 기뻐하며 사목死木은 사死 水중에서 번성하여 多年간 파괴되지 않으며, 癸水의 생함을 좋아하지 않은데, 사死 木은 비가 오면 빗물이 스며들어 1年을 넘기지 못하고 썩어 버린다. (生我我生,如壬生甲,癸生乙,甲食丙,乙食丁,是陰生陰,陽生陽,陰食陰,陽食陽,爲陰陽各從其類.故甲喜壬生,死木滋死水中,則多年不壞,不喜癸生,死木被雨水淋漓,不踰年則朽.)

甲은 食神인 丙을 기뻐함은 丙이 庚 七煞을 制煞할 수 있기에 甲은 비로소 身이 편안함을 얻는다. 식상 丁을 좋아하지 않은데 丁은 官을 손상할 수 있으며, 甲은 材木을 이루지 못하는 이것이 그 뜻인 것이다. (甲喜食丙,以丙能制庚煞,而甲始得安其身,不喜食丁,以丁能傷官,而甲不得成其材,此其義也.)

나를 극하고 내가 극하는 것은, 가령 辛은 甲을 극하며, 庚은 乙을 극하고, 甲이 己를 극하며, 乙이 戊를 극하는 이것은 陰이 陽을 극하며 陽이 陰을 극하는 것인데, 陰은 陽과 짝을 하며, 陽은 陰과 짝하여, 음양이 배합하는 이치이다. 따라서 甲은 辛을 만나면 正官이 되며, 庚을 만나면

偏官이 된다. 官은 正을 좋아하고 偏을 좋아하지 않는다. 印으로 돌을 돕는데 직책은 같지 않다. (剋我我剋,如辛剋甲,庚剋乙,甲剋己,乙剋戊,是陰剋陽,陽剋陰,陰匹陽,陽匹陰,乃陰陽配合之理. 故甲見辛爲正官,見庚爲偏官.官喜正不喜偏.掌印佐貳,職有不同.)

甲이 己를 보면 正妻가 되며, 戊를 보면 偏妻가 되는데 正妻는 귀하며 偏妻는 귀하지 않다. 지위에 알맞게 아랫사람(편처)이 윗사람(정처)을 받들듯이 정妻와 편妻를 나누는 구별이 있는데 이것이 그 이치이다. 만약 官이라면 傷함을 두려워하며 상하면 禍가 되고, 財는 劫을 두려워하여 劫은 분리하고, 印은 財를 두려워하니 財를 탐하면 무너지고, 食神은 梟를 두려워하니 梟를 만나면 빼앗긴다. 그 이치와 人事가 둘이 아니어서, 學者는 人事를 밝혀야 하는데, 이는 가히 조화造化를 말하는 것이다. (甲見己爲正妻,見戊爲偏妻,妻貴正不貴偏,敵體恃立,分則有別,此其理也.至若官怕傷,被傷則禍,財怕劫,被劫則分,印怕財,貪財則壞,食怕梟,逢梟則奪.其理與人事無二,學者明於人事,斯可以言造化矣.)

2.

대저, 오행이 생극을 전전輾轉하는 것은, 모두 子자식이 부모님의 원수를 갚는다는 뜻이 된다. 따라서 甲乙은 丙丁을 생하여 자식으로 삼아, 甲乙이 庚辛을 두려워하니 丙丁에 의지하여 庚辛을 制剋한다. 丙丁은 戊己를 생하여 자식으로 삼는데, 丙丁이 壬癸를 두려워하는데 戊己에 의지하여 壬癸를 극한다. (夫五行輾轉生剋,皆子爲父母復讐之義.故甲乙生丙丁爲子,甲乙畏庚辛,賴丙丁剋制之,丙丁生戊己爲子,丙丁畏壬癸,賴戊己剋之.)

戊己는 庚辛을 생하여 자식으로 삼는데, 戊己는 甲乙을 두려워하니 庚辛을 의지하여 甲乙을 制剋한다. 庚辛은 壬癸를 생하여 자식으로 삼는데, 庚辛은 丙丁을 두려워하니 壬癸를 의지하여 丙丁을 制剋한다. 壬癸는 甲乙을 생하여 자식으로 삼는데, 壬癸는 戊己를 두려워하니 甲乙을 의지하여 戊己를 制剋한다. 지지는 12인데 그 이치 또한 같다. 비록 動靜이 같지 않아 방원(方圓;모난 것과 둥근 것)이 다르더라도 생극은 하나이다. (戊己生庚辛爲子,戊己畏甲乙,賴庚辛剋制之.庚辛生壬癸爲子,庚辛畏丙丁,賴壬癸剋制之.壬癸生甲乙爲子,壬癸畏戊己,賴甲乙剋制之.地支十二,其理亦同,雖動靜不同,方圓有異,而生剋一也.)

이에 대해서 말하면, 北方의 亥 子 水는 東方의 寅 卯 木을 생하고, 東方의 寅 卯 木은 남방의 巳 午 火를 생하는데, 土는 火의 旺함에 기생寄生하여 서방의 申 酉 金을 생하고, 서방의 申 酉 金은 北方의 亥 子 水를 생한다. (試言之,北方亥子水,生東方寅卯木,東方寅卯木,生南方巳午火,土寄旺於火,生西方申酉金,西方申酉金,生北方亥子水.)

그런데 亥子와 丑은 一位의 간격으로 후에 寅卯와 연결되며, 寅卯는 辰과 一位의 간격으로 후에 巳午와 연결되고, 巳午는 未와 一位의 간격으로 후에 申酉와 연결되고, 申酉는 戌과 一位의 간격으로 후에 亥子와 연결된다.(然亥子間丑一位,而後接寅卯,寅卯間辰一位,而後接巳午,巳午間未

一位,而後接申酉,申酉間戌一位,而後接亥子,)

土는 4維에 寄生하여 오행이 고르게 의지한다. 따라서 巳酉는 丑을 합하여 金局이 되고, 申子는 辰을 합하여 水局이 되며, 亥卯는 未와 합하여 木局이 되고, 寅午는 戌을 합하여 火 局이 되어, 金은 水를 생하며, 水는 木을 생하고, 木은 火를 생를 생하며, 火는 土를 생하고, 土는 金을 생하니, 상생하여 틈, 빈 곳, 간격이 없는 것이다. (土立四維,五行均賴.故巳酉合丑爲金局,申子合辰爲水局,亥卯合未爲木局,寅午合戌爲火局,金生水,水生木,木生火,火生土,土生金,相生而無間也.)

丑은 金庫인데 亥子를 생하지만 寅卯를 극하며, 辰은 수고水庫인데 寅卯를 생하지만 巳午를 극하고, 未는 木의 고庫로서 巳午를 생하지만 金의 극을 받고, 戌은 火의 고庫로서 申酉를 극하지만 水의 制剋을 당하여, 동남에서 생하며 西北에서 죽으니, 이것은 천지의 큰 짜임새틀, 조직이다. (丑爲金庫,生亥子而剋寅卯,辰爲水庫,生寅卯而剋巳午,未爲木庫,生巳午而受金剋,戌爲火庫,剋申酉而受水制,東南主生,西北主殺,此天地之大機也.)

또 辰戌 丑未는 4維에 안존하며 金 木 水 火가 모두 의지하여 생成하고 藏한다. 易에서 이르기를, 艮에서 생성하여 坤에서 마치니, 이것이 土의 公으로 作用하는데, 오행이 존재하여 더욱 큰 것이다. (且辰戌丑未,奠安四維,金木水火,咸賴之以生藏.易曰,成言乎艮,終言乎坤,此土之功用,在五行爲尤大也.)

干支를 合해 총론總論하면, 甲은 亥에서 생하여 午에서 사死하고, 乙은 午에서 생하여 亥에서 사死한다. 祿은 寅 卯에서 就하며 甲 乙 寅 卯가 동일한 것이다. 丙은 寅에서 생하여 酉에서 사死하고, 丁은 酉에서 생하여 寅에서 사死하고 祿은 巳 午에서 就하며 丙 丁 巳 午가 같은 것이다. (合干支而總言之,甲生亥死午,乙生午死亥,就祿於寅卯,是甲乙寅卯同也.丙生寅死酉,丁生酉死寅,就祿於巳午,是丙丁巳午同也.)

庚은 巳에서 생하여 子에서 사死하고, 辛은 子에서 생하여 巳에서 사死하며 祿은 申酉에서 就하며 庚 辛 申 酉가 같은 것이다. 壬은 申에서 생하여 卯에서 사死하고, 癸는 卯에서 생하여 申에서 사死하고, 祿은 亥子에서 就하며 壬 癸 亥 子가 같은 것이다. (庚生巳死子,辛生子死巳,就祿於申酉,是庚辛申酉同也.壬生申死卯,癸生卯死申,就祿於亥子,是壬癸亥子同也.)

戊는 寅에서 생하여 酉에서 사死하고, 己는 酉에서 생하여 寅에서 사死하고, 祿은 巳午에서 就하는데, 土는 火와 같은 위치인데, 子는 母에 의해서 旺해지는 것이고, 그리고 辰 戌 丑 未는 그 정위正位이다. 천간과 지지에서, 짝하여 서로 합하는 것과, 생극制化와 旺相休囚로 인해서인데, 그 명칭은 印인수와 梟효신이며, 食식신과 傷상관이며, 官관성과 煞칠살이며, 財재성이며 劫비겁인데, 刑衝 破害와 허요(虛邀;飛合字) 暗合으로 變化가 無窮한 것이다. (戊生寅死酉,己生酉死寅,就祿於巳午,與火同位.子隨母旺之義,而辰戌丑未,乃其正位也.由是天干地支,相合配偶,生剋制化,旺相

休囚.其名爲印爲梟,爲食爲傷,爲官爲煞,爲財爲劫,刑衝破害,虛邀暗合而變化無窮矣.)

서 자평선생은 이 법을 간파看破하였으므로 단지 財官 印食을 논하여 6格으로 나누고, 人命에서 富貴 貧賤과 壽夭를 窮通하면 이것 6格에서 벗어나지 않으니, 그 나머지 格局은 이것으로부터 추론한 것에 불과할 뿐이다. (徐子平識破此理,故只論財官印食,分爲六格,而人命之富貴貧賤壽夭窮通,擧不外是,其餘格局,不過自此而推之耳.)

2. 論正官논정관-1~10

논정관論正官-1

喜身旺,印綬,食神,以財爲引,逢官看財,忌身弱,偏官,傷官,刑衝,泄氣,貪合,入墓
一曰正官, 二曰祿神

正官은 甲이 辛을 만나거나 乙이 庚을 만나는 例이다. 음양이 배합하여 서로 제制하므로 有用하니 그 도를 이루는 것이다. 따라서 正官은 6格 중에서 으뜸이 되고, 단 正官은 一位이어야 하는데 많으면 좋지 않다. 正官은 먼저 月令을 살핀 연후에 비로소 그 나머지 오행의 기運을 살핀다. 오직 月令에 [正官이] 있는 것이 최고이며, 더군다나 사주에는 각각 연한年限을 관장하는데, 年은 태어나서 제일 처음의 15년을 주관하며, 時는 50살 후 죽을 때까지를 주관한다. (正官者,乃甲見辛,乙見庚之例.陰陽配合,相制有用,成其道也.故正官爲六格之首,止許一位,多則不宜.正官先看月令,然後方看其餘,以五行之氣,惟月令當時爲最,況四柱各管年限,年管十五,生之太早,時管五十後,夭之太遲.)

그러므로 오직 月令이 正(올바른)이 되고 나머지 格은 이것을 例로 한다. 甲일이 酉월에 생하고, 乙일이 申巳월에 생하며, 丙일이 子월에 생하고, 丁일이 亥월에 생하고, 戊일이 卯월에 생하고, 己일이 寅월에 생하며, 庚일이 午월에 생하고, 辛일이 寅巳월에 생하고, 壬일이 午 未 丑월에 생하거나, 癸일이 辰 巳 戌월에 생한 것은 모두가 正氣 官星이 된다. 다시 천간에 透出하는 경우, 가령 甲이 辛酉를 만나거나, 乙이 庚申을 만나는 例인데, 지장간(支藏干;지지에 암장된 천간)이 透出한 것을 일컫는데, 나머지 자리에서 재차 [正官을] 보는 것은 좋지 않고, 그리고 日主는 마땅히 건왕健旺해야 하며 財와 印인수의 도움을 얻고 柱 중에서 傷官과 7煞을 만나지 않고 行運이 官鄕에 이르면 大富 大貴의 命이다. (故只此月令爲正,餘格例此.甲日生酉月,乙生申巳,丙生子,丁生亥,戊生卯,己生寅,庚生午,辛生寅巳,壬生午未丑,癸生辰巳戌月,皆爲正氣官星.更天干透出,如甲見辛酉,乙見庚申之例.謂之支藏干透,餘位不宜再見,又須日主健旺,得財印兩扶,柱中不見傷煞,行運引至官鄕,大富大貴命也.)

가장 꺼리는 것은 刑衝 破害, 傷官 7殺, 탐합망관(貪合忘官;合을 탐하여 官의 본분을 잊어버림)하고, 劫財가 복을 分奪하는 것은 破格이 된다. 가령 甲이 酉월에 생하여 卯를 만나면 충이 되고, 酉를 만나면 형刑이 되고, 午를 보면 破가 되고, 戌을 보면 害가 되며, 丙을 만나면 合이 되고, 乙을 만나면 劫겁재이 되고, 丁을 만나면 극傷 [丁상관이 酉 정관을 손상한다.]하고, 庚을 보면 [官煞이] 혼잡하게 되니, 마땅히 官星은 다른 것이 섞이지 않고 한가지이어야 하며, 오행은 순수하며 화합하여야 바야흐로 正官으로 논한다. (大忌刑衝破害,傷官七殺,貪合忘官,劫財分福,爲破格.如甲生酉月,見卯爲衝,酉爲刑,午爲破,戌爲害,丙爲合,乙爲劫,丁爲傷剋,庚爲混雜,須是官星純一,五行和粹,方以正官論.)

만약 앞에서 언급한 꺼리는 것을 만나면 柱 중에 비록 그것[凶物]을 제거하는 것이 있을지라도 순수純粹하지 않은 것이다. 만약 官星이 局을 결성하고 또 財의 도움이 있으면, 身旺한 지지로 行하지 않으면 발달하지 못한다. 官이 1~2개만 있고 財재성는 없고 印인성이 있으면 身弱하여도 무방無妨하다. 만약 사주에서 모두 배록背祿이 된다면 마땅히 歲運의 향배向背를 살펴야 하고, 財官이 旺한 지지라면 어떠하겠는가? 만약 財官만 가득하면 日主가 쇠약하여 감당하기 어려우니 노력해도 소용없다. 財煞이 旺한 곳으로 運이 이르면 노채(癆瘵;말기 결핵)에 많이 걸리고, 단 七煞이 있는데 行運에서 다시 [七煞을] 만나면 사류(徙流;귀양 가는 벌)의 命이다. (若見前忌,柱中雖有物去之,亦不純粹,若官星結局,又有財資扶,非行身旺地不發.官止一二無財有印,身弱無妨,若四柱皆歸背祿,宜推歲運向背,財官旺地何如？若財官漫日滿目,日主衰弱,不能負荷,徒勞無用,運至財煞旺鄕,多染癆瘵,但有七煞,行運復遇,便是徙流之命.)

또 말하기를, 甲이 酉월에 생하면 辛金이 正祿인데, 만약 丁 傷官을 보고 지지에 局이 없으며 時에 쇠패衰敗 사死絕의 지지이거나, 혹 制와 合으로 [傷官을] 제거하면 쇠衰絕한 火가 어찌 旺한 祿을 손상하겠는가? 만약 時에서 官星이 쇠패衰敗 사死絕의 자리에 臨하고 도리어 丁火가 생왕生旺한 곳이거나 혹 煞地에 臨하면 官이 항복하여 실직失職하고 재앙이 발생하는 것은 의심의 여지가 없다. 時는 歸息의 지지가 되니 吉凶의 흥망성쇠興亡盛衰가 時에 모두 있다. (又曰甲生酉月,辛金正祿,若見丁傷,支中無局,時引歸衰敗死絕之地,或有制合去之,衰絕之火,豈能傷其旺祿.若時引官星臨衰敗死絕之位,反引丁火歸生旺之鄕,或臨煞地,降官失職,禍生無疑.時爲歸息之地,吉凶全在時消息.)

일주 用神이 심하게 왕성하면 마땅히 時에서 절제(節制;알맞게 조절)해야하고, 日主 用神이 점차 쇠약해지면 마땅히 時에서 도와주어야 한다. 사주에 비록 凶神이 있더라도 時에서 알맞게 조절하면 禍가 생기지 않는다. 이것이 간명看命의 요법要法인 것이다. (日主用神太盛,宜時以節制之,日主用神漸衰,宜時以補助之.柱中雖有凶神,時能節制,亦不能禍.此看命之要法也.)

또 이르기를, 甲이 丑월에 생하면 丑속에 辛金이 있고, 또 酉時가 되면 이미 중범重犯한 것인데, 만약 천간에 다시 辛이 많이 투출하고 거듭 서방으로 行하면 力量을 이기지 못하여 官은 변하여 鬼귀살가 된다. 旺하면 반드시 기울어져 재앙과 요절함이 많으니 모름지기 合과 制가 있어야 비로소 길하다. 만약 자신이 乘旺한 경우, 가령 甲寅 乙卯등의 日이고, 다시 印綬가 생조生助하면 관성이 비록 많더라도 害가 되지는 않는다. (又曰甲生丑月,內有辛金,又値酉時,已是重犯,若天干復透辛多,更行西方,力不勝任,變官爲鬼,旺處必傾,多致災夭,須有合制方吉.若自身乘旺,如甲寅乙卯等日,更有印生助,官星雖多,亦不爲害.)

甲이 戌월에 생하면 비록 火庫에 坐하더라도 局을 결성하지 못하면 무리가 없어 害가 될 수 없다. 辛의 刃[煞]이 戌에 있고, 戌중에 旺한 戊土가 辛을 생하는데, 만일 庚이 투출하여 혼잡관살 혼잡하여도 戌월은 無氣하니 制와 合을 생략하더라도 근심이 되지 않는다. (甲生戌月,雖坐火庫,若不成局,無黨不能爲害.以辛刃煞在戌,戌中有旺戊生辛,如透庚混雜,戌月無氣,略有制合,亦不爲慮.)

또 이르기를, 무릇 官을 用하면 日干에 財나 印綬가 자리하여야 결국 顯達하는데 예를 들면 甲子 甲辰의 類이고, 傷官이나 煞이 자리하면 결국은 병病이 드는데 예를 들면 甲午 甲戌 甲申의 종류이니, 마땅히 짐작斟酌해야한다.(又云,凡用官,日干自坐財印,終顯,如甲子甲辰之類.自坐傷煞,終有節病,如甲午甲戌甲申之類,須斟酌.)

논정관論正官-2

또 말하기를, 官星을 취함에 있어 반드시 月令의 지지만 고집할 필요는 없고, 혹은 月의 천간에서 혹은 年 日 時의 지지나 천간에서, 단지 한 곳에서만 있고, 겹치거나 損傷당하지 않으면 모두 取用할 수 있다. 그래서 經에서 이르기를, 明干(명간=天干)이 有氣하면 明干을 취하고, 明干이 無氣하면 暗중에서 取한다고 하였다. 만약 明干이 無氣하면 지지에서 引從하고, 혹 [地支의] 도움이 있고 運行에서 득지得地하면 月地 官星의 복을 減하지 않는다. (又曰,取官星不必專泥月令支辰,或月干,或年日時支干,只一處有不曾損傷,皆可取用.故經云,明干有氣明干取,明干無氣暗中取.若明干無氣,引歸地支,或有助托,運行得地,亦不減月內官星之福.)

또 말하기를, 무릇 관성을 논하면, 一位 食神이 坐한 곳에 견실堅實함을 만나면 局을 손상할 수 있으니 오직 月令에 숨은 祿은 食神을 보면 도리어 3奇의 貴가 된다. 대체적으로 官星과 食神의 虛와 實이 어떠한가를 살펴봐야 하는데, 만약 관성은 견실堅實하게 坐하고 合神이 虛하면 官을 좇아 貴를 돕고, 合神이 견실하게 坐하고 관성이 점점 약하여 官은 合神을 좇으니 탐합망관(貪合忘官;合을 탐하여 官의 본분을 잊는다)이라 일컫는다. (又曰,凡論官星,略見一位食神坐實,便能損局,惟月令隱祿見食,卻爲三奇之貴.大要看官食虛實如何.若官星坐實,合神略虛,隨官助貴,合神坐實,官星漸弱,官隨合神,謂之貪合忘官.)

또 말하기를, 正官 格은 印인수鄕으로 흐르면 곧 官을 만나고 印綬를 본 것인데, 柱 중에 원래 印綬가 있으면 官印의 輕重과 일간의 强弱에 따라 運行하는 것을 살핀다. 身弱하며 印綬가 輕하면 印綬를 도와야 하고, 身旺하고 官이 輕하면 官을 도와야 하는데, 傷官 運으로 흐르면 곧 배록背祿이고, 身旺 運으로 흐르면 곧 축마逐馬인 것이다. 珞琭子가 이르기를, 배록축마背祿逐馬는 궁핍한 길로서 두렵고 슬픈 것이다. 煞運으로 흐르면 곧 煞이 와서 官과 혼잡하고, 묘운墓運으로 흐르면 곧 官星이 入墓하는 것이다. (又曰,正官格,要行印鄕,卽是逢官看印,柱中原有印,隨官印輕重,日干强弱,以觀所行之運.身弱印輕,要補其印,身旺官輕,要補其官,行傷官運,卽是背祿,行身旺運,卽是逐馬. 珞琭云,背祿逐馬,守窮途而悽惶,行煞運,卽是煞來混官,行墓運,卽是官星入墓.)

經에 이르길, 官煞이 混雜하면 가난하지 않으면 요절夭折한다. 煞旺하거나 묘墓에 들면 수명을 보존하기 어려우니 正官 格은 단지 財에 臨하고 祿을 向하는 것을 좋아한다. 이와 같이 소상消詳히 밝히면 만에 하나라도 실수가 없다고 하였다. (經云,煞官混雜,不貧則夭,旺煞投墓,壽延難住,所以正官格只喜向祿臨財,如此消詳,萬無一失.)

삼명검에 이르길, 祿 命 身은 三等세 개의 등급의 官으로 각각 오행을 품수 받은 그 성질로서 추리하고, 만일 金이 官이 되면 직위職位가 청준(淸峻;청백리)하며 대부분 형옥刑獄이나 전곡(錢穀;돈과 곡식)의 임무를 관장하고, 총명 민첩하며 결단력이 있다. 行年 태세太歲가 丑이 되면 官庫가 되어 좋아하고, 그리고 旺相休囚를 취하여 有氣와 無氣를 논해야한다. (三命鈐云,凡祿命身三等官,各稟五行,率以其性推之,如以金爲官,主職位淸峻,多掌刑獄錢穀之任,決斷明敏,遇行年太歲在丑,爲官庫主喜,亦取旺相休囚,有氣無氣言之.)

만약 木을 官으로 삼으면, 품계品階가 청고淸高하며 풍속을 따르며 언행을 조심한다. 行年 太歲에서 未를 보면 官庫가 된다. 火를 官으로 삼으면 주로 벼슬의 승진이 빠르고 성품이 맹렬하여 참혹한 형刑을 사용하고, 발복했다 쉬었다하여 일정하지 않다. 行年 太歲에서 戌을 보면 官庫가 된다. 水를 官으로 삼으면, 직위職位는 비루해도 직급職級은 오르고 겸손하여 사람들과 화합하며 고과(孤寡;과부나 고아)를 긍휼(矜恤;불쌍히 여김)하고, 그리고 도의 성품이 있으며, 行年 太歲에서 辰을 보면 官庫가 된다. 土를 官으로 삼으면, 관직의 질서가 온당穩當하여 침범하기 어려우며 성품이 곧고 두터워 法을 집행함에 분명하며, 行年 太歲에서 辰을 보면 官庫가 된다. (若以木爲官,主品秩淸高,和俗守愼,遇行年太歲在未爲官庫.以火爲官,主官序 炎赫,爲性猛烈,用刑慘酷,亦主發歇不常,遇行年太歲在戌爲官庫.以水爲官,主職卑位下,級陞序進,謙和得衆,矜恤孤寡,亦有道性,遇行年太歲在辰爲官庫.以土爲官,主官序穩當難侵犯,厚重質直,法令分明,遇行年太歲在辰,爲官庫.)

무릇 오행의 官은 각각 그 성질을 따르면 길한데, 만약 그 성질을 잃게 되면 관직이 오래가지 않는다. 가령 癸丑[상자木] 木의 命인 사람이라면, 土가 祿官이며, 木은 命官이 되고, 金은 身官이 되니, 모두 三命에서 존비(尊卑;높고 낮음)는 오행의 休旺을 말하는 것이고, 祿 命 身은 三等세 개의 등급의 官庫이다. 가령 甲子[海中金]金에서 甲의 祿은 木에 屬하며 木은 金에게 극을 당하니 따라서 祿官이 되고, 金의 묘墓는 丑으로 祿의 官庫가 되는 것이다. 命과 身의 官庫도 이것을 모방하면 된다. (凡五行之官,各隨其性則吉,若失其性,則主爲官不久.假令癸丑木命人,以土爲祿官,木爲命官,金爲身官,皆以三命尊卑五行休旺言之,祿命身三等官庫.如甲子金,甲爲祿屬木,木被金剋,故爲祿官,金墓丑,是爲祿官庫也.命與身官庫倣此.)

서촉지명자가 이르길, 무릇 사람은 年 月 日 時 4天干이 官 印으로 번갈아들고 충족하면 귀하다. 역사적으로 大命을 살펴보면 두 개의 印綬를 보는 경우가 파다頗多하다. (西蜀知命者云,凡人年月日時,四干迭相官印,足者主貴.歷觀大命,遇兩印者頗多,如呂吉甫學士,壬申己酉丁巳庚子,壬與己,庚與丁爲官,壬與庚,己與丁爲印.章子厚相公,丁亥戊子丁未壬寅,己卯胎,戊與乙,壬與己,丁與壬爲官,乙與壬,戊與丁爲印,少遇兩官者,又須四貴華蓋上.遇正官者大貴.此亦一偏之見也.)

예를 들어, 여 길보학사
庚 丁 己 壬
子 巳 酉 申
壬과己 庚과丁은 官이 되고, 壬과庚, 己와丁은 印綬가 된다.

또 장 자후상공
壬 丁 戊 丁
寅 未 子 亥

己卯가 태胎이며, 戊와乙 壬과己 丁과壬은 官이 되고, 乙과壬 戊와丁은 印綬가 되는데, 두개의 관을 만나는 사람은 적고, 四貴胎, 생, 旺, 고庫는 반드시 화개가 위에 있어야 하고 정관을 만난 자는 크게 귀하다. 이 역시 사주를 보는 하나의 견해이다.

논정관論正官-3

또 말하길, 관성을 살펴보면, 天官鄕이 있는데, 月干이 歲년干을 제制하는 것이다. 가령, 6甲年의 正月 月建은 丙寅으로 5月은 庚午 6月은 辛未인데, 庚 辛金은 능히 甲木을 制할 수 있고, 戊癸는 곧 서로 동반하여 行하고, 甲癸人은 午未에 있고, 乙丙人은 辰巳에 있고, 丁戊人은 寅卯에 있고, 己庚人은 戌亥에 있고, 辛壬人은 申酉에 있다. 만약 天官鄕을 만나면 마땅히 食天祿이며 조정의 지위처럼 귀하다. (又云,看官星,有天官鄕,取月干制歲干,如六甲年,正月建丙寅,五月庚午,六月辛未,庚辛金能制甲木,戊癸卽相帶而行,甲癸人在午未,乙丙人在辰巳,丁戊人在寅卯,己庚人在戌亥,辛壬人在申酉,若人遇之,當食天祿,貴處朝倫.)

地官鄕은, 月建월지에서 歲년干을 제制하는데, 가령 年干이 甲 乙木인데 7~8月의 申金을 만나면 金은 능히 木을 제制하니, 甲 乙人은 申 酉에 있고, 丙 丁人은 亥 子에 있고, 戊 己人은 寅卯에 있고, 庚辛人은 巳午에 있고, 壬癸人은 辰 戌 丑 未에 있다. 만약 地官鄕을 만나면 [祖業을] 일찍 계승하며 관직의 서열이 쉽게 오르고 퇴직하여도 蔭德이 있다. (有地官鄕,取月建制歲干,如歲干是甲乙屬木,七八月見申屬金,金能制木,甲乙人在申酉,丙丁人在亥子,戊己人在寅卯,庚辛人在巳午,壬癸人在辰戌丑未,若人遇之,主早承休蔭,官序易陞.)

眞官鄕은, 命 앞의 3辰으로 月干과 命干이 합하는데, 가령 丙子人이 2月生은 命 앞의 3辰地支이 되어 辛卯이니 丙과 辛은 합한다. 따라서 丙子 2月 생인生人은 眞官중에 생한 종류이다. 君子가 眞官鄕을 만나면 직위職位는 근시(近侍;임금을 가까이 모시던 신하)에 머물고, 小人이 眞官鄕을 만나도 역시 부유한 호걸이다. (有眞官鄕,取命前三辰,月干與命干合,如丙子人二月生,爲命前三辰,是辛卯,丙與辛合,故丙子二月生人,爲眞官中生之類,君子遇之,職居近侍,小人遇之,亦主富豪.如劉行素御史,丙子辛卯丙子辛卯,正合此說.)

유 행소 어사의 例를 보자.
辛 丙 辛 丙
卯 子 卯 子
상기 說에 바르게 부합한다.

또 말하길, 術士들은 甲이 辛을 보면 官이 되고, 眞 오행이 납음을 극하여 眞官이 되는 것을 알지 못하는데, 이것이 가장 중요한 福神이다. 干頭에서 官을 만나 合이 되면 最上이 되고, 諸神들이 오는 것이 가장 아름답다. 가령, 甲寅 생은 납음으로는 水인데 己亥를 얻으면 甲己는 眞土가 되며, 납음을 眞 오행이 극하는 것이다. 만약 太歲가 본래의 干을 극하지 못하고, 단지 日月時상에서 乙庚을 만나도 역시 된다. 만약 庚만 만나면 偏官이라 하여 이것은 힘을 減하고, 또 乙 庚을 만나지 못하고 乙巳 乙丑 乙酉만 보고 나머지 자리에서 申을 많이 만나거나, 申을 만나지 못하면 3~5分의 힘을 얻는데 그친다. 나머지는 이것을 따르면 된다. (又云,術者以甲見辛爲官,不知眞五行剋納音爲眞官,此最緊福神.干頭自見官而得合者爲上,有諸神來朝者最佳.如甲寅生,納音水,得己亥,甲己爲眞土,是納音見眞五行剋也.若不見太歲本干剋,但於日月時上見乙庚亦是.若止見庚,謂之偏官,比之全者減力,又不見乙庚,止見乙巳乙丑乙酉,餘位中多見申,不見申止得三五分力,餘仿此.)

또 가령, 己酉[대역土] 己卯[성두土]가 丁壬을 보고, 壬子[상자木] 壬午[양류木]가 乙庚을 보면, 비록 납음은 眞五行의 극을 받아 官이되더라도, 어찌 본래의 干천간도 같이 극을 받겠는가? 따라서 眞官이 되지 못하고 眞鬼가 되는 것으로 단정하니, 大運 小運과 유년流年에서 眞鬼를 만나면 재앙이 더욱 중하다. 이것도 또한 官星으로 살펴보려면 마땅히 알아야 한다. (又如己酉己卯見丁壬,壬子壬午見乙庚,雖納音見眞五行剋爲官,奈本干同受剋,故不作眞官,而作眞鬼斷之,大小運流年逢之災尤重.此亦看官星者所當知.)

喜忌篇에서 이르길, 오행에서 正官은 衝刑 극파剋破하는 宮을 꺼린다. 繼善篇에서 이르길, 등과급제하려면 官星이 臨하고 破하는 宮이 없어야한다. 또 말하길, 官이 있고 印이 있고 破는 없으며 낭묘(廊廟;조정, 대전)의 재목이 된다. 또 말하길, 이름이 금방(金榜;과거에 합격한 사람의 이름을 붙이는 방)에 붙으려면 마땅히 身旺한데 官을 만나야하고, 身弱한데 官을 보면 동료들에게 뒤떨어지고 힘을 소비하게 된다. 五言독보에 이르길, 官이 있으면 반드시 印綬가 있어야하고 형刑이 없으면 자랑할 만하고, 대궐에 드나드는 사람이 되지 못하면 부호富豪가 된다. (喜忌篇云,五行正官,忌衝刑剋破之宮.繼善篇云,登科及第,官星臨無破之宮.又云,有官有印無破,作廊廟之才.又云,名標金榜,須要身旺逢官,身弱遇官,得後徒然費力.五言云,有官要有印,無刑足可誇,不爲金殿客,也作富豪家.)

통명부에서 이르길, 眞官의 時를 만나면 命이 强하여 일찍 금자(金紫;존귀한 사람)에 封하여 진다. 經에서 이르길, 官貴가 太盛한데 근본이 旺한 곳에 臨하면 반드시 기울게 된다. 三命에서 이르길, 根源이 천박淺薄한데 官貴를 만나도 영화롭지 못하고, 身弱한데 印綬의 생身과 比肩과 羊刃이 부신扶身하는 것을 좋아한다. 定眞[論]에서 이르기를 가장 귀한 것은 관성이 命이 되고, 日時에서 偏 正財를 얻어야 복이 된다. 또 말하길, 官星이 만일 劫財를 만나게 되면 비록 官星일지라도 귀하지 않다. (通明賦云,眞官時遇命强,早受金紫之封.經云,官貴太盛,纔臨旺處必傾.三命云,根元淺薄,遇官貴而不榮,身弱喜印綬生身,比肩羊刃扶身.定眞云,最貴者,官星爲命,日時得偏正財爲福.又云,官星如遇劫財,雖官非貴.)

논정관論正官-4

비결에 말하기를, 파직罷職되어 벼슬을 그만두는 것은 단지 官이 합하는 運을 만나는 것이다. 또, 官星을 거듭 만나게 되면 다만 煞로 보아야 하고 다시 官향에 이르면 재앙을 免하기 어려워 좋지 않고, 만약 官星이 많으면 제制하여야 복이 된다. (秘訣云,罷職休官,只爲官逢運合.又云,官星重見,只作煞推,再至官鄕,災非難免,若是太多,制之爲福.)

지미부에서 말하길, 日에서 眞官의 貴를 보고 時에 祿命을 더하면 時日에서 官印을 만나 생하니 마땅히 有氣한 곳을 의지해야 한다. 만약 衝破 공망을 보면 이들을 만나거나 만나지 않아도 官印은 鬼를 만나서, 官印은 없는 것과 같고, 鬼가 旺한지 鬼가 쇠衰한지 그 승부(勝負;승패)를 자세히 알고, 官이 命을 형하는 것을 기뻐한다. 命에서 도리어 官을 刑해서는 안되고, 官印이 형刑을 받으면 군사가 아니며 곧 관리인데, 官印이 숨어 있어 드러나지 않은 것은 예를 들면 옥대(玉帶;옥띠, 벼슬아치들이 공복에 두르는 띠)가 重重함과 같고, 時日에서 相逢하면 복덕福德은 열배를 능가하고, 官은 있는데 印綬가 없으면 청현(淸顯;청환淸宦과 현직顯職)한 이름을 구하기 어렵고, 印綬는 있는데 官이 없으면 신속하게 발달하지 못한다. (指迷賦云,日遇眞官貴,則時加祿命,

時日生遇官印,須憑有氣之鄕.若遇衝破空亡,此等遇而不遇,官印遇鬼,官印如無,鬼旺鬼衰,詳其勝負,官刑命喜.莫敎命反刑官,官印受刑,不戎卽吏,官印明無暗有,比如玉帶重重,時日相逢,福德勝坐十倍,有官無印,難求淸顯之名,有印無官,發不在迅速之內.)

연원부에서 이르길, 正官은 충성과 신의를 존중하는 이름이고, 제가(齊家;집을 다스림)하며 치국(治國;나라를 다스림)하는 별호이고, 사주에서 천시天時와 지리地利를 얻으면 일찍 과갑(科甲;장원급제)하며 妻를 얻어 자식을 양육하고, 歲運이 官印으로 흐르면 만정 천종萬鼎 千鍾의 쌍 깃발에 5馬의 마차를 탄다. 만약 歲運이 凡常하게 흐르면 항상 관사官事의 소요騷擾가 생긴다. 혹여 女命이면 읍호(邑號;여자들이 받는 품계)에 封하게 되니, 여명은 천한 가운데 도리어 귀하게 되지만, 男命은 貴가 어긋나 발달하기 어렵다. (淵源賦云,正官乃忠信尊重之名,治國齊家之號,四柱得天時地利,早登科甲而封妻蔭子,歲運行官印之鄕,萬鼎千鍾,雙旌五馬.若是庸流,常招官事之擾.如或如命,當膺邑號之封,女命如平賤中卻貴,男命不遇,靠貴而發.)

상심부에 이르길, 관성은 개제(愷悌;용모와 기상이 화평하고 단아함)하여 貴氣로워 헌앙(軒昂;풍채가 좋고 의기가 당당함)하고, 인품이 넉넉하며 인자하고 관대하고, 활달하며 목소리는 온화하고, 풍모는 아름답고 수려하고, 성격은 민첩하며 총명하다. 요결에서, 正官은 사람이 인색하다고 하였다. (相心賦云,官星愷悌,貴氣軒昂,抱優渥而仁慈寬大,懷豁達而聲韻和揚,彡姿美而秀麗,性格敏而聰明.要訣云,正官爲人慳吝.)

만기부에 이르길, 관성은 身을 영화롭게 하는 주체이며 祿의 근원이 되고, 財를 보면 현달顯達하게 되고, 刃양인을 보면 언건(偃蹇;거만함)하나 고독하다. 印綬가 순응하는 것을 좋아하고, 무리를 지어 신을 손상하는 것을 싫어한다. 따라서 공功名이 특별히 뛰어나는 것은 身强하며 官이 旺하면 휴영(虧盈;이지러지거나 가득 참)하여 祿에 이롭고, 身弱하고 官衰하거나 身旺하며 官이 미약하면 재물이 적고, 傷官이 만일 重하면 印綬가 돕는 것을 좋아하고, 身이 輕하면 다른神이 강한 것을 싫어하고 印綬가 생하고 제制하는 것을 좋아한다. (萬祺賦云,官星者,榮身之主,掌祿之源,逢財則從容顯達,遇刃則偃蹇伶仃.喜印綬以爲順意,忌偏黨以爲傷神,所以功名特達者,身强官旺,利祿虧盈者.身弱官衰,身旺官微,財名寡合,傷官若重,再喜印滋,身輕忌曜如强,偏愛印綬生制.)

고가에 이르길, 正氣 관성은 月支에서 用하고, 年時에서 財나 印綬 만나는 것을 좋아하고, 破害衝 공망 모두 침범하지 않으면 富貴가 雙全함을 알게 된다. 또 官星이 刑衝을 당하는 것은 불가하며, 官 煞이 함께 오면 吉이 凶으로 변하고, 化煞하여 官이 되어야 비로소 길한 것이고, 化官하여 煞이 되면 禍가 重重하다. 또 관성은 대체적으로 身强함을 원하고, 身弱하면 마땅히 기가 旺한 곳을 필요로 하고, 印綬와 겸하여 財旺地로 흐르고 衝 傷 破가 없으면 영화가 창성하다. 또 생月의 관성이 祿에 앉고, 日辰이 생왕生旺하면 복이 끝이 없고, 財가 있고 印綬가 있는데 傷破함이 없으면 [財印不碍] 소년시절에 명성을 이루어 玉堂에 坐한다. (古歌云,正氣官星用月支,喜逢財印到年時,破害衝空俱不犯,富貴雙全報爾知.又,官星不可被刑衝,官煞同來吉變凶,化煞爲官方是吉,

化官爲煞禍重重.又,官星大抵要身強,身弱須求氣旺方,印綬兼行財旺地,無衝傷破是榮昌.又,生月官星坐祿鄉,日辰生旺福無疆,有財有印無傷破,年少成名坐玉堂.)

또, 月에서 正祿을 만나면 眞官이라 하고, 刑 傷을 범하지 않으면 녹祿이 가장 크고, 日主가 흥륭(興隆;기운차게 일어나 번성함)하여 名利가 나타나고, 운에서 財印을 만나 金鑾이 따른다. 또, 印多 官多하면 貴命이 되고, 官旺한데 身衰하면 도리어 병病이되고, 官多하고 身旺하면 변화하여 財가 되고, 財旺하고 身衰하면 빈곤과 병病이 아우른다. (又,月逢正祿號眞官,不犯刑傷祿最寬,日主興隆名利顯,運逢財印步金鑾.又,印多官多爲貴命,官旺身衰反爲病,官多身旺化爲財,財旺身衰貧病併.)

또, 정관은 대체적으로 순화(純和;순수하고 화목함)하고, 사주에 損傷하고 철(掇;깎다)함이 없으면 품계가 높아지고, 時상에서 健旺한 財를 만나면 기뻐하며, 柱중에 印綬의 생함을 많이 만나면 기뻐하고, 오직 제강提綱에서 만나야 眞貴하고, 年에서 重逢하면 태다太多하고, 다른 곳에도 만약 煞이 있어 혼잡하면 도리어 고생하며 분파奔波를 당한다. 제반 모든 說을 합하여 正官을 관찰하여 喜 忌를 살펴봐야하는 것이다. (又,正官大抵要純和,四柱無傷掇顯科,時上喜逢財健旺,柱中欣見印生多.提綱獨遇爲眞貴,年位重逢乃太多,別處若有煞來混,反爲辛苦受奔波.合諸說觀正官,喜忌見矣.)

논정관論正官-5

천복귀인天福貴人

관성이 坐한 곳에서 祿을 만나는 것을 말한다. 가령 사람은 官職이 있으면 祿을 얻는데, 天福이 아닐 수 없다. 甲人生은 辛으로 官을 삼는데 辛의 祿은 酉에 있으니, 甲人이 酉를 만나고, 乙人이 申을 만나는 例이다. (謂官星坐處見祿,如人有官得祿,莫非天福.甲生人以辛爲官,辛祿在酉,是以甲人見酉,乙人見申之例.)

甲은 辛을 官으로 사용하니, 사주에 辛酉가 있고 다시 福神의 도움을 얻으면 생왕生旺하여 有氣하니 아름답게 된다. 一名 祿干福神이라 하여 만나게 되면 과거에 급제하여 이름이 높으며, 官職에서 존중받고, 사륜(絲綸;조칙詔勅의 글)을 주관하고 문필文筆의 아름다움이 많다. (甲用辛官,柱有辛酉,更得福神助之,生旺有氣爲佳.一名祿干福神,遇者主科名巍峨,官職尊崇,多掌絲綸文翰之美.)

천관귀인天官貴人

관성이 거하는 지지가 本旬에서 나와 변화하여 나타나는 것을 일컫는다. 가령 甲人은 辛으로 관성을 삼아 本旬이 변화하여 辛未를 얻고, 乙人은 변화하여 庚辰을 얻고, 丙人은 변화하여 癸巳를 얻는 例이다. (謂官星所居之地,出本旬遁見,如甲人以辛爲官星,本旬遁得辛未,乙人遁得庚辰,丙人遁得癸巳之例.)

十干에서 관성이 天乙貴人에 坐한 것이다. 가령 甲人이 辛未를 만나고, 丙이 癸巳를 만나면, 귀인의 頭上에 관성이 있고, 다시 印綬를 얻으면 祿貴가 온전하여 天元이 청수淸秀하고, 도리어 납음을 손상하지 못하니 더욱 길하고, 오히려 衝 剋하면 傷함이 있고, 불순不順하고 無氣하면 天官은 惡하여 吉은 제거할 것이다. 한편, 官貴堂格이라 이름한다. (十干官星,坐天乙貴人.如甲人見辛未,丙見癸巳,謂之貴人頭上戴官星,更得印綬祿貴全見,天元淸秀,不反傷納音尤吉,有反傷衝剋,不順無氣,則天官惡而吉去矣.一名官貴堂格.)

천원좌록天元坐祿

經에서 이르길, 金이 만약 火를 만나면 중요한 권력이 있어 방어防禦 자사刺史[9]의 벼슬을 한다. 庚午, 庚寅, 庚戌, 辛巳, 辛未 등의 日이다. (經云,金若遇火有重權,防禦刺史官.(如庚午,庚寅,庚戌,辛巳,辛未,等日))

水가 만약 土를 보고 官局에 들면 시랑侍郞의 祿을 더할 수 있다. 壬午, 壬戌, 癸巳, 癸丑, 癸未등의 日이다. (水若遇土入官局,可沾侍郞祿. (如壬午,壬戌,癸巳,癸丑,癸未,等日))

木이 만약 金을 만나면 손상하여 쇠衰하고, 化煞하면 權勢가 우레와 같다. 甲申, 甲戌, 乙巳, 乙酉, 乙丑등의 日이다. (木若遇金主傷衰,化煞爲權勢若雷.(如甲申,甲戌,乙巳,乙酉,乙丑,等日))

火가 만약 水를 보면 兵權을 가진 장수로서 三邊을 진압한다. 丙申, 丙子, 丙辰, 丁亥, 丁丑등의 日이다. (火若遇水主兵權,爲將鎭三邊.(如丙申,丙子,丙辰,丁亥,丁丑,等日))

土가 만약 木을 보면 正祿이 되고, 팔좌[10] 삼태[三台;삼태성三台星, 혹은 삼공三公]의 복이다. 戊寅, 戊辰, 己卯, 己未, 己亥등의 日이다. (土若遇木爲正祿,八座三台福.(如戊寅,戊辰,己卯,己未,己亥,等日))

이것은 곧 白虎持世等格인데 日主와 官貴는 서로 머물러야 하고, 편고偏枯하면 조화를 이룰 수 없고, 刑衝 破害를 크게 꺼리는데 貴氣를 손상하여 格을 이루지 못하는 것이다. 가령 庚午 日은 丁官이 坐하여 甲乙財를 만나면 官을 생하니 좋아하고, 戊己 印綬는 身을 생하고, 丙煞은 官과 혼잡한 것을 싫어하고, 癸水는 傷官이며 子는 午를 衝破한다. 나머지 干은 例로서 추리하라. (此

9) 防禦刺史官에서 사고전서원문 5권 27면 7째줄14글자 臣으로 기재
10) 八座 ; 1,후한後漢. 진晉나라에서 육조六曹의 상서尙書 및 일령一令. 일복야의 총칭總稱 2,위魏. 송宋. 제齊에서 오조五曹. 일령一令. 이복야의 총칭總稱

卽白虎持世等格,要日主與官貴相停,偏枯則不成造化,大忌刑衝破害,傷損貴氣,不成格矣.如庚午日坐丁官,喜見甲乙財生官,戊己印生身,忌丙煞雜官,癸水傷官,子衝破午.餘干例推.)

또 이르길, 日主에 관성이 坐하면 충을 크게 꺼리지 않은데, 비유하면 물건을 손에 쥐고 있으면 빼앗기지 않는 이치가 된다. 사람은 영리하나 好色하고 임기응변의 지략이 있다. 그런데 만약 日下에 一位라면 財 官運으로 흘러야 비로소 발달한다. 만약 생月에 녹祿이 있으면 지지에 財官이 坐하고 생時에서 득지得地하여야 바야흐로 眞貴가 된다. 壬午일은 녹마祿馬同鄕인데 다시 庚戌시를 만나면 뛰어나게 된다. 壬은 祿에 坐하고 庚辛이 甲乙을 제制하여 壬이 己土를 얻어 官貴가 된다. 가령 戊辰일은 辰중에 乙木이 戊의 官이 되고, 春절에 생하면 貴함이 두텁고, 秋節에 생하면 녹祿이 없고 명예는 헛된 것이다. (又曰,日主自坐官星,不大忌衝,譬執物在手,無可奪之理,主爲人伶俐好色,機變有謀.若只日下一位,行財官運方發.若生月帶祿,支坐財官,生時得地,方爲眞貴.壬午日是祿馬同鄕,更逢庚戌時爲妙.壬自坐祿,有庚辛制甲乙,使壬得己土爲官貴.如戊辰日,辰中乙木爲戊之官,春生貴重,秋生虛譽無祿.)

고가에서 말하길, 좌하座下의 관성이 가장 뛰어나고, 대부분 조상의 음덕으로 기반을 잡는다. 만약 印綬로 運이 흐르면 오히려 푸른 옷을 벗고 붉은 옷으로 바뀐다. [官服은 紫衣가 靑衣보다 官職이 높다.] (古歌曰,座下官星最是奇,多因祖蔭見根基,若要行往印鄕去,脫卻靑衣換紫衣.)

논정관論正官-6

세덕정관歲德正官

年상 干支의 官은 歲德이 되고, 喜忌는 月令의 正官과 같이 논한다. 年上의 正官을 보면 대대로 벼슬한 집안에서 태어나고 [관료집안 출신이 많다], 혹 음덕蔭德으로 祖父의 직위를 물려받는다. 만약 月에 財官 분야가 있으며 運이 財官의 왕지旺地로 向하고 日柱가 健旺하면 귀한 것은 틀림없다. (取年上干支官爲歲德,喜忌與月令正官同論.遇此必生宦族,或蔭襲祖父之職.若月居財官分野,運向財官旺地,日主健旺,貴無疑矣.)

무릇 年상에서 官을 만나면 福氣가 가장 두텁고 반드시 일직 발달한다. (凡年干遇官,福氣最重,發達必早.如癸酉庚申丙子丙申,年上官星,柱中會官局歸祿日下,丙剋申酉金,爲財官雙美,二丙身旺,十七八運行戊午,雖午衝子,申子會局,衝不能動,日主併旺,及第早發.)

예) 命造
丙 丙 庚 癸
申 子 申 酉
年상 관성인데, 柱중에 官으로 會局하여 녹祿이 日下로 돌아오고, 丙이 申 酉 金을 극하니 財

官雙美가 되고 2丙으로 身旺하며 17~8세에 戊午 運으로 行하는데, 비록 午가 子를 衝할지라도 申子가 會局하니 衝해도 動할 수 없고 日主가 아울러 旺하여 일찍 급제하여 發하였다.

고가에 이르기를, 年중의 正祿은 근아根芽인데, 반드시 身을 생하여 富貴한 가문이다. 運은 身旺地를 만나는 것을 좋아하고, 財가 생하여 印綬를 도우니 복이 끝이 없다. 또, 年上 관성은 歲德이 되고, 財와 印綬가 旺한 身宮을 만나는 것을 좋아하고, 七煞 偏官位를 만나지 않아야 부귀영화富貴榮華가 한이 없다. (古歌云,年中正祿是根芽,必主生身富貴家,運氣喜逢身旺地,財生印助福無涯.又,年上官星爲歲德,喜逢財印旺身宮,不逢七煞偏官位,富貴榮華莫與京.)

시상정관時上正官

시상정관은 예를 들면 甲일이 酉 辛 時, 乙일이 申庚時의 例이다. 시상관성과 月은 역시 동일한데, 단지 힘이 경미輕微하고, 晩年에 발복함이 많고, 혹 현자(賢子;현명한 자식)를 두려면 印綬의 도움이 있어야 한다. (如甲日酉辛時,乙日申庚時例.時上官星與月亦同,但力輕微,發福多在晩年,或生賢子,要有印助.)

月令에서 생왕生旺한 官의 기운이 財의 생함을 만나고, 혹 印綬가 생왕生旺한 運인 財官으로 흘러야 비로소 發福하며 破하거나 損傷하지 아니한다. (月令通生旺官氣,及見財生,或行財官,印生旺運,方可發福,破傷不中.如辛未辛卯庚戌壬午,時上正官,午戌會官局,卯未會木局,運至丁亥財局,三合全,生起丁官,貴爲學士,丙戌運官旺,祿位光華.雖見丙煞,有壬制辛合,不損貴氣.)

예) 命造
壬 庚 辛 辛
午 戌 卯 未
시상정관인데, 午戌이 官으로 會局하고, 卯未가 木局으로 會局하여 運이 丁亥에 이르러 財局의 三合이 온전하여 丁官星이 생起하니 貴함이 學士가 되고, 丙戌 運은 官이 旺하여 녹祿이 찬란하게 빛나는데, 비록 丙의 煞을 만나더라도 壬의 制함이 있으면 辛을 합하여 貴氣가 損傷되지 않는다.

고가에 이르기를, 正官이 有用하나 모름지기 많으면 안 되는데, [正官도] 많으면 身을 손상하니 적어야 화합하고, 日이 旺한데 다시 印綬의 생함을 만나면 단숨에 과거급제를 하게 된다. (古歌云,正官有用不須多,多則傷身少則和,日旺再逢生印綬,定須平步擢高科.)

향록임관向祿臨官

經에 이르기를, 向祿臨官格이 가장 드물다. (經云,向祿臨官格最稀,逢之官早拜丹墀.如戊戌己未乙

丑丁丑,坐下癸水爲印,金庫爲官,生於六月中氣後,土旺生金,運行西方,乙木向祿貴也.)

예) 命造
丁 乙 己 戊
丑 丑 未 戌
坐下의 癸水가 印綬이고, 金庫가 官이 되는데, 6月 中氣 후에 태어나니 土旺하여 金을 생하고, 運이 서방으로 흐르니 乙木은 向祿하니 귀한 것이다.

관인록살구전官印祿煞俱全

經에서 이르기를, 官印 祿煞이 모두 갖추면 팔좌八座[11]에 고르게 배치된다. (經云,官印祿煞俱全,八座鈞衡之任.如戊申己未壬子辛亥,壬坐子自旺,歸祿於亥,己爲正官,坐未帶刃,自旺,戊爲七煞,坐申自生,亥爲壬祿,秉辛受生,爲壬正印,臨官居申,四者皆旺,爲最貴造化.)

예) 命造
辛 壬 己 戊
亥 子 未 申
壬이 子에 坐하여 自旺하며 亥에서 歸祿하고, 己는 正官이 되는데 未에 刃을 동반하며 坐 하니 自旺하고, 戊는 七煞로서 申의 自生에 坐하고, 亥는 壬의 녹祿이 되고, 辛은 생하여 壬의 正印이 되고, 임관臨官은 申에 거하여 넷이 모두 旺하니 조화造化로워 가장 귀하게 된다.

논정관論正官-7

진관진마眞官眞馬

經에 이르기를, 眞官 眞馬는 月建을 합하는데 양부(兩府;文武의 官)가 청현淸顯하다. 가령 甲이 辛己를 보고, 乙이 戊庚을 보고, 丙이 辛癸를 보는 例이다. 또 외형은 上下官印이며, 또 이름이 십양금十樣錦인데, 科甲하나 벼슬을 하지 않는다. 평상인은 간난신고艱難辛苦를 하지 않고, 해마다 太歲는 祿를 띠고 第 三位에 있고, 秀才로 及第를 하여 항상 벼슬이 변경되어 양부兩府의 재상이 된다. 古歌에 이르길, 만약 3곳에서 만나면 食祿은 諸侯와 같다. (經云,眞官眞馬合月建,兩府官淸顯.如甲見辛己,乙戊庚,丙辛癸之例.又名上下官印,又名十樣錦,主甲科,官居禁地.常人不至艱辛,逐年太歲帶祿,在第三位,秀才請擧及第,常調改官,兩府入相.古歌云,若人三處遇,食祿定封侯.)

록마관인祿馬官印

---

11) ①중국 후한後漢, 진晉나라에서 육조六曹의 상서尙書 및 일령一令. 일복야의 총칭總稱 ②위魏, 송宋, 제齊에서 오조五曹. 일령一令. 이복야의 총칭總稱

命중에 祿 馬는 官 印을 아우르는데 福祿이 보배금과 진주와 같다. (經云,命中祿馬併官印,福祿金珠准.如戊申辛酉癸丑丁巳,癸坐丑自旺,辛坐酉祿旺爲印,時逢丁巳財官,又是天乙貴人,俱各有氣,故貴.)

예) 命造
丁 癸 辛 戊
巳 丑 酉 申
癸는 丑에 坐하여 自旺하며 辛은 酉祿에 坐하여 旺한 印綬가 되고, 時에 丁巳의 財 官을 만나고, 더하여 [癸는 巳에] 天乙貴人이 되어, 모두가 각각 有氣하므로 귀하다.

관인록고官印祿庫

經에 이르길, 官중의 祿을 보고 고庫인 財를 만나면 金玉이 자연히 온다. 예를 들면, 甲乙이 己丑을 만나고, 丙丁이 庚午를 만나고, 戊己가 壬辰을 만나고, 庚辛이 乙未를 만나고, 壬癸가 丙戌을 만나는 것이다. (經云,官中見祿庫逢財,金玉自天來.如甲乙逢己丑,丙丁逢庚午,戊己逢壬辰,庚辛見乙未,壬癸逢丙戌是也.)

예) 命造
壬 癸 辛 丁
戌 酉 亥 丑
癸가 丙을 用하면 財가 되며 戌은 財庫가 되고, 戊을 用하면 官이 되며 戌중의 戊土는 정히 旺하고, 財庫가 생조生助하며 酉는 癸의 印綬이고 丑은 印綬의 고庫인데, 財 官 印 모두가 고庫를 만나 旺하고, 衝 破가 없으니 귀하게 된다. (一命丁丑辛亥癸酉壬戌,癸用丙爲財,戌爲財庫,用戊爲官,戌中戊土正旺,財庫生助,酉爲癸印,丑爲印庫,財官印俱逢庫旺,無衝破爲貴.)

상형우귀相刑遇貴

經에 이르기를, 日時가 상형相刑하여 귀하게 되면 法을 다스리는 권세權勢를 가진다. 寅은 巳를 형하며 巳는 申을 형하는데, 庚辛은 寅을 만나면 귀인이 된다. 卯는 子를 형하며 子는 卯를 형하여, 癸乙이 쌍쌍(雙雙;癸乙, 癸乙)이면 富하며 淸청하다. 未는 戌을 형하며 戌은 未를 형하는데, 甲戌가 羊未을 만나면 귀하며 영화롭고, 文官은 불리하고 무직武職으로 권세權勢를 가진다. (經云,日時相刑得遇貴,執法有權勢.又云,寅刑巳,巳刑申,庚辛逢寅是貴人,卯刑子,子刑卯,癸乙雙雙富又淸,未刑戌,戌刑未,甲戊逢羊貴自榮,不利文官主武權.)

예) 命造 [유 응절상서]

戊 丙 乙 癸
子 戌 卯 未
子 卯 刑과 乙 癸를 얻고, 未 戌 刑과 戊를 얻었으므로 兵權과 刑權을 담당하는 관직을 하였고, 설령 학문學問으로 명성이 있더라도 翰林學士는 못했을 것이다. (如劉應節尙書癸未乙卯丙戌戊子,子卯刑而得乙癸,未戌刑而得戊,所以官歷兵刑,縱有文名,不居學翰.)

예) 命造
癸 丙 壬 壬
巳 申 辰 寅
丙일의 癸巳 時는 官星이 日祿이고 형刑이 申에 들어오니 格에 부합符合한다. (又壬寅壬辰丙申癸巳,丙日癸巳時官星日祿,刑入主申,合格.)

삼합우귀三合遇貴

經에 이르길, 三合이 만약 貴祿을 만나면 평생토록 재물과 곡식이 많다. (經云,三合若是遇貴祿,平生多財穀.如乙巳乙丑乙巳辛巳,乙爲日主,用庚爲貴,天干無庚,卻巳酉丑三合官局,故爲三合遇貴,又名暗官格.)

예) 命造
辛 乙 乙 乙
巳 巳 丑 巳
乙일주인데, 庚을 用하여 귀한데, 천간에 庚이 없으나 오히려 巳 酉 丑 三合하여 官局이다. 따라서 三合遇貴가 되고, 그리고 명칭은 暗官格이라 부른다.

월시봉귀月時逢貴

經에 이르기를, 月에서 귀인의 지지를 만나고 녹마祿馬가 加重하면 少年에 及第하여 명성이 都城에 찬란하게 퍼진다. 가령 甲일이 酉戌의 月時를 만나거나, 乙일이 申庚의 月時를 만나서 巳 酉 丑이 日時에 함께 犯갖추는하는 것인데, 重祿이라 부르며, 休囚한 지지에 있지 않고 刑衝 傷害하지 않아야 비로소 用할 수 있다. (經云,月逢貴地,祿馬重加,少年及第,名播京華.如甲日遇酉戌月時,乙日遇申庚月時,及巳酉丑日時同犯者,名重祿,要不在休囚之地,不刑衝傷害,方可用.)

논정관論正官-8

정관회취五官會聚

가령 甲乙인이 庚辛, 申酉, 戊 己 丑을 보면 순관純官인데, 四柱의 원국에 丙 丁 火가 제복制伏하여야 길하고, 혹 日柱가 旺하거나 比劫이 도와도 역시 길하다. 만일 制伏함이 없으며 다시 金의 지지로 흐르면 화환禍患은 말로 형언하기 어렵다. 一名 취귀聚鬼라 하며, 요절살夭折煞이라고도 하는데, 鬼가 有氣한 달月을 만나면 君子는 현달顯達하지만 평상인은 요절 횡사하고, 無氣하면 君子는 도리어 夭折하고 평상인은 서리胥吏를 한다. (如甲乙人遇庚辛申酉戊己丑純官,四柱原有丙丁火制伏則吉,或日主自旺,比劫相助亦吉.如無制伏,再行金地,禍患不可勝言.一名聚鬼,又名夭折煞,遇鬼有氣之月,君子主貴顯,常人夭橫,無氣,君子反夭折,常人作胥吏.)

오행부잡五行不雜

經에 이르길, 오행이 서로 혼잡하지 않아야 반드시 벼슬이 현달顯達한다. 오행不雜格은 생日이 主가 되고, 時는 분야分野가 되며, 月은 근根 묘苗가 되고, 年은 本身이 되는데 각각 녹마祿馬의 지지가 되고 서로 刑害하지 않아야 한다. (經云,五行不相雜,爲官必顯達,此格以生日爲主,時爲分野,月爲根苗,年爲本身,各歸祿馬之地,不相刑害.)

예) 命造
丁 癸 辛 辛
巳 巳 丑 丑
癸일이 主인데, 천간의 金水는 상생하고 지지는 2丑 2巳로서 모두 金의 분야分野인데, 癸일에 官이 旺하고 서로 형하거나 제制하지 않으니 귀하다. (如辛丑辛丑癸巳丁巳,癸日爲主,天干金水相生,地支二丑二巳,皆金分野,癸日官旺,不相刑制,爲貴.)

금목간격金木間隔

經에 이르길, 木이 만약 金과 간격間隔을 두고 만나면 양부(兩府;文武)에서 벼슬을 하지만, 木은 金이 없으면 결국 그릇을 이루지 못한다. (經云,木若逢金間隔,作兩府之官.木無金終不成器.如楊博尚書,己巳庚午乙卯庚辰,乙坐卯自旺,生於午,得兩庚間隔成器,故貴極品.)

예) 命造[楊博 尙書양박 상서]
庚 乙 庚 己
辰 卯 午 巳
乙이 卯에 坐하여 旺하며 午를 생하고, 2개의 庚을 얻고 간격을 두어 기물을 이루었다. 따라서 貴는 극極品이었다.

예) 命造

甲 乙 戊 庚
申 酉 子 申
乙일주는 無氣하고, 庚은 官이 되며 酉에서 旺한데, 乙 庚이 化金하니, 처종부화(妻從夫化;妻는 남편의 운화를 따른다)하여 貴를 이룬다. 月令의 子중의 癸는 印綬가 되며 申子가 合局하여 木을 생하고, 行運이 동남의 身旺한 지지로 흘러서 制煞하는 것이므로 귀하다. (又庚申戊子乙酉甲申,乙爲日主,無氣,取庚爲官,旺於酉,乙庚化金,妻從夫化成貴.月令子癸爲印,申子合局,生木運行東南身旺之地,制煞之鄕,故貴.)

또 이르길, 木官은 重하지 않아야하고 木은 마땅히 金이 적당하여야 하는데, 만일 2개의 木과 2개의 金으로 기가 상정相停하고 치우치지 않으면 더욱 귀한 것이다. (又云,木官不重,以木須要金,而木適中,如兩木兩金,氣相停不偏,尤貴.)

수화기제水火旣濟

經에 이르기를, 火가 만약 水를 보면 기제旣濟를 이루어 병권兵權이 萬里에 미친다. (經云,火若遇水成旣濟,兵權萬里.如辛巳辛丑丙子戊子,丙日臨子,坐下正官,月時引旺,重逢奇儀,丙以癸爲官,癸以戊爲官,互換見官,丙合辛財生官,化爲眞水.戊子時,戊合子中癸,化爲眞火,入水火旣濟格,故貴.)

예) 命造
戊 丙 辛 辛
子 子 丑 巳
丙일이 子에 臨하니 坐下가 正官인데 月時에서 인종引從하여 旺하니 거듭되게 기의奇儀함을 만났다. 丙은 癸를 官으로 삼고, 癸는 戊를 官으로 삼으니 호환(互換;서로 교환함)하여 官을 만나는데, 丙이 辛 財와 합하여 官을 생하니 화化하여 眞水가 된다. 戊子 時의 戊는 子중의 癸를 합하니 화化하여 진화眞火가 되므로 수화기제水火旣濟格이 된다. 따라서 귀한 것이다.

금화상성金火相成

經에 이르기를, 金은 火의 制가 없으면 그릇을 이루기 어렵다. (經云,金無火制器難成.如乙巳辛巳庚午辛巳,庚坐午,入火鄕官貴之地,喜生四月逢生,天干二辛相比,地支巳午純火,金生火旺,兩各有氣,故貴.)

예) 命造
辛 庚 辛 乙
巳 午 巳 巳
庚은 午에 坐하니 火鄕인 官貴의 지지인데, 4月에 생하여 장생長生을 만나니 기쁘고, 천간은 2

개의 辛인 比겁이고, 지지는 巳午의 순수純粹한 火로써 金은 화왕火旺함을 생하니 金과 火가 각각 有氣하므로 귀한 것이다.

또 말하길, 金鬼는 치우침이 없으니, 金은 반드시 어느 정도의 火가 필요하다. 만일 2개의 火와 2개의 金이 각각 생왕生旺한 곳에 있으면 더욱 뛰어나다. (又云,金鬼無偏,以金須要火,而金相當,如兩火兩金,各居生旺,尤妙.)

논정관論正官-9

생성관성生成官星

예컨대, 甲乙人이 辛巳 庚申 辛酉를 얻거나 壬癸人이 戊申 己亥 戊子를 얻는 例이다. 또 眞官이라 하고, 마땅히 甲이 辛을 얻고 乙이 庚을 얻어야, 자연히 陽干은 陰支를 짝하며 陰支는 陽干을 합한다. 제왕帝旺이 최고이며, 임관臨官건록은 다음이고, 장생長生은 아래가 된다. 만약 역마驛馬 學堂 文星 天乙을 다시 만나면 歲運과 관계없이 자연히 분발하여 형통하지만 오히려 무익하다. (如甲乙人,得辛巳庚申辛酉,壬癸人,得戊申己亥戊子之例.又名眞官,須甲得辛,乙得庚,自然陽干配陰支,陰支合陽干,帝旺爲上,臨官次之,長生爲下.若再遇驛馬學堂文星天乙,不待歲運,自然奮亨,反則無益.)

교호관성交互官星

예컨대, 甲申이 乙酉를 보고, 丙午가 壬子를 만나고, 乙卯가 戊申을 보고, 庚午가 壬午를 보고, 丁巳가 辛亥를 만나고, 癸亥가 丁巳를 보는 것인데, 피차간에 서로 만나는 것이다. 만약 생왕生旺한 기運을 얻으면 귀현貴顯하는데 아래의 例 命造인 것이다. (如甲申見乙酉,丙午見壬子,乙卯見戊申,庚午見壬午,丁巳見辛亥,癸亥見丁巳,彼此互見.若生旺得氣,主貴顯.如范文正公丙午己亥戊子壬子是也.)

예) 命造 [范 文正 公 범 문정 공]
壬 戊 己 丙
子 子 亥 午

허협관록虛夾官祿

예컨대, 甲은 辛을 官으로 삼는데, 癸酉를 만나면 正官의 녹祿이 되니, 壬申과 甲戌을 보면 그 사이를 공협拱夾하는 것이다. 乙은 庚을 貴로 삼는데, 甲申을 보면 正官의 녹祿이 되니, 癸未와 乙酉를 보면 그 사이를 拱夾하는것 等의 例이다. 虛夾官祿이 있는 자는 正官의 正祿을 가진者를 능가한다. (如甲以辛爲官,見癸酉爲正官祿,遇壬申甲戌夾之.乙以庚爲貴,見甲申爲正官祿,遇癸未乙酉夾之等例.遇者勝帶正官正祿.)

관성육합官星六合

예컨대, 甲子가 辛丑을 만나고, 丁亥가 壬寅을 만나는 종류인데 더하여 같은 旬중에 있으면 더욱 뛰어나다. 고가에 이르기를, 관성 六合은 아는 사람이 적은데 貴가 旬중에서 비롯하니 기이한 것이고, 생日 생時에 같은 線上에 들면 태사太師 태부太傅가 되어 정기旌旗를 가진다. 예를 들면 채경의 命인 것이다. (如甲子見辛丑,丁亥見壬寅,之類,更在一旬尤妙.古歌云,官星六合少人知,貴在旬中始是奇,生日生時如點入,太師太傅佩旌旗.如蔡京丁亥壬寅壬辰辛巳是也.)

예) 命造 [蔡京채경][12]
辛 壬 壬 丁
巳 辰 寅 亥

관하유관官下有官

예컨대, 甲인이 辛月 丙日 癸時의 종류를 만나는 것이다. (如甲人見辛月丙日癸時之類,主官職崇高,名位淸峻.官下食合.如甲人見辛爲官,辛食癸,丙與辛合,在月日時之類.主爲官有貼職,常人有兼藝.)

예) 아래에 보기 쉽게 적는다.
時 日 月 年
癸 丙 辛 甲
ㅁ ㅁ ㅁ ㅁ
관직이 숭고崇高하며 명성이 청준淸峻하다. 官下食合官 아래의 食神과 合으로 함로 가령, 甲인이 辛을 보면 官이며 辛의 食神은 癸인데, 丙과 辛이 합하니, 月 日 時에 있는 종류인데 관직에 종사함이 많고, 평상인은 藝術을 兼備한다.

논정관論正官-10

진관최관眞官催官

12) 이러한 생時 생日은 나올 수 없다. 생日이 庚辰일 이거나, 생時가 辛丑 時이거나, 乙巳 時라야 맞다.

예컨대, 己丑이 甲寅을 얻고, 辛丑이 丙寅을 얻는 것처럼 命 앞의 一辰일신의 종류가 眞官이 되는데, 귀하지 않으면 富하다. 예컨대, 庚辰이 乙卯를 보거나, 戊子가 癸丑을 만나는 것처럼 下로부터 上이니 이름이 최관催官의 종류인데, 공명이 뛰어나게 발달한다. (如己丑得甲寅,辛丑得丙寅,命前一辰之類爲眞官,不貴卽富.如康庚辰見乙卯,戊子見癸丑,自下而上,名催官之類,主功名發越.[原文의 康字를 庚字로 고침])

官煞會墓관살회묘

예컨대, 甲乙人이 辛丑을 보거나, 丙丁人이 壬辰을 만나거나, 戊己人이 乙未를 보거나, 庚 辛人이 丙戌을 만나거나, 壬癸人이 戊辰을 만나면 官 煞이 묘墓地에 거하는 것인데, 君子는 科甲하고, 武人은 戰功을 세우지만, 평상인은 예술을 직업으로 한다. (如甲乙人見辛丑,丙丁人壬辰,戊己人乙未,庚辛人丙戌,壬癸人戊辰,以官煞居墓地.君子主科甲,武人戰功,常人藝業出俗.)

삼태공제좌三台拱帝座

오직 납음으로 논하는데, 가령 水人이 甲寅과 己亥日時를 얻으면 甲寅[大溪水]水가 甲己土를 보는 것으로 眞官이 되고, 다시 [眞土인 甲이] 己亥[平地木]木을 또 보아도 官이 된다. 甲의 귀인은 丑에 있고, 己의 귀인은 子에 있는데, 六合의 사이에 있으므로 명칭[삼태공제좌]한다. 만일 凶神惡煞 衝 破를 犯하지 않으면 관직이 三台[높은 벼슬]에 들고, [犯하는 것이] 있으면 減하여 관직이 떨어진다. 庚寅 생이 乙亥를 만나도 역시 같다. 이상으로 모든 관성을 구분하여 말했다. (專論納音,如水人得甲寅,又己亥日時,甲寅水見甲己土,乃是眞官,甲眞土,復見己亥木,又爲官.甲貴在丑,己貴在子,在六合之間.故名,如不犯凶神惡煞衝破,則官入三台,有則減落斷之.庚寅生見乙亥亦是.以上俱官星分出.)

3. 논편관論偏官-1~13

논편관論偏官-1

喜신왕,인수,합살,식제,양인,비견,봉살간인급인,이식위인.忌신약,재성,정관,형충,입묘 (喜身旺,印綬,合煞,食制,羊刃,比肩,逢煞看印及刃,以食爲引,忌身弱,財星,正官,刑衝,入墓.)

一曰偏官,二曰七煞,三曰五鬼,四曰將星,五曰孤極星.

편관은 甲이 庚을 보고, 乙이 辛을 만나는 例이다. 마치 두 남자가 같이 거주居住하지 못하며 두 여자가 동거同居하지 못하는 것과 같이 짝을 이루지 못하는데 따라서 偏이라 한다. 그 간격이 7位이며 서로 전극戰剋하므로 칠살七煞이라고 한다. 비유하면 소인은 흉포凶暴함이 많아 꺼리는 것이 없는데, 만약 예법禮法이 없으면 통제하고 징계하지 못하면 반드시 主군주를 손상하므로 制함이 있으면 편관偏官이라 하고 制함이 없으면 칠살七煞이라고 한다. (偏官者,乃甲見庚,乙見辛之例.猶二男不同處,二女不同居,不成配偶,故謂之偏,以其隔七位而相剋戰,故謂之七煞.譬小人多凶暴,無忌憚,若無禮法控制之,不懲不戒,必傷其主,故有制謂之偏官,無制謂之七殺.)

만일 일주가 건왕健旺하고 印綬가 化를 돕는 것은, 곧 經에서 말하기를, 煞이 印綬를 만나서 顯達하는 것은, 煞이 印綬의 생함을 돕는다. 재성이 있어 생부生扶하는 것은, 곧 經에서 이르길, 煞이 財를 볼 경우인데, 만일 身强한데 煞弱하면 재성이 있으면 길하고, 身弱한데 煞强하면 財는 鬼를 끌어와 도기盜氣하니 가난하지 아니하면 요절한다. 食神이 있어 制함이 透出하는 경우, 곧 經에서 말하길, [煞을] 제복制伏하면 오히려 귀하게 된다. 본래 羊刃이 있어 배합하는 경우, 곧 經에서 말하길, 煞은 刃양인이 없으면 현달顯達하지 못하니, 煞을 만나면 羊刃을 보아야하는 것이다. (如日主健旺,有印綬助化,卽經云,煞見印而顯,煞助印生.有財星生扶,卽經云,煞看財,如身強煞弱,有財星則吉,身弱煞強,有財引鬼盜氣,非貧則夭.有食神透制,卽經云,一見制伏卻爲貴.本有羊刃配合,卽經云,煞無刃不顯,逢煞看刃是也.)

이상이 [편관의] 制合生化의 모두 인데, 마땅히 태과太過 불급不及함이 없어야한다. 小人이 세력勢力을 빌려서 君子를 호위護衛하여 권위權威를 이룸으로써 대권大權 대귀大貴의 命이다. 또 성격性格은 총명聰明하지만, 日主의 쇠약함과, 七煞의 중봉重逢함과, 三刑 六害와, 劫겁살과 亡망신이 서로 동주同柱함과, 괴강魁罡이 상충하는 것을 꺼리는데, 그 凶함은 전부 말을 할 수가 없다. (以上諸制合生化,須要無太過不及,是借小人勢力,衛護君子,以成威權,乃大權大貴之命.又性格聰明,忌日主衰弱,七煞重逢,三刑六害,劫亡相併,魁罡相衝,其凶不可具述.)

만약 七煞이 하나인데 2~3곳에서 制伏함이 있으면 煞이 旺한 지지로 行함을 좋아하지만, 운에서 재차 [煞을] 제복制伏하게 되면 "진법무민"盡法無民;法이 없으면 질서가 없는 것과 마찬가지로 관성은 힘이 없으면 법이 없는 백성이라는 뜻이다이 되어, 비록 사나움은 맹호猛虎와 같더라도 그 재능을 펼칠 수 없는 것이다. 또 [편관은] 오로지 制伏한다 고 말할 수는 없으니 輕重을 가리는 것이 필요하다. 따라서 經에서 말하기를, 원래 제복制伏이 있는 경우는 煞이 출현해야 복이 되고, 원래 제복制伏함이 없는 경우에 煞이 출현하면 禍가 되는 것이라고 말하였다. (若七煞止一,而制伏有二三處,喜行煞旺地,倘運再遇制伏,則盡法無民,雖猛如虎狼,亦不能逞其技矣.是又不可專言制伏,要輕重得所.故經云,原有制伏,煞出爲福,原無制伏,煞出爲禍,此之謂也.)

가령, 甲이 庚과 申을 만나거나, 乙이 辛과 酉를 만나서 柱중에 煞이 旺하여 有氣하면 마땅히 동남 方으로 運이 흘러야 庚辛이 無氣하게 제制하여야 비로소 발달한다. 그렇지 않으면 寅卯월에 생하거나 혹 장생長生 임관臨官건록 제왕帝旺에 坐하고 다시 比肩이 많아 동류同類=比劫가 도우면 鬼는 官으로 화化하여 "화살위권"化煞爲權이 되니, 行運이 印綬 鄕으로 흐르면 반드시 발달하여 부귀하지만, 그런데 歲運에서 다시 煞地를 만나면 禍가 돌아서지 않는다. (假如甲見庚及申,乙見辛及酉,柱中煞旺有氣,宜行東南方運,制庚辛無氣方發.否則生寅卯月,或自坐長生,臨官,帝旺,更多帶比肩,同類相扶,則能化鬼爲官,化煞爲權,行運引至印鄕,必發富貴,倘歲運再遇煞地,禍不旋踵.)

가령, 甲寅 생인生人이 身旺한 歲月이 되고, 庚申을 만나 煞이 旺한데 柱중에 火의 制함이 透出하지 않고, 지지에 子辰이 會하여 印綬 局을 이루면 煞은 印綬를 생하고, 印綬는 身을 생하여 권세가 되어 貴함을 볼 수 있다. 年干에 煞이 노출한 것과 月令이나 時支에 [煞이 노출한 것과] 같지 않은데, 太歲는 곧 一生의 주체로 가장 중요하다. 가령 甲이 庚년을 만나거나, 乙이 辛년을 만나고 또 申 酉 丑월에 생하여 柱중에 金이 많은데, 大運이 다시 金鄕으로 흐르며 流年의 歲君에서 아울러 만나면 凶함은 더욱 甚하게 된다. 만약 寅 午 戌및 木이 旺한 달月에 생하여 火가 身强함을 제制하면 金絶하여 害가 되지 않고, 곧 길하게 된다. (假令甲寅生人,爲身旺歲月,見庚申爲煞旺,柱中不透火制,地支子辰會印成局,則煞生印,印生身,作權貴看.年干露煞,與月令時支不同,太歲乃一生之主,最重.如甲見庚年,乙見辛年,又生申酉丑月,柱中金多,大運再行金鄕,流年歲君並見,爲凶尤甚.若生寅午戌及木旺之月,火制身強,金絕不能爲害,則吉.)

논편관論偏官-2

經에서 이르기를, 甲은 庚을 만나면 패敗하여 뿌리가 마르며 지엽枝葉이 시들어 떨어진다. 乙은 辛을 보면 손상되며 초목의 뿌리가 잘리고 싹은 손실된다. 이글거리는 丙火가 壬을 만나면 불꽃이 검으며 빛이 없다. 찬란한 丁의 붉음은 癸를 만나면 찬란한 빛이 소멸한다. 戊가 甲을 만나면 복이 바뀌어 재앙이 된다. 己가 乙鄕에 坐하면 자연히 祿元이 손상된다. 庚이 丙을 만나 싸우면 형세가 위태롭게 된다. 辛이 丁에게 손상損傷을 당하면 공격을 받아 害가 된다. 壬이 戊土를 만나면 절름거리고 주저하여 소통하기 어렵다. 癸가 己鄕으로 나아가면 분파奔波하여 보존하기 어렵다. 干은 생왕生旺한 祿으로 도와야하기 때문에 羊刃이 오는 것을 좋아하는데 합하거나 제制하여야한다. (經云,甲逢庚敗,凋零枝葉根枯,乙遇辛傷,消乏本根苗損,炎炎丙火,遇壬而黑焰無光,燦燦丁紅,見癸而輝光自滅,戊臨甲位,須防轉福爲殃,己坐乙鄕,自是祿元有損,庚遭丙戰,勢自傾危,辛被丁傷,剋伐爲害,壬逢戊土,蹇澀難通,癸就己鄕,奔波難保.干祿生旺,可以扶持,惟喜刃來,自能合制.)

또 이르길, 오행에서 월지의 편관을 보고 단지 지지에서 一位를 허용하고 많으면 좋지 않다. 사주에서 순수한 煞에 제制함이 있으면 일품一品으로 존귀尊貴하게 된다. 일위一位의 正官을 만나면 관살혼잡官煞混雜하여 도리어 천賤하다. 사주四柱에 煞이 旺하고 運이 순하면 身이 旺해야 官이 청귀淸貴하게 된다. 또 이르길, 身煞이 모두 旺하고 制伏함이 없는데 또 煞이 旺한 運으로 흐르면 비록 귀하더라도 오래가지 못한다. (又云,五行遇月支偏官,只許地支一位,多則不佳,四柱純煞有制,定居一品之尊.略見一位正官,官殺混雜反賤.四柱煞旺運純,身旺爲官清貴.又云,身煞俱旺無制伏,又

行煞旺運,雖貴不久.)

또 이르길, 柱중에 七煞이 모두 나타나고 극極히 身弱하면 가난하거나 壽가 짧다. 小學 계선편에 이르기를, 요절하지 않으면 가난한 것은 반드시 身이 쇠약한데 鬼를 만나는 것이다. 또 말하길, 身强하고 살천煞淺하면 가살위권假煞爲權하고, 煞이 重한데 身이 輕하면 종신토록 손해가 있다. (又云,柱中七煞全彰,身弱極,貧無壽.繼善篇云,非夭卽貧,必是身衰遇鬼.又云,身強煞淺,假煞爲權,煞重身輕,終身有損.)

독보에 이르기를, 格을 자세히 추리하면, 煞이 重하면 煞을 제制하여야 權이 되는데, 어찌 손상함을 근심할 필요가 있겠는가! 七煞을 제복制伏하면 旺한 중에 貴를 취하고, 鬼가 犯한 것이 輕한데 제制하면 오히려 안 된다. 통명부에서 이르기를, 月에서 칠살을 만나고 身도 강하면, 흑두장상(黑頭將相;나이가 젊은 재상)이 된다. 또 이르길, 七煞의 뿌리가 많으면 모름지기 시종始終으로 극해剋害하여 꺼린다. 財는 七煞의 뿌리가 된다. (獨步云,格格推詳,以煞爲重,制煞爲權,何愁損用,七煞制伏,旺中取貴,元犯鬼輕,制卻爲非.通明賦云,月中遇煞命元强,黑頭將相.又云,七煞多根,須忌始終剋害.財爲七煞之根.)

정진에 이르길, 七煞이 만일 財의 도움을 만나면 그 煞은 점점 더 흉하다. 또 이르기를, 羊刃은 병기兵器인데 살煞이 없으면 존재하기 어렵고[쓸모가 없고], 살煞은 군령軍令인데 刃이 없으면 존귀尊貴하지 못하고, 刃과 煞이 모두 나타나야 위엄이 천지를 진압한다. (定眞云,七煞如逢財助,其煞愈凶.又云,刃爲兵器,無煞難存,煞爲軍令,無刃不尊,刃煞兩顯,威鎭乾坤.)

원리부에서 이르길, 당권當權하는 것은 용살用煞하고 용인用印하지 않는다. 또 이르길, 헌태憲台의 직책을 받는 것은 偏官이 득지得地한 것이다. 또 이르길, 편관격은 상관을 좋아하고 身强함을 싫어한다. 또 이르길, 食神이 制煞하는데 梟神을 만나면 가난하지 않으면 요절夭折한다. 유현부에 이르기를, 칠살패인(七煞佩印;칠살이 인수를 차다)은 충분히 오대(烏臺;사헌부의 별칭)로 논하게 된다. (元理賦云,當權者,用煞而不用印.又云,受職憲台之除,偏官得地.又云,偏官之格,喜傷官而怕身强.又云,食神制煞逢梟,不貧則夭.幽玄賦云,七煞佩印,足爲烏臺之論.)

사언{독보}에 이르기를, 살煞은 인수印綬를 떠날 수 없고, 인수印綬는 살煞을 떠날 수 없으니 살인상생煞印相生하여야 공명功名이 현달顯達한다. 묘선부에서 이르길, 煞은 무예武藝가 되고 印綬는 문화文華인데, 살煞이 있고 印綬가 없으면 문채文彩에 흠결하고, 印綬가 있고 煞이 없으면 위풍威風이 흠결欠缺한다. 살煞인刃이 쌍전雙全하여야 절묘絶妙한데, 마땅히 문무文武를 모두 갖춘다. (四言云,煞不離印,印不離煞,煞印相生,功名顯達.妙選賦云,煞爲武藝,印爲文華,有煞無印欠文彩,有印無煞欠威風.絶妙煞印雙全,宜其文武兩備.)

현기부에 이르기를, 신身강强하고 살煞천淺하면 살煞 運이 무방無妨하고, 煞이 重하고 身이 輕

하면 煞을 제制하여야 복이 된다. 옥갑에 이르기를, 七煞이 咸池면 양귀비楊貴妃가 만마萬馬를 죽인다. 유현부에 이르길, 七煞이 장생長生의 자리를 만나면 여자는 귀한 남편을 맞는다. 낙역부에 이르길, 煞이 자식의 자리에 臨하면 반드시 패역悖逆한 아이자식을 두게 된다. 천리마에 이르길, 七煞은 制함이 있어도 자식이 많다. (玄機賦云,身强煞淺,煞運無妨,煞重身輕,制鄕爲福.玉匣云,七煞咸池,楊貴妃身死於萬馬.幽玄賦云,七殺遇長生之位,女招貴夫.絡繹賦云,煞臨子位,必招悖逆之兒.千里馬云,七煞有制亦多兒.)

상심부에 이르기를, 편관 칠살은 세력이 3功을 압도하고, 주색酒色을 즐기며 투쟁鬪爭을 좋아하고 풍채가 좋고 의기가 당당하여 약자를 도우며 강자를 기만하고, 성정性情은 범과 같아 조급躁急하기가 바람과 같다. 정진부에 이르길, 七煞이 身에 臨하면 가장 흉한데, 日時에 二德을 만나면 상서롭게 된다. 요결에서 이르길, 偏官이 혹 검봉劍鋒이 되면 海外에서 직업이 평탄하다. 또 이르길, 煞이 權으로 화化하면 한문(寒門;가난하고 문벌이 없는 집안)에서 귀객이 나타난다. (相心賦云,偏官七煞,勢壓三公,喜酒色而偏爭好鬪,受軒昂而扶弱欺強,性情如虎,急躁如風.定眞賦云,最凶者七煞臨身,日時逢二德爲祥.要訣云,偏官或持劍鋒,海外坦服.又云,以煞化權,定顯寒門貴客.)

논편관論偏官-3

고가에 이르기를, 편관이 흉하다고 말하기는 불가한데, 제制하면 의록衣祿이 풍부하고, 干 상에 食神이나 지지에서 合을 띠면 자손들의 식견이 높아 봉작封爵을 받는다. 또, 身이 제강提綱에서 七煞을 만날 경우에 단지 干[일간]이 쇠약하면 크게 손상함을 받고, 正祿이 교차交差하며 刑 煞이 들면 종신토록 재앙災殃을 면하지 못한다. 또, 七煞이 제강(提綱;月令)이면 본래 근심이지만 다만 길들여서 복종시키면 좋아하여 근심이 없고, 평생토록 정직하며 요사스러움이 없고, 직위職位는 마땅히 만호후(萬戶侯;일만 호의 백성을 가진 諸侯)에 봉해진다. 또, 月이 편관이면 본래 煞神인데 制함이 있으면 일품一品으로 존숭尊崇된다. 만약 자신에게 영화榮華와 귀貴함이 늦어지면 마땅히 福은 子孫에게 미치게 된다. (古歌云,偏官不可例言凶,有制還他衣祿豐,干上食神支帶合,兒孫滿眼受褒封.又,身逢七煞是提綱,只爲干衰大受傷,正祿交差刑煞入,終身不免受災殃.又,七煞提綱本是愁,只因馴服喜無憂,平生正直無邪曲,職位當封萬戶侯.又,月位偏官本煞神,有制還居一品尊.假若自身榮貴晩,也須爲福及兒孫.)

또, 月支의 편관은 충을 가장 꺼리며 상관이나 양인을 만나는 것을 좋아하고, 일간이 旺하여야 귀한데, 제복制伏이 지나치지 않아야 만사萬事가 형통한다. 또, 편관은 제화制化하면 權이 되는데, 영준英俊하여 少年시절에 문장文章이 뛰어나며, 身旺하면 대간객(台諫客;諫官)에 오르고, 印綬가 官을 도우면 [임금의] 은혜를 누차 받는다. 또, 만약 七煞이 화化하여 權이 된 것을 만나면 무직武職으로 공명功名이 구천九天까지 퍼지며, 위엄은 변방을 진압하는 공功으로 세상을 덮으니, 마치 "비휴(貔貅;표범, 날쌘 맹수)가 운무雲霧를 가르며 채찍을 휘날리고 하늘을 나는 듯하다.”(又,月支偏官最忌衝,傷官羊刃喜相逢,日干旺相皆爲貴,制伏無過百事通.又,偏官有制化爲權,英俊文章發少年,身旺定登台諫客,印助扶官累受宣.又,若逢七煞化爲權,武職功名奏九天,威鎮邊疆功蓋世,貔貅雲擁盡揚鞭.)

또, 煞神을 원래 제制하는 것이 손상하면 制伏하고 身强하여야 녹祿이 창성한데, 만일 제복制伏을 먼저 만나 손실이 있으면, 장차 富貴가 변하여 재앙災殃으로 돌아온다. 또, 命중에서 傷官과 七煞을 싫어하는데, 제복制伏하여 조화調和로우면 權이 되지만, 日이 弱하고 또 제복制伏하는 것이 없으면 조마조마한 것이 마치 호랑이를 안고 잠자는 것과 같다. 또, 身弱한데 煞强하여 제制하는 神이 없으면 재화災禍가 많이 발생하여 감당하기 어렵다고 논하는데, 다시 官旺한 지지에 들면 어찌 감당할 것이며, 질병으로 형벌과 喪을 당한다. (又,煞神原有制神傷,制伏身强祿位昌,如見制伏先有損,返將富貴變災殃.又,傷官七煞命中嫌,制伏調和可作權,日弱又無制伏者,兢兢如抱虎而眠.又,身弱煞強無制神,多生災禍不堪論,那堪更入官旺地,躭疾遭刑喪此身.)

또, 편관의 제복制伏이 태과太過한 경우는 가난한 유생儒生인 것을 어찌 의심하겠는가! 歲時에서 만약 財旺한 지지를 보면 煞星이 되살아나서 권위權威가 일어난다. 또, 甲 乙은 重煞인 庚辛이 노출하면 月중에서 水木이 더하여 臨하는 것을 기뻐하고, 行運이 木火로 흘러야 명리名利가 흥興한데, 水運으로 흐르면 火金을 두려워한다. 또, 丙丁이 5月에 煞을 거듭 만나면 木火가 臨해야 큰 공功이 있고, 金水運으로 흐르면 身에 禍가 미치고, 子가 와서 衝破하는 것이 가장 흉하다. (又,偏官制伏太過時,貧儒生此更何疑,歲時若遇財旺地,煞星甦醒發權威.又,甲乙重煞露庚辛,月中水木喜加臨,運行木火興名利,水運行來怕火金.又,丙丁五月重逢煞,木火來臨大有功,金水運行身有禍,子來衝破最爲凶.)

또, 6乙생이 巳 酉 丑을 만나면, 局 중에서 오히려 재성을 꺼리는데, 홀연히 行運이 金鄉에 이르면 관직은 평생토록 가지나 壽수명는 길지 못하다. 또, 庚일이 寅 午 戌을 전부 만나고 천간에 土가 투출하여야 비로소 상서롭게 되는데, 중중重重하여 화왕火旺하면 명성名聲이 현달顯達하고, 命에서는 休囚한 水鄉을 꺼린다. 또, 6丙 생인이 亥子가 많은데 煞星이 印綬로 돌아가면 도리어 중화中和되니, 東方 運으로 흐르면 공명功名이 현달顯達하지만, 運이 서방에 이르면 직업이 바뀌어 고생한다. (又,六乙生逢巳酉丑,局中卻忌財星守,忽然行運到金鄉,官取平生壽不久.又,庚日全逢寅午戌,天干透土始爲祥,重重火旺聲名顯,命裏休囚忌水鄉.又,六丙生人亥子多,煞星歸印反中和,東方行運功名顯,運至西方事轉磨.)

논편관論偏官-4

또, 陰水는 대부분 己를 만나면 상하니, 煞星은 마땅히 木이 와서 항복시켜야한다. 설령 그럴지라도 명리名利는 높이 현달顯達하지만, 다만 평생의 수명이 길지 못한 것이 두렵다. 또, 土는 卯

位에서 三合을 전부 만나면 마땅히 金水의 궤도를 생하는 것을 꺼리지 않고, 火 木가 旺한 곳에서 명리名利가 현달顯達하고, 재차 곤坤 감坎으로 行하면 禍재앙이 끊이지 않는다. 또, 寅월에 寅 午 戌을 거듭 만나면 庚辛은 안배가 중요하고 무근無根하여 土에 편중되어 있으면 火가 마땅하고, 主旺하고 無根하면 火가 오는 것을 두려워한다. (又,陰水多逢己字傷,煞星須要木來降,縱然名利能高顯,只恐平生壽不長.又,土逢卯位三合全,不忌當生金水臕,火木旺鄉名利顯,再行坤坎禍綿綿.又,寅月重逢寅午戌,庚辛爲主要安排,無根有土偏宜火,主旺無根怕火來.)

또, 乙干이 丑의 지지를 끌어와 전부 합하여, 煞旺하고 身强한 格局은 높고, 金水로 行하여도 명리名利는 厚하고, 土鄕의 火地는 단단하고 굳건함을 잃는다. 또, 甲乙이 만약 申을 만나면 暗으로 상생하는 印綬를 좋아하고, 수왕水旺하며 金 또한 旺하면 관복을 반드시 몸에 걸친다. 또, 甲乙이 寅월에 생하여 金이 많으면 도리어 번성하여 길하지만 水를 거듭 만나는 것은 마땅하지 않고, 火土는 의식과 양식이다. 또, 乙木 생이 酉에 거하면 巳丑을 전부 만나서는 안 되며, 富貴한 것은 坎離 宮이고, 빈궁貧窮한 것은 坤 兌 宮인데, 合과 제설諸說은 편관을 관찰하여 喜忌를 보는 것이다. (又,乙干提丑支全合,煞旺身强格局高,金水行來名利厚,土鄕火地失堅牢.又,甲乙若逢申,喜印暗相生,水旺金也旺,官袍必掛身.又,甲乙生寅月,金多反吉昌,不宜重見水,火土是衣糧.又,乙木生居酉,莫逢全巳丑,富貴坎離宮,貧窮坤兌守,合諸說觀偏官,喜忌見矣.)

천원좌살天元坐煞

甲申 乙酉등의 일을 말한다. 가령 乙丑일은 丑중에 坐한 辛金이 煞이 되니, 春夏절에 생함을 좋아하고, 乙木이 건왕健旺하면 煞이 자연히 制함이 있고, 명견(明見;밝은 견해)을 좋아하지 않는다. 丙丁이 秋月에 생하여 조령凋零한데, 坐下에 鬼를 감추니 煞이 害가 되지 않는다. (謂甲申乙酉等日.如乙丑日,丑中自坐辛金爲煞,喜生春夏,乙木健旺,煞自有制,不喜明見,丙丁生秋月凋零,坐下藏鬼,煞不爲害.)

무릇, 이러한 날日은, 日干이 旺하여야 하는데 재차 官煞의 극이 없고, 印綬가 煞을 化함을 좋아하며, 財旺하고 身旺하여야 복이 된다. 만일 煞旺한데 傷官이 합하거나 제制하면 역시 귀하다. 만일 助나 化가 없고 다시 煞旺한 運으로 흐르고 혹 다시 煞의 극을 만나면 사람은 반드시 안면에 상처자국이 있고, 난쟁이로 절뚝거리거나 손가락에 혹이 있어 붙고, 간사하고 사나워 강함을 믿고 두려워하지 않아 자주 헌장(憲章;약속을 이행하기 위한 규범, 헌법)을 어긴다. (凡値此等日,要日干倚旺,再無官煞復剋,喜印化煞,財旺身旺爲福.如煞旺有傷官合制,亦貴.如無助化,再行煞旺運,或再見煞剋,爲人必面目瘢痕,侏儒跛鱉,騈指瘤贅,奸貪猛暴,恃強不憚,累犯憲章.)

剋이 重하면 요절함이 많지만 格에 부합하면 대부분 武로서 귀하게 된다. 만약 身이 생왕生旺한 곳에 臨하면 동류(同類;비겁)나 印綬가 身을 도우며 제制하고 中和하여야 학문으로 귀하게 된다. 그러나 심성은 매우 성급性急하며, 음험陰險한 독毒을 품고, 거짓된 모략으로 남을 害치며 인정人情이 없는 사람이다. (剋重多夭,合格多爲武貴.若身臨生旺,同類印綬助身,有制中和,亦主文貴.但爲人心多性急,陰險懷毒,僭僞謀害,不近人情.)

논편관論偏官-5

시상일위귀時上一位貴

희기편에 이르길, 만약 時에 七煞을 만나면 반드시 흉하다고 보아서는 안 되고, 月에서 干[시상의 칠살]의 强함을 제制하면 그 煞은 도리어 권인(權印;권력과 관직)이 된다. 經에서 이르길, 시상편관時上偏官은 身이 强해야 하는 것은 陽刃 刑衝 煞을 감당해야 하고, 制가 많으면 煞旺한 運으로 흘러야 하며, 煞이 많은데 制가 적으면 반드시 재앙災殃이 된다. (喜忌篇云,若乃時逢七煞,見之未必爲凶,月制干強,其煞反爲權印.經云,時上偏官身要強,陽刃衝刑煞敢當,制多要行煞旺運,煞多制少必爲殃.)

대개, 시상편관은 천간에 투출하여야 하고, 단지 一位라야 뛰어나고, 年 月 日에서 거듭 만나면 오히려 간난신고艱難辛苦한다. 만약 身旺하여 제살制煞이 태과太過하면 煞旺한 運으로 行함을 좋아하고, 혹 三合煞하는데 만일 제복制伏함이 없으면 제복하는 運으로 흘러야 비로소 발달한다. 그러나 身弱을 꺼리는데 운에서 도움을 얻으면 發福하지만 運이 변함없이 지나면 구제되지 않는다. (蓋時上偏官,要干上透出,只一位爲妙,年月日重見,反主辛苦勞碌.若身旺煞制太過,喜行煞旺運,或三合煞運,如無制伏,要行制伏運方發.但忌身弱,縱得運扶持發福,運過依舊不濟.)

또, 이르길 시상편관은 衝과 刃을 두려워하지 않으며, 사람은 성품이 중후하고 강직하여 굴복하지 않으며, 煞은 無根하고 旺한 宮에 坐해야 하는데 [가령 庚申 乙卯의 종류인데], 有根하면 마땅하지 않고, [財는 煞의 뿌리이다.] 만약 一位의 七煞을 오히려 2~3중으로 制伏하면 설령 문장이 이두[李杜;이백과 두보, 唐나라의 李白과 杜甫로서 시문時文으로 유명함]를 능가하더라도 끝내 현달顯達하기 어렵다. 經에서 이르길, 편관을 時에서 만나 制 伏이 太過하면 가난한 선비이다. (又曰,時上偏官,不怕衝刃,爲人性重,剛直宜不屈,煞無根要坐旺宮,如庚申乙卯之類有根不宜,(財者煞之根,若一位七煞,卻有兩三重制伏,縱文過李杜,終難顯達.經云,偏官時遇,制伏太過,乃是貧儒.)

독보에서 이르길, 時의 煞이 무근無根하면 煞 旺해야 가장 귀하고, 時의 煞이 根이 많으면 煞旺함은 불리不利하다. 통명부에 이르길, 시상편관은 月令에 통하면 旺하니 [매가 하늘을 날아오르듯] 위엄과 무력을 떨친다. 경신부에 이르길, 시상편관은 制가 있으면 晩年에 자식이 영특하고 뛰어나게 된다. 독보에 이르길, 時上一位貴格은 감추어진 지지중에 있어야하고, 日主는 旺强해야 하는데, 名利가 비로소 有氣하게 된다. (獨步云,時煞無根,煞旺最貴,時煞多根,煞旺不利.通明賦云,時上偏官通月氣,主旺鷹揚.驚神賦云,時上偏官有制,晚子英奇.獨步云,時上一位貴,藏在支中是,日主要

旺强,名利方有氣.)

고가에 이르길, 시상편관은 刃衝을 좋아하고, 身强하고 制伏하면 복록이 풍성하며 두텁고, 正官이 만약 와서 혼잡하거나 身弱한데 財多하면 곤궁困窮하게 된다. 또, 시상편관은 충을 두려워하지 않고, 羊刃을 만나도 흉이 되지 않아 좋아하며, 충이 없고 制가 있으면 진실로 귀하고, [시상편관이] 보좌輔佐하면 산하山河를 장악한다. (古歌云,時上偏官喜刃衝,身強制伏祿豊隆,正官若也來相混,身弱財多主困窮.又,時上偏官不怕衝,喜逢羊刃不爲凶,無衝有制爲眞貴,輔佐河山掌握中.)

또, 시상편관의 一位는 强하고, 일진日辰이 自旺함을 특히 좋아하고, 財와 印綬가 있으면 財祿이 많고, 천부적으로 동량棟梁이 틀림없이 된다. 또, 時에서 七煞을 만나면 편관인데, 制가 있고 身强하여야 命이 좋고, 制가 지나치면 煞旺한 運으로 行함을 좋아하고 三合이 득지得地하면 發達하는데 어찌 어렵겠는가? 또, 七煞을 생하는 것을 만나고 時중에 있으면 변방의 신하가 되어 큰 공을 세우며, 제어하고 合을 띠면 破하는 것을 꺼리지 않으니 병권兵權이 크게 빛나고 위풍당당威風堂堂하다. (又,時上偏官一位強,日辰自旺喜非常,有財有印多財祿,定是天生作棟梁.又,時逢七煞是偏官,有制身強好命者,制過喜行煞旺運,三合得地發何難.又,生逢七煞在時中,定作邊臣立大功,制禦帶合無忌破,兵權赫奕鎭威風.)

또, 原局에 制伏이 없으면 운에서 마땅히 [制하는 神을] 만나야 하고, 刑衝과 煞이 많이 모여도 두려워하지 않는다. 만약 身이 쇠약하고 오직 煞旺한 이 命은 빈한貧寒한 것을 알게 된다. 또, 時에서 七煞을 만나면 본래 아이 자식가 없으나, 이 법은 사람들 間에 자세히 추리해야 하고, 歲年 月時중에 만일 制가 있으면 귀한 자식이 늦게나마 있는 것을 알게 된다. (又,原無制伏運須見,不怕刑衝多煞攢.若是身衰惟煞旺,定知此命是貧寒.又,時逢七煞本無兒,此理人間仔細推,歲月時中如有制,定知有子貴而遲.)

논편관論偏官-6

년상칠살年上七殺

經에서 이르길, 年에서 貴氣를 만나면 제복制伏을 사용하지 않는다. 日主의 健旺, 羊刃과 상합相合을 좋아하고, 柱중에 財가 있고 다시 財運으로 흐르면 발복發福함이 청수淸秀하게 된다. 身弱함을 가장 꺼리는데, 七煞은 소인의 상象인데 조종祖宗의 자리에 거하는 것이니, 가령 조정朝廷의 老臣이나 祖父는 노복老僕과 같은데, 日主가 健旺하면 노복은 어린주인의 위해 진력을 다한다. 일주가 쇠약하면 小人이 주인이 될 수 없는데 어찌 진력으로 일을 하겠는가? 오히려 자기를 해치는 물物이 된다. (經云,年逢貴氣,不用制伏,喜日主健旺,羊刃相合,柱中帶財,更行財運,發福清秀.最忌身衰,蓋七煞乃小人之象,既居祖宗之位,如朝廷老臣,祖父老僕,日主健旺,老僕則盡力以事幼主,

日主衰弱,不能與小人爲主,何肯盡力事之?反成害己之物.)

年干에서 이칠살를 만나면 반드시 출신이 한미寒微하고, 사주에서 行運이 有情하면 한문(寒門; 한미한 집안)에서 귀貴한 자식이 나온다. 만약 煞은 旺한데 身은 쇠衰하고 刑衝이 太過하면 반드시 빈궁貧窮하며 重하면 질병과 형벌을 받는다. (年干見此,必主出身寒微,四柱行運有情,主寒門生貴子,若煞旺身衰,衝刑太過,必主貧窘,至重者帶疾遭刑.)

또 이르길, 歲煞년살의 一位는 제制하는 것이 마땅하지 않고, 사주에서 거듭하여 [煞을] 만나면 오히려 制해야 한다. 일주가 健旺하고 제복制伏이 많으면 煞旺地로 行함을 좋아하고, 제복制伏이 太過하거나 혹 煞旺한데 身衰하고 관살혼잡官煞混雜하면 歲運도 그와 같으며 하찮은 무리이다. 만약 제복함이 不及하고 運이 身衰하고 煞旺한 곳에 이르면 반드시 화환禍患이 발생한다. (又曰, 歲煞一位不宜制,四柱重見卻宜制,日主健旺,制伏略多,喜行煞旺地,制伏太過,或煞旺身衰,官煞混雜,歲運如之,碌碌之輩.若制伏不及,運至身衰煞旺鄉,必生禍患.一命戊戌庚申壬午癸卯,戊與癸合,卯與戌合,壬坐午支,財官俱備爲貴.)

예) 命造
癸 壬 庚 戊
卯 午 申 戌
戊와 癸가 합하고, 卯와 戌이 합하며, 壬은 午의 지지에 앉으니, 財 官을 함께 갖추어 귀한 것이다. [녹마동향, 재관쌍미]

고가에 이르길, 歲德 壬이 戊년을 만나고, 財旺하며 身强하면 祿은 자연히 생기는데 다시 行運에서 財旺地를 얻으면 총명하고 지혜로우며 그리고 충성스럽고 현명하다. 또, 年干의 七煞은 흉하다고 말할 수 없고, 制나 合을 하면 공功이 있어 최고의 권세가 된다. 만약 身强하면 破를 꺼리지 않아서 이 몸이 조정에 드는 것을 대부분 禁한다. 또, 歲가 손상하고 日干이 함께 불화不和하면 마땅히 干支의 제복함이 重해야하고, 煞旺하면 身旺한 지지로 行함을 좋아하고, 初年에 한 차례의 凶을 免하기는 어렵다. (古歌云,歲德壬來見戊年,財旺身强祿自然,更得運行財旺地,爲人聰慧又忠賢.又,年干七煞莫言凶,制合爲權最有功,若得身強無忌破,此身多入禁庭中.又,歲傷日干不和同,須要干支制伏重,煞旺喜行身旺地,初年難免一場凶.)

논편관論偏官-7

기명종살棄命從煞

독보에 이르길, 기명종살棄命從煞은 마땅히 煞이 모여야 하는데, 從財는 煞을 꺼리지만, 從煞은

財를 기뻐하며, 根氣를 만나면 命이 손상함을 시기하지 않는다. 대저, 從煞格이란 말은, 煞神이 太重한 것으로서 身이 돌아갈 곳이 없어 부득이(不得已;어쩔 수 없이) 煞을 따르는 것이다. 煞旺과 財鄕으로 行하여야하고, 사주에 一點의 比肩과 印綬가 없어야 비로소 [從을] 논한다. 만일 운에서 身旺함을 도와 煞을 대적하면 從煞이 되지 않으니 따라서 화환禍患이 된다. (獨步云,棄命從煞,須要會煞,從財忌煞,從煞喜財,會逢根氣,命損無猜.蓋言從煞格,以煞神太重,身無所歸,不得已從之,要行煞旺及財鄕,四柱無一點比肩印綬方論.如遇運扶身旺,與煞爲敵,從煞不專,故爲禍患.)

經에서 이르길, "기명종살"의 강유剛柔를 논하면 천간은 버리고 지지를 쫓아 오행의 性情을 따르고, 陰干은 지지를 쫓아 煞이 순수하면 貴함이 많은데, 陰은 柔하므로서 물物을 따를 수 있는 것이다. 陽干은 지지를 쫓아 煞이 순수하여도 역시 귀하다. 다만 陰의 다음으로 陽干은 制를 받지 않은 것이다. 水 火 金 土가 모두 從하지만 오직 陽木은 從하지 않고, 사목死木은 도끼질을 당하니 도리어 손상하기 때문인 것이다. (經云,棄命從煞論剛柔,言棄天干從地支,隨五行性情,陰干從地支,煞純者多貴,以陰柔能從物也.陽干從地支,煞純者亦貴.但次於陰,以陽干不受制也,水火金土皆從,惟陽木不能從,死木受斧斤,反遭其傷故也.)

유현에서 이르길, 身은 太弱한데 煞이 太重하면 명성名聲이 널리 퍼진다. 원리부에 이르길, 평생 富하고 또 귀하게 되는 것은 모두 煞重하고 身이 柔함으로 말미암는데, 굽거나 혹 喪하거나 혹 위태한 것은, 단지 운에서 干旺함을 돕는다. 또 이르길, 鬼가 많거나 鬼가 없으면 오히려 흉이 되지 않는다. (幽玄云,身太弱,煞太重,聲名遍野.元理賦云,平生爲富且貴,皆因煞重身柔,中迂或喪或危,只爲運扶干旺.又曰,鬼多無鬼,反不爲凶.)

고가에서 말하기를, 五陽이 日에 坐하여 煞을 전부 만나면 棄命하여 從하니 壽가 길지 않다. 만일 五陰이 煞地를 만나면 身이 쇠衰하고 煞旺하면 길하다 말한다. 또, 서방 金의 위치에 坐하여 柔를 臨하면 休 囚를 두려워하지 않고, 鬼煞이 생왕生旺하여도 發福함이 많아 공功名을 재촉하여 영주(瀛洲;蓬萊山, 方丈山과 더불어 三神山의 하나)에 오른다. (古歌曰,五陽坐日全逢煞,棄命相從壽不堅,如是五陰逢此地,身衰煞旺吉堪言.又,西方金位坐臨柔,不怕休來不怕囚,鬼煞旺生多發福,功名催促上瀛洲.)

시살귀고時煞歸庫

시살귀고는 6乙일이 辛丑 時를 만나고, 6辛일이 戊戌 時를 만나면 곧 "시상일위" 貴인데, 煞이 고庫에 坐하니 따라서 이름(=명칭) 시상일위귀격을 별도로 세운다. 古詩에서 말하기를, 고庫속의 편관은 고庫煞이라 하며, 刑衝 破害가 가장 기특한데 行運에서 제복制伏하고 兼하여 身旺하면 공功名이 분발奮發하는 시기이다. (乃六乙日見辛丑時,六辛日見戊戌時,卽時上一位貴,以煞坐庫,故另立名.古詩曰,庫內偏官名庫煞,刑衝破害最爲奇,運行制伏兼身旺,便是功名奮發時.)

관장살현官藏煞顯

예컨대, 甲이 巳 酉 丑월에 생하여 천간에 庚이 투출한 경우이고, 申월에 생하여 歲時에 辛金이 堅實하게 坐하고 투출함이 많으면 둘은 암장한 것을 만나도 꺼리지 않으나, 다만 無氣하면 不用한다. 만일 官을 用하면 煞運으로 行함이 마땅하지 않으며, 煞을 用하면 官鄕으로 行하는 것이 마땅하지 않으니 身旺해야 한다. 喜忌篇에서 이르길, 煞은 감추고 官이 나타난 경우에 身弱하면 어찌 명성을 얻을 것이며, 煞이 나타나고 官이 암장할 경우에 제制하여야 스스로 현달顯達할 수 있고, 災 福과 官煞格이 동일하다. (如甲生巳酉丑月,天干透庚,生申月,歲時辛金坐實多透,二者不拘藏見,但無氣的便不用,如用官,不宜行煞運,用煞不宜行官鄉,要身旺.喜忌篇云,煞藏官顯,身弱豈得成名,煞顯官藏,有制自能顯達,災福與官煞格同.)

고가에서 이르기를, 煞이 투출하고 官이 암장되면 단지 煞로 논하고, 官이 투출하고 煞이 암장하면 단지 官으로 논한다. 身强하고 많이 만나면 귀하지만, 身弱한데 많이 만나면 재앙이 수없이 많다. (古歌曰,露煞藏官只論煞,露官藏煞只論官,身强遇此多爲貴,身弱逢之禍百端.)

논편관論偏官-8

관살혼잡官煞混雜

人命에 官煞이 모두 있으면 [관살] 혼잡이라 한다. 다만 財와 印綬를 取用하는데, 四柱 원국에 財가 있으면 運行이 財로 흘러야 발달하니 대체적으로 身强해야하고 財를 감당할 수 있어야 가능하다. 身弱한데 官煞이 혼잡하면 가난하거나 夭折함이 많다. 身旺한데 制가 있으면 또한 좋으나, 制가 없고 印綬 局을 이루면 化煞(화살;煞을 화化함)하여 또한 가능하다. (人命官煞俱有,謂之混雜,只取財印爲用,柱元有財,運行財發,大要身強,勝任其財方可,身弱官煞混,多夭貧.身旺有制亦好,無制成印局,化煞亦可.)

詩에서 말하길, 관살이 혼잡한 命을 用하는 가운데 소식(消息;사라지고 자라면서 시운이 변화)하는 상황을 자세하게 추리하여야 한다. 得時한 身旺의 輕重을 구분하면 貴賤을 분명히 변별辨別하여 알 것이다. (詩曰,官煞交加用命推,箇中消息要詳之,得時身旺分輕重,貴賤分明辨別知.如壬辰丙午丙辰癸巳,身煞俱旺,官從戊化,德秀兼備.丁亥壬子丁未癸卯,丁從壬化,亥卯未會局,水木清奇.甲午己巳辛酉甲午,辛日巳丙爲官,二午丁爲煞,喜旺專祿,巳酉會局勝煞,雖無制伏,初行西方,身益旺,故貴.觀三命,不可以混雜爲賤論.)

예) 命造-1
癸 丙 丙 壬

巳 辰 午 辰
身과 煞이 모두 旺하고, 官은 戊를 從하여 화化하니 德과 秀를 겸비하였다.

예) 命造-2
癸 丁 壬 丁
卯 未 子 亥
丁은 壬을 從하여 화化하고 亥 卯 未가 회국하여 水 木이 청淸하고 뛰어나다.

예) 命造-3
甲 辛 己 甲
午 酉 巳 午
辛일의 巳중의 丙은 官이 되고, 2개의 午중의 丁은 煞이 되고, 專祿하여 身旺함을 기뻐하는데 巳酉가 회국하여 煞을 감당하니, 비록 制伏은 없을지라도 처음이 서방운으로 흘러 더욱 身旺하므로 귀하다.
세 개의 命을 관찰하였듯이 관살이 혼잡하면 천하다고 논하는 것은 불가한 것이다.

회살화인會煞化印

[회살화인은] 지지에 煞을 會合하는 局이다. 가령 甲일이 申 子 辰의 類를 만나는 것인데, 사주에 印綬가 있는 것을 가장 기뻐하며 은현(隱顯;암장하든지 투출하든지 함)하여도 傷함이 없어야 묘하고, 大運은 流年세운과 相會함을 가장 두려워하고, 財旺하여 印綬를 상하면 흉하고 위험하다. 만일 四柱의 원국에 印綬를 극하는 神이 있으며 歲運에서 다시 財星을 만나서 [印綬를] 극하면 반드시 흉포한 죽음을 맞는다. 예컨대, 甲辰일 子월에 생한 申時라면 庚 煞을 印綬로 화化하여 會起하니 貴가 一品에 이르고, 運이 丁未으로 行하여 歲운이 庚戌이 되어 日下의 辰土를 충하여 동하니 財가 모여 印綬를 파괴하여 煞은 化함이 없으니 戌年에 사건이 발생하여 辛亥年에 형벌을 받는다. (乃支辰會合煞局,如甲日見申子辰之類,最喜柱有印綬,隱顯無傷爲妙,大運最怕與流年相會,旺財傷印,凶危.如柱中元有剋印之神,歲運更逢財星併剋,必遭凶暴死.如甲辰日,生子月,申時.會起庚煞化印,貴至一品,運行丁未,歲在庚戌,衝起日下辰土,聚財壞印,煞無化,戌年爲事,辛亥年受刑.)

詩에서 말하길, 煞이 모여 권세權勢와 복이 가장 많이 되는 것은, 지지에서 印綬를 합하여 중화中和에 이르는 것이다. 만약 印綬를 극하는 年運을 만나면 형벌을 받아 죽거나 몸이 다치는 것을 어찌하겠는가? (詩曰,會煞爲權福最多,支辰合印致中和.若逢剋印臨年運,刑戮傷身可奈何.)

논편관論偏官-9

전살무제專煞無制

經에서 이르길, 신강하고 煞 淺하면 "가살위권"하고, 煞은 重한데 身이 輕하면 終身토록 손실이 있고, 煞이 旺相한데 사주에 制伏이 없으면 日主는 旺한 곳에 坐하여 오직 身旺한 곳이어야 하는데, 七煞이 당권當權하니 반드시 빠르게 발달한다. 혹시 身旺한 運이 過하면 歲運에 刑衝 制伏을 만나도 평안平安하나 煞旺한 運을 만나는 것을 꺼리고, 오직 煞은 刃을 만나는 것을 가장 두려워하니, 사주 원국에 刃을 지니고 있는데 歲運에서 재차 [刃을]만나면 악질惡疾이 아니면 반드시 횡사橫死한다. (經云,身强煞淺,假煞爲權,煞重身輕,終身有損,煞旺相,柱無制伏,日主坐旺,引身旺鄕爲專,七煞當權,必當驟發.倘身旺運過,歲運遇刑衝制伏之位,平安,忌見煞旺運,專煞最怕見刃,柱元帶刃,歲運再遇,苟非惡疾,必主橫死.)

詩에서 말하길, 煞이 旺한데 制가 없어도 身이 旺하면 煞이 權이 되니 富貴한 사람이다. 日主가 年의 煞을 상하여도 不足하고, 官이 암장하고 煞이 투출하여도 재앙은 천천히 일어난다. (詩曰,煞旺無制引身旺,爲煞專權富貴人,日主煞年傷不足,藏官露煞起災迍.)

전록요제專祿要制

이 格은, 6庚일이 巳時를 만나면 庚金은 장생長生의 지지로서, 巳중에는 丙戊 두 개의 녹祿이 있어 戊는 庚을 생하고 丙은 庚의 煞이 되니 사주에 壬癸가 丙을 제制하면 마땅히 장수의 권력을 지니게 된다. 그러나 만약 煞運을 만나면 不吉하다. (此格六庚日見巳時,庚金長生之地,內有丙戊二祿,戊生庚,丙爲庚煞,柱要壬癸制丙,當爲武帥持權.若逢煞運,不吉.)

詩에서 말하길, 庚의 專祿에 巳位가 오면 마땅히 制伏하면 뛰어나게 되어, 무직으로 권력을 잡고 장수가 되지만 홀연히 七煞을 만나면 禍가 到來한다. (詩曰,專祿庚來就巳位,也須制伏始爲奇,武職當權爲帥座,忽逢七煞禍來時.)

논편관論偏官-10

관살거류병관귀호변잡론官煞去留並官鬼互變雜論

희기편에 이르길, 관살혼잡官煞混雜에는 거관유살去官留煞이 있고, 그리고 거살유관去煞留官이 있다. 대개, 사주에 官星과 七煞이 교차(交差;서로 어긋남)하는 것을 말하는데, 月上에 官을 만나고 時상에서 煞을 만나거나, 혹은 月上에서 煞을 만나고 時상에 官을 만나거나, 혹은 사주에 [관살을] 중첩하게 보는 것인데, "거관유실"하는 것이 있으면 즉 편관으로 논 하고, "거살유관"하는 것이 있으면 즉 정관으로 논한다. (喜忌篇云,煞官混雜,類有去官留煞,亦有去煞留官.蓋言柱中官星

七煞交差,月上見官,時上見煞,或月上見煞,時上見官,或四柱疊見,有物去官留煞者,卽以偏官論,有物去煞留官者,卽以正官論.)

무릇, 去 留를 가릴 때에는 사주 중의 官煞이 누가 重하고 누가 輕한지 자세히 알아야하고, 천간에 투출한 것은 제거하기 쉬우나 月支에 암장한 것은 제거하기 어렵다. 상관과 식신은 官 煞의 무리들을 제거하기에 有力하니, 바야흐로 除去할 능력을 얻는다. (凡看去留,要詳柱中官煞,孰重孰輕,天干透者易去,月支所藏者難去,須傷官食神,去官煞之物衆而有力,方纔去得.)

5陽일의 食神은 煞을 거살(去煞;살을 제거)할 수 있으며 그리고 유관(留官;관을 머무르게 함)할 수 있고, 5陽일의 傷官은 단지 去官할 수 있지만 留煞할 수 없으니 반드시 羊刃으로 合을 얻어야 비로소 "거관유살"을 이룬다. 가령 甲일 생인生人이라면, 甲은 辛으로 官을 삼으며 庚은 煞이 되는데, 만약 官은 重하고 煞이 輕하면 丙의 食神 一位를 얻어 庚金을 극하여 제거하고 辛과 相合하는 이것을 "거살유관"이라 하며 有情하여 귀한 것이다. 만약 煞이 重하고 官이 輕하면 丁火 傷官을 얻어 辛金을 극去하고 다시 乙木 羊刃으로 庚과 相合하여야 하는데, 이것을 "거관유살"이라 하고 有情하여 귀한 것이다. (五陽日食神能去煞,又能留官,五陽日傷官,但能去官,不能留煞,必須得羊刃合,方成去官留煞.假如甲日生人,甲以辛爲官,庚爲煞,若官重煞輕,得丙食一位,剋去庚金,與辛相合,此謂去煞留官,有情而貴,若煞重官輕,得丁火傷官,剋去辛金,再得乙木羊刃,與庚相合,此謂去官留煞,有情而貴.)

5陰일의 食神은 거살(去煞;살을 제거)할 수 있지만 오히려 유관(留官;官을 머무르게 함)할 수 없으며, 日主가 스스로 留官할 수 있다. 5陰일은 상관이 去官할 수 있고 또 留煞할 수 있다. 가령, 乙일 생인이라면 庚으로 官을 삼으며 辛은 煞이 되는데, 만약 官이 重하고 煞이 輕하면 丁의 食神 一位를 얻어 辛煞을 극去하고 乙과 庚이 합하는데 이것을 "거살유관"이라 하며 有情하여 귀한 것이다. 만약 煞이 重하고 官이 輕하면 丙火 傷官을 얻어 庚金을 극去하고 辛金을 합하여오는데, 이것을 "거관유살"이라하고 有情하여 귀한 것이다. (五陰日食神能去煞,卻不能留官,日主自能留之,五陰日傷官能去官,又能留煞.假如乙日生人,以庚爲官,辛爲煞,若官重煞輕,得丁食一位,剋去辛煞,則乙與庚合,此謂去煞留官,有情而貴,若煞重官輕,得丙火傷官,剋去庚金,來合辛金,此謂去官留煞,有情而貴.)

원리부에 이르기를, "거살유관"은 당연히 귀하다고 논하고, "거관유살"은 위권威權이 된다. 또 말하기를, 관성과 七煞이 교차(交差;혼잡)하여도 오히려 合煞하면 귀하다는 것을 일컫는 것이다. (元理賦云,去煞留官當論貴,去官留煞主威權.又曰,官星七煞交差,卻有合煞爲貴,此之謂也.)

논편관論偏官-11

合煞은 2가지 뜻이 있는데, 合去와 合來가 있다. 합래는 "거관유살"이며 합거는 "거살유관"이다. 가령, 6甲 생인生人이 辛 정관이 투출하고 또 庚 칠살이 투출하여 관살이 교차交差하는데 사주에 오히려 乙木이 있어 庚 七煞을 합하거나, 丁火가 있어 辛 관성을 극하면 이것이 "거관유살"이다. 가령, 6己 생인生人이 甲 正官이 투출하고 또 乙 七煞이 투출하여 관살이 교차交差하는데 사주에 오히려 庚이 있어 甲 正官을 극하거나 乙 七煞을 合來하면 이것이 "거관유살"이다. 위는 "양인합살"이고 이것은 "상관합살"이다. (合煞有二義,有合去合來,合來是去官留煞,合去是去煞留官.假令六甲生人,透辛正官,又透庚七煞,是官煞交差,柱中卻有乙木,合庚七煞,有丁火剋辛官星,此是去官留煞.假令六己生人,透出甲正官,又透乙七煞,是官殺交差,柱中卻有庚,剋甲正官,來合乙七煞,是去官留煞.上是羊刃合煞,此是傷官合煞.)

또 예를 들면, 甲은 辛酉로서 官을 삼고 庚申으로 煞을 삼는데, 만약 甲申일이면 申은 煞이 되고 또 酉가 있으면 官이 된다. 申은 水가 장생長生하는 지지로서 煞이 印綬로 화化하여 甲 木을 생조生助하고, 사주에 비록 酉金이 있더라도 오히려 午丁이 극 상하면 "거관유살"인데, 그러나 이러한 命은 평생토록 심성이 교묘巧妙하여 복덕福德을 받지 못하고 다른 사람이 신임信任하지 않아서 항상 자신 스스로 노역(勞役;힘든 노동)을 한다. 또 6庚 생인이 丙 煞이 투출하고 또 丁官이 투출하면 官煞이 교차交差하는데, 만약 사주에 壬이 丙을 극하고 또 丁을 合來하면 "거관유살"이다. (又如甲以辛酉爲官,庚申爲煞,若甲申日以申爲煞,又有酉爲官,緣申乃水長生之地,煞化印生助甲木,柱中雖有酉金,卻有午丁字傷剋,去官留煞,値此,主平生心志巧妙,不受福德,不信任他人,常勞役自己.又如六庚生人,柱透丙煞,又透丁官,是官煞交差,若柱有壬剋丙,又來合丁,是去煞留官.)

부에서 이르기를, 관성을 합하면 귀하지 않고, 七煞을 합하면 흉하지 않다. 대개 이 말은 官을 합하는 것은 柱중에 閑神이 관성을 合去하기 때문에 貴가 되지 않고, 煞을 합하는 것은 柱중의 閑神이 七煞과 합하기 때문에, 官을 합하면 貴함을 잊고, 煞을 합하면 賤함을 잊는 것이다. 만약 日主의 干支와 官煞이 합하면 官을 합하여 귀하게 되고, 煞을 합하여 천하게 된다. (賦云,合官星不爲貴,合七煞不爲凶.蓋言合官是柱中閑神,合去官星,所以不爲貴,合煞是柱中閑神,與七煞合,所以合官忘貴,合煞忘賤.若日主干支與官煞合,則爲合官爲貴,合煞爲賤.)

書에서 이르길, 明煞天干에 투출한 살을 合去하면 오행이 春風봄바람처럼 和氣롭고, 暗煞을 合來하면 사주에서 刑傷하여 자신을 害친다는 것이다. 만약 일주와 한신을 분별하지 못한다면 어찌 合來와 合去의 구분을 할 수 있겠는가? 대개 合去하는 法은 예컨대, 年 月의 相合은 去로 논하지 않고, 月時의 相合은 또한 去가 되고, 日과 年의 合은 去가 되지 않지만, 日과 年이 중요하고, 나머지는 閑神으로 논한다. (書云,明煞合去,五行和氣春風,暗煞合來,四柱刑傷害己,是也.若不分別日主與閑神,何以有合來合去之辨,蓋合去之法,如年月相合去之,不論,月時相合亦去,日與年合不可去,以日與年爲要,餘作閑神論也.)

經에서 말하기를, 관살은 두 가지로 머무는데, 기뻐하면 남고 미워하면 제거된다. 대체로 이 말은 柱중에 정관 七煞 둘이 서로 고르게 머무르고 물物이 생부生扶하여 모인 것을 和合하는 것이고, 그 힘은 오직 존재하며 머무르게 함이 마땅하고, 물物이 破損하고 傷害하는 것이 있으면 그 힘이 분산하니 버리고 제거하는 것이 마땅하다. 관성은 생부生扶함이 있고 煞星의 破 害함이 있으면 "거살유관"이나, 반대로 "거관유살"한다. (經曰,官煞兩停,喜者存之,憎者去之.蓋言柱中正官七煞,兩均相停,有物生扶會和者,其力專,宜存而留之,有物破損傷害者,其力散,宜棄而去之,官星有生扶,煞星有破害,則去煞留官,反是則去官留煞.)

만약 兩停에 모두 扶合이 없으며 破害가 있으면 마땅히 사주에 有力한 한 글자를 짐작하여 用神으로 삼는다. 만약 吉神이라면 길한 것으로서 논하고, 만약 양정하고 扶合이 있으며 破 害가 없으면 "관살혼잡"하니 오히려 貧賤하게 된다. (若兩停俱無扶合,而有破害,當斟酌柱中有力一字爲用神,若是吉神,則以吉論.若兩停俱有扶合,而無破害,卽是官煞混雜,反爲貧賤.)

또 말하기를, 年 月 日 時에 혹 4位가 官이 있거나 4位가 煞이면 마땅히 明者드러난 것을 用하고 암장한 것은 버리고, 투출한 官을 만나면 그 官을 존재시키고, 투출한 煞을 만나면 그 煞을 존재시켜야하니 마땅히 仔細히 分別해야한다. 만약 [관살이] 兩停하여 輕重을 [구분할 수] 없으면 時를 생조生助하는 것을 살펴서 用하고, 時를 배반하고 助하는돕는 것이 없으면 버린다. 거유去留가 청淸하지 못하니 혼잡한 것이다. 만일 甲이 7月 상순上旬에 생하면 살煞이 得令하게 되니, 설사 丙火가 있을지라도 제거할 수 없다. (又曰,年月日時,或有四位官,四位煞,當以明者用之,藏者捨之,明見官則存其官,明見煞則存其煞,宜仔細分別,若兩停無輕重,察其生助向時者用之,背時無助者棄之.去留不清,乃爲混雜.如甲生七月上旬,爲煞得令,縱有丙火,亦不能去.)

논편관論偏官-12

또 말하길, 去留하는 두 格은 가장 身旺해야 하고, 身이 旺하다면 비록 煞을 제거하지 못하더라도 煞을 官으로 화化할 수 있다. 가령 甲이 庚 煞을 만날 경우에 甲이 寅祿에 앉아 旺하면 甲木은 스스로 火氣를 품어 [寅중에 丙火를 暗藏하여 庚]煞을 制할 수 있으니 재차 丙 丁을 만날 필요가 없다. 만일 甲이 가을에 생하면 오히려 丙 丁의 制함이 필요한데 四柱의 원국에 制함이 없으면 운에서 제制하는 지지에 이르러야 비로소 발달한다. 또 丙일은 壬을 두려워하는데, 丙이 巳午에 坐하거나 혹 丙 下에 土를 안고 있으면 [丙戌] 壬은 害가 되지 않고, 丙의 煞은 화化하여 官이 되니, 모름지기 身旺한 運으로 行하여야한다. (又曰,去留二格,最宜身旺,若身果旺,雖無物去煞,亦能化煞爲官.如甲見庚爲煞,甲坐寅祿旺,甲木自抱火氣制煞,不須再見丙丁,如甲生秋令,卻要丙丁制之,柱原無制,運到制地方發.又如丙日畏壬,丙坐巳午,或丙下抱土,則壬不能爲害,丙化煞爲官,須行身旺運可.)

또 말하길, 지지와 천간에 合이 많으면 "탐합망관"貪合忘官이라고 한다. 대개 日主의 天元 지지의 人元과 歲年 月 時중의 干支에서 明暗으로 合이 重重하여 有情하면 合을 그리워하여, 비록 관성이 있더라도 財가 와서 盜氣하고 官이 와서 身을 극하니 오히려 불리하게 되므로 官관직은 장차 이루지 못하고, 財재물도 장차 따르지 않으니 따라서 "탐합망관"貪合忘官이라고 말한다. 대체적으로 凶神을 合去하는 물物이 있으면 오히려 凶은 吉이 되고, 吉神을 合去하는 물物이 있으면 오히려 吉은 흉이 되니, 吉凶은 神煞이 局중에서 喜 忌가 어떤 神인지 살펴봐야하는데, 하나의 논리에 집착해서는 안된다. (又曰,地支天干合多,亦云貪合忘官.蓋言日主天元地支人元,與當生歲月時中支干,明暗重重相合有情,貪戀合神,雖有官星,則財來盜氣,官來剋身,反爲不利,官將不成,財將不遂,故曰貪合忘官.大抵凶神有物合去,則反凶爲吉,吉神有物合去,則反吉爲凶,吉凶神煞,看局中喜忌何神,不可執一論.)

오지부에서 이르기를, 陽日의 食神은 官星이 暗合하고, 陰일의 食神은 印綬가 침범한다. 이것을 살펴보면, 사주에 官印관성 인수가 없으면 食神을 기뻐하고, 官印이 있으면 食神을 꺼리는 것을 알 수 있다. (奧旨賦云,陽日食神,暗合官星,陰日食神,竊侵印綬.觀此則知四柱無官印,則喜食神,有官印則忌食神.)

또 말하길, 合을 貪하여 망살忘煞 망관忘官한다. 가령 6癸의 생인이 천간에 己가 투출하면 煞이 되는데 다시 甲이 투출하여 己와 합하면 己를 合去하여 煞이 되지 않은 것이다. 이를 "탐합망살"貪合忘煞이라 일컫는다. (又曰,貪合忘煞忘官.如六癸生人,干頭透出己字爲煞,再透甲字,是己家合神,合去己字不爲煞矣,此謂貪合忘煞.如庚申甲申甲子乙亥,年上庚字傷甲,得亥上乙字,合庚去煞,奈月令又有申不清,二煞申重,不能盡合,所以只爲吏命.)

예) 命造-1
乙 甲 甲 庚
亥 子 申 申
年상의 庚은 甲을 손상하고, 亥상의 乙은 庚을 합하여 煞을 제거하지만 그러나 月令에 또 申이 있으니 청淸하지 않고 2개의 煞인 申이 重하여 合을 완수하지 못하므로 다만 하급관리의 命이 된다.

또 6壬 생인이 천간에 己字가 투출하면 官이 되는데 다시 甲이 투출하여 己와 合을 이루어 己字를 合거하니 관성이 되지 않으니 이를 "탐합망관"[貪合忘官]이라 일컫는다. (又如六壬生人,干頭透己字爲官,再見甲透,是己家合神,合去己字,不爲官星,此謂貪合忘官.如辛丑丙申甲戌己巳,甲日透出辛字,正是官星,奈因丙火合去,所以發貴不清.)

예) 命造-2
己 甲 丙 辛
巳 戌 申 丑

甲일에 辛字가 투출하니 正官인데, 그러나 丙火의 合去로 말미암아 貴가 청淸하지 않은 것이다.

결訣에서 이르기를, 壬水가 陽土의 時를 만나면 마음에 분노忿怒를 품어 다툼으로 좋지 않는 일이 일어나지만 홀연히 癸水가 와서 도우면 [煞의] 凶함을 合으로 둔화시켜 위세를 보이지 않는다. 이것이 "탐합망살"[貪合忘煞]의 例이다. 또 이르길, 壬은 己土를 만나면 官이 되고자하나 곧장 靑陽甲木에 다툼이 일어나 피해를 당한다. [청양갑목靑陽甲木]이 合으로 유인誘引하니 장차 眞貴함을 제거하고 수없이 좌절을 당한다. 이것이 "탐합망관"貪合忘官의 例이다. (訣云,壬水相逢陽土時,心懷忿怒起爭非,忽然癸水來相助,合住凶頑不見威.此貪合忘煞例.又云,壬逢己土欲爲官,驀被靑陽起訟端,靑陽甲木,引誘合將眞貴去,致令受挫萬千般.此貪合忘官例.)

또 말하길, 合을 탐하는 것이 官 煞을 망(忘;본분을 망각함)할 뿐만 아니라 망인(忘印;印綬의 본분을 망각함) 망식忘食하여 또한 가련可憐하지만, 格 중에서 오직 忘煞만이 귀한데 官煞을 모두 제거하면 權力을 이룰 수 없다. 또 "거살유관"은 자세히 살펴야하고, 食神 天廚의 자리는 高强해야하는데 편인이 와서 用이 손상함을 만나지 않으면 財旺하여 官을 생하니 大吉하며 창성하다. 또 "거살유관"은 조화造化가 기이한데 그 중에 소식消息이 있음을 누가 알 것이며 극 合이 많아 有情하면 榮貴하고, 月柱의 引用함이 제일 크다. (又曰,貪合不但忘官煞,忘印忘食亦可憐,格中惟有忘煞貴,官煞俱去不成權.又,去煞留官仔細詳,食神廚位要高强,不逢偏印來傷用,財旺生官大吉昌.又,去煞留官造化奇,個中消息有誰知,有情剋合多榮貴,月柱高攀第一枝.)

또, 官煞이 상련하면 다만 煞인데 官煞을 각각 나누면 混雜하게 되고, 食神은 거듭 犯하면 상관이 되고, 중첩하게 관성을 만나도 또 煞로 논한다. 또, 局중에 官煞 둘을 처음 살펴보고, 羊刃이 重重하여 혹 도우거나 八字에 純陽의 偏印이 重하면 身의 위치가 높아 평화로운 세상[明時]을 돕는다. (又,官煞相連只是煞,官煞各分爲混雜,食神重犯作傷官,疊見官星又論煞.又,局中官煞兩頭窺,羊刃重重或助之,八字純陽偏印重,位高身顯佐明時.)

논편관論偏官-13

[오행]정기에 이르기를, 무릇 命에 鬼가 많은데, 本主가 오히려 有氣한 지지에 있으면 그 鬼는 官으로 화化한다. 만약 本主는 無氣한데 官이 有氣하면 官은 鬼로 化변함한다. [사마]계주가 말하길, 旺한데 鬼를 신속迅速히 만나면 鬼는 官으로 화化하고, 쇠衰한데 官을 신속迅速히 만나면 官은 鬼로 화化한다. 가령 丁의 眞 오행은 木에 속하는데, 무릇 丁人이 乙과 庚을 만나면 鬼가 된다. 만약 丁亥 丁卯 丁未人은 그것[乙과 庚]을 만나면 鬼가 되지 않지만, 만약 亥 卯 未 전부가 세 개의 丁을 만나면 더욱 좋다. 대개 亥 卯 未는 木의 정위正位인데 또 세 개의 丁을 얻으면 木氣가 왕성하니 모두 庚金의 극 制를 원한다. [壬丁이 합하여 眞 오행 木] (精紀云,凡命鬼多,而主本卻在有氣之地,其鬼化官.若主本無氣,官有氣,卽官化鬼.季主云,旺迅逢鬼鬼化官,衰迅逢官官化

鬼.如丁於眞五行屬木.凡丁人見乙與庚爲鬼,若丁亥,丁卯,丁未人見之不爲鬼,若亥卯未全,見三丁足者尤好.蓋亥卯未,木之正位,而又得三丁,木盛氣旺,全要庚金尅制之.)

또, 丁巳 丁酉 丁丑 人이 金의 정위正位에 거하면 木은 弱하고 金은 强한데 다시 乙庚의 眞 金을 만나면 곧 鬼로 논한다. 또 6丁은 모두 眞 木인데 乙酉 乙亥를 만나면 乙의 眞金이니 오히려 鬼가 되지 않고 반대로 官이 되는 것은 丁의 귀인이 亥에 있기 때문이다. 壬寅[금박 金] 壬申[검봉 金]이 乙庚을 많이 만나도 모두 鬼가 되지 않은데 납음이 모두 比和者같은 오행인 金이기 때문인 것이다. 辛酉[석류木] 辛丑[벽상土]가 甲己를 만나고, 己巳[大林木] 己亥[평지木]가 丁壬을 만나거나, 乙巳[覆燈火] 乙亥[산두火]가 戊癸를 보는 것은 모두 이것을 모방하여 추리하면 된다. (又如丁巳,丁酉,丁丑人,生居金之正位,木弱金强,更見乙庚眞金,卽以鬼論.又如六丁皆眞木,而見乙酉乙亥,乙眞金也,卻不爲鬼,而反爲官,緣丁貴在亥故也.壬寅,壬申見乙庚多,皆不爲鬼,取其與納音皆比和故也.辛酉辛丑見甲己,己巳己亥見丁壬,乙巳乙亥見戊癸,皆倣此推.)

천원변화 書에는 반대로 鬼가 官이 되는 것이 있다. (天元變化書有反鬼作官,如丁未甲辰癸丑癸亥,兩鬼反爲生氣,滋助甲木,旣甲木旺,則丁亦旺.又納音從丁生至火,旣火旺,水人得財盛,上下皆有用矣.)

예) 命造
癸 癸 甲 丁
亥 丑 辰 未
두 鬼가 오히려 생氣가 되어 甲木을 자조滋助하니 즉 甲木이 旺하고 丁도 역시 旺하다. 또 납음은 丁의 생함을 쫓아 火에 이르러 곧 火 旺하니 水人은 財의 성盛함을 얻어 상하가 모두 有用한 것이다.

척벽에 이르길, 무릇 천간을 극하는 것이 득지得地하지 못하고 천간에서 오히려 득지得地하면 대부분 鬼가 화化하여 官이되고 官이 변하여 鬼가 된다. 가령 甲戌은 납음이 火인데 丙 辛 水를 만나면 眞官이 되는데 만약 丙申[산하火] 辛酉[석류木] 혹은 辛未[노중土] 辛丑[벽상土]얻으면 모두 좋다. 그런데 만약 辛卯[송백木]를 얻으면 甲의 羊刃으로 官이 변화하여 鬼가 된다. 만약 별도로 福神의 救助함이 있으면 우직(右職;높은 벼슬)이 되고, 無氣하면 서리(胥吏;낮은 벼슬정도)의 무리가 된다. 만약 壬申[검봉金]人은 납음으로 기물을 이룬 金이니 火를 만나면 괴멸한다. 따라서 壬申인은 戊 癸를 만나면 官이 변화하여 鬼가 된다. (尺璧云,凡剋干者不得地,干卻得地者,多鬼化爲官,變官爲鬼.如甲戌納音火,見丙辛水爲眞官,若得丙申辛酉,或辛未辛丑皆好,若得辛卯,係甲羊刃,變官爲鬼.若別有福神救助,則爲右職,無氣,胥吏之輩.如壬申人納音是成器之金,見火則壞,故壬申人見戊癸者,乃變官爲鬼.)

또, 壬은 木에 속하고 木은 申에 이르면 절絶하는 곳이 되고, 木이 절絶하여 火를 얻으면 재가 날리고 연기로 사라지니 이것이 더욱 흉한 것이다. 만약 癸酉가 비록 성기成器한 金이더라도 그러나 본래 천간에 스스로 癸의 官을 띠기 때문에 鬼가 되지 않는다. 戊를 만나면 더욱 좋고 마땅히 소식(消息;天地의 시운時運이 돌고 돌아 자꾸 變化함)이다. (又壬屬木,木至申爲絶鄕,木絶得火,則灰飛煙滅.此爲尤凶.若癸酉雖是成器之金,然本干自帶癸之官,故不爲鬼,見戊尤好,當消息之.)

4. 논정재論正財-1~5

논정재論正財-1

喜身旺,印綬,食神,逢財看官,以食爲引.忌身弱신약,比肩비견,羊刃,空絶,衝合충합.

일왈재성,이왈천마성,삼왈최관성,사왈장지신 (一曰財星,二曰天馬星,三曰催官星,四曰壯志神.)

정재는 甲이 己를 보거나 乙이 戊를 만나는 例이다. 나에게 制剋을 받으니 나의 妻가 되고, 비유하자면 사람이 妻를 맞을 때 妻는 재물을 가지고 나에게 시집오니 나는 반드시 精神이 편안하며 强直하고 그리고 후에 즐거움을 누릴 수 있다. 그러나 만약 쇠약하여 부진不振하면 비록 妻財가 풍족하더라도 다만 눈으로 바라볼 뿐이고 끝내 사용하지 못한다. 따라서 財는 得時하여 승왕乘旺해야 하고, 偏財 正財로 혼란混亂하여도 안 되며, 자신自身인 일주가 유력有力해야 발복發福할 수 있다. 만약 "재다신약"한데 사주에 印綬의 도움이 없거나, 財가 적고 身强한데 사주에 比劫이 있으면 태과불급太過不及하여 모두가 복이 되지 않는다. (財者,乃甲見己,乙見戊之例.受我剋制,爲我之妻,譬人娶妻,妻齎財嫁我,我必精神康強,而後可享用,若衰微不振,雖妻財豐厚,但能目視,終不得用.故財要得時乘旺,不偏正混亂,不重疊多見,自家日主有力,皆能發福.若財多身弱,柱無印助,財少身強,柱有比劫,太過不及,皆不爲福.)

經에서 이르길, 妻를 손상함이 거듭되는 것은 財가 輕하며 身旺하고 兄弟가 많은 것이다. 또 이르길, 財多身弱하면 도리어 富屋貧人이 된다. 낙녹자가 이르길, 크게 구분하여 天元이 리약羸弱하면 宮의 吉함이 영화로움에 미치지 못한다. 설령 돈을 만든 등통鄧通일지라도 종신토록 富하지 못하고 굶어 죽은 것이다. 만약 月令에 財局을 얻고 身衰하면 印綬의 도움을 만나야 富하다고 본다. 만일 먼저 印綬를 만나면 오히려 財를 보는 것을 두려워한다. (經云,傷妻疊疊,財輕身旺兄弟多.又云,財多身弱,反爲富屋貧人.珞祿云,大段天元羸弱,宮吉不及以爲榮,縱鄧通鑄錢,終身不富而餓死是也.若月令得財局,身衰逢印資助,當作富看,如先見印,卻怕見財.)

독보에 이르길, 先財後印하면 복을 이루고, 先印後財하면 수치스럽게 되는 것이다. 財를 用하면 투출하는 것이 마땅하지 않은 것은, 柱중에 比劫을 만나서 투출하게 되면 타인과 함께 만나서 [재물을] 빼앗기지 않는다. 賦에서 이르길, 財는 암장함이 마땅하며 암장하여야 풍족하고, 노출하면 물이 흐르듯 흘러가는 것이다. (獨步云,先財後印,反成其福,先印後財,反成其辱是也.用財不宜明露,柱見比劫,則宜透出,使人共見,則不能奪.賦云,財宜藏,藏則豐厚,露則浮蕩是也.)

무릇 財格은, 관성이 투출하여 만나는 것을 좋아하고, 별도로 손상함이 없고 혹 더하여 食神이 [財를] 생하고 印綬가 도우며 일주가 健旺하면 부귀쌍전富貴雙全한다. 만일 干支에 煞을 만나서 사용할 수 있으면 봉재간살(逢財看煞;財를 만나면 煞을 살펴봐야 함)한다는 뜻이다. 크게 두려운 것은 梟神이 탈취하면 [食神이] 생할 수 없어 羊刃 劫財가 財를 사용할 수 없고, 고庫가 空을 만나면 모일 수 없는 것이다. 가령 甲이 午월에 생하면 壬은 丙을 손상하고 卯는 破하며 乙은 奪하고, 乙이 巳월에 생하면 癸는 丁을 손상하고 亥는 破하며 甲은 奪하고, 壬이 戌월에 생하면 甲子旬의 戌은 공망空亡이 되는 종류이다. 나머지도 例로서 추리하라. (凡財格,喜見官星顯露,別無傷損,或更食生印助,日主健旺,富貴雙全.如干支見煞,亦能享用,即逢財看煞之義.大怕梟奪則不能生,刃劫則不能享,庫逢空則不能聚.如甲生午月,見壬傷丙,卯破乙奪,乙生巳月,見癸傷丁,亥破甲奪,壬生戌月,甲子旬戌落空亡之類.餘以例推.)

논정재論正財-2

또 말하기를, 財는 양명養命의 근원으로 보통 사람의 八字에 財가 없음은 불가한데, 다만 너무 많아서는 안 되며 많으면 청淸하지 않다. 만약 四柱의 원국에 財가 없는데 財運으로 흐르면 有名無實이름만 있고 實相은 없음하다. 만일 재다신약한데 官鄕이나 財旺한 지지로 흐르면 財를 만나 도기盜氣(설기=누설=도기)하여 官이 身을 극할 뿐만 아니라 祿官을 발하지 못하고 또 화환禍患이 수없이 많다. (又曰,財爲養命之源,凡人八字,不可無財,但不要太多,多則不清,若柱原無財,而行財運,乃有名無實,如財多身弱,又行官鄕財旺之地,見財盜氣,官剋身,不惟不發祿,且禍患百出.)

또 말하기를, 財는 馬가 되며, 官은 녹祿이 되고, 둘[財官]은 하나를 缺해서는 안되는데 실로 둘 다 온전하기는 어렵다. 원국에 財星이 있으면 마땅히 官運으로 흘러야 하고, 원국에 官星이 있으면 마땅히 財運으로 흘러야 하는데, 財運으로 흐르면 官을 생하고 官運으로 흐르면 發財한다. 만약 四柱의 원국에 관성이 없으면 단지 財가 많고 財運으로 흘러도 역시 名利를 성취할 수 있으며 간혹 등과登科하는 사람도 있다. 대개 財가 많은 것을 두려워하지 않은데 많으면 暗으로 官을 생하니, 마땅히 身旺해야 비로소 맡은 바 임무를 감당할 수 있다. 만약에 財는 없고 官이 많으면 身은 制를 받아 도리어 길하지 않으며, 사주에 官이 없어도 단지 財만 있어도 복이 된다. (又曰,財爲馬,官爲祿,二者不可缺一,實難兩全,原有財星,宜行官運,原有官星,宜行財運,行財運生官,行官運發財,若柱中原無官星,只是財多,又行財運,亦能成就名利,間有登科者.蓋財不畏多,多則暗生官也,須得身旺,方能勝任,若無財官多,身受其制,反不爲吉,柱中無官,只取有財爲福.)

또 말하길, 재관과 煞이 月支의 용신이면 소위 지지로 命을 삼고, 일간은 소위 干으로 祿을 삼는다. 만약 月支에 財官이 있으며 干頭에 노출되지 않으면 충분히 복이 된다. 만약 지지에 財官이 없으며 干頭에 노출하면 헛된 거짓으로 실상이 없는 命이 되고, 설령 왕성한 運으로 行하더라도 일을 성취하지 못한다. 비록 月支에 없고 年 時 日支에 있어도 취용할 수 있고, 月의 지지에 財 官이 坐한 것을 得時라 하고, 日의 지지에 財官이 坐한 것을 得位라 하고, 時의 지지에 財官이 坐한 것을 유성有成이라 일컫는다. 得時가 최상이고 得位는 그 다음이고, 유성有成은 또 그 다음인데, 한 둘을 겸해서 얻으면 더욱 묘하다. 年主는 祖父의 富貴인데 中年 후에는 소용이 없다. (又曰,財官與煞,用月支者,所謂以支爲命,日干者,所謂以干爲祿,若月支有財官,干頭不露,自足爲福,若地支無財官,干頭明露,乃虛詐無實之命,縱行旺運,亦不濟事.苟月支無,而年時日支有,亦可取用,月地支坐財官,謂之得時,日地支坐財官,謂之得位,時地支坐財官,謂之有成.得時爲上,得位次之,有成又次之,兼得一二尤妙.年主祖父富貴,中年後無用.)

또 이르길, 庚 辛일이 正月에 생하여 다른 자리에 火의 煞이 있으면 庚辛을 극하는데, 비록 年月에 寅 卯를 만나더라도 역시 조상의 財가 없으니 일생토록 고달프고, 發財하는 곳을 만나면 반드시 재화災禍를 당한다. 목왕木旺하면 火를 생하여 일간의 金을 해치고 천원天元이 리약羸弱하여 財가 黨煞을 생하면 복이 될 수 없다. (又云,庚辛日,生於正月,別位有火爲煞,以剋庚辛,雖年月見寅卯,亦無祖財,一生熬煎,遇發財處,必成災禍,以木旺生火,害日干之金,天元羸弱,財黨煞生,不能爲福.)

또 이르길, 정재 격은 주로 사람이 성실하고 일을 行함에 검약儉約하고, 타고난 本性은 총명하지만 그러나 인색함이 있다. 만약 財는 旺한데 身이 쇠약하면 妻가 남편의 권리를 가지고 집안이 간고(幹蠱;줄기)가 썩음하게 되고, 또 훌륭한 자식의 역량이 쇠퇴하여도 오히려 편안하고 한가롭게 즐기고, 運이 比劫으로 흐르면 妻妾이 많아 위태롭다. (又云,正財之格,主人誠實,行事儉約,賦性聰明,惟有慳吝,若財旺身衰,主妻秉男權,持家幹蠱,又主有好子替力,反得優遊之樂,運行比劫,妻妾多危.)

독보에 이르기를, 財旺하여 官을 생하면 富하며 또 귀하고, 官은 투출하고 財가 암장하면[明官跨馬] 고위직이 아닐 수 없는데, 암장하면 풍후하며 투출하면 허비虛費되고, 충衝은 마땅히 투출하여야 이로움이 늘어난다. 옥갑玉匣에 이르길, 甲乙이 戊己를 만나 運路가 온화하면 中書궁중의 문서 조칙을 관리하던 벼슬에 든다. 오지奧旨에 이르길, 내가 타인을 극剋거去하면 妻와 財가 되고, 干천간이 강하면 富하다. 또 말하기를 재다신약하면 형제인 양인이 돕는 것을 기뻐한다. 또 財가 旺하면 비겁을 만나도 무방하다. 또 재성이 破하면 조업을 파하고 타향에서 살아간다. (獨步云,財旺生官,富而且貴,露官藏財,無不高位,藏則豐厚,露則虛費,衝者宜透,實則滋利.玉匣云,甲乙建逢戊己,路溫兩入中書.奧旨云,我去剋他爲妻財,干強則富.又曰,身弱財多,喜兄弟羊刃爲助.又云,財旺者遇比無妨.又云,財星有破,費祖風別立他鄉.)

또 이르길, 妻 財가 명랑明朗하면 교목(喬木;높이 자란나무, 소나무, 향나무)을 求하고 재성이 入墓하면 반드시 妻를 형하고, 지지의 아래에 財를 암장하면 편방의 첩을 총애한다. 口訣에 이르기를, 재성이 태과하면 어리석다. 또, 大運 流年이 三合하여 財局이면 반드시 홍란紅鸞의 吉兆가 된다. 현기부에 이르길, 財多身弱하면 財鄕으로 드는 것을 두려워한다. 재다 신약이면 身이 旺한 운에서 영화롭고, 신왕한데 財衰하면 財旺한 곳에서 發福한다. 통명부에 이르길, 財가 印綬의 도움을 만나면 사마駟馬의 수레를 타는 것에 비유된다. 또 日주 가까이 正馬가 생조生助함이 있으면 천하에 명성을 떨친다. (又云,妻財明朗,喬木相求,財星入墓,必定刑妻,支下伏財,偏房寵妾.口訣云,財星太過愚.又云,大運流年,三合財鄕,必主紅鸞吉兆.玄機賦云,財多身弱,畏入財鄕.又云,財多身弱,身旺運以爲榮,身旺財衰,財旺鄕而發福.通明賦云,財逢印助,相如乘駟馬之車.又曰,日邊正馬,有助有生,名揚天下.)

논정재論正財-3

천리마에 이르길, 財를 만나면 煞을 꺼리는데, 煞이 있으면 열에 아홉은 가난하다. 신약한데 財를 만나면 煞을 보는 것은 마땅하지 않고, 신왕하면 꺼리지 않는다. 또 이르길, 財의 근원이 劫奪되면 부친이 먼저 돌아가신다. 또 이르길, 남자가 財多 身弱하게 되면 妻의 말을 일방적으로 듣고, 재성이 得位하면 妻로 인해 富와 가정을 이루고, 재성이 장생長生을 보면 비옥한 넓은 밭을 경작하고, 財旺하여 官을 생하면 백신(白身:벼슬을 하지 못한 사람, 빈 몸, 천한사람)으로 영달榮達한다. (千里馬云,逢財忌煞而有煞,十有九貧.謂身弱逢財,不宜見煞,旺則不忌.又云,財源被劫,父命先傾.又云,男逢財多身弱,妻話偏聽,財星得位,因妻致富成家,財遇長生,田腴萬頃,財旺生官,白身榮顯.)

원리부에 이르길, 大貴하는 것은 財를 用神하며 官을 用神하지 않는다. 또, 財가 왕지旺地에 臨하면 복이 많다. 또, 고과孤寡라는 것은 단지 財神이 겁탈 당한 것이다. 보감부에 이르길, 홀로 외롭고 가난한 것은 오행에 財重하고, 산간 수풀에서 편히 지내며 아홉 자식인 것은 財旺하여 官을 생하기 때문이다. 정진편에 이르길, 財旺하여 官을 생하면 少年시절에 윤택함을 계승한다. 秘訣에 이르길, 財는 생하고 身旺하여 둘이 상정相停하는데 재차 比肩을 만나는 것을 좋아하지 않는다. (元理賦云,大貴者用財而不用官.又云,財臨旺地人多福.又云,孤寡者,只爲財神被劫.寶鑑賦云,范單孤貧,五行財重,林皐九子,財旺生官.定眞篇云,財旺生官,少年承澤.秘訣云,財生身旺兩相停,不喜再見比肩.)

만금부에 이르기를, 단지 日干이 弱한 것이 두려운데, 財가 많아 煞을 생하면 身이 쇠약하여지고, 財多 身弱한데 財運으로 흐르면 이곳이 下九臺임을 알게 된다. 만기부에 이르길, 정재가 생왕生旺하게 되면 편안하고 한가로운 복을 누리고, 劫財를 보면 암울하며 정체되어 신음呻吟하고, 관성이 만약 보면 평생 시비是非를 초래하고, 七煞이 만약 만나면 일事에 성공은 적고 패敗는 많다. 財旺한데 身衰하면 禍는 심하고 福은 엷고, 財多 身弱하면 印綬가 身을 도와야하고, 身旺한데 財가 쇠약하면 겁탈함이 두렵고, 財食이 入庫하면 복이 두텁고, 도식倒食하는데 財를 求하면 가난하고 요절한다. (萬金賦云,只怕日干元自弱,財多生煞趕身衰,財多身弱行財運,此處方知下九臺.萬祺云,正財逢生旺,而優遊享福,遇劫財則晦滯呻吟,官星若見,平生惹是招非,七煞若逢,處事少成多敗.財旺身衰,禍深福淺,財多身弱,要印扶身,身旺財衰,怕劫分奪,財食入庫者福厚,倒食求財者貧夭.)

詩에서 말하길, 정재는 食神이 旺한 것을 좋아하여 풍성하고, 일주가 굳고 강력하여야 [財를] 이길 수 있고, 만약 財多 身弱하면 평생토록 破하고 패敗하여 일을 이루지 못한다. 또 정재와 月에 官이 함께하는 干支에 衝破를 만나는 것을 가장 두려워하고, 歲運에 만약 財가 旺한 지지에 臨하면 반드시 陶公을 능가하는 富를 얻는다. 또 身弱한데 財多하면 힘으로 이기지 못하고 [財가] 官을 생하니 鬼로 화化하여 도리어 침공하고, 財多하면 身이 健旺하여야 비로소 귀하지만 만약 身이 쇠衰하면 禍가 다시 臨하게 된다. (詩曰,正財喜旺食豐盈,日主剛強力可勝,若是財多身自弱,平生破敗事無成.又,正財還與月官同,最怕干支遇破衝,歲運若臨財旺處,須教得富勝陶公.又,身弱財多力不勝,生官化鬼反來侵,財多身健方爲貴,若是身衰禍更臨.)

또, 정재는 겁재를 절대 꺼리고, 刑衝 破害는 불가하고, 歲運에서 羊刃의 지지를 만나면 어찌 견딜 것인가? 命을 연장하여 죽지 않고 머뭇거릴 것이다. 또, 재성이 得位하면 정당한 權이며 일주가 고강하여야 名利가 온전하고, 印綬를 만약 相逢하여 도우면 금, 진주, 보배가 궤(櫃;상자)에 가득 차고 복이 끝이 없다. 또, 身旺한데 官이 없어 財를 취하면 財 神이 衝 破하면 오히려 재앙이 되고, 身衰하고 財旺하면 요절을 알게 되고, 官이 성盛하고 身強하면 福祿이 이어진다. (又,正財切忌劫財神,破害刑衝不可論,歲運那堪逢刃地,命延不死也邅迍.又,財星得位正當權,日主高強名利全,印綬若逢相濟助,金珠滿櫃福綿綿.又,身旺無官只取財,財神衝破卻爲災,身衰財旺還知夭,官盛身強福祿媒.)

또, 庚辛이 卯월에 木을 많이 만나고 일주가 無根하면 오히려 財를 두려워하고, 離 震의 두 方位는 破함이 많다. 만약 身旺하게 되면 복이 돌아온다. 또, 財多하면 온전히 印綬가 身을 도움에 의지하여 교목(喬木;크게 자란나무)의 집안으로 명성이 오래가고, 妻가 현명할 뿐 아니라 자식도 수려하니 만년晩年에 재백財帛은 千金을 쌓아 올린다. 또, 財多하면 어찌 發財하지 않겠는가? 그러나 身弱하여 배양培養하지 못하면 운에서 比肩이나 身旺한 지지에 이르러야 부귀영화富貴榮華 차제次第에 올 것이다. (又,庚辛卯月多逢木,日主無根卻怕財,離震二方多有破,若逢身旺福還來.又,財多全仗印扶身,喬木家聲有舊名,不但妻賢兒子秀,晩年財帛累千金.又,財多如何不發財,只因身弱少培栽,運到比肩身旺地,富貴榮華次第來.)

또, 재다 신약하면 노력하지 않고 허황되게 큰집을 지키는 가난뱅이고, 친구와 재물을 거래하면 항상 원한怨恨이 생기고 눈앞의 부귀富貴가 뜬 구름과 같다. 또, 재다 신약한데 인刃이 굳건하고 강하면 身旺한 곳에서 크게 상서롭지 않고, 외로운 봉란鳳鸞이 차가운 밤에 슬퍼하니, 방안에서

妻가 2~3번 곡哭한다. 또, 財命의 사람은 반드시 인내해야 일생이 편안하며 그리고 身도 강녕康寧하다. 설령 流年에서 財를 손상함이 있더라도 재앙이 조금 누구려져 방해妨害가 없다. (又,財多身弱慢勞神,戶大家虛反受貧,親友交財常怨恨,眼前富貴似浮雲.又,財多身弱刃剛強,身旺之鄉大不祥,鳳寡鸞孤寒夜怨,房中妻哭兩三場.又,財命相當人必耐,一世安然身康泰,縱使流年有財傷,浮災小撓無妨害.)

또, 재신財神은 투출함을 꺼려하고 다만 암장함이 마땅하고, 身旺한데 암장한 財를 만나면 大吉하고 창성하며, 比劫이 모이는 것을 절대 꺼리니 일생 명리名利가 분산된다. 또, 일주는 無根하고 財가 重犯하면 의지하는 時의 印綬가 身宮을 도와 생함을 만나야 반드시 집안을 일으키는 복이 있고, 印綬를 破하면 어지럽고 모든 것이 공허하다. 또, 정재는 破가 없어야 官을 생하며, 身旺하고 財가 祿을 생하면 너그럽고, 身弱하고 財多하면 무리들이 힘을 소모하고, 財가 輕하면 분탈分奪되어 禍가 다단(多端;일이 많다는 뜻)하다. 또 財多한데 身旺하면 기쁨과 영화로움이 충분하고, 身旺하고 財多하면 官이 되어 화化하고, 身이 쇠약한데 財가 많으면 財가 자신을 지치게 하여 是非하며 경쟁을 일으키지 않는다. 合의 모든 說은 正財를 관찰하고 喜 忌를 보는 것이다. (又,財神忌透只宜藏,身旺逢之大吉昌,切忌比劫相遇會,一生名利被分張.又,日主無根財犯重,全憑時印助身宮,逢生必有興家福,破印紛紛總是空.又,正財無破乃生官,身旺財生祿位寬,身弱財多徒費力,財輕分奪禍多端.又,財多身旺足榮歡,身旺財多化作官,身衰財多財累己,是非不競起爭端.合諸說,觀正財,喜忌見矣.)

논정재論正財-4

歲帶正馬세대정마~太歲 천간이 正馬『正財』

예컨대, 甲일은 午年의 己이며, 乙일은 巳年의 戊[가 세대正馬이다.] 喜忌는 월干의 正財와 동일하다. 만약 세대정마라면 辰 戌 丑 未月이나 혹 夏月의 司令중에 태어나 己土가 旺相하고 刑衝 分奪을 범하지 않고 日干이 왕기旺氣를 타면 조상의 풍성한 유업을 물려받는다. 만약 寅 卯월에 생하고 柱중에 다시 比劫이 있거나 혹 行運에서 劫의 지지로 [세대정마를] 손상하면 반드시 빈곤貧困하게 된다. (如甲日午年己.乙日巳年戊,喜忌與月干正財同.若歲帶正馬,生辰戌丑未月,或夏令月中,己土旺相,不犯刑衝分奪,日干乘旺,主受祖業豐厚.若生寅卯月令,柱中更帶比劫,或運行傷劫之地,必主貧困.)

시대정마時帶正馬

예컨대, 甲일이 巳午時를 만나는 [시대정마의] 例인데, 衝刑 破劫이 없으면 아름다운 妻와 밖에서 재물을 얻으며 영귀榮貴한 자식을 낳고, 재산財産은 풍족하다. 이는 부모父母의 재물이 아니며 자신이 밖에서 재물로 사업을 하여 일으킨 것이며 검소儉素하고 사치奢侈를 하지 않는다. (如

甲日見巳午時之例,無衝刑破劫,主招美妻,得外來財物,生子榮貴,財産豊厚.此非父母之財,乃身外之財,招來産業,宜儉不宜奢.)

재왕생관財旺生官

『小學』 계선편에서 이르기를, 富하고 또 귀한 것은 財가 旺하면 官을 생하기 때문이다. 대개 財가 있으면 官을 생하는 法인데, 이미 財를 取用했으면 官을 만날 필요는 없다. 만약 官을 보게 되면 財官格이 되는 것이다. 사주에 상관이나 食神이 있으면 비록 財는 두터우나 그러나 官을 생할 수는 없다. 가령 戊己는 亥 子 壬 癸는 財가 되고, 寅 卯 甲 乙은 官이 되는데, 만약 壬子癸亥월에 태어나고 사주에 寅 卯 甲 乙을 만나지 않으면 이것이 財가 旺하여 官을 생하는 것이다. 이와 같은 元命은 富로서 貴를 이루고 혹 재물을 바쳐 의빈(儀賓;부마도위駙馬都尉, 또는 왕족의 신분이 아니면서 이와 통혼通婚한 사람의 통칭)의 類인데, 만약 월령月令의 財가 극을 받아 손상함이 없으면 역시 등과登科하지만, 그러나 庚 辛이 투출하면 [월령의 재성이 관성을] 생할 수 없으니 이 格을 논하지 못한다. (繼善篇云,富而且貴,定因財旺生官.蓋財有生官之理,旣取財爲用,不要見官,若見官則爲財官格矣.柱有傷食,雖財厚亦不能生官.如戊己以亥子壬癸爲財,以寅卯甲乙爲官,若生壬子癸亥月,四柱不見寅卯甲乙,是爲財旺生官.如此元命,因富致貴,或納粟及儀賓之類,若月令財無損剋,亦主登科,透庚辛則不能生,不以此格論.)

또 이르길, 辛은 甲을 만나면 정재가 되고, 四柱의 干支에 木이 旺하면 火가 있는 것과 비슷하다. 만약 壬寅을 보고 다른 자리에 子 辰 亥가 있으면 濕한 木이 丙火를 생할 수 없으니 곧 辛은 官이 없는 것이다. 또 庚은 乙木을 합하여 財가 되어 丁火를 생하여 관이 되는데, 사주에 癸卯를 만나고 혹 年 月 日 時 上에 水가 있으면 역시 濕木이니 財는 있고 官은 없게 되는 것이다. 陶朱도주가 이르기를, 庚은 乙을 극하며, 辛은 甲을 극하니, 刑 극을 만난 것인데, 壬癸水의 傷官 때문인 것이다. 十干의 例로서 추리하라. (又云辛見甲爲正財,四柱干支木旺,似爲有火.如見壬寅,別位帶子辰亥,卽濕木不能生丙火,則辛無官矣.又如庚合乙木爲財,生丁火爲官,柱見癸卯,或年月日時上有水,亦是濕木,有財無官.陶朱云,庚剋乙,辛剋甲,而遭刑剋,爲壬癸水傷官故也,十干例推.)

논정재論正財-5

재임고묘財臨庫墓

經에서 이르기를, 납속주명(納粟奏名;재물을 헌납하고 벼슬을 구함)은 財庫가 생왕生旺한 지지에 거한다. 가령 辰은 土의 財庫인데 가을에 생[申]하여 겨울에 旺[子]하다. 丑은 火의 財庫인데 여름에 생[巳]하여 가을에 旺[酉]하다. 未는 金의 財庫인데 겨울에 생[亥]하여 봄에 旺[卯]하다. 戌은 水의 財庫인데 봄에 생[寅]하여 여름에 旺[午]하다. 가령 金은 木이 財이며 未가 고庫인데,

辛未일 생은 財庫에 臨하고, 庚일生 未時도 역시 身은 財庫가 臨한 것이고, 冬월에 생하면 財庫가 생지生地에 거한다고 말하며, 春월에 생하면 財庫가 왕지旺地에 거한다고 말하는데, 일생토록 재백財帛이 풍족하고, 재물로 인해 官관직을 이룬다. [납속주명 한다는 말] (經云,納粟奏名,財庫居生旺之地,如辰爲土財庫,生於秋,旺於冬.丑爲火財庫,生於夏,旺於秋.未爲金財庫,生於冬,旺於春.戌爲水財庫,生於春,旺於夏.假令金以木爲財,庫於未,辛未日生,是臨財庫,庚日生未時,亦是身臨財庫,生於冬月,謂之財庫居生地,生春月,謂之財庫居旺地,主一生財帛豊厚,因財致官.)

고가에 말하기를, 6辛이 未에 坐하면 休하니 弱함을 꺼리는데 土가 천간에 투출하면 도리어 공功이 있어 身旺한데 金水가 旺한 것을 어찌 근심하겠는가? 提綱을 상하면 바야흐로 壽를 마친다. 丁火는 未에서 旺하지만 辛은 未에 坐하면 쇠약이라 한다. 辛은 卯중의 乙木이 財가 되고 未는 고庫가 된다. 만약 四柱의 천간에 土가 투출하면 印綬가 身을 생하여 弱이 변하여 强이 되고, 비록 金은 水를 생하고 水는 木을 생하여 財庫가 심히 旺하더라도 내가 木을 감당할 수 있어 복이 된다. 만약 제강提綱이 卯인데 酉運으로 흘러 제강提綱을 충하면 바야흐로 壽수명를 손상한다. 辛生이 未에 坐하고 천간에 土가 없으면 身弱하다고 논하는데, 財庫가 생왕生旺한 곳에 거하여도 또한 身은 自旺해야 하는 것이다. (古歌曰,六辛坐未休嫌弱,土透天干反有功,身旺何愁金水旺,傷提方見壽元終.丁火旺於未,辛坐未,是謂衰弱.辛以卯中乙木爲財,庫於未.若得四柱天干透土,藉印生身,變弱爲强,雖金生水,水生木,財庫旺甚,吾木能任爲福.若提綱是卯,行酉運衝提,方損壽元.辛生坐未,天干無土,以身弱論,是財庫居生旺,亦要身自旺也.)

천원좌재天元坐財

가령 庚辰 辛卯일이 봄에 태어나면 甲 乙 木은 財인데, 戊己의 印綬가 생身하는 것과 壬 癸의 傷食상관과 식신이 생財하는 것을 기뻐한다. 庚 辛金의 겁탈劫奪을 꺼리고, 절대로 세歲에서 官煞을 만나는 것은 불가하니 곧 春月은 金이 弱하여 [官煞을] 감당할 수 없어 오히려 복이 되지 않는다. 甲午 乙未일이 夏절에 생하면 己土가 財이고, 甲辰일이 夏절에 생하면 戊土가 財이고, 丙戌 丁丑일이 秋절에 생하면 辛金이 財가 되는데, 喜 忌는 모두 앞과 동일하다. 오직 壬午 癸巳 兩日은 "록마동향"祿馬同鄕하니 財로 논해서는 안 된다. (如庚辰辛卯日春生,甲乙木爲財,喜戊己印生身,壬癸食生財.忌庚辛金劫奪,切不可歲逢官煞,卽春月金弱,不能勝任,反不爲福.甲午乙未日夏生,己土爲財,甲辰日夏生,戊土爲財,丙戌丁丑日秋生,辛金爲財,喜忌俱與前同.惟壬午癸巳二日,祿馬同鄕,不專以財論.)

5. 논편재論偏財-1~2

1.

무엇을 偏財라고 하는가? 甲이 戊를 보고 乙이 己을 보는 例이다. 妻를 동반한 것이 아니라면 중인(衆人;여러 사람)의 財이다. 姊妹 兄弟의 分奪을 절대 꺼리는데, 사주에 官星이 없으면 禍患이 수없이 일어난다. 經에서 말하기를, 偏財는 드러내는 것을 좋아하지만 또한 암장되는 것도 두려워하지 않고, 오직 分奪 및 공망을 두려워하며, 이중에 하나라도 있으면 官관직이 장차 이루지 못하며, 財재물도 장래 가지지 못한다. (何謂偏財,乃甲見戊,乙見己之例.非妻所帶,乃衆人之財也.切恐有姊妹兄弟分奪,柱無官星,禍患百出.經曰,偏財好出,亦不懼藏,惟怕分奪,及落空亡,有一於此,官將不成,財將不住.)

만일 財가 弱하면 반드시 旺한 곳을 기다려야 영화롭고, 財가 성盛하면 가지 않아도 이롭지는 않지만 단 자신의 세력이 無力한 것을 두려워하니 감당할 수 없다. 偏財格은 主人이 강개(慷慨;의롭지 못한 것을 보고 정의감에 복받치어 슬퍼하고 한탄 함)하고 재물에는 심하게 인색하지 않으며 타인과 정이 있으나 거짓이 많다. 만약 [편재가] 득지得地하면 財재물의 풍부함에 그치지 않고 또한 官을 旺하게 할 수 있으니, 財가 성盛하면 저절로 官을 생하고, 運이 旺相하게 흐르면 福祿이 모두 모이고, 한번 官鄕을 만나면 發福할 수 있다. 만일 四柱의 원국에 官星이 있으면 좋은 命으로 간명하는데, 만약 兄弟가 배출(輩出;연달아 나옴)하면 설사 官鄕에 들어갈지라도 發福은 반드시 미미하다. (如財弱必待歷旺鄉而榮,財盛無往不利,但恐身勢無力,不能勝任.偏財格,主人慷慨,不甚吝財,與人有情而多詐,若是得地,不止豊財,亦能旺官,以財盛自生官,運行旺相,福祿俱臻,一遇官鄉,便可發福.如柱中原帶官星,便作好命看,若兄弟輩出,縱入官鄉,發福必渺.)

偏財는 月令에 있는 것이 가장 重하며 柱중에 많이 만나는 것은 좋지 않다. 年上의 偏財가 月令에서 생왕生旺하고 柱 중에 기가 소통하면 백부 숙부 조부의 음덕을 받아 풍성하고, 혹은 외조부 사업을 은혜롭게 기른다. 대체로 日主가 흥륭興隆하고 財星이 생왕生旺한데 運이 財旺한 곳으로 향하면 發福한다. 만약 刑衝 破害를 만나고 比劫이 분탈分奪하거나 혹 財星이 太衰하고 日主가 太弱하거나, 혹은 財多하여 煞을 생하면 모두 조업을 破하며 고생할 命이다. (偏財月令所帶最重,不宜柱中多逢.年上偏財,生旺月令,柱中通氣,主受伯叔祖考産蔭豊隆,或外祖産業恩養.大要日主興隆,財星生旺,運向財旺之鄉,發福.若見刑衝破害,比劫分奪,或財星太衰,日主太弱,或財多生煞,皆破祖勞祿碌之命.)

무릇 月令에 財가 있으면 少年시절에 富貴한데, 만약 생時가 득지得地하지 못하거나, 혹은 劫패敗가 있고 다시 運이 凶地에 臨하면 晩年에 조상의 財를 破하여 없애고 종신토록 곤궁하며 선부후빈[先富後貧]한다. 만약 年月에 본래[財가] 없고 日時에 財가 있으며 달리 劫敗 衝剋이 없으면 자수성가自手成家하니 중 말년에 大發한다. 만약 柱중에 財多 身弱하고 少年에 또 休敗한 지지로 가면 많은 일이 빈번히 발생하고 모든 것이 뜻대로 되지 않으며, 중 말年 후에 홀연히 父母의 지지에 臨하거나, 혹 三合으로 나를 돕는다면 갑자기 흥興한다. (凡月令有財,主少年富貴,若生時不得地,或有劫敗,更運臨凶地,晩年祖財破盡,終身困窮,先富後貧.若年月本無,日時帶財,別無劫敗衝剋,則主自家成立,中晩之年大發.若柱中財多身弱,少年又經休敗之地,多事頻併,百不如意,中末年後,忽臨父母之地,或三合可以助我,則勃然而興.)

만약 少年시절에 승왕乘旺하고 늙어서 脫局하면 궁핍한 길과 슬픔을 두려워하지 않더라도 오히려 是非가 봉기(蜂起;벌떼처럼 들고 일어남)하여 財는 자신에게 이로울 수 있으나 또한 비방誹謗을 초래할 수 있기 때문이다. 만약 四柱가 상생하며 별도로 귀격이 되고 공망이 없으며 또 旺運으로 行하고 재성을 三合하면 모두가 貴命인데, 그 福祿의 심천深淺은 格의 輕重에 따라 말하는 것이다. (若少年乘旺,老來脫局,不惟守窮途而悽惶,卻且是非蜂起,以財能利己,亦能招謗故也.若四柱相生,別帶貴格,不值空亡,又行旺運,三合財星,皆是貴命,其福祿淺深,隨格輕重言之.)

또 말하길, 무릇 人命에 兩位가 財이면 身弱해도 무방無妨하며 正財를 用하면 身旺해야 발재發財하고, 偏財를 用하면 身旺해야 탈재脫財한다. 또 이르길, 편재 정재는 喜忌가 대략 같은데, 오직 官星을 기뻐하는지 官星을 기뻐하지 않는지 조금 차이가 있고, 정재가 있으면 편재가 있는 것과 같지 않으며, 편재가 견실堅實하면 그 복이 두텁고, 劫敗 比肩을 가장 두려워하며 年에 있으면 가장 重하고, 月에 있으면 [약간 덜 중하니] 그 다음인데, 一名 고진(孤辰;苦辛)이라 하고 一名 축마(逐馬;財馬)가 比肩 劫을 만나 극制를 받는 것인데, 妻를 극하며 자식을 害치고 破財하여 가난하고 또 도적을 대항하며 小人의 무리와 서로 상하고, 사주에 꺼리는 것이[劫敗 比肩] 있어도 運이 財旺한 지지로 흐르면 역시 발복發福할 수 있지만 재차 比劫 退敗로 흐르면 자신의 죽음이 이곳에 있고 官이 破敗한 것을 만나는 것이 이곳에 있다.[13] (又曰,凡人命有兩位財,身弱不妨,元用正財,身旺發財,元用偏財,身旺脫財.又云,偏正二財,喜忌大同,惟有喜官星,不喜官星,小異,有正財,不若有偏財,偏財重實,其福則厚,最怕劫敗比肩,在年最重,在月稍次,一名孤辰,一名逐馬,主剋妻害子,破財貧薄,又防陰賊小人同類相傷,柱中元犯此忌,運行財旺之地,亦可發福,再行比劫退敗,而身死者有之,遭官敗破者有之.)

통명부에 이르기를, 월상편재는 劫과 패敗가 없으면 甲富이다. 상심부에 이르길, 편재가 투출하고 財가 輕하면 義를 좋아하고, 애인愛人이 따르며 시비(是非;옳고 그름) 가리기를 좋아하고, 주색酒色을 즐기는데, 이와 같은 것에 얽매인다. 경신부에 이르길, 편재[格]에 身旺하면 사업을 추구追求하는 사람이다. 오지에 이르길, 편재[格]은 [養命之神으로] 수명을 연장할 수 있다. 천리마에 이르길, 편재가 나타나면 정처正妻보다 첩妾을 더욱 사랑한다. (通明賦云,月上偏財,無劫無敗,富甲人間.相心賦云,偏財透露,輕財好義,愛人趨承,好說是非,嗜酒貪花,亦係如此.驚神賦云,偏財身旺,趨求商賈之人.奧旨云,偏財能益算延年.千里馬云,出現偏財,少愛正妻多愛妾.)

고가에 이르길, 편재格은 밝히기가 가장 어려운데, 일주가 旺하면 오히려 크고 높은 길을 쫓아, 일생토록 財로 인해 사람을 방산(謗訕;남을 비웃고 헐뜯음)하고, 재다 신약하면 재앙을 부른다. 또, 편재는 자신의 財가 아니므로 比肩이 같은 자리에 오는 것을 가장 두려워하니 劫 패敗를 만나지 않고 일주가 健旺하여야 집안의 자산이 맹상군[14]의 財처럼 發한다. 또, 편재는 원래 여러 사람의 財인데 干支에 兄弟가 오는 것을 가장 꺼리고, 신강하고 財가 旺하여야 복이 되는데, 만

13) 上文은 背祿逐馬배록축마를 말한다.
14) 맹상군孟嘗君 ; 中國, 戰國時代 제齊나라의 정승, 정치가

약 관성이 있으면 더욱 오묘하도다! 또, 만약 편재가 관성을 동반하면 겁성에 노출된 것과 같아 복을 구하기 어려우니, 劫運이 거듭 아울러 오는 것이 좋지 않다. 이곳에서 비로소 재앙이 수없이 많은 것을 알게 된다. (古歌云,偏財格遇最難明,日旺卻從高路行,一世因財人謗訕,財多身弱惹災生.又,偏財非是自己財,最怕比肩同位來,劫敗不逢日主健,家資當發孟嘗財.又,偏財元是衆人財,最忌干支兄弟來,身強財旺皆爲福,若帶官星更妙哉！又,若是偏財帶正官,劫星若露福難干,不宜劫運重來併,此處方知禍百端.)

또, 편재格에 身이 旺하면 관성이 필요하고, 運이 官鄕에 들면 명리名利가 발發하고, 형제자매가 겁탈하게 되면 공명功名은 여의치 못하고 재앙이 발생한다. 또, 편재가 財의 자리면 타향에서 발달하고, 강개慷慨하고 풍류風流하며 성품이 강强하여 달리 별장을 2~3곳을 세우고 명리名利로 인해 자신이 바쁘다. 또, 편재格은 달리 他鄕에서 存立하고, 妾을 총애하며 妻를 싫어하며 더하여 극 상하고, 욕심이 많아 妻妾들에게 有情하고, 더하여 시골주막의 화류계 여인을 탐한다. 諸說을 합하고 偏財를 관찰하여 喜 忌를 볼 수 있다. (又,偏財身旺要官星,運入官鄕發利名,姊妹弟兄分奪去,功名不遂禍隨生.又,偏財財位發他鄕,慷慨風流性要強,別立家園三兩處,因名因利自家忙.又,偏財別立在他鄕,寵妾嫌妻更剋傷,多慾有情妻妾衆,更宜村酒野花香,合諸說,觀偏財,喜忌可見.)

2.

시상편재時上偏財

喜忌篇에 이르기를, 時上의 편재는 다른 宮에서 [편재를] 만나는 것을 꺼린다. 또 이르길, 시상편재는 형제비견 겁재를 만나는 것을 두려워하는데, 만일 甲일이 戊辰 혹은 甲戌 時를 만나는 例이다. 辛官 만나는 것을 기뻐하며 壬癸를 생조生助하고, 庚煞과 乙劫겁재을 꺼리고 柱중에 다시 戊己를 만나는 것은 좋지 않다. 만약 身이 太旺하고 運이 東方의 寅卯라면 財를 잃으니 나머지 干도 例로서 추리하라. 이것시상편재格과 시상편관格은 서로 비슷하고, 단지 一位만 있어야지 많이 만나는 것은 좋지 않다. 天元에 透出하면 묘하게 되고, 지지속에 암장하면 그 다음이다. 柱에 官이 있어 印綬를 돕고 日主가 健旺하면 好命으로 본다. 年月의 衝破를 크게 두려워하는데, 兄弟가 배출輩出되면 福氣가 온전하지 않다. (喜忌篇云,時上偏財,別宮忌見.又云,時上偏財,怕逢兄弟,如甲日見戊辰或甲戌時之例.喜見辛官,壬癸生助,忌庚煞乙劫,柱中不宜再見戊己,若身太旺,運東方寅卯則失財,餘干例推.此與時上偏官格相似,只要一位,不宜多逢,天元透出爲妙,支內所藏次之,柱有官印相助,日主健旺,便作好命看.大怕年月衝破,兄弟輩出,則福氣不全.)

경감에서 이르길, 時上의 편재는 강개慷慨하며 행동이 경솔하고, 신身왕旺하며 財旺한 것이 가장 적합하고, 비견의 類를 만나는 것을 절대로 꺼리고, 일주가 旺하면 벼슬길이 오르고 일주가 유약하면 설령 富하더라도 가난하게 된다. 통명부에 이르길, 시상편재格은 身主가 旺하면 초가집에서 삼공(公卿:삼정승, 높은 관리)이 된다. (景鑑云,偏財時上,慷慨浮輕,最宜身強財旺,切忌比類相逢,主旺兮崢嶸仕路,日柔兮縱富決貧.通明賦云,時上偏財身主旺,白屋公卿.)

고시에서 이르기를, 시상편재는 干이 强한 것을 기뻐하며 運이 財鄕에 들면 祿을 發하기 어렵고, 형제(비견)가 다시 서로 도와 탈취하면 설령 富貴할지라도 크게 인색하다. 또, 시상편재는 충을 가장 꺼리고, 형제[비견 겁재]들을 모두 꺼리는데 身旺하여 官祿으로 行하는 것을 기뻐하고, 다른 곳에 투출함이 없어야 비로소 귀하게 된다. 또, 시상편재는 대부분 사용하지 않고, 반드시 支干에 망라한 것을 찾아서 사용해야하고 財旺과 겸하여 身旺을 만나는 것을 좋아하고, 衝破 傷官에게 시달림을 당한다. 또, 시상편재는 一位를 만나 衝破를 만나지 않으면 풍족한 영화를 누리고, 게다가 비견 겁재를 보지 않으면 富貴가 雙全하여 석숭(石崇:중국中國 진晉나라 때의 부호였던 석숭에서 온 말로, 부자富者를 비유比喩、譬喩하여 일컫는 말)에 비교된다. 또, 시상편재가 겁신劫辰을 보면 田園이 파진破盡하여 가난하며 고통스럽고, 妻妾을 損傷하여 치욕을 많이 당하고, 食의 재료가 되지 못하고 곤궁함이 늘어난다. (古詩云,偏財時上喜干强,運入財鄕發祿難,兄弟更來相助奪,縱然富貴也多慳.又,時上偏財衝最忌,兄弟之輩皆爲畏,喜行身旺官祿鄕,別無透出方爲貴.又,時上偏財不用多,支干須要用搜羅,喜逢財旺兼身旺,衝破傷官受折磨.又,時上偏財一位逢,不遭衝破享榮豐,比肩劫財還無遇,富貴雙全比石崇.又,時上偏財遇劫辰,田園破盡苦還貧,傷妻損妾多遭辱,食不相資困在陳.)

전재專財

專財는 丙日이 丙申 時를 만나고, 甲日이 己巳 時를 보는 것으로, 丙의 祿은 巳에 있으며, 丙은 이미 申에 坐하여 巳를 끌어와 庚 金을 刑出하니 丙日이 이를 극하여 財가 되고, 巳와 申이 합하고, 두 干이 모두 丙인데 專財가 되고, 運이 官旺으로 흐르고 財神이 배반하지 않으면 財官이 大發한다. 傷官, 劫財 衝刑 破祿의 運으로 흐르는 것을 꺼리고, 甲日의 己巳 時는 身과 財는 모두 旺해야하고, 木이 旺한 月에 생하면 土가 많은 것을 기뻐하고, 土가 旺한 月달에 생하면 木이 많은 것을 기뻐하며 丙일 역시 그러하다. (乃丙日見丙申時,甲日見己巳時,丙之祿在巳,丙既坐申,引巳刑出庚金,丙日剋之爲財,巳與申合,兩干皆丙,是爲專財,運行官旺,財神不背,大發財官,忌行傷官,劫財,衝刑破祿之運,甲日己巳時,要身財俱旺,生木旺月喜土多,生土旺月喜木多,丙日亦然,如甲辰戊辰丙申丙申,癸酉庚申丙子丙申二命,專財格也.)

예) 命造-1
丙 丙 戊 甲
申 申 辰 辰

예) 命造-2
丙 丙 庚 癸
申 子 申 酉
두 命은 專財格이다.

古詩에 말하기를, 專財는 丙日이 申時를 만나고 運이 官鄕에 이르면 복이 더욱 기이하며, 모름지기 상간象簡에 올라 금어귀(金魚貴;궁전에 드나들수 있는 품계)가 되어 福壽가 雙全하며 매사가 화순하다. (古詩云,專財丙日見申時,運至官鄕福更奇,須登象簡金魚貴,福壽雙全事事宜.)

기명종재棄命從財

독보에 말하기를, 기명종재는 반드시 財가 모여야 하는데, 만약 根氣를 만나면 命이 손상되어 원망이 없고, 가령 丁이 酉월에 생하여 사주에 庚 辛이 많으며 日干이 無氣하고 단 棄命 相從을 하는 것인데, 運이 北方의 財官이 旺한 지지에 들면 곧 入格하게 된다. 남방으로 행하면 재앙이 된다. 고가에 이르길, 일간이 無氣하며 財로 가득차서 棄命하고 從하니 복이 태동한다. 왕성한 財官運이면 모두 富貴한데, 만일 [일간의] 根을 만나 돕게 되면 도리어 재앙이 된다. (獨步云,棄命從財,須要會財,若逢根氣,命損無猜,假如丁生酉月,柱多庚辛,日干無氣,只得棄命相從,運入北方財官旺地,乃爲入格,南行災.古歌云,日干無氣滿盤財,棄命相從是福胎,運旺財官皆富貴,如逢根助反爲災.)

일좌천재日坐天財

예컨대, 戊己土는 水를 극하니 財가 되고, 水의 묘墓는 辰인 것이다. 고가에 이르기를, 年 干에서 下를 극하는 것이 天財이고, 묘墓를 극하는 올바른 것은 개고開庫를 해야 하고, 財가 고庫속에 있을 때는 곡백(穀帛;비단과 곡식)이 풍성하고, 집안에 귀한 보물이 쌓여 언덕을 이룬다. 畢狀元[필 장원] 사주가 그 例이다. (如戊己土剋水爲財,水墓辰是也.古歌云,年干剋下是天財,剋墓之鄕正庫開,財入庫時多穀帛,家豪金物積成堆.如畢狀元,己巳癸酉庚辰甲申是也)

예) 命造

甲 庚 癸 己

申 辰 酉 巳

편정재합론偏正財合論

[五行]精紀에 생성재生成財가 있는데, 가령 甲乙이 戊己土를 만나면 財가 되고, 申 子 辰 上에 坐한 생왕生旺한 고庫가 되어 戊申 戊辰 戊子 支干이 合을 이루는 것이다. 무릇 命이 귀격에 들면 貴를 제외하더라도 모름지기 大富가 되어, 전곡(錢穀;국가의 재정을 담당하는 부서)의 임무를 맡는 일이 많다. 만일 귀격에 들지 않고 또 福神의 도움이 없으면 부호富豪인 백성百姓이다. 만약 自生 自旺하면 甲人이 戊午, 己亥를 만나는 例로서 富하다. 나머지는 이것을 따르라. (精紀有生成財,如甲乙見戊己土爲財,申子辰上坐生旺庫,戊申,戊辰,戊子支干成合是也.凡命入貴格,除貴外,須主大富,仍多歷錢穀之任,若不入貴格,又無福神助,是富豪百姓.若自生自旺,甲人見戊午己亥之例,主富.

餘仿此.)

생합재生合財가 있는데, 甲人이 戊 癸를 만나거나, 己人이 癸 戊를 만나거나, 庚人이 甲 己를 보는 등의 종류로, 富貴하게 된다. 자모재子母財가 있는데, 木命의 人이 火월에 土의 日時를 보는 종류인데 평생토록 좋은 일을 많이 만난다. (有生合財,如甲人見戊癸,己人見癸戊,庚人見甲己等類,主成立富貴.有子母財,如木命人見火月,土日時之類,主平生多見喜事.)

유재살類財煞이 있는데, 寅 午 戌 人이 乙 庚을 만나거나, 巳 酉 丑 人이 丁 壬을 만나거나, 申 子 辰 人이 戊 癸를 만나거나, 亥 卯 未 人이 甲 己를 보는 것으로 一名 유미살幽微煞이라 하며, 主는 명리名利가 병행한다. (有類財煞,寅午戌人見乙庚,巳酉丑人見丁壬,申子辰人見戊癸,亥卯未人見甲己,一名幽微煞,主利並行.)

財합살財會煞이 있는데, 寅午 戌人이 辛丑을 만나거나, 巳 酉 丑 人이 乙未를 만나거나, 申 子 辰 人이 丙戌을 만나거나, 亥 卯 未 人이 戊辰을 보는 것으로 이는 妻財가 회합한 神인데, 이것을 만나면 富가 풍족하며 아름다운 妻와 횡재橫財수가 있지만 그러나 妻가 대항하여 독약으로 命을 해친다. (有財會煞,寅午戌人見辛丑,巳酉丑人見乙未,申子辰人見丙戌,亥卯未人見戊辰,此妻財聚會之神,遇者主富足,及有美妻橫財,卻防妻人毒藥害命.)

名位 財가 있는데, 食神중에서 고庫를 만난 것으로 가령 戊子벽력火 火人이 庚戌을 만나면, 戊의 食神은 庚이고 火의 고庫는 戌로서 金을 극하니 財가 된다. 이것 明位財을 만나면 일생토록 祿을 받는다. 장생재長生財가 있는데, 가령 甲은 戊己를 用하여 財로삼아 戊申을 만나고, 癸는 丙丁을 用하여 財로 삼아 丙寅을 만나는 例인데, 이 종류장생재의 종류는 의외로 財를 얻는 일이 많다. (有名位財,乃食神中見庫,如戊子火人見庚戌,戊食庚,火庫在戌,剋金爲財,逢此者一生受祿.有長生財,如甲用戊己爲財,見戊申,癸用丙丁爲財,見丙寅之例,此類多得外財.)

또 이르기를, 甲이 戊를 만나거나, 乙이 己를 보는 종류를 財라 하는 술사가 많은데, 甲 己가 丙辛을 만나거나, 丙辛이 戊癸를 만나는 등의 종류를 眞財라 하는 것을 알지 못하고, 유기有氣하고 旺相한 자리에 거하면 재물이 풍성하다. 또 납음 본래의 干이 스스로 眞 오행을 보는 경우는, 가령 乙亥 人이 月 日 時중에 庚을 보면 乙亥[산두火]의 납음은 火이며 乙 庚은 眞金으로 干頭가 스스로 財인 것이다. 이를 天財라 이름하며 富가 넉넉하여 편안하다. (又曰,術者多以甲見戊,乙見己類爲財,不知甲己見丙辛,丙辛見戊癸等類爲眞財,生居有氣旺相之位,主富盛.又納音本干自見眞五行,如乙亥人,月日時中見庚,乙亥納音火,乙庚眞金,干頭自是財也,此名天財,主富足優逸.)

만약 납음이 반대로 干頭를 制 극하면, 만일 丁卯[노중火]火가 도리어 乙 庚 金을 制할 수 있는데, 이것을 鬼財라 이름하고, 일생동안 세상의 財재물를 얻거나 혹은 출중하나 교활한 하급관리로서 집안을 일으킨다. 戊寅, 戊申이 丙 辛을 얻거나, 乙酉, 乙卯가 戊 癸를 얻어도 이것에 准한다. 다시 辰戌 丑未를 동반하면 藝術을 하여 세상의 재물을 많이 획득한다. (若納音反制剋干頭,如丁卯火,卻能制乙庚金,此名鬼財,主一生得世財,或爲豪猾胥吏起家.戊寅戊申得丙辛,乙酉乙卯得戊癸,准此.更帶辰戌丑未,主爲藝術,大獲世財.)

또 말하기를, 祿 命 身은 세 종류로 財庫가 있는데, 가령 甲子[海中金]金에서 甲은 祿으로 木에 속하고, 木이 土를 극하니 따라서 土는 祿의 財가 되고, 土의 묘墓는 辰에 있으니 辰은 祿의 財庫인 것이다. 子는 命으로 水에 속하고 水는 火를 극하니 따라서 火는 命의 財가되고, 火의 묘墓는 戌에 있는데 戌이 命의 財庫가 되는 것이다. 金은 身으로 金이 木을 극하니 따라서 木은 身의 財가 되고, 木의 묘墓는 未에 있으니 未는 身의 財庫가 되는 것이다. 財産이 풍성하고, 少年 시절에 고생을 하지만 점점 나이가 들어야 [富를] 이룬다.[15] (又曰,祿命身三等財庫,如甲子金,甲爲祿,屬木,木剋土,故土爲祿財,土墓在辰,是爲祿財庫也,子爲命,屬水,水剋火.故火爲命財,火墓在戌,是爲命財庫也,金爲身,金剋木,故木爲身財,木墓在未,是爲身財庫也,主財産豐盈,少年辛苦,漸老方遂.)

세제월건(歲制月建;太歲가 月建을 制함)이 있는데, 가령 甲乙人이 辰 戌 丑 未에 있거나, 丙丁人이 申 酉에 있는 등의 종류이다. 만약 이를 만나면 직위職位가 숭고崇高하고, 印綬가 현혁(顯赫;혁혁하게 드러남)하다. 만약 身이 쇠약하여 財를 극할 수 없으면, 가령 壬寅[金箔金]金이 戊辰[大林木]木을 만나거나, 丁卯[爐中火]火가 癸酉[劍鋒金]金을 보는 종류로 制剋할 수 없으니, 도리어 기를 손상하게 된다. 나머지도 이것을 따라 추리하라. (有歲制月建,如甲乙人在辰戌丑未,丙丁人在申酉等類,若人遇之,主職位崇高,印綬顯赫,若身衰不能剋財,如壬寅金見戊辰木,丁卯火,癸酉金之類,不能剋制,翻成損氣,餘倣此推.)

6. 논인수論印綬-1~8

논인수論印綬-1

喜食神,天月德,七煞,逢印看煞,以官爲引.

忌刑衝,傷官,死墓,辰戌印怕木,丑未印不怕木.一曰正印,二曰魁星,三曰孤極星.

印綬는 오행에서 나를 생하는 것의 명칭이다. 가령 甲乙이 亥子월이거나, 丙丁이 寅卯월인 종류인데, 내 기의 근원根源으로 생기生氣이며 父母가 되어 나의 관성을 보호할 수 있고, [印綬는] 극傷함이 없어야하는데 인생에 비유하면 물物質을 얻어 서로 돕고 양육하여 복을 이루니 어찌 묘하지 않겠는가? 印綬格은 총명하며 지혜가 많고 성품이 자혜로워 말語은 선량하며 입이 무겁고, 외관은 풍후豊厚하며 음식을 잘하고, 평생토록 병病이 적고, 뜻밖의 凶을 당하지 않으나 다

15) 祿命身 ; 甲子 年이면 甲은 祿, 子는 命, 身은 甲子의 납음인 金

만 재물에는 인색할 뿐이고, 官관직이 되는 것은 대부분 正官으로 선칙(宣勅;임금의 교칙)을 받아 文武에 구애받지 않고 벼슬을 맡게 되니, 官은 능히 印綬를 생함으로서 관성을 좋아한다. (印綬者,乃五行生我之名.如甲乙在亥子月,丙丁在寅卯月之類,乃我氣之源,爲生氣,爲父母,能護我官星,使無傷剋,譬人生得物,相助相養,受現成之福,豈不爲妙？此格主聰明,多智慧,性慈惠,語善良遲訥,體貌豐厚,能飮食,平生少病,不逢凶橫,但吝財耳,爲官多爲正官,受宣敕,不拘文武,皆掌印信,喜官星,以官能生印.)

經에서 이르길, 印綬는 官의 생함을 의지한다. 또 이르길, 官이 있고 印綬가 없으면 眞官이 아니고, 印綬가 있고 官이 있어야 비로소 두터운 복을 이루는 것이고, 財는 능히 印綬를 破하기에 재성을 꺼린다. 經에서 이르길, 月에서 일간을 생하고 天干에 財가 없으면 印綬[格]라 지칭한다. 또 이르길, 印綬가 손상을 당하면 아마 영화榮華가 길지 않을 것이다. 또 이르길, 印綬가 생月이면 歲 時에서 재성을 만나는 것을 꺼리고, 運[대운]이 財鄕에 들면 자신이 퇴위退位하게 되는 것이다. 세운歲運도 동일하게 논한다. (經云,印賴官生.又云,有官無印,即非眞官,有印有官,方成厚福是也.忌財星,以財能破印.經云,月生日干無天財,乃印綬之名.又云,印綬被傷,倘若榮華不久.又云,印綬生月,歲時忌見財星,運入財鄕,卻宜退身避位是也.歲運同論.)

印綬가 손상을 당하지 않으면 父母의 음덕蔭德 많이 받아 자산을 이루니 평안하게 富貴를 누리고, 모든 命을 서로 비교하면 당연히 印綬가 많은 것에서 上이 되고, [印綬는] 月이 가장 중요하고 日 時는 그 다음이며, 年의 干은 비록 重할지라도 月 日 時에 녹祿이 있어야 取用할 수 있다. 만약 年에 印綬가 투출하고 月 日 時에 없으면 일을 구제하지 못하고, 사주에 원래 관성이 있어야 묘하게 된다. 만약 印綬는 적고 官鬼가 많거나 혹은 [印綬가] 다른 格이 되면 오직 印綬로만 설명하는 것은 불가하다. 만약 印綬가 다시 공록拱祿, 전록專祿, 귀록歸祿, 서귀鼠貴, 협귀夾貴, 시귀時貴등의 格이 되면 더욱 기묘하고 특별한데, 단 자식이 적거나 혹 자식이 없고, 印綬가 많으면 청 고淸孤하다. (印綬不逢損傷,多受父母倚蔭,資財見成,安享富貴,諸命相比,當以印綬多者爲上,月最要,日時次之,年干雖重,須歸祿月日時方可取用,若年露印,月日時無,亦不濟事.四柱元有官星爲妙,若印綬少官鬼多,或入他格,又不可專言印綬,若印綬復遇拱祿,專祿,歸祿,鼠貴,夾貴,時貴等格,尤爲奇特,但主少子,或無子,印綬多者清孤.)

구집에 이르길, 印綬가 많으면 清孤함을 免하지 못하는 것이 이것이다. 무릇 印綬는 七煞을 좋아하지만 다만 煞이 너무 많은 것은 불가한데 많으면 身을 손상한다. 四柱原局에 七煞이 없어도 行運에서 七煞을 만나면 발달하고, 원국에 七煞이 있고 財運으로 흐르거나, 혹 印綬가 사死 절絶이나 혹 묘墓에 臨하게 되면 모두 흉하다. 經에 이르길, 煞은 印綬를 생할 수 있지만 財로 行하는 것을 두려워하는데, 印綬를 破하고 鬼를 도우니 결코 상서롭지 않다. 또 이르길, 印綬가 묘墓이면 요절함을 피하기 어렵다는 것이다. (拘集云,印多則清孤不免是也.凡印綬喜七煞,但煞不可太多,多則傷身.原無七煞,行運遇之則發,原有七煞,行財運,或印綬死絕,或臨墓地,皆凶.經云,煞能生印,畏行財鄕,破印助鬼,決主不詳.又云,印墓則壽夭難逃是也.)

논인수論印綬-2

무릇 格은 身旺한 것을 좋아하고 단지 印綬는 身弱함을 좋아하는데, 만약 사주원국에 財가 印綬를 손상하면 行運에서 比肩 劫財의 身이 旺한 運으로 흘러야 發福할 수 있으나 그러하지 않으면 좋지 않다. 만일 官 煞 財神이 없는데 다시 身旺으로 行하면 平常인이다. (凡格喜身旺,惟印綬喜身弱,若元局帶財傷印,運行比劫身旺亦能發福,無則不宜,如無官煞財神,又行身旺,主平常.)

연원에서 印綬를 논하기를, 가령 甲일이 子월을 만나면 正印이 되고 亥월은 偏印이 되는데, 天月德을 만나는 것을 가장 기뻐하고 子의 天德은 손방巽方巳에 있으며 月德은 壬에 있고, 亥의 天德은 乙에 있으며 月德은 甲에 있고, 時에 酉 辛의 正官을 만나면 묘하고, 혹 申 庚 七煞은 오히려 比肩 劫財를 만나야 하는데 身을 도와 合煞하면 귀하고, 戊己의 財星이 印綬를 손상하는 것이 두렵고, 丙 丁의 食神 傷官이 財를 생하여 印綬를 破하는 것을 꺼린다. 乙이 亥子月을 만나는 것의 喜 忌는 甲과 동일하다. (淵源論印綬,如甲日遇子月爲正印,亥月爲偏印,最喜逢天月德,子天德在巽,月德在壬,亥天德在乙,月德在甲,時要見酉辛正官爲妙,或申庚七煞,卻要見比劫,助身合煞爲貴,畏戊己財星損印,忌丙丁食傷生財破印,乙逢亥子月,喜忌與甲同.)

丙일이 卯월의 正印을 만나면 [卯월] 天德은 곤방坤方申에 있으며 月德은 甲에 있고, 寅월은 偏印으로 天德은 丁에 있으며 月德은 丁에 있는데, 子 癸의 正官을 만나는 것을 좋아하나 혹 壬亥의 七煞은 오히려 比劫비견 겁재이 身을 도와 合煞해야 하는데, 申 庚 酉 辛의 재성이 印綬를 손상하는 것이 두렵고, 戊 己의 食傷이 財를 생하여 印綬를 破하는 것을 꺼린다. 丁이 寅 卯월 만나는 것의 喜 忌는 丙과 동일하다. (丙日逢卯月正印,天德在坤,月德在甲,寅月偏印,天德在丁,月德在丙,喜見子癸正官,或壬亥七煞,卻要比劫助身合煞,畏申庚酉辛,財星損印,忌戊己食傷生財破印,丁逢寅卯月,喜忌與丙同.)

戊일이 午월의 正印을 만나면 [午월] 天德은 亥에 있으며 月德은 丙에 있고, 巳월은 偏印으로 天德은 辛에 있으며 月德은 庚에 있는데, 卯 乙의 正官을 만나면 기쁘지만, 寅 甲의 七煞을 만나면 煞은 오히려 比劫이 身을 도와 合煞해야 하고, 壬 癸의 財를 만나 印綬를 破壞하는 것과 庚 辛의 食傷이 財를 생하여 印綬를 破하는 것을 꺼린다. 己일이 巳午월에 생하는 것의 喜 忌는 戊와 동일하다. (戊日逢午月正印,天德在亥,月德在丙,巳月偏印,天德在辛,月德在庚,喜逢卯乙正官,寅甲七煞,見煞卻宜比劫,助身合煞,忌見壬癸之財壞印,庚辛食傷生財破印,己生巳午月,喜忌與戊同.)

庚일이 午[午중 己 土]월 正印에 생하면 [午월]天德은 乾방[亥]에 있으며 月德은 丙에 있고, 巳[巳중 戊土를 말함]月은 偏印으로 天德은 辛에 있으며 月德은 庚에 있는데, 午 丁의 관성을 만나면 기쁘지만 巳 丙의 칠살을 만나면 煞은 오히려 비겁이 身을 도와 合煞해야 하고, 甲 乙 寅 卯의 旺한 財가 印綬를 파괴하는 것과 壬 癸의 食傷이 財를 생하여 印綬를 破하는 것을 꺼린다.

辛일의 巳午월에 생하는 것의 喜 忌는 庚과 동일하다. (庚日生午月正印,天德在乾,月德在丙,巳月偏印,天德在辛,月德在庚,喜見午丁官星,巳丙七煞,見煞卻宜比劫,助身合煞,忌甲乙寅卯旺財壞印,壬癸傷食生財破印,辛生巳午月,喜忌與庚同.)

壬일이 酉월의 正印에 생하면, [酉월의] 天德은 寅이며 月德은 庚이고, 申월은 편인으로 天德은 癸이며 월德은 壬인데, 時에서 己午의 正官을 만나는 것이 기쁘지만 혹 巳戊의 칠살은 오히려 비겁을 만나 身을 도와 合煞해야하고, 丙丁의 旺한 財가 印綬를 파괴하는 것과 甲 乙의 食傷이 財를 생하여 印綬를 破하는 것을 꺼린다. 癸일이 申酉월에 생하는 것의 喜 忌는 壬과 동일하다. (壬日生酉月正印,天德在寅,月德在庚,申月偏印,天德在癸,月德在壬,喜時逢巳己午正官,或己巳戊七煞,卻宜見比劫助身合煞,忌丙丁旺財壞印,甲乙食傷生財破印,癸生申酉月,喜忌與壬同.)

經에서 이르기를, 印綬와 天德이 同宮하면 官刑이 犯하지 못한다. 또 말하기를, 소식(素食;채식) 위주의 음식하며 자심(慈心;자비심)은 印綬가 天德을 만난 것을 기뻐한다. (經云,官刑不犯,印綬與天德同宮.又曰,素食慈心,印綬喜逢於天德.如孟重都憲乙亥,丁亥,乙丑,丙戌,是印綬與天德同宮.一命甲寅丙寅丙寅丁酉,是天德在丁,月德在丙,印綬在寅.一命庚申庚辰庚子壬午,是天德月德俱在壬,印綬在辰是也.)

예) 命造-1
丙 乙 丁 乙
戌 丑 亥 亥
맹중 도헌의 사주인데, 印綬와 天德이 同宮한다. [亥는 印綬이며 天德이다.]

예) 命造-2
丁 丙 丙 甲
酉 寅 寅 寅
월지 寅의 天德이 丁에 있으며 月德은 丙에 있고 印綬도 寅에 있다. [月德과 印綬가 同宮한다.]

예) 命造-3
壬 庚 庚 庚
午 子 辰 申
月支의 辰에 天德과 月德 모두가 壬에 있으며 印綬도 辰에 있는 것이다.

이 格들은 대체적으로 생왕生旺하여야 하는데 사절死絶을 가장 꺼린다. 가령 甲乙이 亥子를 만나면 印綬가 되고 金을 보면 仁義를 이루고, 양생養生하는 印綬가 원국에서 土를 만나면 格이 혼잡하고, 運이 西北으로 흐르면 官印관과 인수은 복이 된다. 만약 時가 卯 辰 巳의 지지가 되거나 혹 운에서 이[東 남방]地로 흐르면, 印綬가 사死 절絶이 되고 流年에 재차 財가 印綬를 극하게 되면 황천黃泉에 들어가는 것은 의심할 필요가 없다. (此格大要生旺,最忌死絕.如甲乙見亥子爲印,見金成其仁義,生養印元見土,則混雜其格,運行西北,官印爲福,若時引歸卯辰巳地,或運行此地,則印歸死絕,流年再遇財剋印,決入黃泉無疑.)

논인수論印綬-3

印綬는 格에 맞으면 大運이 행해지므로 印綬는 변화를 가장 꺼린다. 지지에서 三合을 만나서 혹 傷局상관 국으로 변하거나, 혹 財局으로 변하거나, 혹 煞局으로 변화하면 가장 不吉하다. 賦에서 이르길, 金은 土의 생함을 의지하지만 土가 두터우면 金이 매몰埋沒되고, 木은 水에의해 양육되지만 水가 성盛하면 木은 반드시 표류(漂流;물에 떠내려감)한다. 화염火炎하여 토조土燥하면 만물을 생할 수 없다.『예를 들면, 己일이 午의 類를 얻음』剛한 金은 水를 생할 수 없다.『예를 들면 庚일이 戌의 類를 얻음』旺한 土가 旺火를 만날 경우, 반드시 눈에 옹저(癰疽;큰 종기와 열병熱病)이 생긴다. 土가 金을 생할 수 없거나, 燥한 金이 水를 생할 수 없거나, 水絶되어 木을 생할 수 없는 경우에 이를 보면 상세히 살펴봐야 하고, 일률적으로 印綬로 논하는 것은 불가하다. (印綬合格,行大運,最忌印綬變了,遇地支三合,或變爲傷局,或變成財局,或變成煞局,最不吉.賦云,金賴土生,土厚而金遭埋沒.木從水養,水盛而木必漂流.水火炎土燥,則不能生物.如己日得午之類.剛金不能生水.如庚日得戌之類,旺土見旺火,逢此必主眼疾癰疽熱病.土不能生金,燥金不能生水,絕水不能生木,遇此宜詳看,不可一概印綬論.)

만약 水가 金의 생함을 얻고 추절을 만나면 "금백수청"金白水清하여 수려감과"秀麗堪誇"하고, 1水에 3金은 부르기를 체전지상體全之象이라 말한다. 火가 木의 생함을 얻고 春절이면 목수화명木秀火明하여 발염홍록發焰紅綠하고, 金을 만나면 木이 상하니 멸화지염滅火之焰한다. 金木의 두 印綬가 많으면 모두 길하다고 논한다. 만약 火 印綬가 많으면 화조토열火燥土烈하고, 水 印綬가 많으면 水가 범람하여 木이 뜨고, 土 印綬가 많으면 土가 重하여 金이 매몰되니, 모두가 길하지 않다. (若水得金生而逢秋,乃水清金白,秀麗堪誇,一水三金,號曰體全之象.火得木生而值春,爲木秀火明,發焰紅綠,見金則傷其木,滅火之焰.是金木二印多者,俱作吉論.若火印多者,火燥土烈,水印多者,水泛木浮,土印多者,土重金埋,皆不爲吉.)

또 이르기를, 甲일 子월은 己巳時를 꺼리고, 午의 충을 두려워한다. 乙일 亥월은 戊辰時를 거리고 巳의 충을 두려워한다. 丙일 卯월은 辛卯 時를 꺼리고 酉의 충을 두려워하며 寅월은 庚寅時를 두려워한다. 丁일 寅월은 庚子 時를 꺼리고 申의 충을 두려워하며 卯월은 辛丑 시를 꺼리고 酉의 충을 두려워한다. 戊일 午월은 癸卯 時를 꺼리고 子의 충을 두려워하고, 己일 巳월은 壬子 壬戌時를 두려워하며 亥의 충을 꺼린다. (又云甲日子月忌己巳時,怕午衝.乙日亥月忌戊辰時,怕巳衝.丙日卯月忌辛卯時,怕酉衝,寅月忌庚寅時,怕申衝.丁日寅月忌庚子時,怕申衝,卯月忌辛丑時,怕酉衝.戊日午月忌癸卯時,怕子衝,己日巳月,怕壬子壬戌時,忌亥衝.)

庚일 午월은 己卯 乙酉 時를 꺼리고 子의 충을 두려워하며 巳월은 戊寅 時를 거리고 亥의 충을 두려워하고, 辛일 巳월은 庚寅 甲午 時를 꺼리고 亥의 충을 두려워하며 午월은 辛卯 乙未 時를 꺼리고 子의 충을 두려워한다. 壬일 酉월은 丁未 時를 꺼리고 卯의 충을 두려워하며 申월은 丙午 時를 꺼리고 寅의 충을 두려워하며 酉월은 丁巳 時를 꺼리고 卯의 충을 두려워한다. 이상으로 일간은 모두 比肩의 소통을 좋아하고, 食傷이 財를 생하여 印綬를 쇠衰하게 하는 것을 싫어하는데 이 물物을 犯하고 運이 또 身 印綬가 쇠衰한 곳의 財가 旺한 지지에 臨하면 반드시 탐재괴인貪財壞印하여 관직에서 물러난다. (庚日午月忌己卯乙酉時,怕子衝,巳月忌戊寅時,怕亥衝,辛日巳月忌庚寅甲午時,怕亥衝.午月忌辛卯乙未時,怕子衝.壬日酉月,忌丁未時,怕卯衝,申月忌丙午時,怕寅衝,酉月忌丁巳時怕卯衝.以上日干皆喜見比肩疎通.忌見食傷銷印生財,犯此物,運又臨身印衰鄕財旺之地,必然貪財壞印,剝官退職.)

논인수論印綬-4

經에서 이르기를, 印綬가 재성을 거듭 만나면 만사가 잘 안 풀린다. 또 이르길, 月의 印綬가 순수純粹한데 재성이 없으면 문장文章중에 으뜸이다.[16] 또 이르길, 身旺하며 印綬가 많으면 財運은 무방하고, 身弱하여도 印綬가 있으면 煞運에 어찌 손상하겠는가! 또 말하길, 印綬가 유근有根 재성을 좋아하고, 印綬가 無根하면 財를 꺼리고, 관성은 印綬의 根인데 印綬가 官이 있고 財가 있으면 財는 官을 생하며 官은 印綬를 생하고 印綬는 身을 생하여, 身은 財를 극하니 영화롭고 귀하므로 꺼리지 않는다. 또 이르길, 印綬가 유근有根하면 財를 만나면 발달하고 官을 만나면 현달顯達하고 合을 하게 되면 기울고 충을 만나면 재앙이 된다. (經云,印綬財星重見,百事難通.又云,月印純粹無財星,主文章中黃甲.又曰,身旺印多,財運無妨,身弱有印,煞運何傷！又曰,印綬有根,喜遇財星,印綬無根,忌見財曜,官星者印綬之根也.印綬有官有財,則財生官,官生印,印生身,身剋財則榮貴,故不忌.又云,印綬有根,逢財則發,逢官則顯,逢合則晦,逢衝則災.)

계선篇에서 이르기를, 생기인 印綬는 官運이 이로우며 財鄕에 드는 것을 두려워한다. 또 이르길, 月에서 日간을 생하면 運이 財鄕으로 흐르는 것을 좋아하지 않는다. 독보에서 이르기를, 印綬가 無根하면 생함을 만나야 發福하고, 만약 根이 많아도 복이 역시 부족不足한데 운에서 財를 만난다면 파가破家하고 祿벼슬 관록 직장을 잃는다. 또 이르길, 印綬의 根이 輕하면 旺한 중에 영달榮達하고, 인수印綬의 근根이 많으면 旺한 중에 不發한다. 또 말하길, 印綬는 比肩이 있으면 財鄕을 좋아하고, 印綬가 比肩이 없으면 財鄕으로 흐르는 것을 꺼린다. 또 이르길, 印綬는 財를 만나면 比肩을 꺼리지 않는다. 천현에 이르기를, 身이 休 囚지에 坐하고 부조扶助하지 않으며 구제하지 않으면 天元이 無氣하니 오히려 중간 이하로 흥륭興隆하게 된다. (繼善篇云,生氣印綬,利官運,畏入財鄕.又云,月生日干,運行不喜財鄕.獨步云,印綬無根,遇生發福,若見多根,福亦不足,運限逢

16) 대학교수가 많다.

財,破家失祿.又云,印綬根輕,旺中榮達,印綬根多,旺中不發.又曰,印綬,比肩,喜行財鄉,印無比肩,畏行財鄉.又云,印綬逢財,比肩不忌.天玄云,身坐休囚,不扶不濟,天元無氣,卻宜中下興隆.)

통명부에 이르길, 印綬가 煞을 만나면 여섯 마리 龍이 장식된 곤룡포를 입을 정도로 길하다. 또 말하길, 財와 印綬가 교착交錯하면 그 기품氣稟의 輕重을 논하는데, 만약 財는 輕하고 印綬가 重하면 財를 버리고 印綬를 取해야 貴함을 알 수 있고, 印綬의 기가 輕하고 財의 기가 重하면 印綬를 버리고 財를 취하는데, 비록 배록背祿할지라도 干支의 旺함이 重하면 도리어 자재資財가 된다. (通明賦云,印綬遇煞,吉甫補六龍之袞.又曰,財印交錯,論其氣稟之輕重,倘若財輕而印氣重,捨財取印,其貴可知,倘若印氣輕而財氣重,捨印取財,雖有背祿,支干重旺,反作資財.)

또 이르길, 월月의 印綬가 日을 더하고 財氣가 없으면 황방초현黃榜招賢한다. 또 이르길, 文章이 현저顯著하면 영화로움이 황갑(黃甲;으뜸)에 올라 姓名을 드높인다. 文章은 곧 印綬이다. 현기부에서 이르기를, 身旺하고 印綬가 많으면 財地로 흐르는 것을 좋아한다. 또, 이르기를, 官이 생하여 印綬가 旺하면 명성名聲이 특별히 뛰어나게 된다. 보감에 이르길, 인수印綬를 거듭 만나면 老彭의 壽를 비교할만하다. [수명이 상당히 길다.] 유미부에 이르기를, 印綬가 생을 만나면 母가 현귀賢貴하다. 또 이르길, 어린 나이에 母와 이별하는 것은 단지 財가 많아 印綬를 사死한 것이다. 또 이르길, 印綬가 많으면 자식이 적거나 드물다. 유현부에서 이르기를, 印綬는 충하고 재성이 重하면 身은 차진車塵~차가 지나간 뒤에 일어나는 먼지의 괴로움이 있다. (又云,月印附日無財氣,乃黃榜招賢.又云,文章顯者,榮登黃甲姓名香.文章卽印也.玄機云,身旺印多,喜行財地.又云,印旺官生,聲名特達.寶鑑云,印綬重逢,竊比老彭之壽.幽微賦云,印綬逢生,母當賢貴.又云,幼歲離母,只爲財多印死.又云,印綬多而子少息稀.幽玄賦云,印綬衝而財星重,身有車塵之苦.)

논인수論印綬-5

보감에 이르길, 사주에 印綬가 많아 財가 노출露出하면 태공 강태공의 나이 80세에 문왕周 문왕을 만난 것과 같다. 또 이르길, 印綬가 財와 比劫을 만나면 설령 財재물가 많더라도 福은 온전하지 않고, 印綬는 암장하며 財가 투출하고 身이 自旺하면 공功名은 영달榮達하고 福은 모름지기 온전하다. 또 이르길, 財가 印綬를 손상하면 母가 일찍 죽는다. 또 이르길, 탐재괴인貪財壞印하면 運은 比劫으로 흐르는 것을 좋아한다. 오지에 이르길, 印綬가 太過하면 재차 身旺한 지지로 흐르는 것을 좋아하지 않고, 印綬가 손상을 당하면 가업을 잃고 고향을 버리고 떠난다. (寶鑒云,四柱印多財露,太公八十遇文王.又云,印綬逢財身比劫,縱有財多福不全,藏印露財身自旺,功名榮顯福須完.又云,印綬財傷,母年早喪.又云,貪財壞印,喜行比劫之鄉.奧旨云,印綬太過,不喜再行身旺地,印綬被傷,失宗業,抛離故里.)

낙역부에 이르길, 印綬가 子위에 臨하면 자식이 영화롭다. 천리마에 이르기를, 印綬가 있으면

官을 살펴보아야 하는데 官을 보면 열중에 칠은 귀하다. 또 이르길, 재성이 印綬를 破하면 마땅히 비겁의 宮을 만나야한다. 또 이르길, 財와 印綬가 혼잡하면 힘들게 된다. 골수가에 이르기를, 만약 財가 와서 印綬를 파괴하게 되면 목을 매달거나 물에 빠져 사망하는데, 印綬가 財를 만나지 않아야 죽지 않는다. 앞의 내용처럼 하나하나 자세하게 추리하여 評해야 한다. (絡繹賦云,印臨子位,受子之榮.千里馬云,逢印看官而遇官,十有七貴.又云,財星破印,宜逢比劫之宮.又云,財印混雜,終爲守困.骨髓歌云,若是逢財來壞印,懸梁落水惡中亡,印不逢財身不死,如前逐一細推評.)

신명부에 이르기를, 귀인이 印綬를 차면佩 문무文武를 겸한 자질을 갖춘다. 경신부에 이르길, 印綬가 있으면 官이 없어도 청고淸高한 복을 누린다. 또 이르길, 文武에 능통한 것은 天德貴人 印綬때문이며, 일주가 德貴人을 겸전하고 월지에 印綬를 차면 묘하게 된다. (身命賦云,貴人佩印,定須文武兼資.驚神賦云,有印無官,享見成淸高之福.又云,知文能武,天德貴人印綬,日主德貴兼全,佩月支印綬爲妙.)

옥갑부에서 이르기를, 화개와 문성文星이 함께 있으면 관중[管仲;春秋時代 齊나라의 政治家. 이름은 이오夷吾. 자字는 中]과 같이 으뜸가는 어진 신하가 된다. 조미론에서 이르기를, 印綬가 화개를 만나면 한원翰苑에서 존경받으며 거居한다. 또 이르길, 官이 생하여 印綬가 旺하면 법을 관장하는 임무를 맡는다. 수수론에 이르기를, 印綬가 太多한데 身이 거듭 旺하면 刑剋되어 고빈孤貧한데, 만약 官 煞 財가 서로 모이고 귀인이 돕는다면 뛰어나게 된다. 정진편에 이르길, 印綬가 劫財를 얻으면 귀하게 된다. 또 이르길, 煞이 印綬로 화化하면 일직 과거에 합격된다. (玉匣賦云,華蓋與文星共會,管仲爲佐霸良臣.造微論云,中印綬逢華,尊居翰苑.又云,印旺官生,必秉鈞衡之任.搜髓論云,印綬太多身更旺,爲人刑剋主貧孤,若得官煞財相會.亦爲超邁貴人扶.定眞篇云,印綬得劫財爲貴.又云,煞化爲印,早擢高科.)

요결에 이르기를, 官印이 刑衝하는 지지에 있으면 생각은 복잡하고 마음은 바쁘다. 상심부에 이르길, 印綬는 지혜가 많으며 신체는 크고 자비심이 있다. 개화장에 이르기를, 印綬는 재성을 만나면 두려워하니 양인이나 겁재를 얻으면 오히려 복이 된다. 연원에 이르기를, 財多한데 印綬를 用하면 運은 比肩의 지지를 좋아하고, 印綬가 제강提綱이면 오히려 煞이 방조幫助해야 한다. (要訣云,官印在刑衝之地,意亂心忙.相心賦云,印綬主多知慧,豐身自在心慈.開化章云,印綬者,畏見財星,得羊刃劫財,必反爲福.淵海云,財多用印,運喜比肩之地,印守提綱,卻要煞神相幫.)

만기부에서 이르길, 正印이 財를 보면 흉하지만 官을 만나면 길하고, 官이 있어도 印綬가 없으면 비록 富貴할지라도 상잔傷殘하고, 印綬가 있는데 官이 없으면 설령 영화로울지라도 잃게 되고, 사주에 사절死絶을 만나면 근심이 되니 三元은 장생長生을 보는 것을 좋아한다. (萬祺賦云,正印見財則凶,逢官則吉,有官無印,雖富貴而傷殘,有印無官,縱榮華而有失,四柱愁逢死絕,三元喜見長生.)

논인수論印綬-6

고시에 이르기를, 印綬의 星별은 복이 가장 뛰어난데, 다시 權 煞 財가 어디에 머물러 도 홀연히 아울러 으뜸인 자리에 머무르고 조정에서 명성을 떨쳐 자리가 헛되지 않는다. 이는 4位의 복이 印綬로 모인다는 말이다. 또, 印綬를 생하는 煞과 함께 거하면 煞과 동심同心으로 담력이 오히려 거칠고 웅장하여 運이 형통하고 軍중의 직책에 있으나. 단지 두려운 것이 장래 좋게 끝나지 않는다. 이는 凶煞과 印綬가 同位를 말하는 것이다. 또, 命에서 印綬를 만나면 복이 가볍지 않으니 少年시절에 쉽게 성공하고, 旺相하며 印綬가 많으면 복이 두터우니 은혜와 음덕을 받아 공명功名을 이룬다. (古詩云,印綬之星福最殊,更有權煞財何居,忽然併守居元位,聲振朝廷位不虛.此言四位集福於印綬也.又,印綬生居被煞同,煞同心膽反粗雄,運亨便有軍中職,只恐將來不善終.此言凶煞與印綬同位也.又,命逢印綬福非輕,年少從容享見成,旺相印多偏福厚,受恩承蔭立功名.)

또 이르기를, 월月에서 인수印綬를 만나면 관성을 기뻐하니, 運이 관官鄕으로 들면 복이 반드시 청淸하고, 사절死絶하는 운에 臨하면 身이 불리不利한데, 재차 재財運으로 흐르면 모든 것을 이루지 못한다. 또, 印綬가 이지러짐이 없으면 온전히 복을 누리고, 벼슬을 음덕으로 계승하며 전원田園을 가지고, 벼슬을 받아 조서를 전하며 재물과 곡식은 가득하고, 날마다 식비를 만전萬錢이나 쓴다. 또, 중중重重한 印綬 格은 청淸하며 기묘奇妙하니 거듭하여 지지를 자세히 추리해야 하고, 지지상에서 咸池의 천간이 合을 하면 풍류로 방탕하여 집안을 破한다. (又,月逢印綬喜官星,運入官鄕福必淸,死絶運臨身不利,再行財運百無成.又,印綬無虧享福全,爲官承蔭有田園,官膺宣勅盈財谷,日用盤餐費萬錢.又,重重印綬格淸奇,更要支中仔細推,支上咸池干帶合,風流浪蕩破家兒.)

또, 인수가 중중하면 성공을 하지만 食神이 단지 암중으로 상형相刑하는 것을 두려워하고, 젊은 나이에 만약 세상을 歸泉(귀천;황천으로 돌아감)하지 않으면 고향을 뜨나 외롭고 고달프고 고질병으로 고생한다. 또, 印綬가 根이 두터우면 財를 두려워하지 않고, 비겁을 만나 복이 배태胚胎함을 좋아하고, 印綬 星이 파패破敗하면 官이 와서 구해주어야 福 壽가 평생토록 命을 따라온다. 또, 印綬는 身이 태왕하면 좋지 않은데, 설령 그럴지라도 무사無事하고 평상(平常=보통)하니 原命에서 [印綬를] 제거除去하지 않아도 官 煞이 많으면 오히려 名聲을 떨치는 동량棟梁이 된다. (又,印綬重重享見成,食神只恐暗相刑,早年若不歸泉世,孤苦離鄕宿疾縈.又,印綬多根不畏財,喜逢比劫福胚胎,印星敗破官來救,福壽平生命帶來.又,印綬不宜身太旺,縱然無事也平常,除非原命多官煞,卻有聲名作棟梁.)

또, 印綬[格]이 干頭에서 比肩을 거듭 만날 경우에, 만일 行運이 도우면 반드시 身을 손상하지만 이 格을 기묘奇妙하지 않다고 말할 수 없고 運이 재財鄕에 들면 福祿이 참되다. 또, 印綬는 사절死絶地로 行하는 것을 꺼리고, 財가 旺한데 財鄕에 이르는 것을 가장 두려워하니 歲運과 月支가 會하여 거듭 臨하면 오히려 이 사람은 사망하게 된다. 또, 印綬 생인生人이 왕기旺氣가 순수한데 官煞을 많이 보면 정신(精神;생각)이 바뀌고, 印綬는 사절死絶과 더불어 財地로 흐르며 구해줌이 없으면 결국 저승길을 가는 사람이다. (又,印綬干頭重見比,如行運助必傷身,莫言此格無奇妙,運入財鄕福祿眞.又,印綬忌行死絶地,最怕財旺落財鄕,歲運月支重臨會,卻主斯人定喪亡.又,印綬生人旺氣純,官煞多遇轉精神,印行死絕並財地,無救終爲泉下人.)

논인수論印綬-7

또, 丙丁은 卯월에 官煞이 많은 사주에서 無根하면 水鄕을 두려워한다. 濕木은 불꽃이 없는 火를 생하지 못하니 身이 영화로우려면 남방에 도달해야한다. (又,丙丁卯月多官煞,四柱無根怕水鄕,濕木不生無焰火,身榮除是到南方.)

『丙인이 卯월에 쓰는 것은 正印인데 만약 사주에 官煞이 많으면 水가 太旺하고, 木은 비록 水에게 생함을 받을지라도 濕木은 火를 생하지 못하니 따라서 남방의 身旺한 運을 기뻐한다. 가령 丙인이 卯월에 [生하여] 子運으로 行하면 비록 官運이 되지만 도리어 印綬를 괴멸하기에 충분하다. 이를 살펴보면, 印綬는 官運이 이롭다는 說에만 집착하여서는 안 된다.』(『丙人用卯月爲正印,若四柱官煞多,則水太旺,木雖生於水,而濕木又不能生火,故喜南方身旺運,如丙人卯月行子運,雖爲官運,反足以壞印,觀此印綬利官運之說,不可執泥.』)

木은 壬癸水를 만나면 표류漂流하며 일주가 무근無根하면 가을의 법도에는 복종하고, 세운에서 만약 財旺한 지지를 만나면 凶은 도리어 吉이 되어 왕후(王侯;임금과 제후)들을 만나게 된다. (木逢壬癸水漂流,日主無根枉度秋,歲運若逢財旺地,反凶爲吉遇王侯.)

『가령 乙이 亥월에 생하면 壬이 正印인데, 만약 일주가 무근無根하고 또 수왕水旺한 달月을 만나면 표류漂流하는 木이 된다. 원리부에 이르기를, 活 木이 수범목부(水泛木浮;물이 범람하여 木이 떠내려감)하면 이것은 오히려 재앙이 되기에 충분하고 반드시 財運으로 行하여 土로서 水를 제制하여야 길하게 된다. 이를 살펴보면, 印綬가 財鄕에 드는 것을 두려워한다는 說에만 집착하여서는 안 된다.』(『如乙生亥月,壬爲正印,若日主無根,又遇水旺之月,爲漂流之木.元理云,水泛木浮者活木,此反足爲禍,必須行財運,以土制水,乃能爲吉,觀此印綬畏入財鄕之說,又不可執泥.』)

壬癸가 申을 만나면 火의 破함을 싫어하며 局중에 土가 있어야 귀한 것을 비로소 알고, 北方의 水運은 모두 길하고, 만일 寅의 충을 만나면 좋지 않다. 또, 壬 癸가 본래 申월의 金을 만나면 干支에 土가 있어야 복이 참된 것이고, 대단히 火가 重하면 西北이 좋고, 이 외에 休한 것이 오면 子 神을 바란다. (壬癸逢申嫌火破,局中有土貴方知,北方水運皆爲吉,如遇寅衝總不宜.又,壬癸逢申本月金,支干有土福爲眞,十分火重宜西北,外者休來望子神.)

壬癸가 申月을 만나면 본래 印綬인데, 단 사주에 火神이 있으면 財가 印綬를 파괴하니 마땅히 柱중에 土가 있어야 印綬를 생한다. 또, 運이 北方으로 行하면 水가 火를 제거하여 金이 온전하다. 만일 寅 申의 충을 보면 제강提綱이 손상을 입어 재앙이 발생하는 것이다. 만약 火가 重하지 않은데 子로 行하면 역시 좋지 않고, 金은 子에서 사死하니 반드시 매우 火가 두터워야 된다. 이것은 金을 用하면 水를 근심하니, 거병거진(去病去盡;病을 제거하여 모두 다 제거됨)의 뜻이다.(『壬癸遇申月,本爲印綬,但柱有火神,則財能壞印,須柱中有土生印,又運行北方,水神方能去火全金,如遇寅衝申,則提綱被傷,禍卽生矣.若火神不重,亦不宜行子,以金死於子,必十分火重方可,此卽用金愁水,去病去盡之意.』)

戊己의 身이 쇠약하면 寅을 보는 것이 좋은데, 장생長生하는 官 煞을 만나면 반드시 身이 영화롭다. 만일 火木을 만나면 명리가 흥성하고, 運이 서방에 이르러 申酉를 두려워한다. 또, 辛일에 丑월은 印綬인데, 천간은 癸이고 제강提綱의 酉가 일반一般神이면, 辛金은 火를 좋아하고 西北을 싫어하니 癸수는 金이 마땅하지만 火의 침입을 두려워한다. 또, 壬癸가 7~8월에 생하면 財가 많고 土가 두터우면 北方이 기묘奇妙하고, 損傷하고 破함이 없으면 水로 行함이 좋으며 제왕帝旺 임관(臨官;건록)은 도리어 좋지 않다. (戊己身衰,喜見寅,生逢官煞必榮身,如逢火木興名利,運至西方怕酉申.又,辛日丑月爲印綬,干癸酉提一般神,辛金喜火嫌西北,癸水宜金怕火侵.又,壬癸生逢七八月,財多土厚北方奇,無傷無破宜行水,帝旺臨官反不宜.)

또, 丙丁이 卯월은 身이 건장하여, 庚 辛 酉 丑이 傷함을 크게 두려워하고, 水運이 점점 興하면 木 火는 旺하고, 서방으로 運行하면 필히 재앙이다. 또, 印綬를 만일 月에서 만나면 음비(蔭庇;조상의 덕택)로 인해 영웅호걸이 된다. 능력은 많으며 병病은 적고 지략智略은 모름지기 뛰어나고, 印綬가 있고 官이 없으면 福은 역시 크나 상하上下에서 鬼가 旺함을 만나는 것이 가장 적당하고, 중간中間에 財와 교차하는 것을 오히려 꺼리는데, 運이 사死 절絶에 臨하여 身이 의지할 곳이 없으면 황천黃泉에 드는 것을 달아날 수 없다. 제설諸說을 종합하여 印綬의 喜忌를 살펴본 것이다. (又,丙丁卯月身星健,大怕庚辛酉丑傷,水運漸興木火旺,西方行運定災殃.又,印綬如逢月內遭,定因庇蔭顯英豪.多能少病謀須大,有印無官福亦高,上下最宜逢鬼旺,中間卻忌與財交,運臨死絶身無托,卽入黃泉不可逃,合諸說觀印綬,喜忌見矣.)

논인수論印綬-8

귀화위인鬼化爲印

經에서 이르기를, 기제旣濟하니 鬼가 화化하여 印綬가 되어 천하 제일인으로 과거에 급제한다.(經云,旣濟鬼化爲印綬,天下登科第一人,如乙丑癸未丙子乙未,丙臨子位坐官,丙爲火神,子爲水神,名曰旣濟,年月時一丑二未,皆爲己土,爲傷官,鬼殺鎖印,柱有二乙二未,木庫結局,運逆行至印旺,鬼被印化剋,

故主大顯.)

예) 命造
乙 丙 癸 乙
未 子 未 丑
丙이 子位에 臨하니 官에 坐하고, 丙은 火神이며 子는 水神이 되어 명칭을 기제旣濟라 한다. 年 月 時에 1丑 2未가 모두 己土가 되니 傷官이 된다. 귀살쇄인(鬼殺鎖印;귀살이 印綬에 가두어짐)하고 사주에 2乙 2未가 있으니 木의 고庫가 局을 이루었다. 運이 역행하여 印綬가 旺한 곳에 이르니 鬼가 印綬에게 化剋을 당하므로 크게 현달顯達하였다.

양인화인陽刃化印

經에서 이르기를, 戊일이 午월에는 陽刃으로 보아서는 안 되는데, 歲時에 火가 많으면 도리어 印綬가 된다. 戊는 午중의 己土가 刃이 되지만 丁火의 생조生助가 있으며 歲時의 火와 함께 印綬로 화化하기에 刃으로 논하지 않고, 水의 財가 火를 制 극하는 것을 크게 꺼린다. 변하여 日刃이 되면 發福이 더욱 重하고, 日刃이 겁탈을 하게 되면 煞의 制伏함이 있으면 合煞이 되어 귀하고, 煞로서 [刃을] 制伏함이 없으면 [刃은] 財를 만나면 반드시 쟁탈한다. 가령 君子가 강도强盜를 만난다면 재물이 없으면 자신을 보호할 수 있으나 재물이 있으면 반드시 害를 당한다. (經云, 戊日午月,勿作刃看,時歲火多,卻爲印綬.是戊以午中己土爲刃,有丁火生助,同歲時之火,化作印綬,不以刃論,大忌水財剋制火神.變爲日刃,發福尤重,日刃是自逢劫奪,有煞制伏,便是合煞爲貴,無煞制伏,見財必爭.如君子逢强盜,無財可保其身,有財必被其害.如戊寅戊午戊午戊午,戊爲日主,坐午爲刃,日時皆是午火,當以凶論,卻得年支寅中甲木,制刃生火,寅午又會火局,化成印綬,柱中全無壬癸水局,傷損印綬,又喜戊字比肩多,雖歲運遇財,亦分奪疎通,不能壞印,故大貴.)

예) 命造
戊 戊 戊 戊
午 午 午 寅
戊 일주는 午에 坐하여 刃이 되며 日時가 모두 午火이니 마땅히 凶으로 논하겠지만, 오히려 年支의 寅중 甲木을 얻어 刃을 제制하고 火를 생하며 寅午는 또 火局이 되어 印綬를 이루었다. 사주에 壬癸 水局이 없으니 印綬의 손상함이 없고, 또 戊의 글자인 比肩이 많은 것을 기뻐하니 비록 歲運에서 財를 만나더라도 분탈分奪하는 것이 소통疏通되어 [財를 쟁탈하지 않으니] 印綬를 파괴할 수 없다. 따라서 크게 귀하였다.

시봉생인時逢生印

예컨대, 甲일에 子時면 子중의 癸水는 印綬가 되어 일주를 생조生助하여 지혜와 지략이 많고 편안하게 食祿을 누린다. 年月상에 辛의 官이 있어 印綬를 생하여야 하고 運이 西北의 官 印으로 흐르면 귀한 命이 된다. 만약 사주에 戊 己 土를 거듭 만나고 다시 午字가 있어 衝 破하고 運이 동남으로 지나가면 官과 印綬가 쇠衰 절絶하니 만사萬事를 이루지 못한다. 공리(公吏;단체의 사무를 맡아보는 사람)나 저자시장의 장사치이다. (如甲日子時,取子中癸水爲印,資助日主,其人足智多謀,安享食祿,年月上要見辛官生印,運行西北官印,乃爲貴命.若柱逢戊己土重,更有午字衝破,運歷東南,官印衰絕,百事無成.公吏肆市人也.)

포태봉인수胞胎逢印綬

經에서 이르기를, 胞胎에서 印綬를 만나면 祿은 천종千鍾을 누린다. (經云,胞胎逢印綬,祿享千鍾.如庚寅辛卯丙申乙酉等,日時,月令逢印綬之地,主貴.經云,時日胞胎格,月通印綬逢,煞官印運助,職位列三公.)

예) 命造
乙 丙 辛 庚
酉 申 卯 寅
日은 時와 月令에서는 印綬의 지지를 만나니 귀하다. 經에서 이르길, 시일포태격時日胞胎格은 月에서 印綬를 만나 소통하고, 官 煞 印을 운에서 도우면 직위職位가 三公정승이다.

기인취재棄印就財

經에서 이르기를, 기인취재棄印就財는 偏과 正을 명확히 해야 하고, 印綬는 財를 꺼리는데 이 이치가 매우 분명하다. 正印이 月令에 거하면 결코 財를 보면 안 되는데, 만약 年 時에 [印綬가] 거하고 月令에서 財를 보면 단지 財格을 쓰고, 印綬가 身을 생하는 것을 좋아하니 財를 대적하여 복이 된다. 만약 月令이 偏印이면 年時에서 財를 보면 무방無妨하며 棄印就財하니 輕한 것은 버리고 重한 것을 쓴다. 만일 壬이 申月에 생하거나, 丙이 寅月에 생하면 장생長生하는 지지에 坐하고 年 時에서 財를 얻으면 身旺하니 財地를 만나는 것을 기뻐한다. 이 같은 조화造化는 반드시 조상의 터전을 버리고 자립창업을 하여 立身한다. (經云,棄印就財明偏正,印綬忌財,此理甚明.正印居月令者,決不可見財,若居年時,月令見財,只用財格,喜印生身,敵財爲福.若偏印月令,年時見財無妨,爲棄印就財,捨輕用重.如壬生申月,丙生寅月,坐長生之地,年時得財,即身旺喜見財地,如此造化,必主棄祖基而自創別業立身.)

논도식論倒食

도식倒食은 곧 偏印을 일컬으며, 일명 탄염살呑焰煞이라고 하여 食神은 편인을 보는 것을 가장 꺼린다. 가령 甲 생은 丙火가 食神인데, 火는 土를 생할 수 있으니 甲의 財가 되고, 財가 旺하면

金을 생하여 甲의 官이 되고, 食神이 생왕生旺하면 財와 官이 구비된 것이다. 甲이 壬을 보면 倒食이 되는데 壬이 旺하면 丙火를 극하니, 丙은 극去 당하여 土를 생할 수 없으니 甲은 財가 없게 되는 것이다. 壬은 丁과 合을 일으켜 甲의 辛[정관]을 손상하니 甲은 官이 없게 되는 것이다. 壬이 丙을 극거剋去하면 庚 煞은 편안함을 얻으니 [庚煞이] 와서 甲木을 손상하여 甲은 재앙이 발생하는 것이다. 소위 食神을 用하면 倒食을 만나는 것을 꺼리는 것이다. [이른바, 용식기견[用食忌見]이 이것이다.] (倒食即偏印之謂,一名吞焰煞,食神最忌見之.如甲生丙火爲食,火能生土,爲甲之財,財旺生金,爲甲之官,食神生旺,財官備矣.今甲見壬爲倒食者,壬旺則剋了丙火,丙被剋去,不能生土,甲無財矣.壬合起丁,傷甲之辛,甲無官矣.壬剋去丙,庚煞得安,來傷甲木,甲生災矣.所謂用食忌見者此也.)

무릇, 命에 도식이 있으면 복이 薄하며 수명이 짧다. 만약 制나 合이 있을 경우가 있다. 가령 甲일이 壬辰 壬戌을 만나면 辰 戌중에 土가 [壬 도식을] 제제制하고 丁은 [壬 도식을] 합하고, 乙일이 癸未 癸丑을 만나면 丑 未중에 己가 癸를 제제制하고, 丙일이 甲申을 보거나, 丁일이 乙巳 乙酉를 만나거나, 戊일이 丙子 丙申 丙辰을 만나거나, 己일이 丁亥를 보거나, 庚일이 戊寅 戊辰을 만나거나, 辛일이 己卯 己亥를 보거나, 壬일이 庚午 庚戌을 만나거나, 癸일이 辛巳 辛未를 만나는 이러한 것들은 편인이 食神을 해치지 못하는 것은 [편인을] 制剋하기 때문이다. 사주에서 身이 旺하고 財官이 모두 생왕生旺하면 편인은 身을 도와 복이 된다. 陽일이 편인을 만나면 상관과 暗合을 하여 財를 생하고, 陰일이 편인을 만나면 재성정재을 暗合하니 柱중에 食神이 없으면 단지 편인으로 논할 뿐이다.[17] (凡命帶倒食,福薄壽夭,若有制合,如甲日見壬辰壬戌,辰戌中有土制丁合,乙日見癸未癸丑,丑未中有己制癸,丙日見甲申,丁日見乙巳乙酉,戊日見丙子丙申丙辰,己日見丁亥,庚日見戊寅戊辰,辛日見己卯己亥,壬日見庚午庚戌,癸日見辛巳辛未.此等偏印不能爲食害,有制剋故也.柱中身旺,財官俱生,可取爲福助身,陽日逢之,能暗合傷官生財,陰日逢之,能暗合財星,柱中無食,只以偏印論.)

또 말하기를, 무릇 命에서 食神이 梟神을 만나는 것은 마치 존장(尊長;웃어른)이 나를 제재制裁하는 것과 같아 자유自由를 얻지 못하니 일에 있어 진퇴進退가 늦어 잘못하고, 시작은 있으나 끝이 없고[龍頭蛇尾], 재물의 성패成敗가 잦고, 용모는 비뚤하고, 인품은 보잘 것 없고, 담력이 작아 겁이 많고, 매사에 성공하지 못하여 육친을 극해剋害하고, 어릴 때는 母를 극하며 어른이 되어서는 妻와 자식을 상하게 한다. (又曰,凡命有食遇梟,猶尊長之制我,不得自由,作事進退悔懶,有始無終,財源屢成屢敗,容貌欹斜,身品瑣小,膽怯心虛,凡事無成,剋害六親,幼時剋母,長大傷妻子.)

賦에서 이르기를, 倒食은 이름이 偏印인데 梟神이라고 부른다. 신왕하면 재물이 풍성하며 福은 후하고, 刑煞을 보면 요절하거나 가난하고, 재성을 만약 만나면 星을 띤 月을 분산하니 머무르지 못하고, 살성이 만약 생하면 馳擔息肩無定日, 身弱한데 편인을 거듭 만나면 안자[18]의 傷함을 슬

17) 효신, 도식이라 하는 것은, 식신을 겁탈할 때에만 부르는 명칭이다. 무조건 편인을 그렇게 부르면 안 된다.

18) 안자顔子 ; 공자의 수제자首弟子인 안회顔回, 513~482 B.C.. 자 연淵, 자연子淵. 학덕이 뛰어나고 덕행

펴하고, 正 食神이 만약 梟神을 만나면 한신[19]이 禍를 免하지 못한 것이고, 처음 만나면 정신精神이 게으르지만, 거듭 범犯하면 용모容貌가 비뚤하다.[20] (賦云,倒食者,名爲偏印,號曰梟神,値身旺而財豐福厚,遇刑煞則壽夭身貧,財星若見,披星帶月不停留,煞星若生,馳擔息肩無定日,身弱重逢偏印,須愁顔子之傷,正食若遇梟神,未免韓信之禍,始遇者精神慵懶,重犯者容貌欹斜.)

만기부에 이르길, 효신이 관살을 만나면 성패成敗가 다단多段하고, 편인이 財를 보면 수치스러움이 도리어 영화롭게 되어 身旺하면 貴가 되고 身弱하면 보통이고, 상관이 있으면 평생토록 풍요롭고, 食神은 세상살이가 고독하다. 원리부에 이르길, 丁卯일이 己土를 만나면 탐욕스러운 사람이다. 삼심부에 이르길, 梟神이 당권當權하면 심기心機가 처음에는 부지런하나 결국에는 게으르고, 학예學藝를 좋아하여 학문은 높으나 이루는 것은 적다. 오지부에 이르기를, 年 時 月令에 편인이 있으면 吉凶이 분명하지 않고, 大運 歲君流年에서 수성(壽星;食神을 말함)을 만나면 재앙이 미치게 된다. 絡繹부에서 이르길, 효신이 조상의 자리에 거하면 [梟神이 年柱에 있으면] 조상의 터전을 破한다. (萬祺賦云,梟神見官煞,多成多敗,偏印遇財曜,反辱爲榮,身旺爲貴,身弱乃常,有傷官而平生豐潤,値食神則處世伶仃.元理賦云,丁逢卯日遇己土,饕貪之人.相心賦云,梟神當權,使心機而始勤終怠,好學藝而多學小成.奧旨賦云,年時月令有偏印,凶吉未明,大運歲君逢壽星,災殃立至.絡繹賦云,梟居祖位,破祖之基.)

고시에서 이르기를, 印星이 치우친 것 [즉 편인을 말함]은 효신인데, 柱내에서 재성을 만나는 것을 가장 좋아하지만 身旺한 후에 재성을 만나야 비로소 복이 되며, 身이 쇠약하고 梟神이 旺하면 다시 無情하다. (古詩云,印星偏者是梟神,柱內最喜見財星,身旺遇此方爲福,身衰梟旺更無情.如丙戌丙申甲戌壬申,甲見丙食,又見壬倒食,甲生申月,受煞制,無氣,二丙竊氣,壬水制丙,煞得施行,故無名利.)

예) 命造-1

壬 甲 丙 丙

申 戌 申 戌

甲이 丙 食神을 만나고 또 壬 倒食을 보고, 甲이 申월에 생하여 煞의 制를 받아 無氣하고, 2개의 丙이 절기竊氣=洩氣하는데, 壬水가 丙을 제制하니 煞이 동하게 되므로 명리名利가 없었다.

예) 命造-2

丙 甲 壬 壬

寅 戌 子 申

印綬가 會合하며 歸祿하니, 水가 精이고 火는 神으로 奇妙하니, 목화통명木火通明의 상象이다.

이 첫째여서 아성亞聖으로도 불림

19) 한신韓信 ; 중국 전한의 무장武將 ?B.C.~B.C.196. 한漢 고조를 도와 조趙, 위魏, 연燕, 제齊나라를 멸망시키고 항우를 공격하여 큰 공을 세웠다.

20) 한신의 죽음을 빗대어 토사구팽兎死狗烹의 古事가 나왔다.

예) 命造-3

丙 甲 壬 己

寅 子 申 未

煞이 印綬로 화化하고 歸祿하여 수려하니 木火通明하여 水 木이 청淸하고 奇妙하다. 두 命은 모두 크게 귀하였다. 앞의 命은 倒食을 꺼리지만 制 合을 만나니 도리어 귀하다. 절대로 倒食 하나만을 보고 흉하다고 논하여서는 안 된다. (又,如壬申壬子甲戌丙寅,會印歸祿,水精火神之妙,木火通明之象.又,己未壬申甲子丙寅,以煞化印,歸祿得秀,木火通明,水木淸奇.二命俱大貴.前忌倒食,逢制合反貴,切不可一見倒食,便以凶論.)

7. 논잡기論雜氣-1~3

논잡기論雜氣-1

喜身旺,刑衝,忌壓伏

雜氣는 辰 戌 丑 未인데, 辰중에는 乙 戊 癸가 있으며 水土의 고庫가 되고, 戌중에는 辛戊 丁이 있으며 火의 고庫가 되고, 丑중에는 癸 辛 己가 있으며 金의 고庫가 되고, 未중에는 丁 己 乙이 있으며 木의 고庫가 된다. 각각 소장所藏된 기를 따르는 것으로 말하면, 일간을 나로 볼 때 혹 官이 되며 財가 되고 印綬가 되는데, 官은 복이 되는 身의 물物이고, 財는 양명養命의 근원이고, 印綬는 身을 돕는 근본으로 사람이 존재하는데 가장 절실하게 필요한 것이다. 4庫에는 각각 세 개의 물건을 암장하는 천지의 부정不正한 기이므로 雜으로 말하는 것이다. 經에서 이르길, 財官 印綬를 완전히 갖추어 4季중에 저장되어 있는 것이다. (雜氣者,乃辰戌丑未,辰中有乙戊癸,爲水土庫,戌中有辛戊丁,爲火庫,丑中有癸辛己,爲金庫,未中有丁己乙,爲木庫.各隨所藏之氣而言,看我日干,或爲官,或爲財,或爲印,官係福身之物,財是養命之源,印乃資身之本,在人最爲切要.四庫各藏三件,乃天地不正之氣,故以雜言也.經云,財官印綬全備,藏蓄於四季之中是也.)

잡기格은 刑衝으로 투출하는 것을 기뻐하며 압(壓;억압)되고 복(伏;숨어 있음)을 꺼리고, 나머지 喜 忌의 소상消詳함은 앞의 정기 財官 印綬와 동일하다. 가령 6甲일 생이 丑월이면 丑중 辛金은 官이 되며 己土는 財가 되고 癸水는 印綬가 되는데, 천간에 투출한 무슨 글자가 복이 되며 다음으로 절기의 심천深淺을 구분하여 어떠한 물건이 當令하였는지를 살펴봐야 한다. 대체로 財가 투출하면 富하며 官이 투출하면 귀하고 印綬는 父와 조상이 이룬 복을 누리고 임금의 조서詔書를 조상의 음덕으로 받아 귀하고, 만일 투출한 것이 없으면 刑 충하면 작으나마 복을 받고 겸하여 身旺해야 기묘奇妙하고 신약身弱을 꺼리고, 刑 충이 태과太過하면 모인 福의 기운이 흩어지는 것이다. 만일 四柱원국에 破害하는 것이 있으면 재차 이 같은 運을 만나는 것은 불가하며 다시

行하면 太過하게 되고, 衝은 秀氣를 괴멸 시켜 오히려 길하지 않고, 원국에 破 害가 없으면 刑衝의 運을 기뻐한다. 경감에 이르기를, 잡기재관은 신왕하고 충이 있어야 발달하는데, 만약 태과하면 오히려 외롭고 가난하게 되는 것이다. (此格喜透露衝刑,忌壓伏,其餘喜忌消詳,與前正氣財官印同.假令六甲日生,得丑月,以丑中辛金爲官,己土爲財,癸水爲印,看天干透出何字爲福,次分節氣淺深,何物當令,大概透財者富,透官者貴,印綬享父祖見成之福,受宣勅蔭庇之貴,如無透出,衝刑少許,兼身旺爲妙,忌身弱,衝刑太過,則福聚之氣散矣.如柱元有破害之物,再不可遇此等運,再行則爲太過,衝壞秀氣,反不爲吉,元無破害,喜衝刑運.景鑒云,雜氣財官,身旺有衝而發,若太過反受孤貧是也.)

또 이르길, 잡기재관格은 사주에 財星이 많아야 좋은 命이 된다. 만약 사주에 별도로 다른 格에 들면 다른 格으로 판단한다. 또 이르길, 잡기재관은 정관격, 편관격, 정재격, 편재격이 있고, 잡기인수는 정인격, 편인격이 있으며 마땅히 偏正을 나누어야 하는데, 만약 편관이 旺 하면 제制 복伏하여야 작은 복이라도 누릴 수 있고, 만약 묘墓庫가 중첩하고 원국에 刑衝이 없으면 貴氣가 나타나지 않고 더군다나 戊己가 그 위에서 압박하면 소년 시절에 발달하기 가장 어려우니 따라서 재관財官 폐쇄閉鎖라 말하며, 소년이 발달하지 못하는 것은 묘墓중에 [財官이] 있는 것이다. (又云,雜氣財官格,要四柱財星多,便爲好命,若四柱別入他格,依他格斷.又云,雜氣財官,有正官格,偏官格,正財格,偏財格,雜氣印綬,有正印格,偏印格,須分偏正,若偏官旺,亦要少許制伏則可,若墓庫重疊,元無刑衝,不透貴氣,兼有戊己壓其上,最難發於少年,故曰財官鎖閉,少年不發墓中人是也.)

또 이르길, 4庫는 또한 쇠衰 양養 관대冠帶가 되는데, 만약 時상에서 만나면 시묘時墓格이 되고, 月상도 동일하게 논하지만 다만 발달이 좀 늦을 뿐이다. (又曰,四庫亦是衰養冠帶之鄕,若時上見,爲時墓格,與月上同論,但發較晩.如丁亥戊子丙申己丑,丙用丑墓爲財庫,行未運,衝丑庫發財.見壬辰爲官庫,至戌運,衝辰庫發官.倘柱中別有戊辰己丑,壓伏庫上,則不能發財發官,難作好命看,若有衝見合,則又不能衝矣.)

예) 命造
己 丙 戊 丁
丑 申 子 亥
丙이 丑의 묘墓를 용하니 財庫인데, 未運으로 行하여 丑庫를 충하니 發財하였다. 壬을 만나면 辰은 官庫가 되는데 戌運에 이르자 辰庫를 충하여 관직(官;벼슬)이 올랐다. 柱 중에 별도로 戊辰己丑이 있어 고庫상에서 압壓복伏하면 발재發財 발관發官하지 못하니 좋은 命으로 보기 어렵다. 만약 충하는데 合을 만나면 충을 하지 않은 것이다.

또 이르길, 月에 고庫地가 臨하면 동서남북 사우四隅의 기인데, 만일 未의 木이 東方으로 行하거나, 戌의 火가 남방으로 行하거나, 辰의 水가 北方으로 行하거나, 丑의 金이 서방으로 行하면 고庫가 묘墓에 臨하니 行運이 생왕生旺한 지지라면 반드시 발달하고 만일 月에 辰의 水氣가 臨하고 運이 남방으로 바뀌면 會合을 하지 못하니 단지 土로 논할 뿐이다. (又曰,月臨庫地,東西南

北四隅之氣,如未木行東方,戌火行南方,辰水行北方,丑金行西方,臨庫墓,運行生旺之地必發,如月臨辰水氣,運轉南方,不見會合,只以土論.)

논잡기論雜氣-2

또 말하기를, 古人은 오행의 묘墓하는 곳을 창고倉庫로 하였는데, 만약 命중에 倉庫를 지니고 태세太歲가 극하는 오행을 더하는 경우는, 예컨대, 木인이 辛未노중土를 얻거나, 火인이 庚戌차천金을 얻거나, 土인이 壬辰장류水을 얻거나, 水인이 甲辰복등火을 얻거나, 金인이 癸丑상자木을 얻으면 이것을 일러 고중유재(庫中有財;庫중에 財가 있음)라 하여, 반드시 풍후(豊厚;아주 넉넉함)하다. 만약 命에 묘墓絶을 지니고 오히려 太歲가 두려워하는 오행을 더하는 경우는, 예컨대, 木인이 乙未사중金를 얻거나, 火인이 壬戌대해水을 얻거나, 土인이 戊辰대림木을 얻거나, 金인이 己丑벽력火을 얻거나, 水인이 丙辰사중土을 얻으면 절처무의(絶處無依;絶이 되어 의지할 곳이 없음)라 하여 반드시 머뭇거리게 된다. (又曰,古人以五行墓處爲倉庫,若命中帶倉庫,遇太歲所剋之五行加之,如木人得辛未,火人得庚戌,土人得壬辰,水人得甲辰,金人得癸丑,是謂庫中有財,其人必豊厚.若命帶墓絕,而反值太歲所畏之五行加之,如木人得乙未,火人得壬戌,土人得戊辰,金人得己丑,水人得丙辰,謂之絕處無依,其人必迍滯.)

만약 오행에 묘墓庫를 드나들며 순수純粹하고 파破하지 않으며 그리고 福神이 臨해 있으면 양부지격兩府之格이다. 만약 破하며 생왕生旺하거나 破하며 사死 절絶하는데 福神이 臨하면 福神을 減한다고 판단한다. 만약 破剋하며 福神이 없으면 단지 백성일 뿐이다. 이 묘墓庫의 格局은 貴賤을 따지지 않고 단지 일생동안 자신의 영화榮華만 추구하고, 육친六親에겐 불리不利하며 자식을 얻기 어렵다. (若五行遞相庫墓,純粹而不破,又有福神加臨,此兩府之格也.若破而生旺,破而死絕,有福神加臨,則減退斷之.若剋破而無福神,只是百姓.此庫墓格局,不問貴賤,只是一生自己榮旺,不利六親,仍難得子息.)

고두귀가 있는데, 甲乙인이 辛未를 만나면 丁巳를 꺼리고, 丙丁인이 壬戌을 보면 戊寅을 꺼리고, 戊己인이 甲辰을 만나면 庚寅을 꺼리고, 庚辛인이 丁丑을 보면 癸巳를 꺼리고, 壬癸인이 戊辰을 보면 甲寅을 꺼린다. 一名 헌거살軒車煞인데 만약 [전자의] 꺼리는 것을 犯하면 수레의 바퀴가 파손되거나 말馬의 다리가 부러지고, 부인婦人은 질병의 재액이 들고 보통사람은 도둑을 당한다. (有庫頭鬼,乃甲乙人見辛未,忌丁巳,丙丁人見壬戌,忌戊寅,戊己人見甲辰,忌庚寅,庚辛人見丁丑,忌癸巳,壬癸人見戊辰,忌甲寅.一名軒車煞,若犯所忌,主車破輪,馬折足,婦人疾厄,常人致盜.)

신백경에 이르기를, 생일이 범犯한 것을 사용하는데, 만약 時에서 꺼리는 것을 犯하지 않으면 대부분 부귀하고, 君子는 젊은 나이에 과갑(科甲;장원급제)하고, 보통사람은 예술이 출중하다. 고두재庫頭財가 있는데, 甲乙인이 己未를 만나고, 丙丁인이 庚戌을 보고, 戊己인이 壬辰을 보거나, 庚辛인이 乙丑을 만나거나, 壬癸인이 丙辰을 보는 것인데 君子는 전곡(錢穀;돈과 곡식)이니 현재

로는 재무담당의 임무를 많이 담당하고, 보통 사람은 家業을 따르는데, 투출한 재관論인 것이다. 가령 金이 己丑 火를 만나거나, 木이 乙未 金을 보거나, 水가 丙辰 土를 만나거나, 土가 戊辰 木을 보거나, 火가 壬戌 水를 보는 것으로, 이와 같은 格은 묘중봉귀(墓中逢鬼;墓에서 鬼를 만남)라 하며, 의심하여 불안함이 심하다. (神白經云,生日犯之得用,若遇時不犯忌,多主富貴,君子早年科甲,常人藝業出衆.有庫頭財,乃甲乙人己未,丙丁人庚戌,戊己人壬辰,庚辛人乙丑,壬癸人丙辰,君子多主錢穀之任,常人家業從容,即透出財官論也.如金見己丑火,木見乙未金,水見丙辰土,土見戊辰木,火見壬戌水,如此之格,即墓中逢鬼,危疑者甚.)

독보에서 이르길, 辰 戌 丑 未는 4개의 土神으로 天元에서 셋을 사용하고 투출하여 旺하면 眞이 된다. 또 이르길, 財官이 고庫에 臨하면 충하지 않으면 發達하지 못하고, 合을 하는 곳으로 行함을 기뻐한다. 옥갑부에서 이르길, 財庫가 三合하게 되면 석숭(石崇;중국中國 진晉나라 때의 부호, 부자의 대명사)과 같이 萬金의 주인이 된다. 현기부에서 이르길, 잡기재관은 刑 충하여야 發達한다.[21] 천리마에서 이르길, 辰 戌 丑 未가 刑衝을 만나면 불발不發하는 사람이 없다. 통명부에서 이르기를, 재財관官이 묘墓고庫에 臨할 경우에, [墓庫가] 열리면 祿과 봉작封爵을 받아 영화롭고, [墓庫가] 닫히면 재물에 대해 몹시 인색하다. 수수론搜髓論에서 이르기를, 財星이 고庫에 들면 재물을 모은다. (獨步云,辰戌丑未,四土之神,天元三用,透旺爲眞.又云,財官臨庫,不衝不發,四柱之干,喜行相合.玉匣賦云,財庫臨三合之地,石崇作萬金之主.玄機賦云,雜氣財官,刑衝則發.千里馬云,辰戌丑未遇刑衝,無人不發.通明賦云,主臨官庫財墓,開則榮封爵祿,閉則慳吝資財.搜髓論云,財星入庫主聚財.)

古歌에 이르길, 잡기재관은 月宮에서 취용하고 천간에 투출하여야 풍요롭고 財가 많아 官이 旺하면 衝破해야하고 干支에 압복壓伏이 重한 것을 절대로 꺼린다. 또, 辰 戌 丑 未는 四季인데 印綬 財官이 雜氣에 머무르면 천간에 투출한 格이 眞이 되고, 단 財가 많아야 존귀尊貴하게 된다. 또, 잡기는 종래從來에 스스로 순수純粹하지 못하니 천간에 투출한 格이 진眞이 되고, 身强하고 財旺하여야 官祿을 생하고, 운에서 刑衝하여야 보물을 취聚한다. 또 月令 提綱은 충이 불가한데 열중 아홉의 命은 모두 흉하게 되지만, 그러나 財 官이 묘墓庫에 있으면 운에서 충을 하여야 도리어 성공成功한다. (古歌云,雜氣財官用月宮,天干透露始爲豊,財多官旺宜衝破,切忌干支壓伏重.又,辰戌丑未爲四季,印綬財官居雜氣,干頭透出格爲眞,只以財多爲尊貴.又,雜氣從來自不純,天干透出格爲眞,身强財旺生官祿,運入衝刑聚寶珍.又,月令提綱不可衝,十衝九命皆爲凶,惟有財官逢墓庫,運行到此反成功.)

또, 왕旺한 곳에서 묘墓 고庫 절絶을 생하면 묘墓庫는 發하고 생왕生旺함은 벗어나고, 생이 생을 만나면 旺함이 지나쳐 마땅하지 않고, 묘墓 고庫에서 凶함을 만나면 결국 다스리지 못한다. 또, 官이나 財성이 모두 노출되지 않으면 오히려 刑 衝 破 害하여야 하고, 다시 어떤 局을 이루는가를 자세히 살피고, 그리고 上下와 中旬을 구분한다. 또, 時墓에서 官을 만나면 발달이 느리

21) 잡기재관인 고庫를 刑 충하면 根이 損傷한다는 學說도 있다.

지만 衝剋을 만나면 가장 기묘奇妙하여 좋아하고, 진압(鎭壓;압박)되지 않으며 귀한 곳에 臨하면 벼슬이 고위직으로 현달함이 마땅하다. 또, 北方의 壬 癸가 河魁戌를 보고 남방에서 或 丑의 길한 時가 되면 창고에 금과 보석이 가득차고 넘치며 세상살이가 여유로워 복이 늘 따른다. (又,旺處生來墓庫絶,墓庫發來生旺脫,生逢生旺過非宜,墓庫逢凶終不撥.又,官曜財星俱不露,卻宜破害及刑衝,更詳勾引成何局,又分上下與中旬.又,時墓逢官主發遲,喜逢衝剋最爲奇,鎭壓不來臨貴處,官高職顯兩相宜.又,北方壬癸遇河魁,南或加臨丑吉時,倉庫豊盈金玉滿,優游處世福相隨.)

논잡기論雜氣-3

또, 만약 財官이 묘墓庫일 때를 묻는다면 辰 戌 丑 未와 같이 추론하며 財官은 모두 열쇠로 창고를 열어야 하고 財官이 억압되어 있으면 기묘奇妙하지 않다. 또, 어떤 물건이 개고開庫하는가를 알아야 하는데, 刑 衝 破 害가 열쇠이니 財官을 노출되어야 비로소 用을 얻고, 身이 쇠약한데 묘墓에 鬼가 지나치면 의심이 나서 마음이 불안하다. 또, 묘墓에 해당하면 소년 시절에 발달하지 못하며, 모든 財官의 창고 문이 닫혀있으니 破害하면 자물쇠로 열 수 있지만 억눌려 암장하면 결국에는 고통을 받고, 丁壬은 본래 辰을 취하여 묘墓로 삼는데 戊土가 오면 富를 상하여 가난하게 되고, 乙卯 甲寅이 함께 구제救濟하면 재성이 용출湧出하니 자연히 영달榮達한다. (又,若問財官墓庫時,辰戌丑未一同推,財官俱要開庫鑰,壓住財官未足奇.又,要知何物能開庫,衝刑破害是鑰匙,露得財官方得用,身衰鬼墓甚危疑.又,少年不發墓中人,皆爲財官閉庫門,破害故能開鎖鑰,壓藏終是受苦辛,丁壬本取辰爲墓,戊土來傷富作貧,乙卯甲寅同救濟,財星湧出自然榮.)

또 말하기를, 잡기는 財官과 印綬가 동일하며 格 중에서 鬼 財가 重한 것을 가장 꺼리는데, 그러나 내가 생하는 것이 많아야 上이 되고, 비록 다른 것을 만나 기쁠지라도 중화를 얻어야 하는데, 만약 財가 많으면 퇴직退職하고, 가령 관官왕旺함을 만나면 복이 무궁無窮하지만, 탐재괴인貪財壞印을 현자賢者들은 반드시 기억하고, 와각승두(蝸角蠅頭;달팽이의 더듬이와 파리의 머리라는 말로서 사소한 일을 비유함)한 일에 마음을 써야 한다. 또, 財官이 雜氣의 고庫중에 암장하면 身을 생하여 旺한 곳에 드는 것을 가장 기뻐하고, 煞이 重하고 身이 輕하면 制伏해야하고, 財가 많아 고庫에서 견실하면 충하여 손상하고, 오행에서 다른 格을 찾아 취하면 四柱가 無情하니 오히려 손상을 입고, 歲運에서 만약 財旺地에 臨하면 명성名聲이 날로 높아져 대단히 고강하게 된다. (又曰,雜氣財官與印同,格中最忌鬼財重,但宜我多生爲上,雖喜逢他要得中,若是財多宜退職,如逢官旺福無窮,貪財壞印君須記,蝸角蠅頭枉用心.又,財官雜氣庫中藏,最喜生身入旺鄕,煞重身輕宜制伏,財多庫實要衝傷,五行有取尋他格,四柱無情反有戕,歲運若臨財旺地,聲名日進甚高強.)

또, 甲乙이 丑월중에 생하면 無根하며 金이 旺하지만 흉하지는 않고, 金水로 行 하면 공명功名이 현달하고, 화火토土가 서로 만나면 본종本宗을 破한다. 또, 丙丁이 丑월은 官 煞이 암장하고, 四季에 무근無根한 水鄕을 꺼리고, 運이 震離方에 이르면 공功이 있으니 모름지기 福祿이 되어 자연히 高强하다. 또, 戊己가 12월을 만나면 상관 財格일 때는 발달하고, 金水로 흐르면 格이 청淸하고 기묘奇妙한데, 運이 火土로 흐르면 좌절됨이 많다. 또, 庚辛이 丑월이면 印綬가 旺하며,

水土가 생하여 壽福이 향유하나 壬癸가 천간에 거듭 투출하면 오히려 戊己를 만나야 적당하게 된다. (又,甲乙生居丑月中,無根金旺不爲凶,重行金水功名顯,火土相逢破本宗.又,丙丁丑月藏官煞,四季無根忌水鄕,運到震離兼有功,須當福祿自高强.又,戊己逢十二月,傷官財格當時發,重行金水格淸奇,運行火土多周折.又,庚辛丑月印綬旺,水土生臨福壽齊,壬癸天干曾透出,卻逢戊己始相宜.)

또, 壬癸가 천간에 있으며 丑월 提綱에 생하면 提綱에 官印이 암장하여 格중에서 기묘奇妙하고, 辰巳로 순행順行하면 명리名利가 興하고, 서방으로 역행逆行하면 복福의 근본이 훌륭하다. 또, 乙天干이 提綱 丑支의 金과 합하면 煞旺하며 身强하여 格局이 높고, 金 水로 行하면 名利가 두텁고, 水鄕 火地는 견실함을 잃어버린다. 또, 丙일에 根이 많은데 丑월을 만나면 財官이 암장하여 司令하는 提綱중에 있으니 水鄕은 旺한 金鄕이 있어야 길하고, 火 土의 남방은 모두가 하나같이 헛된 것이다. 또, 火일이 身强하여도 丑월에는 천간에 壬 癸를 만나면 오히려 福은 輕하고 命이 薄하여 모두가 거꾸로 받는다. 만약 順宮이면 명성이 높게 드러나 기뻐하게 된다. (又,壬癸居干生丑提,提藏官印格中奇,順行辰巳興名利,逆走西方壯福基.又,乙干提丑支金合,煞旺身强格局高,金水行來名利厚,水鄕火地失堅牢.又,丙日多根丑月逢,財官藏在令提中,水鄕有旺金鄕吉,火土南方總一空.又,火日身强丑月中,天干壬癸卻相逢,福輕命薄皆逆受,若顯名高喜順宮.)

또, 三月의 간지가 土 金일이면 木火로 거듭 行하여야 복이 두텁고 문득 壬癸를 만나면 主가 無根하니 身弱하고 財輕하여 재앙이 침범한다. 또, 丙丁 일주가 未월을 만나면 金水가 비록 凶할지라도 반드시 흉하지는 않고, 木 火 土는 모름지기 부귀하고, 다시 申酉가 오면 재앙이 중첩한다. 또, 9月 가을의 戌월은 火土가 암장하고 庚辛일은 無根하여도 꺼리지 않고 格중에 만약 財印이 나타나 있으면 運이 동남이면 福祿이 가득하다. (又,三月干支日土金,重行木火福還深,忽逢壬癸無根主,身弱財輕禍亦侵.又,丙丁日主月逢未,金水雖凶未必凶,木火土鄕須富貴,再來申酉禍重重.又,九秋戌月藏火土,庚辛不忌日無根,格中若有財印出,運支東南福祿臻.)

또, 甲乙이 가을인 9月에 생하면 木은 쇠약하고 金은 旺하니 庚辛을 두려워하는데, 만일 木 火로 行하면 집안의 형편이 흥성興盛하고, 金水 財鄕은 재앙을 금할 수 없다. 또, 戊일이 戌월에 생하면 火 土가 암장하여 혹 남쪽으로 行하거나 혹 東으로 行하여도 東西로 나아가는 順逆을 구분하지 않아도 大運이 申이 되면 수명壽命이 반드시 다한다. (又,甲乙逢秋九月生,木衰金旺怕庚辛,如行木火興家計.金水財鄕禍不禁.又,戊日戌生藏火土,或行南域或行東,不分順逆東西走,大運由申壽必終.)

또, 財官 印綬가 秋節에 생하여 암장하면 官 旺하며 身이 寅卯를 타고 北方으로 順行하면 子丑을 염려하고, 西방으로 逆行하면 酉는 두렵고 寅은 和合한다. 또, 편관 편인은 밝히기가 가장 어려운데, 상하가 상승(相承;서로 연결됨)하면 명리名利가 있고, 사고四庫의 생시生時가 가장 아름다우니, 등한백옥等閒白屋에서 공경(公卿;고관의 총칭, 삼공)이 나온다. 또, 사계四季에 財官이 암장하면 刑衝 破害가 당연히 필요하고, 태과太過 불급不及하면 모두가 재앙이 되고, 運이 財鄕

에 들면 大吉하며 상서로운데, 여러 학설을 합하여 살펴보고 잡기의 喜忌를 남겨 놓은 것이 없다. (又,財官印綬藏秋生,官旺身騰見卯寅,順走北方愁子丑,逆行西怕酉和申.又,偏官偏印最難明,上下相承有利名,四庫生時爲最美,等閒白屋出公卿.又,四季財官內伏藏,刑衝破害要相當,太過不及皆爲禍,運入財鄕大吉祥,合諸說觀雜氣,喜忌無餘蘊矣.)

부론묘운附論墓運

비결에 이르기를, 유년幼年에는 묘墓庫를 만나면 좋지 않고, 노년老年에는 묘墓庫가 있으면 오히려 풍성하고 좋다. 또 이르길, 왕성한 官 印과 왕성한 財는 입묘入墓하면 재앙이 있고, 상관食神과 아울러 身旺한데 고庫를 보면 재앙이 일어난다. 또 이르길, 旺한 煞이 입묘入墓하면 수명壽命을 연장延長하기 어렵고, 대체로 보아 관官 인수印綬 상관傷官 칠살七煞이 用神이 되면 모두 묘墓庫의 運으로 흐르는 것을 꺼리며 그러나 만년晩年에 고庫地로 흐르면 길하다. 賦에서 이르길, 늙어 묘墓地로 行하면 만년晩年의 모습풍경이 여유롭다는 것이다. (秘訣云,幼年不宜逢墓庫,老年値此卻豐隆.又云,旺官旺印與旺財,入墓有禍,傷官食神並身旺,遇庫興災.又云,旺煞入墓,壽算難延.可見凡官印傷官七煞爲用神者,俱忌行墓庫之運,惟晩年行自庫地則吉.賦云,老行墓地,晩年景悠悠,是也.)

8. 논상관論傷官-1~4

논상관論傷官-1

喜身旺,財星,印綬,傷盡.忌身弱,無財,刑衝,入墓,梟印.一名剝官神,二名羊刃煞.

상관은 내가 생하는 그것을 일컫는데, 甲이 丁을 보고, 乙이 丙을 보는 종류인데, 甲은 辛이 官이 되고, 丁火가 乘旺하면 나의 기를 훔쳐서盜氣하여 辛금을 制剋하고, 甲이 귀하게 되는 것을 돕지 않으므로 傷官이라 부른다. 상관格은 상진傷盡하여야 비로소 귀하다고 간주하고, 원국에 官星이 있는데 그것을 손상하면 중重하다. (傷官者,我生彼之謂,乃甲見丁,乙見丙之類,甲用辛爲官,丁火乘旺,盜我之氣,剋制辛金,使不輔甲爲貴,故名傷官.傷官格,務要傷盡,方作貴看,原有官星,傷之則重.)

經에서 이르길, "상관견관"傷官見官하면 화환백단禍患百端인 것이다. 상관이 비록 凶할지라도 내가 생하는 것으로 자신의 물物이고, 상진傷盡하면 財를 생할수 있고, 財가 旺하면 官을 생할수 있으니 조화造化가 반복되어 유정有情하다. 만일 월령月令에 상관이 있고 사주에서 合을 하여 局을 형성하면, 모두가 상관의 위치에 있으니 衝 破가 없고 일점의 관성을 만나지 않은 것을 상진傷盡이라고 한다. 또, 월지상관이나 시상상관은 사주에 관성이 없으면 역시 상진傷盡이라고 한다. 다시 身旺하고 財旺하며 혹 印綬가 旺하면 명표금방(名標金榜;과거에 급제한 사람의 이름이 벽에 붙음)하여 一品의 귀인이 된다. (經云,傷官見官,禍患百端,是也.傷官雖凶,乃我所生,自家之物,傷盡則能生財,財旺則能生官,造化展轉有情.如月令在傷官,四柱作合結局,皆在傷位,無衝無破,不見一點官星,謂之傷盡.又有月支傷官,時上傷官,四柱無官星,亦謂傷盡.更身旺財旺或印旺,名標金榜,一品貴人.)

상관格은 예능의 자질이 많고, 오만하고 기가 드세며, 마음이 음흉하여 꺼리는 바가 없고, 모략은 많으나 이루는 것은 적고, 농교성졸(弄巧成拙;지나치게 솜씨를 부리다가 도리어 서툴다)하니 항상 세상의 사람들이 자기보다 못하다고 여기므로 사람들이 꺼려하고 싫어한다. 상관은 財가 없으면 빈궁貧窮한데 대개 財를 생하는 것은 食神 傷官이며 財를 도기盜氣하는 것은 칠살 관성인 것이므로 상관은 財를 보는 것은 원하지만 官을 만나는 것은 원하지 않는다. 가령 午月 甲木의 경우 木이 남분(南奔;남으로 달리는 것)하면 안 되는데 身의 勢가 매우 弱하기 때문이니 어찌 다시 金의 制함을 만날 수 있겠는가? 金은 土의 기를 도기盜氣할 수 있으므로 官을 보는 것을 원하지 않는다. 이미 관성이 없고 사주에 오히려 한 점의 財도 믿을 것이 없으면 비록 총명하여 꾀가 많지만 허명허리虛名虛利에 지나지 않는다. 經에서는 상관은 財가 없으면 비록 교묘巧妙할지라도 반드시 가난할 것이라고 하였다. (此格主多材藝,傲物氣高,心險無忌憚,多謀少遂,弄巧成拙,常以天下之人不如己,而人亦憚之惡之.傷官無財主貧窮,蓋生財氣者,即食神傷官,盜財氣者,即七煞官星,所以傷官要見財,不要見官.假如甲生午月,木不南奔,身勢太柔,豈可再逢金制?金能盜土之氣,所以不要見官.既無官星,而柱中卻無一點財可恃,雖聰明機巧,不過虛名虛利.經云,傷官無財可倚,雖巧必貧是也.)

상관格에 財를 用神하는 경우와 또한 印綬를 用神하는 경우가 있다.[22] 천현賦에서 이르길, 상관용인[格]은 財를 제거해야 좋으며, 상관용재[格]은 印綬를 제거해야 좋은데 어쩌다 혹시 財와 印綬가 양전兩全하면 어찌 발복發福을 하겠는가? 신왕하면 財를 用하고 신약하면 印綬를 用하니, 印綬를 用하면 반드시 財를 제거해야하며 印綬를 用하면 반드시 財를 제거해야 비로소 발복發福할 수 있다. 상관用財하면 印綬를 논하지 않아야 형통한다. 상관용인[格]은 官煞을 꺼리지 않으나 財를 제거해야 비로소 發達하고, 원국에 상관이 있으면 반드시 財를 만나야 발달發達한다. 상관은 財運으로 行함을 가장 좋아하고 印綬와 신왕運은 그 다음이고, 官으로 行하는 것은 좋아하지 않으며, 사주에 상관이 많은데 官을 만날 경우에는 다시 상관運으로 흐르면 좋지 않으나 일위一位라면 무방無妨하다. (傷官格用財,亦有用印者.天玄賦云,傷官用印宜去財,用財宜去印,倘使財印兩全,將何發福?身旺者用財,身弱者用印,用印者須去財,方能發福,用財者不論印,亦主亨通,傷官用印,不忌官煞,去財方發,元犯傷官,須要見財則發.傷官最喜行財運,印綬身旺次之,不喜行官鄉,四柱傷官多而見官者,不宜復行傷運,一位無妨.)

또 말하기를, 상관格은 상진傷盡해야 한다. 만약 사주에 상관을 만나고 관성이 은현(隱顯;드러나거나 숨어있음)하면, 상진傷盡하지 않고 歲運에서 재차 관성을 만나서 官이 乘旺한데, 거듭하여

22) 상관용재格과 상관용인格을 말한다.

刑衝 破害를 만나면 刃煞은 身을 극하고, 身弱한데 財旺하면 반드시 귀양을 가거나 사망하고, 오행에서 구원하는 것이 있어도 잔질(殘疾;질병이나 재앙)은 있다. 만약 사주에 官은 없고 상관과 煞을 重하게 만나면, 運이 官으로 들어가고 歲君年運에서 또 [官運을] 보게 되면 눈의 질환이 아니라면 반드시 재앙으로 破家한다. 經에서 이르길, 상관이 중첩한데 정관을 만나면 반드시 사면[23]이 된다. 또, 사주에서 상관[格]은 運이 官鄕에 들면 반드시 破한다. 또, 상관이 다시 官運으로 行하면 불측(不測;헤아리지 못함)의 재앙이 온다는 것이다. (又曰,傷官格,務要傷盡,若柱見傷官,而官星隱顯,傷之不盡,歲運再見官星,官來乘旺,再見刑衝破害,刃煞剋身,身弱財旺,必主徙流死亡,五行有救,亦殘疾.若四柱無官,而遇傷煞重者,運入官鄕,歲君又遇,若不目疾,必主災破.經云,傷官疊見正官,必爲師冕.又云,四柱傷官,運入官鄕必破.又云,傷官復行官運,不測災來是也.)

논상관論傷官-2

또 말하기를, 오행에서 상관은 오직 火土상관 土金상관은 관성을 꺼리고, 金水상관 水木상관 木火상관은 [관성을] 꺼리지 않는다. 火는 水가 官이 되고 土가 [水를] 손상하여 水는 土의 극을 두려워하니 土는 水를 얻으면 무익無益하고, 土는 木이 官이 되고 金이 [木을]손상하여 木은 金의 극을 두려워하니 金은 木을 얻으면 무익無益하므로 火土 상관격은 관성을 만나는 것을 꺼린다. (又曰,五行傷官,惟火人土傷官,土人金傷官,忌見官星,若金人水,水人木,木人火,不忌.蓋火以水爲官,以土爲傷,水畏土剋,土得水無益,土以木爲官,以金爲傷,木畏金剋,金得木無益,所以火土傷官格,忌見官星.)

金은 水가 傷官이 되고 火는 官이 되는데, 水가 비록 火를 극할지라도 금한수냉金寒水冷하여 火의 따듯함을 얻지 못하면 물건을 구제하기 어렵고, 하물며 水는 火를 얻으면 기제旣濟의 공功을 이룬다. 水는 木이 상관이 되고 土는 官이 되는데 木이 비록 土를 극할지라도 수범목부(水泛木浮;水가 범람하여 木이 물에 뜸)하여 土의 멈춤제방을 얻지 못하면 생존하기 어렵고 하물며 木은 土를 얻으면 재배栽培하는 공功을 이룬다. 木은 火가 상관이 되고 金은 官이 되는데 火가 비록 金을 극할지라도 목번화식(木繁火息;木이 무성하여 火를 꺼트리다)하니 金이 깎고 다듬지 않으면 통명通明하기 어렵고 하물며 金은 火를 얻으면 기물器物의 상象을 이루는 것이므로 金水 水木 木火상관격은 관성을 꺼리지 않는다. (金以水爲傷,以火爲官,水雖剋火,若金寒水冷,不得火溫,難以濟物,況水得火,成既濟之功.水以木爲傷,以土爲官,木雖剋土,若水泛木浮,不得土止,難以存活,況木得土成栽培之力,木以火爲傷,以金爲官,火雖剋金,若木繁火息,不得金削脫,難以通明,況金得火,成器物之象,所以金水木傷官格,不忌官星.)

經에 이르기를, 火土상관은 마땅히 상진傷盡해야 하고, 金水상관은 官을 보아야하고, 木火상관은 官을 만나고 官旺해야하고, 土金상관은 官을 제거하여야 도리어 官관직, 벼슬을 이루는데, 오직 水木상관격만은 財 官 둘을 보아야 비로소 기뻐하게 되는 것이다. 또 말하기를, 상관상진傷官傷盡도 복이 되지 않은 것이 있고, 상관견관傷官見官도 禍 재앙이가 되지 않은 것이 있다. (經

23) 師冕 ; 『論語』, 위령공편에서, 사면은 악사인데 '면'이라 지칭하였고 장님이었다. 사면이라는 말은 장님이 된다는 말과 같다.

云,傷官火土宜傷盡,金水傷官要見官,木火見官官要旺,土金官去反成官,惟有水木傷官格,財官兩見始爲歡,是也.又曰,傷官傷盡,亦有不作福者,傷官見官,亦有不作禍者.如一命,丁未丁未丙午丙午,丙日坐午,日主自旺,有二午二丁二未,財官俱傷,雖傷官傷盡,奈四柱火氣太旺,竊氣又重,運行東南火旺之鄕,無一點財氣,身空旺無倚,至貧之人,切不可見傷官傷盡,身旺,便作好命看.)

예) 命造
丙 丙 丁 丁
午 午 未 未
丙일이 午에 앉아 일주가 自旺하고 2午 2丁 2未가 있어 財 官이 모두 상하니 비록 상관상진傷官傷盡할지라도 사주에 火氣가 태왕하고 절기(절기竊氣=도기盜氣=설기洩氣)도 重하며 運도 동남의 화왕火旺한 곳으로 흘러 한 점의 財氣도 없으며 身이 쓸데없이 旺하여 의지할 곳이 없으니 가난한 사람이다. 상관상진傷官傷盡한다고 반드시 옳은 것은 아니고 身旺하여야 좋은 命으로 본다.

또 만일 甲일 생인이 사주에 辛 官이 있으며 또 丁상관이 있고 만약 秋월에 생하면 官이 旺하여 비록 丁火를 만나더라도 혹 亥 子의 위에 있거나 혹 午가 壬 癸의 아래에 있으면 丁은 官을 傷할 수 없으니 결국 관작官爵하는 命이 되고, 歲運에서 官煞 印綬를 만나면 모두 길하고 身이 쇠衰 패敗한 運을 꺼리고, 상관格에 관성이 있으면 반드시 옳은 것은 아니지만 좋은 命으로 보지는 않는다.[24] (又如甲日生人,柱有辛爲官,又有丁傷官,若生秋月,官旺雖逢丁火,或居亥子之上,或見午伏壬癸之下,則丁不能傷官,終爲有官爵之命,歲運遇剎官印綬俱吉,忌身衰敗運,切不可見傷官格有官星,便不作好命看.)

또 말하기를, 人命의 원국에 상관이 조금 있으면 貴氣를 손상할 수 없고, 혹 運이 官鄕에 들어 官이 自旺하여 강건强健하거나, 혹 印綬운에 들어 傷官과 煞을 제복制伏하거나, 혹 財를 생조生助함이 있거나, 혹 從化하여 別格에 들면 좋은 命이 된다. 다시 傷地로 行하면 두려운데 병病이 발생하지 않으면 文書의 구설口舌로 官 송사訟事로 파재破財하여 재앙이 연이어진다. 사주 원국에 財가 있고 또 財運으로 行하면 공명功名을 세우고 재산과 녹봉을 성취成就하고, 관官살煞地로 동행하거나 혹 財의 쇠패衰敗 사死絕地이면 財祿을 잃어 官 송사訟事가 아니면 상복喪服을 거듭 입는다. (又曰,人命原有些小傷官,不能損貴氣,或運入官鄕,官自旺強健,或入印運,制伏傷煞,或有財生助,或從化入於別格,不失爲好命,怕再行傷地,病而不起者有之,否則文書口舌,官事破財,殃禍踵至.柱元有財,又行財運,亦可成就功名利祿,一行官煞地,或財衰敗死絕地,即失財祿,非官訟則喪服重併.)

또 말하길, 사주에서 상관은 오직 년年干의 상관이 가장 重하여, 복이 되는 터전이 손상함을 받으니 종신토록 제거할 수 없는데, 만약 月支에 다시 있으면 身 七煞을 損傷함이 지나치다. 가령 甲일 생인이면 辛은 官이 되고, 丁卯 年에 寅 午 戌월에 생하면 상관이 거듭 犯하고, 또 卯는

---

24) 불가一例言也 하나의 예로서 말함은 옳지 않다.

劫財 羊刃이 되어 이름이 배록축마背祿逐馬인데, 主가 물러난 것을 후회하니 도리어 조상의 음덕을 손상하고, 運이 官鄕으로 흐르며 流年에 다시 만나거나 或 煞旺하고 身弱한 運이면 반드시 재앙이 있다. (又曰,四柱傷官,惟年干傷官最重,謂之福基受傷,終身不可除去,若月支更有,甚於傷身七煞.如甲日生人,以辛爲官,見丁卯年,生寅午戌月,是傷官重犯,又有卯爲劫刃,名背祿逐馬,主爲人退悔,反傷祖蔭,運行官鄕,流年再見,或煞旺身弱運,必禍.)

만약 월령이 眞상관이 관성을 만날 경우, 가령 甲일이 午월에 생하여 辛未 時를 만나면 午중의 丁화가 辛을 손상하고, 乙일이 巳월에 생하여 庚戌 甲申 時를 만나면 巳중의 丙화가 庚을 손상하고, 丙일 午월에 戊子 癸巳 時를 만나면 午중의 己土가 癸를 손상하는 例이다. 일주가 健旺하고 다시 상관運에 臨하면 名利가 발달할 수 있고, 일주가 미약微弱한데 運이 財 官을 지나가면 재앙은 말로 할 수 없을 정도이다. [재앙이 아주 심하다는 말] (若月令眞正傷官,又見官星,如甲日生午月,見辛未時,午中丁火傷辛,乙日生巳月見庚或甲申時,巳中丙火傷庚,丙日午月,見戊子癸巳時,午中己土傷癸之例.要日主健旺,再臨傷官運,可發名利,日主微弱,運歷財官鄕,禍不可言.)

또 말하길, 상관은, 가령 甲일이 丁을 보면 壬은 합하고 癸는 破하니 좋고, 乙이 丙을 보면 辛은 합하고 壬은 破하니 좋고, 丙이 己를 보면 甲은 합하고 乙은 破하니 좋고, 丁이 戊를 보면 癸는 합하고 甲은 破하니 좋고, 戊는 辛을 보면 丙은 합하고 丁은 破하니 좋고, 己가 庚을 보면 乙은 합하고 丙은 破하니 좋고, 庚이 癸를 보면 戊는 합하고 己는 破하니 좋고, 癸는 甲을 보면 己는 합하고 庚은 破하니 좋은 것이다.[25] (又曰,傷官,如甲日見丁,喜壬合癸破,乙見丙,喜辛合壬破,丙見己,喜甲合乙破,丁見戊,喜癸合甲破,戊見辛,喜丙合丁破,己見庚,喜乙合丙破,庚見癸,喜戊合己破,癸見甲,喜己合庚破.)

논상관論傷官-3

만기에 이르길, 상관은 으뜸 된 별로서 관성은 없는데 또 상관運으로 흐르면 이것은 설기洩氣가 태과太過한 것이니, 곧 一木이 火位를 거듭 만난 것과 같은데 명칭을 산기지문(散氣之文;氣가 흩어짐)이라 하여 가난하지 않으면 요절하고, 身旺함과 官鄕을 기뻐하는데, 傷官見官하여 거듭 손상하고 거듭 정체하므로, 運이 官鄕에 들면 局중에서 오히려 길하니, 상관상진이 되어 도리어 관성을 보면 기뻐한다. 상관이 만약 財를 동반하였는데 印綬를 만나면 재앙이 가볍지 않다. (萬祺云,傷官元辰無官星,又行傷官運,此爲竊氣太過,即一木疊逢火位,名爲散氣之文,非貧則夭,喜身旺及官鄕,傷官見官,再剝再滯,運入官鄕,局中反吉,即傷官傷盡,卻喜見官星.傷官若帶財,見印禍不輕.)

상관이 만약 印綬를 대동하면 관살은 형刑이 되지 않고, 傷官이 많으면 印綬로 行하여야 하고, 식신이 많아도 印綬를 用하고, 상관이 적은데 印綬로 行하면 곧 효신탈식梟神奪食한다. 상관이

25) 양일간의 상관은 편인이 합하고 정인은 상관을 破剋하니 좋은 것이고, 음일간의 상관은 七살이 합하고 煞刃相停 정인은 상관을 破 극하여, 상관의 凶함을 合 去하니 좋은 것이다.

만약 印綬를 차면 財를 보는 것은 좋지 않고, 상관이 만약 官을 차면 制伏하는 運으로 行하는 것은 좋지 않고, 상관용재하면 비겁運으로 行하면 좋지 않고, 상관용인하면 관살을 만나는 것을 꺼리지 않고, 상관이 만약 관성을 중첩하게 만나더라도 관성으로 논해서는 안 된다. (傷官若帶印,官煞不爲刑,傷官多者宜行印,即食多用印.傷官少者,又行印鄕,即梟神奪食.傷官若帶印,不宜逢財,傷官若帶官,不宜行制伏,傷官用財,不宜行比劫,傷官用印,不忌見官煞,傷官若見官星重疊,莫作官星論.)

“상관용관”하는데 年月에 있으면 반드시 官運에 손상을 당하고 日時에 있으면 손상하지 않아야 하고, 한번 손상함을 만나면 재앙은 말로 할 수 없을 정도이고, 묘墓에 臨해서는 안 되는데 삶의 수명을 연장하기 어렵다. 독보에 이르길, 傷官[格]에 官이 있으면 爲禍百端이지만, 운에 한해서 官을 제거하게 되면 반드시 主는 고위직으로 옮긴다. 또 이르길, 傷官[格]이 官이 없는 경우에 剝공격을 받아 손상함을 만나면 滯막힘하는데, 運이 官鄕으로 行할 때 局중에 도리어 貴해진다. 또 이르길, 상관에 財가 있으면 子宮에 子 자식이가 있고, 상관이 財가 없으면 子宮이 사死한다. 또 이르길, 상관格은 命중에서 심히 꺼리는데 財와 印綬를 대동하면 도리어 富貴를 이룬다. (傷官用官在年月,必要剝官運,在日時,不宜被傷,一見被傷,禍不可言,不可臨墓,住壽難延.獨步云,傷官有官,爲禍百端,運限去官,必主高遷.又云,傷官無官,遇剝則滯,運行官鄕,局中反貴.又云,傷官有財,子宮有子,傷官無財,子宮有死.又云,傷官之格,命中大忌,帶印帶財,翻成富貴.)

천리마에 이르길, 상관이 財를 만나면 관직은 높고 재물은 충분하다. 또 이르길, 상관견관하면 印綬와 財가 들어야 기묘奇妙하다. 또 이르길, 상관이 재財를 만나야 子자식이 있다. 상심부에서 이르기를, 상관상진하면 예능藝能에 뛰어나고, 심기心機가 거만하며 기가 드세고, 간사하여 속임이 많고, 타인을 업신여기나 뜻은 크고, 관골광대뼈이 크고, 눈과 눈썹이 크다. 정진편에 이르길, 상관이 만약 印綬를 만나면 貴는 말로 할 수가 없다.[26] 계선편에서 이르길, 일주상관이 歲에서 상관이 들어오면 파면破面된다. 경감에 이르길, 상관이 財가 없고 羊刃을 두르면 간사한 기교를 부린다. (千里馬云,傷官見財者,又官高而財足.又云,傷官見官,妙入印財之地.又云,傷官逢財而有子.相心賦云,傷官傷盡,多藝多能,使心機而傲物氣高,多謫詐而侮人志大,顴高骨峻,眼大眉粗.定眞篇云,傷官若見印綬,貴不可言.擧善篇云,日主傷官,歲入傷官當破面.景鑒云,傷官無財而帶刃,行奸弄巧.)

통명부에 이르기를, 상관을 거듭 보면 身은 반드시 노고勞苦가 많고 고생한다. 또 이르길, 상관이 많으며 身이 旺하여 의지할 데가 없으면 승僧 도道 예능藝能 술사術士가 된다. 유현부에 이르기를, 상관에 財가 있고 印綬를 차면 어찌 일품의 벼슬을 하지 않겠는가? 현기부에 이르길, 傷官이 傷盡하면 官運으로 行하여도 무방無妨하다. 보감부에 이르길, 日에서 상관이 노출되면 財가 드러나서 공명과 영화가 오대烏臺;司憲府를 조심하게 된다. (通明賦云,重見傷官,身必辛勤勞苦.又云,傷官多而身旺無依,定爲僧道藝術之士.幽玄賦云,傷官有財而佩刃,豈不作一品之官.玄機賦云,傷官傷盡行官運而無妨.寶鑑賦云,日露傷官時露財,功名榮顯肅烏臺.)

---

26) 상관패인을 말함.

비결에 이르길, 상관이 태중太重하면 반드시 자식을 두기 어렵다. 또 이르길, 年에 상관이 있으면 父母가 온전치 못하고, 月에 상관이 있으면 兄弟가 온전치 못하고, 時에 상관이 있으면 흉악하고, 日에 상관이 있으면 妻妾이 현숙하지 못하다. 또 이르길, 상관이 상진하면 일주가 흥륭興隆한데 신왕하면 길하지만 身弱하면 흉하다. 또 이르길, 상관이 설기하면 본래는 패敗神인데 身旺하면 마땅히 財는 길하고, 官이 왕성한데 印綬가 없으면 흉하고, 상관이 부진不盡하면 불측不測의 재앙을 방비해야하고, 상관이 財를 만나면 넉넉한 복을 누리고, [상관과] 七煞이 함께 오면 질병으로 손상하니 근심하고, 신왕하여 의지할 데가 없으면 외로움을 면하기 어렵고, 상관이 겁재를 만나면 버들개지가 바람에 일렁이듯 재물이 모이고, 상관은 印綬가 없으면 이익을 구하려고 돈을 짊어지고 비를 받는 것과 같다. (秘訣云,傷官太重,子必有虧.又云,年帶傷官,父母不全,月帶傷官,兄弟不完,時帶傷官,子息凶頑,日帶傷官,妻妾不賢.又云,傷官不盡,日主興隆,身旺則吉,身弱則凶.又云,傷官泄氣,本爲敗神,臨身旺宜財乃吉,遇官盛無印則凶,傷官不盡,須防不測之災,傷官逢財,乃享優遊之福,七煞同來,疾損須憂,身旺無依,孤剋難免,傷官遇劫,聚財如柳絮隨風,傷官無印,求利似荷錢擊雨.)

논상관論傷官-4

고가에 이르길, 상관은 원래 산업産業의 神인데, 진실로 傷盡하면 크게 귀한 사람이 되고, 만약 상관상진이 다하지 않고 왕기旺氣를 탄 官이 오면 禍가 가볍지 않다. 또, 月令에 官을 만나고 상관이 있으면 상관의 힘이 경감輕減되니 오히려 무방無妨하다. 만약 刑衝과 아울러 破害를 만나면 官벼슬, 관직이 장구長久하지 못함을 알 것이다. 또, 상관상진하고 다시 財를 생하면 財旺하여 官을 생하며 교체되어 와서 사주에 만약 官의 노출이 없으면 富貴는 의심할 필요가 없다. (古歌云,傷官原是産業神,傷盡眞爲大貴人,若是傷官傷不盡,官來乘旺禍非輕.又,月令逢官在傷鄕,傷輕減力尚無妨,若見刑衝倂破害,定知爲官不久長.又,傷官傷盡復生財,財旺生官互換來,四柱若無官顯露,便言富貴莫疑猜.)

또, 상관은 그 뜻이 왕후王侯처럼 오만하며 호승심이 강하여 과장科場에 나아가고, 불평不平을 나타내면 반드시 분노忿怒하고, 억강부약抑强扶弱을 멈추지 않는다. 또, 상관을 보는 것은 본래 좋지 않으며 財가 있고 官이 없으면 福의 터전인데, 時 日 月의 상관 格局은 運行이 財旺하면 貴는 의심할 것이 없다. (又,傷官其志傲王侯,好勝場中强出頭,路見不平須忿怒,抑强扶弱不干休.又,傷官遇者本非宜,財有官無是福基,時日月傷官格局,運行財旺貴無疑.)

또, 상관상진을 하여야 비로소 기묘奇妙하게 되고, 또 傷이 많으면 두려우니 도리어 좋지 않고, 상관의 格局중에는 천변만변(千變萬變;온갖 변화가 많음)하니 상세히 추리하여 마음대로 사용해야 한다. 또, 年上상관은 견실堅實함을 싫어하고 重하면 傷身하여 壽命을 연장하지 못하고, 상관상진하고 財를 생하면 귀하고, 財가 절絶한데 官을 만나면 禍는 반드시 이어진다. 또 年이 月令을 충하면 반드시 조상을 떠나고, 日이 提綱을 충하여 破하면 반드시 妻를 손상하고, 時日이 암충暗衝하면 妻子를 극하고, 충이 없어도 四敗는 일생이 저조低調하다. (又,傷官傷盡始爲奇,又恐傷多反不宜,此格局中千變化,詳推須要用心機.又,年上傷官實可嫌,重則傷身壽不延,傷官傷盡生財貴,財絶逢官禍必連.又年衝月令須離祖,日破提衝必損妻,時日暗衝妻子剋,無衝四敗一生低.)

又, 상관은 官이 없으면 박剝을 가장 꺼리고, 運이 官鄕에 들면 오히려 奇妙하고, 歲運이나 命중에서 印綬를 만나면 정말로 富貴는 틀림없다. 또, 상관은 比肩을 만나는 것을 꺼리지 않고, 칠살이나 편관은 이치가 역시 동일하고, 만약 官이 없으면 마땅히 比肩을 꺼리는데 만일 신왕하면 더욱 꺼린다. (又,傷官無官最忌剝,運入官鄕反見奇,歲運命中逢印綬,誠爲富貴定無疑.又,傷官不忌比肩逢,七煞偏官理亦同,若是無官當忌比,如逢身旺卻嫌重.)

又, 庚일이 寅 午 戌을 전부 만나고 月에서 子 提綱을 만날 경우 만일 金水를 만나면 도리어 복이 되고, 火土가 거듭 傷 破하면 어찌 마땅하겠는가? 또, 일주는 無根하고 午상의 金이 月에 亥子와 소통하고 침입해오면 단지 印綬가 도와 身旺한데 어찌 제강의 용신이 손상함을 염려하겠는가? 또, 癸일이 無根하고 木월중이면 局중에 火가 있어야 오히려 성공하고, 마땅히 생함은 남쪽 離宮의 물物을 만나지 않아야하는데 火土로 行하여 오면 내실이 공허하다. 또, 丙丁의 일주가 戌 中旬에 財가 천간에 투출하면 용신이 되는 이 상관格은 官이 旺함을 좋아하고 단지 身旺하여 오히려 傷身하는 것을 근심한다. (又,庚日全逢寅午戌,月逢子字是提綱,如逢金水翻作福,火土重傷破怎當.又,日主無根午上金,月通亥子來侵,只宜印綬扶身旺,何慮提綱損用神.又,癸日無根木月中,局中有火反成功,當生不見南離物,火土行來數內空.又丙丁日主戌中旬,財透天干作用神,此格傷官官喜旺,只愁身旺反傷身.)

又, 상관상진하고 다시 財를 생하면 도량과 식견이 높고 성질이 강직하며 두뇌가 명석하니 실로 위대하도다! 설령 조상의 재물을 나누어 가질 것이 없더라도 옥백玉帛을 등한시해도 하늘로부터 내려온다. 또, 상관상진하면 가장 기묘奇妙하게 되고, 福祿이 우뚝 솟고 또한 수명이 길고, 歲運이 身旺地로 다시 흐르고 財를 만나 身旺하면 貴는 의심할 필요가 없다. (又,傷官傷盡復生財,器識剛明實偉哉.縱使祖財無分有,等閒玉帛自天來.又,傷官傷盡最爲奇,福祿崢嶸亦壽彌,歲運更行身旺地,逢財身旺貴無疑.)

又, 상관이 부진不盡 [상진하지 않았는데]한데 또 官을 만나면 목이 잘리거나 귀양을 가는 등의 온갖 재앙이 있고, 月에서 범犯하면 父子간에 아름다움이 전혀 없고, 日을 犯하면 자신을 해치고, 時를 손상하면 자식에게 낭패狼狽가 많으니 모름지기 부귀富貴가 두루 온전하지 않다는 것을 알게 된다. 만약 상관이 太歲에 거하는 그 年해를 만나면 반드시 뜻하지 않는 재앙을 초래한다. 諸說을 합하고 상관의 喜忌를 진력을 다해 관찰한 것이다. (又,傷官不盡又逢官,斬絞徒流禍百端,月犯父子無全美,日犯自己主傷殘,時傷子息多狼狽,須知富貴不周全,若是傷官居太歲,必招橫禍遇斯年.合諸說觀之,傷官喜忌盡矣.)

9. 논식신論食神-1~4

논식신論食神-1

喜身旺,宜行財鄕,逢食看財.忌身弱,比肩.一名進神,二名爵星,三名壽星.

食神은 일간이 생하는 것으로 순서를 세면 제3위이고, 甲의 食神은 丙, 乙의 食神은 丁인 例이다. 甲이 丙을 생하면 본래 설기하고, 丙은 戊를 생하니 甲의 편재가 되고, 편재는 天祿으로 자연의 財이니 자신이 心力으로 노력하지 않고 福祿을 성취하여 누리는 것이다. 甲丙은 父子의 도가 있는데, 가령 자식이 旺相하면 財祿을 생하여 일으키고 그 父母를 봉양하니 어찌 편안함을 누리지 않겠는가? 또 甲이 庚을 보면 煞이고, 戊를 보면 財인데 그 食神 丙火가 庚煞을 制伏하여 甲木을 극傷하지 않게 하고 戊財를 생할 수 있으므로 甲木이 소용되는 것이다. (食神者,日干所生,順數第三位,乃甲食丙,乙食丁之例.甲生丙本爲泄氣,丙生戊爲甲偏財,偏財是天祿自然之財,不勞己之心力,享現成福祿.甲丙有父子之道,如子旺相,生起財祿,以奉其父母,豈不安享？又甲見庚爲煞,見戊爲財,其食神丙火,能制伏庚煞,使不得剋傷甲木,能生戊財,使爲甲木所用.)

무릇 命에 財煞의 지지를 만날 경우에 食神이 旺相하면 煞은 食神에게 제재를 당하여 감히 재앙이 되지 못하고, 財를 食神이 생하니 충분하여 고갈되지 않는다. 따라서 食神은 一名 수성壽星 일명 작성爵星이라 하여 좋은 것이다. 이 格은 일주와 食神이 함께 생왕하고 衝破가 없으면, 財가 넉넉하고 食福이 풍부하며 복이 넓고 크며, 체격은 비대하고, 편안하여 넉넉함이 충분하며, 자식이 있고 壽命도 길다. 사주에 財와 食神이 세월歲月상에 있으면 조부와 부친의 음덕으로 사업이 풍성하고, 日 時에 있으면 처남妻男이 복福을 얻고, 모자母子가 함께 쇠衰 절絶하는 것을 두려워하여 둘 다 이루지 못한다. (凡命遇財煞之地,食神旺相,煞被食制,不敢爲禍,財被食生,充裕不竭,故食神一名壽星,一名爵星,良有以也.此格要日主食神俱生旺,無衝破,主人財厚食豐,福量寬弘,肌體肥大,優遊自足,有子息,有壽考.四柱見財食在歲月上,祖父蔭業豐隆,在日時,妻男獲福,怕母子俱衰絕,兩皆無成.)

따라서 經에서 말하기를, 食神은 마땅히 생왕生旺하여야하고 食神이 쇠衰絶하여서는 안 되는 것이다. 또 이르길, 食神이 생왕生旺하면 財官보다 낫다고 하는 것이다.[27] 또 말하길, 食神은 편인을 크게 꺼리는데 도식倒食이 되면 유시무종有始無終한 사람으로 용모容貌는 사악하고, 체격은 작고 心性은 비좁고, 근심이 많아 이루는 것이 없다. 가령, 甲이 丙을 보면 食神인데 柱중에 壬이 있으면 甲木의 편인으로 丙火를 制剋하여 戊土를 생할 수 없게 하고 庚金을 制할 수 없게 하니 甲木은 [칠살에게] 制를 받아 財가 물러나는데, 어찌 궁핍하지 않겠는가? (故經云,食神宜食生食旺,不可食衰食絕.又云,食神生旺,勝似財官是也.又曰,食神大忌偏印,爲倒食,主爲人有始無終,容貌欹

---

27) 食神有氣면 勝財官이라! 식신에 기운이 있으면 재관을 이긴다.

邪,身材瑣小,心性局促,多愁無成.假如甲見丙爲食,柱中有壬,作甲木偏印,剋制丙火,不能生戊土,不能制庚金,使甲木受制退財,豈不窘乎?)

원리부에서 이르길, 食神이 制煞하는데 梟神을 만나면 가난하지 않으면 요절한다. 일행[선사가]이 이르길, 오행에서 休廢하여도 구조救助를 받으면 재화災禍는 필시 가볍고, 사주에 소식(消息; 영고성쇠)이 화평하면 복덕福德이 더욱 증가한다. 만약 도식倒食을 만나면 財가 많이 손실되는 것이다. 또 이르길, 陽日의 食神은 관성을 暗合하고, 陰日의 食神은 정인을 暗合하니 官印이 뚜렷한 것을 원하지 않고, 단 食神이 순수純粹하면 귀하고 록祿이 있고, 富하며 수명도 길고, 食神은 단지 一位가 마땅하며 太過하면 좋지 않은데, 본원本元의 기를 빼앗기는 것을 두려워한다. 經에서 이르길, 하나의 木이 火를 중첩하게 만나면 산기지문散氣之文이라고 부르는 것이다. (元理賦云,食神制煞逢梟,不貧則夭.一行云,五行休廢遇奇救,災禍必輕,四柱消息値平和,福德增重.若逢倒食之神,決主財多耗散,是也.又曰,陽日食神,暗合官星,陰日食神,暗合正印,官印不要明顯,但得食神純粹,主貴而有祿,富而有壽,食神只宜一位,不宜太多,恐竊本元之氣.經云一木疊逢火位,名爲散氣之文是也.)

食神이 많으면, 印綬 運으로 行하여야 하고, 食神이 적으면 [印綬 運으로 行하는 것이] 마땅하지 않은데, 梟神이 奪食하니 따라서 食은 祿을 도와 旺한 것을 좋아하고 月令이 建祿이면 가장 아름답고, 時의 祿[歸祿]은 그 다음인데, 다시 귀인을 만나고 運行이 食神의 생왕生旺한 지지로 行하면 福祿이 크게 發한다. 身은 쇠약하고 梟神이 旺한 것을 꺼리는데 柱중에 비록 財를 보는 것은 좋지만 많은 것은 좋지 않은데 많으면 청淸하지 않으니 일개 부옹富翁에 불과할 뿐이다. (食神多者,宜行印運,食少者不宜,是梟神奪食,故食喜旺祿相助,月令建祿最佳,時祿次之,更逢貴人,運行食神生旺之地,大發福祿.忌身衰梟旺,柱中雖喜見財,亦不宜多,多則不淸,不過一富翁而已.)

食神을 거듭 보면 상관으로 변하는데, 자식이 적고 설령 있을지라도 불량한 성품을 가진다. 또 묘墓에 드는 것은 불가한데, 즉 상관이 入墓하면 長壽하기 어렵고, 공망을 크게 꺼리는데 다시 관살이 나타나 있으면 太醫의사 師巫무당 術數하는 九流之士가 된다. 만약 食神이 극을 당하고 또 공망이 되면 귀하지 않고, 재차 사절死絶이나 梟神의 運으로 行하면 食神의 기運으로 인해 재앙이 생기는데, 위장의 장애와 의식衣食이 결여缺如되니, 춥고 배고픔을 참아야 할 뿐이다. (食神重見,變爲傷官,令人少子,縱有,或帶破拗性,又不可入墓,即是傷官入墓,住壽難延.大忌空亡,更有官煞顯露,爲太醫,師巫,術數九流之士,若食神逢剋,又遇空亡,則不貴,再行死絶或梟運,則因食上氣上生災,翻胃噎食,缺衣食,忍饑寒而已.)

논식신論食神-2

또 말하길, 甲일의 食神은 丙으로 柱중에 壬 癸 亥 子가 없어야 좋은데, 만일 水氣가 있으면 丙은 制剋을 받아 타인에게 굴복屈伏하여 자신이 독립할 수 없는데, 어찌 물物을 생하며 그 父를 봉양할 수 있겠는가? 만일 水의 制가 없고 또 祿을 向하고 생왕生旺해야하는데, 가령 丙이 夏월에 생하여 運이 동남을 지나면 火 土가 함께 旺하니 甲은 財를 用하여 반드시 두텁다. 만약 三春에 생하여 甲이 旺하면 丙火는 비록 생을 얻더라도 戊 己의 기가 薄한 것을 알지 못하니, 모름지기 남방을 지나서 火土가 함께 旺해야 비로소 發福하게 된다. (又曰,甲日食丙,柱中無壬癸亥子方好,如有水氣,丙自受制,屈伏於人,己身不能卓立,豈能生物以養其父？如無此制,又要生旺向祿,如丙生夏月,運歷東南,火土俱旺,其甲用財必厚.若生三春甲旺,丙火雖得生,不知戊己氣薄,須歷南方,火土俱旺,方許發福.)

또 庚은 壬이 食神인데, 運이 北方의 수왕水旺한 지지를 지나면 發財함이 반드시 두터우나, 東方의 목왕木旺한 곳이면 發福함이 반드시 요구되니 자세히 논해야 한다. 庚은 壬이 食神인데 申에서 장생長生하니 마땅히 申地가 복이 重하고, 暴敗는 酉이고, 壬水는 酉에 이르면 아름답지 않고, 壬이 甲木을 생하여 庚의 財가 되니 곧 自生하여 자신의 財가 나누어져 發하니 혼인한 정처의 재물이 아니고, 甲이 酉에 이르면 木은 金鄕에서 困苦하고 壬水는 自敗인데 木이 어찌 그 부친을 도우며 봉양할 수 있겠는가? 단정하면 이 運은 平平하다. (又如庚以壬爲食,運歷北方水旺之地,發財必厚,東方木旺之鄕,發福必緊.細論之,庚以壬爲食,長生於申,當斷申地福重,暴敗在酉,壬水至酉便不爲佳,以壬生甲木,爲庚之財,即自生分發身之財,非婚配正妻之財,甲至酉地,爲木困金鄕,壬水自敗,木豈能助養其父？當斷此運平平.)

行하여 戌運에 이르면, 만일 천간에서 壬 甲을 만나면 단지 吉凶을 半半으로 단정하고, 戊를 만나면 재앙이 있는 것으로 판단하고, 庚을 보면 작게나마 복이 있는 것으로 단정한다. 亥運은 마땅히 大吉하다고 말하며, 子運은 癸水가 상관을 거듭 손상하며 本身의 기를 泄하고, 또 庚은 子에서 사死하고, 甲은 子에서 패敗浴, 패지敗地가 되니, 身에게 災禍가 생긴다고 단정한다. 運이 丑에 이르면 庚金의 고庫이며 수왕水旺한 곳인데, 또 己丑이 庚甲을 도와 관대冠帶는 성인成人의 지지地支로서 단정하면 이 10年은 발달한다. 寅運은 역시 길하지만 묘墓運은 재앙이 있고, 나머지는 이것을 例로 하여 추리하라. (行至戌運,如干遇壬甲,亦只斷半吉半凶,逢戊可斷其有災,見庚可斷其微福.亥運當言大吉,子運,癸水傷官傷重,泄本身之氣,又庚死於子,甲敗於子,當斷生禍身災.運至丑,庚金之庫,水旺之鄕,又有己丑助庚甲,冠帶成人之地,可斷此十年發.寅運亦吉,卯運有災,餘例此推.)

또 말하기를, 食神은 梟를 꺼리지만 또한 꺼리지 않은 것도 있다. 가령 己亥는 丁 倒食을 두려워하지 않은데, 丁과 壬이 합화合化하여 木이 되며 壬의 녹祿이 亥에 있다. 丙午는 甲 도식倒食을 두려워하지 않은데, 甲과 己가 합화合化하여 土가 되며 己의 녹祿이 午에 있다. 乙巳는 癸 도식倒食을 두려워하지 않은데, 戊癸가 합화合化하여 火가 되며 乙巳복등火역시 火이다. 癸巳는 辛 도식을 두려워하지 않은데, 丙辛이 합화合化하여 水가 되며 癸의 귀인이 巳에 있다. (又曰,食神忌梟,亦有不畏者.如己亥不畏丁倒食,丁與壬合化木,而壬祿在亥,丙午不畏甲倒食,甲與己合化土,而

己祿在午,乙巳不畏癸倒食,戊癸化火,乙巳亦火,癸巳不畏辛倒食,丙辛化水,癸貴在巳.)

庚은 陽의 무리에서 으뜸인데 戊 도식을 두려워하지 않음은 戊는 陽氣가 근원으로 되돌아가는 수이니 戊를 만나면 喜神으로 논하고, 己는 辛의 도식이 아닌데 陰氣가 처음으로 發散하는 근원이고, 庚은 壬의 도식이 아닌데 陽氣가 처음으로 發散하는 근원이다. 辛은 丁이 있으면 己 도식을 두려워하지 않은데 丁은 辛金을 양육하고, 하물며 丁이 거처하는 곳에 己土가 있고, 음양이 간섭干涉하여 청淸한 福의 도움을 얻는다. 그러므로 6辛 人은 丁이 절대로 필요한데, 그러나 辛人의 본래 祿位에서 遁한 寅을 從하니 비로소 丁의 祿을 用하는 것을 알고, 己土는 火속에서 장생長生하니 따라서 火를 필요로 하여 文貴문성귀인이 되고, 金은 父母가 없으면 火處에서 父母의 기를 빌리기 때문인 것이다. (庚爲衆陽之首,不畏戊倒食,戊陽氣歸源之數,見戊作喜神論,己不倒食辛,陰氣初發散之源,庚不倒食壬,陽氣初發散之源,辛有丁,不畏己倒食,爲丁養育辛金也,況有丁處便有己土,陰陽干涉,得清福之助.故六辛人切要丁,但從寅遁至辛人本祿位,方知用丁爲祿,更月是金家,己土火裏長生,故知要火爲文貴,金無父母,借火處有父母之氣故也.)

논식신論食神-3

혹 묻기를, 十干에서 일위의 간격을 둔 것이 食神이 되는 것은 무엇 때문인가? 希尹이 말하길, 甲己가 化土하므로 丙辛이 食, 丙 辛이 化水하므로 戊癸가 食, 戊 癸가 化火하므로 庚 乙이 食, 庚 乙이 化金하므로 壬丁이 食, 壬丁이 化木하므로 甲己가 食인데 化氣가 상극하여 食이 된다. (或問,十干以隔一位爲食神,何也,希尹曰,甲己化土,故食丙辛,丙辛化水,故食戊癸,戊癸化火,故食庚乙,庚乙化金,故食壬丁,壬丁化木,故食甲己,化氣相剋而食.)

食神은 十干의 福祿이 모이는 것으로, 君子가 食神을 얻으면 현달顯達하며 풍성하고, 小人이 食神을 얻으면 주선(周旋;일이 잘 되도록 애를 씀)하여 생계가 넉넉한데, [食神이] 복이 모이는 지지에 있으면 官관직은 높고 祿은 두텁고, 禍가 모이는 지지에 있으면 직급職級은 낮고 命도 짧다. 가령, 甲子를 논하면 丙子의 食은 福星의 貴가 되고 丙寅의 食은 장생長生의 녹祿이 되고, 또 록마동향으로 食神은 學堂의 貴가 되고, 丙辰은 正印이 되고, 丙午는 自刑이 되어 命을 破하고, 丙申은 身을 극하며 祿을 破하고, 丙戌은 身이 쇠衰破 공망이 된다. 나머지 干은 例로서 추리하라. (食神者,十干福祿之會,君子得之,顯達豐贍,小人得之,周旋給足,在福聚之地,官崇祿厚,在禍聚之地,職卑命薄.如以甲子論,食丙子,爲福星之貴,食丙寅,爲長生之祿,又爲祿馬同鄉,食神學堂之貴,丙辰爲正印,丙午爲自刑破命,丙申爲剋身破祿,丙戌爲身衰破空亡,餘干例推.)

생왕, 고 천을, 천관, 화개, 문성, 학당 ,관인, 록마의 종류를 만나면 복이 모이는 지지가 되고, 극파剋破, 공망, 惡煞, 刑 害, 休 패敗 사死絕을 만나면 禍재앙이 모이는 지지가 된다. 華蓋 正印이 있으면 비록 적더라도 조금씩 늘어나고, 학당 역마가 없으면 비록 많더라도 반감되고, 淸貴

한 집, 교사(驕奢;교만하고 사치스러움)한 가족인 것을 이것으로 구별한다. (遇生旺,庫天乙,天官,華蓋,文星,學堂,官印,祿馬之類,爲福聚之地,遇剋破,空亡,惡煞,刑害,休敗死絕,爲禍聚之地.有華蓋正印,雖少增配,無學堂驛馬,雖多減半,淸貴之家,驕奢之族,以是別之.)

또 말하길, 甲乙의 食神은 丙丁인데 寅 卯 巳 午의 위에 더하고, 丙丁의 食神은 戊己인데 辰 戌 丑 未의 위에 더하고, 戊己의 食神은 庚辛인데 巳 午 申 酉의 위에 더하고, 庚辛의 食神은 壬癸인데 申 酉 亥 子의 위에 더하고, 壬 癸의 食神은 甲乙인데 亥 子 寅 卯의 위에 더하면 食神이 생왕生旺한 것이라 하고, 다시 녹마祿馬 旺相함을 띠면 文은 양제양성兩制兩省하고, 武는 건절방단建節防團하고, [文武가] 없어도 역시 재백풍후財帛豊厚하고, 食神과 녹祿이 온전히 나타나면 四柱가 순리에 온당穩當하여 기묘奇妙하게 된다. (又曰,甲乙食丙丁,加寅卯巳午之上,丙丁食戊己,加辰戌丑未之上,戊己食庚辛,加巳午申酉之上,庚辛食壬癸,加申酉亥子之上,壬癸食甲乙,加亥子寅卯之上,謂之食神見生旺,更帶祿馬旺相,文爲兩制兩省,武爲建節防團,無亦主財帛豐厚,食神與祿全見,四柱順當爲妙.)

지미부에 이르기를, 食神은 한 곳에서만 사용해야하며 하나는 셋을 대신한다. 만약 休閒함을 만나면 셋의 重함이 하나에 미치지 못하고, 食神은 둘 셋으로 나누면 財재물는 추풍낙엽秋風落葉과 같고, 효梟는 하나가 重하면 福은 조균모락(朝菌暮落;잠시 왔다가 금방 사라짐)과 같고, 食神이 공한(空閒;하는 일 없이 한가함)하게 되면 대체로 초췌憔悴함을 피하기 어렵다. 이우가에 이르길, 子反哺時逢子建,更値貴人喜相見,建官又在貴人鄕,鳳閣鸞台歷華選, 反哺는 年月日時 모두가 자하식상自下食上으로 天乙 官印의 길한 煞을 만나면 귀하게 된다. (指迷賦云,食神一處當用,一代於三.若遇休閑,三重不逮於一,食分三二,財如落葉秋風,梟遇一重,福若朝菌暮落,食神若遇空閑,大抵難逃憔悴.理愚歌云,子反哺時逢子建,更値貴人喜相見,建官又在貴人鄕,鳳閣鸞台歷華選,返哺者,年月日時,皆自下食上,見天乙官印吉煞,主貴.)

호중자가 이르길, 食神은 倒食을 싫어하는데 먹는 것을 다투고 홀연히 併臨하면 젖이 결핍하고, 남으면 식전방장(食前方丈;四方 열 자의 상에 잘 차린 음식이란 뜻으로, 호화롭게 많이 차린 음식)이고, 부족하면 단사두갱(簞食豆羹;대나무 그릇에 담긴 밥과 제기祭器에 담긴 국이라는 뜻으로, 얼마 안 되는 음식, 변변치 못한 음식, 食의 음은 '사')이다. 또 이르길, 도식倒食이 命에 있으면 굴복을 당함이 많은데 중첩하면 유년 시절에 있어 젖이 부족하고, 나이가 많으면 굶을 때가 있다. 食神이 올바르고 有餘하면 부귀하고, 食神이 다투고 부족하면 빈천貧賤하다. 유여有餘는 가령 甲人이 2~3개의 丙을 얻은 것이고, 부족不足은 2~3개의 甲에 하나의 丙이 있는 것과 같은 종류인 것이다. (壺中子云,食神嫌倒,爭啜爭哺,忽併臨之,乏漿乏乳,有餘則食前方丈,不足則簞食豆羹.又云,犯倒食在命,多被人撓,重疊帶者,在幼兒則言乏乳,在老人則言缺食.正食而有餘者富貴,爭食而不足者貧賤,有餘,如甲人得兩丙三丙,不足如三甲兩甲止有一丙之類.)

또 말하길, 무릇 생時의 천간이 年干을 倒食하면 呑이라 하여 자식을 극하고, 日時가 모두 食神

이면 얼굴과 머리에 다친 상처를 지니고 아울러 母를 극하고, 죽은 후에 대를 이을 자식이 없이 죽음을 맞는다. 만약 탄呑중에 탄呑을 만나는 것은, 가령 甲인이 壬日을 만나고 時에서 또 庚字을 만나면 가난하며 구학(溝壑;구렁텅이)에 빠져 죽는데 干合이 있으면 풀려서 완화된다. (又曰,凡生時干倒食年干者曰呑,主剋子,日時俱食,主頭面帶破,幷剋母,死後無子送終,若呑中逢呑,如甲人見壬日,時又逢庚字,主貧死溝壑,有干合解則緩.)

논식신論食神-4

독보에 이르기를, 食神이 생왕生旺하면 훌륭함이 財官과 같고, 탁하면 천賤하며 청淸하면 빛나고, 중하면 부족하니 상관에 비견되고, 雜氣는 쓰임이 없으니 많은 부분을 자세히 분류해야 한다. 상심부에서 이르길, 음식을 좋아하며 체격이 크고 노래 부르는 것을 좋아한다. 구결에서 이르길, 食神이 旺하면 현명하다. 오지부에 이르길, 月令이 食神이며 身이 健旺하면 음식을 좋아하며 체질이 살찌고, 사주에 吉함이 비추고 도우면 퇴금적옥(堆金積玉;금과 옥을 산처럼 모음)하고, 명성名聲을 크게 드러낸다. 또 이르길, 食神이 旺한 곳에 겁재가 많고 다시 편인이 食神을 극하면 요절하지 않으면 乞人이 되는 것을 마땅히 알아야 한다. (獨步云,食神生旺,勝似財官,濁之則賤,淸之則烜,重則不足,擬作傷官,雜氣無用,分詳多端.相心賦云,食神善能飮食,體厚而好謳歌.口訣云,食神帶旺賢,奧旨賦云,月令值食身健旺,善飮食資質豊肥,四柱有吉曜相扶,堆金積玉,聲名顯著.又云,食神旺處劫財多,更逢偏印剋食神,非壽夭須知吃化.)

유미부에 이르길, 食神이 旺相하면 수명이 길다. 원리부에 이르길, "식거선 살거후"格은 공명이 현달顯達한다. 보감부에서 이르길, 月에 食神이 노출하고 時에 官이 노출하면 [식거선 살거후格] 사헌부감독기관에서 국가를 돕는 신하로서 영화로움이 현달한다. (幽微賦云,食神旺相,老壽彌高.元理賦云,食居先,煞居後,功名顯達.寶鑑賦云,月露食神時露官,榮顯烏臺助國臣.)

비결에 이르기를, 食神이 一位면 훌륭함이 財官과 같고, 戊日 庚時는 火왕함이 좋지 않다. 삼거[일람]에서 이르기를, 食神에서는 食神이 소모하고 食神이 공망하는 것을 두려워하고, 食神의 고庫와 食神의 祿을 가장 기뻐한다. 심경에 이르길, 壽星食神이 합하는 곳에서 眞참을 얻는 이 說은 헛된 것이 아니고, 한자리에 食神과 身이 官에 坐하면 삼감구경三監九卿을 보게 된다. (秘訣云,食神一位,勝似財官,戊日庚時,不宜火旺.三車云,食神怕食耗食空,最喜食庫食祿,心鏡云,壽星合處得其眞,此說不虛陳,一座食神身坐官,三監九卿看.)

만기부에 이르길, 食神의 이름은 吉함을 비추는 것인데, 制煞하여 壽星이라 부르고, 日干이 强하고 食神이 旺하면 富貴한 사람이고, 食神은 旺한데 身이 쇠衰弱하면 층등(蹭蹬;권세를 잃고 어정거림)한 사람이고, 財旺하면 식전방장(食前方丈;호화롭게 잘 차려진 음식)하게 되고, 印綬를 보면 증저생진(甑底生塵;시루에 먼지가 쌓임) 一位가 나타나면 종명정내(鍾銘鼎鼐;부귀공명)하고,

2~3位이면 누항단표(陋巷簞瓢;빈한한 삶)하고, 羊刃이 거듭 臨하면 평생토록 힘들게 일해야 하고, 刑剋이 會合하면 일생이 險하다. (萬祺賦云,食神名爲吉曜,制煞號稱壽星,日干強食旺,富貴之士,食旺身衰,蹭蹬之人,逢財旺則食前方丈,遇印綬則甑底生塵,見一位者,鍾銘鼎鼐,二三者,陋巷簞瓢,羊刃重臨,平生勞碌,刑剋相會,一世奔波.)

고가에 이르기를, 食神이 制煞하면 吉함이 예사롭지 않고, 財왕하면 妻는 영화롭고 자식은 더욱 강해지고, 사주에 만약 탄염煞이 없으면 대궐에서 임금을 보필한다. 또, 食神이 祿을 만나면 天廚천주귀인라 하는데, 衝剋 공망 官煞이 없고 사절死絶하는 運이 偏印의 지지에 臨하면 壽星食神이 합하는 곳에서 복이 따른다. (古歌云,食神制煞吉非常,財旺妻榮子更強,柱中若無呑焰煞,管教金殿佐君王.又,食神逢祿號天廚,衝剋空亡官煞無,死絕運臨偏印地,壽星合處福交孚.)

또, 食神은 생계를 돌보지 않고 연하(煙霞;안개와 노을), 고요한 산수의 경치를 좋아하고, 食神이 역마와 동주하면 별도의 가정을 만들고, 혹 食神이 귀인과 동주同柱하면 食祿이 있으며 명성과 벼슬이 높으며 복이 끝이 없다. 또, 食神과 印綬는 만나는 것이 좋지 않고, 단지 財官을 만나야 복이 한층 더 두텁고, 食神은 身旺한 지지로 行하는 것을 기뻐하고, 梟를 만나거나 比劫을 만나면 이룬 것 모두가 공허하다. 또 食神이 생왕生旺하면 가장 자랑할 만한데 단지 水木 土金으로 行하여야 아름답고, 官 煞이 다시 混雜하여 오지 않아야 평생토록 衣祿이 충분하여 영화롭다. (又,食神食退好煙霞,食馬心馳別立家,或食貴人併食祿,名高爵重福無涯.又,食神印綬不宜逢,惟見財官福更隆,食神喜行身旺地,逢梟逢比總成空.又,食神生旺最堪誇,惟行水木土金佳,官煞更無來混雜,平生衣祿足榮華.)

또, 식거선 살거후格은 평생토록 衣食과 福祿이 가장 두텁고, 煞이 食神의 가까이에 있으면 오히려 재앙이 있고, 종일토록 사바세계에서 분주하게 된다. 또, 壽元이 합하여 오면 가장 기묘奇妙하고, 七煞이 세歲시時에 있는 것을 어찌 근심하겠는가? 干頭天干이가 旺하면 凶을 막고 포악함을 제복하니 이 같은 사람은 富貴한 사람이다. 또, 甲인이 丙을 만나면 본래 도기(盜氣=설기)하는데 丙이 나아가 財를 생하니 食神이라 부르고, 마음이 넓으며 살은 찌고 衣食과 녹祿이 풍후하고 만약 편인에 臨하면 고독하고 빈한貧寒하게 된다. (又,食神居先煞居後,衣祿平生福最厚,煞近食神卻有殃,終日塵寰慢奔走.又,壽元合起最爲奇,七煞何憂在藏時,禁凶制暴干頭旺,此是人間富貴兒.又,甲人見丙本盜氣,丙去生財號食神,心廣體胖衣祿厚,若臨偏印主孤貧.)

또, 食神이 有氣하면 財官보다 뛰어나지만 먼저 [日]干이 유달리 强旺해야하는데, 만약 오히려 손상하고 탈식奪食된다면 항상 바쁘고 고생하며 禍가 수없이 생긴다. 또, 食神이 생왕生旺하고 刑 극이 없는 命에서 이 格을 만나면 財 官보다 뛰어나고, 다시 身旺한데 財地를 만나면 청춘의 어린 나이에 금수레를 타게 된다. 또, 食神이 손상함이 없으면 수명이 길고, 서모庶母를 만나면 맞서서 당해내지 못하는데, 만약 편재가 와서 도와주지 않으면 命은 가을의 풀이 겨울의 서리를 맞은 것과 같은 꼴이다. (又,食神有氣勝財官,先要他强旺本干,若也反傷來奪食,忙忙辛苦禍千般.又,

食神生旺無刑剋,命逢此格勝財官,更得身旺逢財地,青春年少步金鑾.又,食神無損壽綿長,庶母逢之不可當,若無偏財來救護,命如秋草帶冬霜.)

又, 月상의 食神을 천주천주귀인라 부르는데, 命에서 [천주귀인을] 만나면 富가 유여有餘하고, 梟神이 와서 복을 없애는 것을 가장 꺼리고, 衝去하여 暗으로 없애는 것을 가장 싫어한다. 생財하여 鬼로 화化하고 겸하여 無病하고, 制 煞하면 신뢰가 쌓여 사인(士人;벼슬을 하지 않은 선비)이 과거에 급제한 것처럼 요직을 맞게 된다. 여러 설說을 합하여 食神을 살펴보고 喜忌를 다한 것이다. (又,食神月上號天廚,人命逢之富有餘,切忌梟來明滅福,最嫌衝去暗消除.生財化鬼兼無病,制煞爲祥信有儲,士子如逢科甲第,官封要職領天書.合諸說觀食神,喜忌盡矣.)

비천녹마飛天祿馬

희기篇에 이르기를, 만약 月建에서 상관을 만나면 흉한 곳이지만 반드시 흉한 것은 아니며, [그 중에는] 倒祿과 飛衝이 있는데, 관성을 꺼리고 또한 기반羈絆을 싫어한다. 비천록마格에는 오직 四日인 庚子 壬子 辛亥 癸亥인데 10월이나 11월에 생해야하는데 겨울의 水는 純陰이니 사주에 財官이 없어야 비로소 用한다. 또 月時 혹 年日의 같은 지지라야 아울러 충을 할 수 있고, 관성의 노출을 꺼리는데 녹祿이 飛衝을 어렵게 하고, 合神이 기반羈絆하면 飛衝을 할 수 없고, 사주에 한 字가 녹마祿馬와 合을 하여 머물러야 貴氣를 달아나지 않게 하고, 傷官 食神 및 干支의 本運을 좋아한다. (喜忌篇云,若逢傷官月建,如凶處未必爲凶,內有倒祿飛衝,忌官星亦嫌羈絆,此格惟有四日,庚子壬子辛亥癸亥生十月十一月,冬水純陰,柱無財官方用.又須月時,或年與日同支,方能併衝,忌官星顯露,祿難飛衝,合神羈絆,不能飛衝,要柱中有一字合住祿馬,方不走了貴氣.喜傷官食神,及干支本運.)

가령, 庚子일에서 庚은 丁火가 官인데, 子월에 생하면 상관이 月建인데 이를테면 凶處이나, 만약 子의 字글자가 많으면 午중의 丁火를 衝出하여 庚일이 官星을 얻으니, 凶으로 논하는 것은 옳지 않고, 사주에 未 혹은 寅戌이 필요한데 단 한 字라도 午를 합하면 기묘奇妙하고, 만약 丑이 있어 기반羈絆되면 合을 貪하여 子를 제거하니 午중의 祿을 충을 할 수 없게 하고, 丁字를 보면 官이 노출하고, 丙은 煞이 노출하고, 午 字는 전실塡實하고, 戌의 呑焰은 운수運數를 감減하는데 세歲運도 동일하다. 壬子일에서 壬은 己土가 官인데, 柱중에 子 字글자가 많으면 午중의 己土를 衝出하여 壬일이 관성을 얻는데, 그 喜忌는 庚子일과 동일하다. (假令庚子日,庚以丁火爲官,在子月生,是傷官月建,可謂凶處,若子字多,衝出午中丁火,則庚日得官星,未可便以凶論,柱要有未或寅戌,但得一字合午爲妙,若有丑羈絆,子去貪合,不能衝午中之祿,見丁字爲官露,丙爲煞顯,午字塡實,戊呑焰,則減分數,歲運同.壬子日,壬以己土爲官,要柱中子字多,衝午中己土,則壬日得官星,其喜忌與庚子日同.)

辛亥일에서 辛은 丙火를 官으로 사용하고, 癸亥일에서 癸는 戊土를 官으로 사용하는데, 모두 사주에 亥字가 많으면 巳중의 丙戊를 衝出하여 辛癸는 관성을 얻고, 柱중에 申 혹은 酉丑이 있어

단 하나라도 合을 얻으면 기묘奇妙하고 많으면 적중的中하지 않고, 寅이 있으면 기반羈絆하니 즉 亥의 合을 貪하여 巳중의 祿을 衝할 수 없고, 丙 戊 己를 보면 관성이 노출한 것이니 운수運數를 減하는데 歲運도 동일하다. (辛亥日,辛用丙火爲官,癸亥日,癸用戊土爲官,俱要四柱亥字多,衝出巳中丙戊,則辛癸得官星,柱有申或酉丑,但得一作合爲妙,多則不中,有寅羈絆,則亥貪合,不能衝巳中之祿,見丙戊己,爲官星顯露,減分數,歲運同.)

또 말하기를, 庚子 壬子 二日은 上을 犯한 것을 꺼릴 뿐만 아니라 庚子는 水의 太旺함을 좋아하지 않으니 금침수범金沉水泛하게 되면 승僧 도道로서 빈곤貧困한 命인데, 혹 丑월에 坐하여 酉字를 얻어 丑을 합하고 運行이 서방이면 뜻과 같이 귀하지 않고, 壬子는 財를 보는 것은 좋지 않은데 壬이 丁을 만나 태과太過하면 반드시 음란淫亂함을 범犯하니, 辛 癸의 兩日은 논하지 않는다. 지지에서 단지 亥 字를 많이 만나면 官을 衝할 수 있는데 辛일은 오직 己戊를 두려워하며 나머지는 약간 가볍게 꺼린다. 또 말하기를, 飛天은 合이 없으면 표류(漂流;정처 없이 떠돌아다님)한 사람이고, 충이 있으면 대부분 구류九流술업이나 예술을 하는 무리로서 貴와 가까울 뿐이고, 이미 衝한 것을 또 합하거나 만약 앞의 꺼리는 것을 犯하면 格에 들지 못하고, 歲運에서 이를 만나 심하면 횡역(橫逆;떳떳한 이치에 어그러짐)을 당하고, 辛亥 癸亥가 이를 만나면 조금 경미하다. (又曰,庚子壬子二日,不但忌上所犯,庚子不喜水太旺,爲金沉水泛,僧道貧苦之命,或坐丑月,得酉字合丑,運行西方,如意卻不貴,壬子不宜見財,爲壬遇丁而太過,必犯淫訛之亂,辛癸二日不論,支下但見亥字多,便能衝官,辛日惟怕己丙,癸日惟怕己戊,餘忌稍輕.又曰,飛天無合,乃漂流之人,有衝,多是九流技藝之輩,近貴而已,旣衝又合,若犯前忌,亦不入格,歲運逢之,甚者,遭橫逆,辛亥癸亥見之稍輕.)

고가에서 말하기를, 正으로 충하는 格은 庚壬인데, 子를 衝去하여야 官祿이 형통하고, 사주에 다시 寅 戌 未를 만나 세 글자 중에 하나라도 合을 얻으면 공명功名한다. 또, 庚 壬子월은 충을 부르는 官인데, 午가 동하여 丁으로 바뀌고 己도 또한 변하는데, 전실塡實 破 형刑을 모두 犯하지 않으면 으뜸 되는 명성과 명예를 四方에 傳한다. 또, 飛天 녹마祿馬를 아는 사람이 드문데, 庚壬이 子가 거듭하면 貴는 의심하지 않아도 되고, 사주에 기반羈絆과 官星이 없으면 단번에 높은 지위의 봉지鳳池에 오른다. 또, 辛癸가 重한 亥일을 衝官하여 巳중의 丙戊의 녹祿이 와서 높은데, 다시 酉 丑 申을 만나 命에서 하나라도 合을 얻으면 영귀榮貴하게 된다. 또, 日에서 辛 癸의 지지에 亥가 臨하고 酉 丑에 더하여 申의 귀인을 합하고 四柱가 相扶하며 戊己가 없으면 위풍이 당당하여 천리에 뛰어난 명성을 떨친다. (古歌曰,正衝之格是庚壬,子去衝官祿自亨,四柱更逢寅戌未,三字得一合功名.又,庚壬子月號衝官,午動丁移己亦遷,塡實破刑俱不犯,英名魁譽四方傳.又,祿馬飛天識者稀,庚壬重子貴非疑,柱無羈絆官星現,平步青雲到鳳池.又,辛癸衝官亥日重,己巳中丙戊祿來崇,更逢酉丑申居命,得一合神便貴榮.又,日逢辛癸支臨亥,酉丑加申合貴人,四柱相扶無戊己,威風千里振英聲.)

비천녹마는 아는 사람이 적은데, 辛亥 癸亥가 많으면 가장 마땅하고, 官煞과 아울러 기반羈絆을 만나지 않으면 소년 시절에 부귀하며 임금께 절을 올린다. 또, 庚壬 二일이 거듭 子를 만나고,

辛 癸가 年時에 亥를 많이 보면 衝起하여 眞祿馬가 飛天하는데 官이 없고 기반羈絆이 없으면 중화中和가 된다. 또, 사주에 丙丁과 아울러 戊己를 싫어하고 巳午가 없어야하며 寅戌은 나타나야하고, 丑寅이 와서 기반羈絆하지 않아야하고, 子亥가 官을 衝[出]하면 貴와 녹祿이 영화롭다. (飛天祿馬少人知,辛亥癸亥多最爲宜,不見闕官煞幷惹絆,少年富貴拜丹墀.又,庚壬二日重逢子,辛癸年時遇亥多,衝起飛天眞祿馬,無官無絆定中和.又,柱嫌丁丙並戊己,巳午無蹤寅戌明,不見丑寅來羈絆,子亥衝官貴祿榮.)

또, 亥가 辛 癸를 子가 庚壬을 만나면 녹마祿馬가 飛天하니 자세히 살펴야하고, 歲運에서 만약 財旺地를 만나면 반드시 권력의 직책이 높이 오른다. 또, 비천녹마는 가장 궁구窮究하기 어려운데, 정正은 庚 壬이 子에 坐하고 거듭 필요하고, 壬은 암암리에 午 중의 己祿을 맞이하고, 庚은 허공에서 離位 丁의 공功을 就하고, 鼠중의 子를 동반하면 동하기 어렵고, 戌은 午와 함께 寅을 서로 끌어오고, 庚은 丁을 꺼리며 壬은 己를 꺼리는데, 만약 이를 犯하지 않으면 녹祿이 풍성하고 두텁다. (又,亥逢辛癸子庚壬,祿馬飛天仔細尋,歲運若逢財旺地,須當權職自高陞.又,飛天祿馬最難窮,正要庚壬坐子重,壬暗午中邀己祿,庚虛離位就丁功,鼠中同伴子難動,戌要相牽午共寅,庚忌丁神壬忌己,若無此犯祿豊隆.)

또, 辛癸의 생인은 亥를 重[거듭 보는]한 것을 좋아하고, 巳중의 丙戊는 충을 만나 얻고, 戊가 癸를 합하여 오니 三元이 기뻐하고, 丙은 辛에게 굴복하니 四柱가 웅장하고, 煞 刃 官 공망은 모두 두려워하여 꺼리고, 刑衝 破害는 모두 몽롱(朦朧;어른어른하여 희미함)하다. 만약 塡實하여 헛되지 않고 모여 있으면 영웅英雄 호걸豪傑은 멀어 같지 않고, 이 격格은 庚子 辛亥인 상관[格]인 것이지, 壬子 癸亥는 아닌 것이다. (又,辛癸生人喜亥重,巳中丙戊得逢衝,戊來合癸三元喜,丙去伏辛四柱雄,煞刃官空皆畏忌,刑衝破害總朦朧.若無塡實虛有會,豪傑英雄迴不同,按此格止庚子辛亥是傷官,壬子癸亥則非.)

10. 도충록倒衝祿-1~4

도충록倒衝祿-1

月建의 傷官[格]안에 도충녹마格이 있고, 喜忌는 飛天[녹마格]과 동일하지만 그러나 時는 논하지 않는다. 이 格은 丙午 丁巳 二日만 해당하고, 夏月은 純陽인데, 丙은 癸水를 官으로 삼고, 사주에 午가 많으면 유력有力한데, 子중의 癸水를 衝出시켜 丙日은 관성을 얻는다. 丁은 壬水를 官으로 삼아 사주에 巳가 많으면 유력有力한데, 亥중의 壬水를 衝出시켜 丁日은 官星을 얻는다. 다시 丑 寅 혹은 申辰 卯未를 얻고 단 한 字가 합하면 녹마祿馬가 머물러 기묘奇妙하게 되지만, 많으면 적중的中하지 않는다. 丙午일은 未를 싫어하고 丁巳일은 申辰등의 글자가 기반羈絆하니 싫어하는데, 巳午가 貪合하여 子亥중의 祿을 衝[出]하지 못하게 하고, 사주에 亥壬 子癸가 있으면 官煞이 나타난 것이 되어 運數를 減하는데 歲運도 동일하다. (傷官月建,內有倒沖祿馬格,喜忌與飛天同,惟時不論.此格止有二日,丙午丁巳,夏日純陽,丙以癸水爲官,要柱中午多有力,衝出子中癸水,則丙日得官星,丁以壬水爲官,要柱中巳多有力,衝出亥中壬水,則丁日得官星.更得丑寅,或申辰卯未,但有一字合住祿馬爲妙,多則不中.丙午日怕未,丁巳日怕申辰等字羈絆,則巳午貪合,不能衝子亥中之祿,柱有亥壬子癸,爲煞官顯露,則減分數,歲運同.)

또 말하기를, 丙午 丁巳는 合祿을 논하지 않고 단지 기반羈絆을 싫어하고, 年月이 아울러 충하면 上이 되나, 日에만 있고 月내에 없으면 祿을 충하여 貴를 取할 수 없고, 日에는 없지만 月時에 있으면 또한 取用할 수 있지만 단 丙午는 刃이니 비록 귀하더라도 결국 흉하고 一見하여 刃을 합하면 凶命이 된다. 만약 月令이 亥子라면 官 煞格에 부합하고, 혹 官 煞이 투출하여 旺相하여 有氣하면 오히려 合煞을 취하여 크게 귀격이 되는데 오로지 日刃으로 논하는 것은 불가하고, 온전히 塡實論만을 고집하는 것은 불가하고, 丁巳일은 혹 辛亥 時를 만나면 柱중에 巳亥가 있어도 格에는 무방無妨하지만 丁이 四月에 생하면 巳는 旺하며 亥는 無氣하고, 3月 역시 취하면 水鄕으로 行함을 기뻐하며 火를 만나면 복이지만 단 巳 火는 좋으나 나머지 火는 좋지 않다. (又曰,丙午丁巳,不論合祿,只嫌羈絆,年月併衝爲上,只日上有,月內無,則不能衝祿取貴,日上無,月時有,亦可取用,但丙午是刃,雖貴終凶,一見合刃,便爲凶命,若月令亥子,官煞合格,或透官煞,有氣旺相,反取合煞爲大貴格,不可專以日刃論,不可全拘塡實論,丁巳日,或見辛亥時,柱中有巳亥不妨格,以丁生四月,巳旺亥無氣,三月亦取,喜行水鄕,見火則福,只宜巳火,餘火不宜.)

또 말하기를, 이 格은 丙午 丙寅 丙戌 丁巳 丁未 丁卯의 6日인데, 陽日은 倒衝이고 陰일은 正衝이 되고, 丙일은 단지 午 字가 있어야 하는데, 그러나 寅 午 戌의 三合이 온전하여야 쓸 수 있고, 或 三丙 字는 印綬의 생조生助를 좋아하고 煞이 混雜함을 싫어한다. (又曰,此格有六日,丙午丙寅丙戌丁巳丁未丁卯,陽日爲倒衝,陰日爲正衝,丙日只有午字,卻用三合寅午戌全,或三丙字,喜印生助,忌煞混雜.)

古歌에 이르기를, 丙일이 官局은 없고 午가 많으면 녹마祿馬를 倒衝하여 癸官으로 和하는데 未字가 와서 기반羈絆하지 않아야하고 癸 子가 모두 없어야 복이 우뚝 솟는다.[28] 또, 倒衝은 貴氣가 같지 않은데, 丙午는 子 祿神을 飛衝하여 癸水가 來剋하면 貴祿이 되고, 刑傷 塡實하면 평상인이다. 또, 도충녹마는 貴가 예사롭지 않은데, 丙일은 午位를 많이 만나야 좋고, 七煞은 만나지 않고 아울러 기반(羈絆;매이고 묶임)되지 않으면 벼슬 없는 평민이 단숨에 조당(朝堂;조정)에 들어간다. (古歌云,丙日無官局午多,倒衝祿馬癸官和,不逢未字來羈絆,癸子俱無福嵯峨.又,倒衝貴氣不同倫,丙午飛衝子祿神,癸水剋來爲貴祿,刑傷塡實是常人.又,倒衝祿馬貴非常,丙日多逢午位良,七煞不逢幷惹絆,白衣平步入朝堂.)

28) 癸子가 있으면 塡實하여 破格이 된다.

丙日이 午字가 많아 거듭 만나면 羊刃이 中和를 잃었다고 말하지 말라! 가령 火土로 行하면 貴함을 이루지만 子를 만나면 刑衝이 어찌 없을 것인가? 또, 丁일이 蛇巳가 많아 倒衝하면 관성이 날아올라 乾宮亥이 출현하고, 柱에서 亥壬 字를 만나지 않고, 辰이 蛇巳에 머물지 않아야 福貴가 융성한다. 또, 丁일이 官을 충하려면 巳는 强해야하며 亥는 壬의 祿으로 귀인의 鄕인데, 柱중에 辰 壬 癸를 만나지 않고, 歲運에서 도우면 福祿이 창성한다. (丙日重逢午字多,莫言羊刃失中和,如行火土翻成貴,見子刑衝無奈何.又,丁日蛇多是倒衝,官星飛起出乾宮,柱不見亥壬字,辰不留蛇福貴隆.又,丁日衝官巳要強,亥爲壬祿貴人鄕,柱中不見辰壬癸,歲運相扶福祿昌.)

또, 도충녹마를 사람들이 알지 못하는데, 丁은 巳火를 만나면 亥를 衝함이 마땅한데, 柱에 官煞과 더불어 기반羈絆이 없으면 소년시절에 기묘奇妙한 부귀영화富貴榮華를 누린다. 또, 丁일이 巳 字가 重하여 많이 만나고, 局중에 水가 없으면 貴와 和合하고, 상관은 이 格에서 傷盡함이 마땅하고, 亥를 만나 刑 충하면 運數는 반드시 空虛하다. 또, 이 格은 官이 없어도 또한 스스로 臨하고, 倒衝하면 祿位를 對하여 근원이 깊고, 丙은 마땅히 午가盛해야 子를 衝할 수 있고, 丁은 巳가 많아야 거꾸로 壬을 감당하고, 巳는 辰이 기반羈絆되는 것을 미워하고, 午는 未가 견금(牽擒;끌어와 붙잡음)하는 것을 더욱 싫어하고, 歲運에서 合神이 갑자기 서로 만나 다시 塡實하면 재앙은 禁할 수 없다. 모든 詩를 자세히 알아보면 丙午 丁巳라는 견해인데 그 나머지 四日은 논하지 않으며, 여기서 단지 이 二日이 倒衝의 正이 된다. (又,祿馬倒衝人不知,丁逢巳火亥衝宜,柱無官煞併絆者,年少榮華富貴奇.又,丁日多逢巳字重,局中無水貴和同,傷官此格宜傷盡,見亥刑衝數必空.又,此格無官亦自臨,倒衝對位祿源深,丙宜午盛能衝子,丁用巳多堪倒壬,巳旣惡辰爲羈絆,午尤嫌未是牽擒,合神歲運忽相遇,更見塡實禍不禁,詳諸詩,止言丙午丁巳,其餘四日並不論及,是只以此二日倒衝爲正.)

도충록倒衝祿-2

천주식록天衝廚食祿

이에 甲의 食神은 丙, 丙의 祿은 巳에 있는데, 食神 位상에서 祿을 만난 것을 천주귀인祿이라 한다. 모름지기 干支에서 온전히 보는 것이 천주祿인데, 만약 丙은 있고 巳가 없거나 巳는 있고 丙이 없으면 [천주祿이] 아니다. 천주祿은 年 月 時에 구애받지 않고, 오직 戊일은 논하지 않으므로 合祿과는 같지 않다. 人命의 오행에서 廚가 있고 月令이 순수純粹하고, 사주에 食神이 순응하면 복이 있어 지혜로우며 편안하고 한가롭게 잘 지내고, 다시 財庫와 서로 만나면 父母의 재백財帛을 누리고, 관직이 있고 식록食祿이 풍후豊厚하다. (乃甲食丙,丙祿在巳,乃食神位上就見祿,曰天廚祿,須干支全見者方是,若有丙無巳,有巳無丙則非.此不拘年月時,又不專以戊日論,所以與合祿不同.人命五行有廚,月令上純粹,四柱順食,主福慧優游,更與財庫相會,主享父母財帛,居官食祿豊厚.)

복성귀인福星貴人

이에 甲인이 丙寅 丙子를 보고 乙인이 丁亥 丁丑을 만나는 것인데, 달아나는 본래의 旬중에 眞食神을 얻으면 자연히 혜택을 누리고, 만날 경우에는 귀하지 않으면 역시 富한데, 나머지도 例로서 추리하다. 앞의 사람이 갑병상요입호양가[甲丙相邀入虎鄕歌]를 지었고, 이것은 年을 논한 것이므로 丙寅 丙子에 있는데, 만약 日로 달아나면 안 된다. (乃甲人見丙寅丙子,乙人見丁亥丁丑,遁得本旬中眞食神,主享受自然,遇者非貴亦富,餘例推.前人作甲丙相邀入虎鄕歌,是以年論,故有丙寅丙子,若以日遁則非.)

식록동과食神同窠

甲의 食神은 丙이라 하며, 甲子人이 丙子의 類를 보는 것이고, 열세 번째의 위치는 곧 동일하니 本家의 물物인데, 이것을 얻으면 귀하지 않으면 즉 富한데, 月은 日보다 못하고, 日은 時보다 못한데, 만약 호환互換하여 생왕生旺하고 貴祿을 놓으면 大貴하다. (謂甲食丙,甲子人見丙子之類,十三位即同,乃本家物也,得此者不貴即富,月不如日,日不如時,若互換生旺,帶祿貴者大貴.如魏韓公戊申庚申庚辰庚辰,宋秦檜庚午己丑乙卯壬午,又明王崇古少保,乙亥辛巳戊申庚申是也.如倒食本家,甲子年見壬子時,庚子年見戊子時,亦貴,但損子.)

예) 命造-1
庚 庚 庚 戊
辰 辰 申 申
위한 공魏韓公의 命造이다.

예) 命造-2
壬 乙 己 庚
午 卯 丑 午
송 진회宋秦檜의 命造이다.

예) 命造-3
庚 戊 辛 乙
申 申 巳 亥
명나라의 왕숭고1515년~1588년, 소보(少保;정2품의 태자를 보좌하는 역할을 담당하는 직책)의 命造이다.

倒食하는 本家는 甲子 年이 壬子 時를 만나고, 庚子年이 戊子時를 만난 것인데 역시 귀하지만 그러나 자식을 잃는다.

식신대합食神帶合

甲人이 丙을 보고 辛과 合이 있는 것, 己人이 辛을 보고 丙과 合이 있는 것, 乙人이 丁을 보고 壬과 合이 있는 것, 庚人이 壬을 보고 丁과 合이 있는 것, 丙人이 戊를 보고 癸와 合이 있는 것, 辛人이 癸를 보고 戊와 合이 있는 것의 例인데, 主는 관직에 권력이 있게 된다. [陽간은 食神이 正官과 합하고, 陰간은 食神이 正印과 합한다.] (謂甲人見丙有辛合,己人見辛有丙合,乙見丁壬,庚見壬丁,丙見戊癸,辛見癸戊之例,主爲官有權印.)

도충록倒衝祿-3

전식합록專食合祿

희기편에서 이르기를, 庚申時가 戊일을 만나면 食神이 干旺한 곳이라 하고, 歲月에서 甲 丙 卯 寅을 犯하면 이것은 만나도 만난 것이 아니고, 戊는 庚으로 食神을 삼아 庚의 祿은 申에 있으니 食神이 健旺하다. 戊는 乙로서 官을 삼는데, 庚은 卯중의 乙木을 虛로 합하여 貴氣가 되고, 庚申 두 글자는 乙卯 두 글자를 합하니, 甲木이 戊土를 상하는 것과, 卯字가 塡實하는 것과, 寅字가 衝提하는 것과, 丙字가 庚을 손상하는 것이 없으면 庚申은 바야흐로 轉合할 수 있다. 歲月에서 만약 甲 丙 卯 寅를 犯하면 貴氣를 파괴하니 따라서 모두 마땅하지 않다. 秋冬절에 생함을 기뻐하며 食神이 旺하면 財星 印綬를 좋아하고, 刑衝 破害를 두려워하는데 食神 格과 동일하다. 순수純粹하면 귀하고, 전실塡實되면 반감半減하고, 戊午 戊寅의 二日은 이 格을 이루기 어려운데, 月令이 만약 財官이면 마땅히 財官으로 논한다. (喜忌篇云,庚申時逢戊日,名食神干旺之方,歲月犯甲丙卯寅,此乃遇而不遇,戊以庚爲食神,庚祿在申,食神健旺.戊以乙爲官,庚能虛合卯中乙木爲貴氣,庚申二字,合乙卯二字,要無甲木傷戊土,卯字塡實,寅字衝提,丙字傷庚,則庚申方能轉合.歲月若犯甲丙卯寅,壞了貴氣,故皆不宜.喜秋冬生,食旺,愛財星印綬,怕衝刑破害,與食格同,純粹者貴,塡實減半,戊午戊寅二日,難作此格,月令若値財官,當以財官論.)

經에서 이르길, 진홀(搢笏;손에 들었던 홀笏을 띠에 꽂음)을 드리우고 어진임금을 대면함은 전식합록專食合祿이다. 경감에서 이르길, 格局의 合祿은 戊日의 申時인데 寅卯를 두려워하여 貴氣를 잃고, 酉未를 만나면 福祿이 가볍지 않고, 전실塡實하면 官居하니 적막(寂寞;고요함)하고, 순수純粹하면 직위職位가 공경公卿에 이르고, 財星을 좋아하며 印綬를 기뻐하고, 刑 衝 七煞 官星을 꺼린다. 고가에서 말하길, 庚申 戊日의 合神은 强하고, 食神의 干이 旺하면 貴가 비상非常하고, 官星 乙은 戊 天元을 좋아하고, 六害 刑衝은 主를 손상하고, 寅卯는 패敗하고, 甲丙은 손상을 입히고, 無衝 無破하면 조당(朝堂;조정)에 머무르고, 운運이 丙戊로 나아가면 재해災害가 발생하고, 상자喪子 형처刑妻함은 당해 낼 수가 없다. (經云,搢笏垂紳事聖王,專食合祿.景鑑云,格局合祿,戊日申時,畏寅卯而失貴氣,逢酉未福祿非輕,塡實兮,官居寂寞,純粹兮,位至公卿,喜財星而怡印綬,怕刑衝七煞官星.古歌曰,合神庚申戊日强,食神干旺貴非常,官星乙戊天元喜,六害刑衝定主傷,寅卯敗,甲丙戕,無

衝無破坐朝堂,運行丙戌生災害,喪子刑妻不可當.)

詩에서 말하기를, 戊일 庚申時를 만나면 官印이 없어야하며 秋冬절은 좋아하고, 甲 丙 卯 寅의 四 字를 겸하면 歲運에서 동궁同宮하는 것을 두려워하고, 이 格은 곧 천주식신天廚食神인데 반드시 合祿을 이룬다고 볼 수 없다. (詩曰,戊日庚申時上逢,要無官印喜秋冬,甲丙卯寅兼四字,四營歲運怕同宮,按此格卽天廚食神,不必作合祿看.)

왕 숭고상서王崇古 尚書는 앞에서는, 甲 丙 寅 卯 祿을 犯하지 않았다. (王崇古尚書不犯甲丙寅卯祿於前,高燿尚書甲戌庚午戊辰庚申,年雖透甲,月庚制之,不犯寅卯丙字,皆純粹,二命較之,高甲戊庚三奇,主祿馬同鄕,又天關地軸,乾坤淸夷,所以官皆一品,而主有邊功,享用優裕,又張光遠長史與王公止月癸未不同,是食格,惟建祿身旺最貴,不專秋冬生,王公得之,所以功名遠甚,然張有學善詩,亦美士也.)

예) 命造-前記
庚 戊 辛 乙
申 申 巳 亥

예) 命造
庚 戊 庚 甲
申 辰 午 戌
고요상서高燿 尚書의 命인데, 年에 비록 甲이 투출하였더라도 月의 庚이 甲을 제制하니 寅 卯 丙 字를 犯하지 않아 모두 純粹하다. 二命을 비교해보면 高는 甲 戊 庚 三奇에 녹마동향祿馬 同鄕하고 또 천관지축天關 地軸에 건곤 청이乾坤 淸夷하므로 관직이 모두 一品이었고, 主는 변방에서 공功이 있었고, 넉넉하여 편안함을 누리고, 또 장광원 장사張光遠 長史와 왕공王公은 月 癸未로 같이 않다. 이것은 食神格으로 오직 建祿의 身旺함이 가장 귀하며, 秋冬생은 잡지 않는다. 王公은 이를 얻었으므로 공명功名이 매우 원대하였으며 그리고 張은 學問과 詩를 잘하고 역시 훌륭한 선비였다.

도충록倒衝祿-4

홍난천인紅鸞天印

丙의 食神은 戊인데 戊戌을 얻고, 辛의 食神은 癸인데 癸丑을 얻고, 壬 甲辰, 乙 丁未, 日 時에서 이를 얻으면 富貴한 것을 일컫는다. (謂丙食戊而得戊戌,辛食癸而得癸丑,壬甲辰,乙丁未,日時得之,主富貴.)

묵지용천墨池湧泉

辛巳가 癸巳 癸亥를 얻은 것을 일컫는다. 진조의陳 朝議 命造가 이것이다. (謂辛巳得癸巳癸亥. 如陳朝議辛巳壬辰癸巳癸亥是也.推此類丙寅愛戊寅,戊申愛庚申,己巳愛辛亥,庚午愛壬申,甲戌愛丙寅,壬辰愛甲申,皆同此格,主文貴.)

예) 命造
癸 癸 壬 辛
亥 巳 辰 巳
이 종류를 추리하면 丙寅은 戊寅을 좋아하고, 戊申은 庚申을 좋아하고, 己巳는 辛亥를 좋아하고, 庚午는 壬申을 좋아하고, 甲戌은 丙寅을 좋아하고, 壬辰은 甲申을 좋아하는데 모두 이 格과 동일한데, 文章으로 귀하게 된다.

전인합록專印合祿

전인合록은 6癸일 申時이다. 經에서 이르길, 암합暗合은 형刑 충격衝擊을 근심하고, 明천간에서 衝剋을 만나면 두려워하고, 정조(正朝;정월 초하루)에 단궐丹闕로 달리는 것이 전인합록專印合祿宮이다. 무릇, 癸일이 庚申時를 보면, 庚과 戊는 동궁同宮하여, 巳중의 戊土를 虛로 합하니 癸일이 官星을 얻고, 庚이 乙木을 暗合하여 癸日의 작성爵星이 되고, 丙戊가 동궁同宮하여 癸의 財가 되니, 三奇가 모두 완전하다. 己 巳 午를 꺼리며 丙이 庚을 극하고 寅과 申이 충하면 運數를 減하는데 歲運도 동일하다. 身旺하며 印旺한 金 水의 運으로 行함을 기뻐하며 대발大發한다. 火鄕에 드는 것을 꺼리고, 格이 순수하고 파괴되지 않으면 [조간신보朝官宰輔] 재상의 命이 된다. (乃六癸日申時.經云,暗合愁刑擊,明逢怕剋衝,正朝丹闕趨,專印合祿宮.蓋癸日見庚申時,庚與戊同宮,虛合巳中戊土,癸日得官星,庚暗合乙木,爲癸日之爵星,丙戊同宮,爲癸之財,三奇俱全.忌己巳午,及丙剋庚,寅衝申,則減分數,歲運同.喜行身旺印旺金水之運,大發.忌入火鄕,格純無壞,朝官宰輔之命.如胡懋功參將丁酉甲辰癸酉庚申,是此格也.)

예) 命造
庚 癸 甲 丁
申 酉 辰 酉
호무공 참장胡懋功 參將의 命인데, 이 格에 해당한다.

歌에 말하길, 專印은 癸일을 만난 것인데 庚申이 蛇宮巳을 暗合하면 그 가운데 숨어 있어 녹祿이 時運에 臨하면 발동發動한다. 또, 時에서 庚申을 보는 癸일생은 전인專印이 관성을 합한 것이 되고, 官煞을 만나지 않고 丙火가 없으며 印 身 食의 運이 되면 공명功名이 나타난다. 또, 癸水

일간에 庚申 時가 秋 冬절에 생하면 富貴한 사람인데, 寅이 와서 貴氣를 충하는 것을 크게 꺼리는데, 만약 春夏절에 생하면 재앙을 야기惹起하여 전인합록은 비록 食傷이 分出되지 않더라도 食傷과 동일한 格이므로 함께 논한다. (歌曰,專印是逢癸日,庚申暗合蛇宮,財官隱隱在其中,祿運時臨發動.又,時遇庚申癸日生,此爲專印合官星,官煞不逢無丙火,印身食運顯功名.又日干癸水時庚申,生在秋冬富貴人,大忌寅來衝貴氣,若生春夏惹災迍,按專印合祿,雖非食傷分出,與食同格,故並論之.)

11. 논양인論陽刃-1~7

논양인論陽刃-1

앞에서 논한 양인煞과 이것을 참작하여 보라. (前論羊刃煞與此參看.)

陽은 음양의 陽이고, 刃은 刀刃칼과 칼날의 刃(칼날)인데, 즉 녹전일위祿前一位로 旺함이 지나쳐서 나누는 것을 말하므로 위태롭다. 甲인이 卯를 만나면 남김없이 훔쳐가며, 卯 중에 乙木이 있는데, 乙은 甲의 동생이 되어, 그 兄의 財를 겁탈할 수 있으며, 酉 중의 辛官을 衝去하고, 그 庚의 妻乙와 합하며, 庚은 甲의 七煞인데, 겁재는 官을 충하고 合煞하기 때문에 흉한 것이다. (陽者,陰陽之陽,刃者,刀刃之刃,即祿前一位,言旺越其分,故險.竊詳甲人見卯,卯中有乙木,乙爲甲弟,能劫其兄之財,衝去酉中辛官,合其庚妻,庚乃甲之七煞,劫財衝官合煞,所以至凶.)

오직 甲 丙 戊 庚 壬의 5陽 干에는 刃이 있고, 乙 丁 己 辛 癸 5陰 干에는 刃이 없기 때문에 陽刃이라 한다. 오직 傷官과 陽刃을 만나는 것은 禍가 같으며, 따라서 乙이 丙을 보는 것 또한 刃이라 하고, 丙은 庚官을 손상하며 乙木을 극하는 辛煞을 합하니, 陰金이 陰木을 극하는 것은 지독至毒하기 때문에 凶함이 陽刃과 같은 것이다. (惟甲丙戊庚壬五陽干有刃,乙丁己辛癸五陰干無刃,故曰陽刃.惟見傷官,與陽刃同禍,故乙見丙,亦謂之刃,以丙傷其庚官,合辛煞,剋其乙木,陰金剋陰木至毒,所以凶與陽刃同.)

陽刃에는 세 가지가 있으니, 겁재刃은 甲이 乙을 보는 것인데 財 官格에는 불리不利하고, 호록刃은 甲이 卯를 보는 것인데 귀록格에는 크게 이롭고, 배록인背祿刃은 乙이 丙을 보는 것인데 거관유살局에는 크게 이롭다. (陽刃有三,有劫財刃,甲見乙是也,不利財官格,有護祿刃,甲見卯是也,大利歸祿格,有背祿刃,乙丙是也,大利去官留殺局.)

희기篇에 이르길, 겁재양인은 時에서 만나는 것을 절대 꺼리는데, 歲運에서 아울러 臨하면 재앙이 이르고, 단지 陽刃은 時로서 말하고 年 月 日에서 거듭한 것이다. 가령 甲일 생인이 時上에서 乙卯를 보면 이것이 眞刃인데, 命중에서 이미 陽刃을 만났으면 상처傷妻 파재破財하며, 災殃은 이미 배태(胚胎;어떤 일이 일어날 요소를 내면적으로 가짐)하여 있고, 流年의 歲運에서 재차 羊刃을 만나면 이를 일러 병임並臨이라 하고, 巳酉를 보면 歲君을 충하고, 亥 未 戌을 보면 歲君과 합하고, 陽刃은 凶煞인데 [양인의 흉살이 時에 있고] 太歲가 凶神일 경우, 太歲가 吉神의 도움을 얻어 합하면 길한데, 만약 양인 凶煞이 歲君을 衝合하면 凶煞이 모인 것이라 하여 재앙을 면하기 어렵다. (喜忌篇云,劫財陽刃,切忌時逢,歲運並臨,災殃立至,獨陽刃以時言,重於年月日也.假令甲日生人,時上見乙卯,此是眞刃,命中旣逢陽刃,傷妻破財,災殃已胚胎矣,流年歲運,再遇羊刃,是謂並臨,見巳酉是衝歲君,見亥未戌是合歲君,陽刃,凶煞[有時]也,太歲,凶神也,太歲得吉神扶合則吉,若陽刃凶煞來衝合歲君,是謂攢凶聚煞,其禍難免.)

經에서 이르기를, 陽刃이 歲君을 衝合하면 갑자기 재앙이 되는 것은 이것을 일컫는 것이다. 그 중에서도 자세하게 분별해야하고, 命이 원래 천박淺薄한데 이를 만나면 진실로 그러한데, 만약 命이 旺하고 기가 심후하거나 혹 天 月德 및 사문赦文에서 구원하면, 가벼운 재앙에 그치니 역시 큰 허물은 없는 것이다. (經云,陽刃衝合歲君,勃然禍至,此之謂也.中間亦要詳辨,命原淺薄,遇此誠然,若命旺,秉氣深厚,或有天月衝*德及赦文解救,止有浮災,亦無大咎.)

혹 말하기를, 사주원국에 刃이 있어 衝 혹은 合을 하고 歲運에서 재차 衝合이 臨하면 크게 흉한데, 만약 歲에서는 衝合하고 運은 衝合하지 않거나, 運은 衝合하지만 歲에서는 衝合하지 않으면 그 재앙은 반감半減한다고 논한다. 또, 일간이 無氣하면 時에서 陽刃을 만나도 흉이 되지 않는다. 생日天元일간이 사死絶 쇠衰病 暴敗한 지지에 臨하고 月氣에 通根하지 않으면 財官을 감당하지 못하는데 그런데 陽刃을 만나면 겁재가 煞을 화化할 수 있다. 비유하자면 兄은 힘이 약한데 財가 重하면 弟가 임무를 나누니 그 財를 감당할 수 있어 내가 사용할 수 있는 것이므로 흉하다고 논하지 않는다. (或日,柱原有刃,見衝或合,歲運再臨衝合,大凶,若歲衝合而運不衝合,運衝合而歲不衝合,其禍減半論.又曰,日干無氣,時逢陽刃不爲凶.言生日天元,臨死絕衰病暴敗之地,不通月氣,不能勝任財官,若逢陽刃,能劫財化煞,譬如兄力弱財重,得弟分任,則可勝其財而爲我用,所以不作凶論.)

무릇, 身弱한데 財官을 만나면 진실로 陽刃이 財를 분담하고 合煞하여 기쁜데, 만약 食傷을 만나면 탈기脫氣=설기되어 身弱하여도 역시 陽刃이 돕는 것을 기뻐하고, 만약 印綬를 만나면 日干이 無氣하지 않은 것이다. 먼저 말한 양인을 꺼리는 경우는, 身强하여 財를 감당할 수 있으므로 겁탈劫奪을 좋아하지 않은 것이고, 후에 말한 양인을 좋아하는 경우는, 身弱하여 財를 머물게 하지 못하므로 겁탈劫奪을 꺼리지 않으니 각각 취하는 뜻이 있다. (夫身弱見財官,固喜陽刃分財合煞,若見食傷,身弱脫氣,亦喜陽刃扶持,若見印綬,則非日干無氣矣.先言忌陽刃者,身強力能任財,故不喜劫奪,後言喜陽刃者,身弱力不住財,故不忌劫奪,義各有取.)

이 格은 상관[格]과 서로 비슷한데, 대체로 命에 양인을 놓으면 눈은 크며 수염은 황색이고, 성품은 군세고 포부가 크고 측은지심이 없고, 각박하여 어질지 못하고, 고질병을 많이 가지고, 부족하면 탐욕으로 흉폭하고, 進退를 여우처럼 의심하고, 偏生하면 서출(庶出;첩의 소생)이고, 입양되어 조상을 떠나고, 극父 傷妻하고, 혹 三刑 혹 自刑 魁罡괴강을 전부 만나면 변방에서 공적을 남기지만, 만일 다시 無情하고 혹 財가 旺하게 臨하면 흉한데, 만약 刑 害가 구전俱全한 종류가 모두 득지得地하고 또 救하는 神이 있으면 貴는 말할 수 없다. [貴가 엄청나다는 말, 존귀하다는 말임.] (此格與傷官相似,凡命值之,主眼大鬚黃,性剛心高,無惻隱慈惠之心,有刻剝不恤之意,多帶宿疾,貪暴不足,進退狐疑,偏生庶出,離祖過房,剋父傷妻,或見三刑,或自刑,魁罡全,發迹邊疆,如更無情,或臨財旺,主凶,若刑害俱全,類皆得地,又有救神,貴不可言.)

논양인論陽刃-2

또 말하길, 양인格은 대체적으로 財鄕이 마땅하지 않고 충하여 동하는 것을 싫어한다. 가령 戊일의 刃은 午인데 子水의 正財運으로 行하는 것을 꺼리고, 壬일의 刃은 子인데 午의 正財運으로 行하는 것을 꺼리고, 庚일의 刃은 酉인데 卯의 正財運으로 行하는 것을 꺼리고, 다만 甲일의 刃은 卯인데 巳 午와 더불어 辰 戌 丑 未의 財運으로 行하여도 무방無妨하지만 酉運은 꺼리고, 丙일의 刃은 午인데 申 酉 庚 辛 丑의 財運으로 行하여도 무방無妨하지만 子運은 꺼린다. (又曰,陽刃格,大概不宜財鄉,怕衝起,如戊日刃在午,忌行子正財運,壬日刃在子,忌行午正財運,庚日刃在酉,忌行卯正財運,獨甲日刃在卯,行巳午並辰戌丑未財運不妨,忌酉運,丙日刃在午,行申酉庚辛丑財運不妨,忌子運.)

陽刃은 財를 꺼리는 것인데, 戊의 刃인 午가 子財를 만나고, 壬의 刃인 子가 午財를 만나고, 庚의 刃인 酉가 卯財를 만나면 모두 財를 충하기 때문에 꺼리는 것이다. 甲의 刃인 卯는 戊 己 巳 午의 財를 꺼리지는 않으나 또 酉 官을 꺼리고, 丙의 刃인 午는 庚 辛 申 酉의 財를 꺼리지는 않으나 또 子 官을 꺼리니, 대개 財를 꺼린다고 하는 것인가? 만약 天干에서 官을 생하는 財라면 正 用神이 되어 바야흐로 좋은 것인데 어찌 꺼리기만 할 것인가! 心境에서는 말하길, 陽刃이 중중하고 또 財를 만나면 부귀하여 재백(財帛;재물과 비단)이 넉넉한 것인데, 이를 일컫는 것이다. (是陽刃所忌之財,戊刃午,見子財,壬刃子,見午財,庚刃酉,見卯財,皆衝之財,故忌,至甲刃卯,不忌戊己巳午之財,且忌酉官矣,丙刃午,不忌庚辛申酉之財,且忌子官矣,可概謂忌財乎.若天干生官之財,正爲用神,方且喜之,豈可爲忌.心境云,陽刃重重又見財,富貴饒金帛,此之謂也.)

혹 말하기를, 甲 戊 庚의 刃은 충을 만나면 禍가 발생한 경험이 많고, 壬丙의 刃이 子午의 충을 만나면 대부분 禍가 없는 것은 丙이 子를 보거나 壬이 午를 만나면 모두 正官이 되니 도리어 貴氣가 된다고 논하는 것이다. 또 말하길, 甲은 己로서 妻와 財를 삼는데 사주에 오히려 卯乙이 있으면 己土가 손상을 받아 甲을 도울 수 없으므로 妻子가 다치거나 사망하는데 歲運에서 劫刃이 다시 臨하여 旺相하면 정말로 免하지 못한다. 만일 다른 위치에서 庚 辛 申 酉를 만나면 庚은 乙의 妻를 맞자 권속(眷屬;한 집안의 가정)을 꾸리니 [더 이상] 甲의 칠煞이 되지 못하고, 辛은 甲을 도우는 貴가 되어 乙 煞[正財를 극하는 겁재 煞]을 극파剋破할 수 있으니 도리어 凶은 吉이 된다. 經에서 이르길, 甲은 乙 누이로서 庚의 妻를 삼으니 凶은 길조吉兆되는 것이다. 나머지 천간의 例도 이와 같다. (或曰,甲戊庚見刃,逢衝發禍,多驗,壬丙逢刃見子午衝,多無禍,以丙見子,壬見午,俱爲正官,反作貴氣論也.又曰,甲以己爲妻財,四柱卻有卯乙,己土受傷,不能扶甲,故主剋喪妻子,歲運復臨劫刃旺相,誠所不免,如別位逢庚辛酉申,庚能邀乙爲妻,即成眷屬,不爲甲之七煞,辛輔甲爲貴,能剋破乙煞,反凶爲吉.經云,甲以乙妹妻庚,凶爲吉兆是也.餘干例此.)

또 말하기를, 6甲일은 乙卯를 만나면 흉하지만 辛卯는 길하고, 甲申은 丁卯가 刃이 되지 않은데 申중에는 庚이 있어 卯중의 乙木 財를 합하는데, 만약 財가 노출되면 흉이 되고, 丁火는 官을 손상하고, 乙木은 財를 탈취하는데 歲 운에서 아울러 臨하면 재화災禍를 면免하지 못한다. (又曰,六甲日逢乙卯凶,辛卯吉,甲申丁卯不爲刃,申中有庚,合卯中乙木爲財,若有財露亦凶,丁火傷官,乙木奪財,歲運併臨,災禍不免.)

乙酉일이 庚辰 時를 만나면 刃이 아닌데, 庚의 아래의 乙에 坐한 酉중 辛金이 辰중의 乙木을 制한다. 丙子일이 甲午時를 만나면 刃이 아닌데 子중의 癸水가 午중의 丁火를 극한다. 丁亥일이 丁未時를 만나면 刃이 아닌데 亥중의 壬水가 丁을 합한다. 庚午일이 乙酉時를 만나면 刃이 아닌데 午중의 丁火가 [酉중의] 辛을 制한다. 壬午일이 庚子時를 만나면 刃이 아닌데 午중의 己土가 [子중의] 癸를 制한다. 辛巳일이 戊戌時를 만나면 刃이 아닌데 巳중의 丙火가 辛을 합한다. 癸巳일이 癸丑을 보면 刃이 아닌데 巳중의 戊土가 癸를 합한다. 이상의 모든 日을 보면 刑 衝 破 害를 만나는 것이 마땅하지 않고 [刑衝 破害가] 없으면 좋은 命으로 단정하는 것이다. (乙酉日見庚辰時,非刃,乙坐庚下,酉中辛金制辰中乙木.丙子日見甲午時,非刃,子中癸水剋午中丁火.丁亥日見丁未時,非刃,亥中壬水合丁.庚午日見乙酉時,非刃,午中丁火制辛.壬午日見庚子時非刃,午中己土制癸.辛巳日見戊戌時非刃,巳中丙火合辛.癸巳日見癸丑時非刃,巳中戊土合癸.以上諸日,遇者不宜見刑衝破害,無則以好命斷之.)

논양인論陽刃-3

또 말하기를, 양인은 천상天上의 凶星으로 인간에겐 惡煞인데, 偏官 印綬를 좋아하지만 반음反吟 복음伏吟 괴강魁罡 삼합三合을 꺼리는데, 대체로 七煞과 서로 비슷하므로 陽刃은 七煞을 보는 것을 기뻐하며 七煞은 陽刃 보는 것을 기뻐하니, 둘은 상호相互간에 凶함을 제복制伏하여 마치 정관이 정인을 좋아하듯이 선량한 것들이 선량한 것들을 합하여 복이 되는 것이다. (又曰,陽刃者,天上之凶星,人間之惡煞,喜偏官印綬,忌反吟伏吟魁罡三合,大率與七煞相似,故陽刃喜見七煞,七煞喜見陽刃,兩凶互相制伏,猶正官喜正印,善類合善類爲福.)

經에서 이르길, 煞은 刃이 없으면 나타내지 못하며 刃은 煞이 없으면 위엄威嚴이 안서니 煞刃이 구전俱全하면 범인凡人을 초월하고, 더군다나 身旺한데 상관을 만나지 않으면 기묘奇妙하게 되고, 만약 四柱 原局에 煞刃이 있는데 歲運에서 다시 만나거나, 혹 刃은 있고 煞이 없는데 歲운에서 煞運을 만나면 모두 복이 대발大發한다. (經云,煞無刃不顯,刃無煞不威,煞刃俱全,常人無有,更身旺不見傷官爲妙,若命元有煞刃,歲運又逢,或有刃無煞,歲運逢煞運之鄕,俱發大福.)

만일 사주에 刃과 印綬는 있으며 煞이 없는데 歲運에서 煞을 만나면 오히려 두터운 복을 이룬다. 만약 사주에 刃煞이 없는데 命에서 財官을 합하고 歲運에서 다시 刃煞을 보면 한평생 절뚝거리고 막혀서 재물 때문에 다투니 형제는 흩어져 살고 妻妾과 이별한다. 만약 원국에 刃이 없는데 刃運으로 行하면 비록 무방無妨할지라도 역시 妻를 극하는 일이 있고, 원국에 刃이 있으면 歲運에서 다시 [刃을] 만나거나 傷官 財地를 만나는 것은 절대로 좋지 않고, 원국에 상관 재성이 있는데 [歲運에서] 재차 만나면 화禍해害가 지극히 重한데 身弱하면 더욱 흉하다. (如命有刃有印無煞,歲運逢煞,反轉成厚福.若柱無刃煞,命合財官,歲運復遇刃煞,主一歲蹇滯,因財爭競,兄弟分居,離妻去妾,若元無刃,行刃運,雖不妨,亦主有剋妻之事,元有刃,歲運切不宜再見,及傷官財地,原帶傷官財星,再逢,禍害極重,身弱尤凶.)

또 말하길, 日刃은 戊午 丙午 壬子 三일 뿐인데 陽刃과 동법同法이다. 經에 이르길, 赤黃의 말은 홀로 잠자고[丙午 戊午], 검은 쥐는 빈방空房을 지키는데[壬子], 남자는 妻를 꺼려하고, 여자는 남편을 꺼려하는데, 이 三일을 가리키는 것이다. 刑衝 破害, 三會 六合을 좋아하지 않고, 七煞이 상제相制해야 하고 재차 官印으로 흐르면 좋은 命이 된다.[29] (又曰,日刃,止有三日,戊午丙午壬子,與陽刃同法.經云,赤黃馬獨臥,黑鼠守空房,男妨妻,女妨夫,指此三日也.不喜刑衝破害三會,六合,要有七煞相制,再行官印鄕,便爲好命.)

賦에서 이르길, 日刃은 衝 合을 크게 꺼리는데, 官 煞의 상제相制를 기뻐하고, 合과 刑은 흉하고, 印綬를 보면 길하고, 煞은 있는데 刃이 없으면 용맹勇猛하지만 위엄威嚴이 없고, 刃은 있는데 煞이 없으면 하는 일이 혼탁하여 명백하지 않고, 煞이 없는데 煞을 만나면 도둑이 두려우며 재앙과 환란이 침범하고, 刃이 있는데 刃을 만나면 모름지기 재앙으로 위태롭게 되어 꺼리는데, 刃은 생하고 身은 사死하는 그 해年는 길하기 어렵다고 추리하고, 財 旺하고 官이 손상되는 이 해歲는 흉하다고 단정하지 않는다. (賦云,日刃大忌衝合,喜官煞相制,合刑者凶,遇印者吉,有煞無刃,施爲有勇無威,有刃無煞,作事濁而不顯,無煞遇煞,竊恐禍患相侵,有刃遇刃,須忌災危相犯,刃生身死,其年難作吉推,財旺官傷,此歲不作凶斷.)

또 말하길, 戊午일은 歲年月에서 火를 많이 만나면 印綬로 논하고, 壬子일은 月時에서 子를 많이 만나면 비천녹마로 논하고, 丙午일은 午를 많이 만나도 역시 도충녹마로 논한다. 財 官을 취하여 入格하면 日刃은 크게 흉이 된지 않은데, 이 格은 당연히 提綱으로 추리하고, 만약 月令에서 財 官 印綬를 합하거나, 혹 다른 格을 합하거나, 혹 從化하는 종류는 마땅히 다른 格으로 단정하고 陽刃에 구애받아서는 안 된다. (又曰,戊午日,歲月見火多,則以印綬論,壬子日,月時見子多,則

29) 丙午 戊午 壬子 이 三일은 공방살이다.

以飛天祿馬論,丙午見午多,亦以倒衝祿馬論.取財官入格,故日刃不爲大凶.此格當推提綱,若月令合財官印綬,或合他格,或從化,類當以他格斷,不可拘以陽刃.)

논양인論陽刃-4

또 自刃에는 癸丑 丁未 己未의 三일이 있는데, 坐下에 比肩으로 陽刃이 되고, 飛刃에는 丙子 丁丑 戊子 己丑의 四일이 있는데, 下에서 衝出로 인하여 陽刃이 되고, 앞의 日刃과 喜 忌는 대체로 같다. (又自刃有三日,癸丑丁未己未,爲坐下比肩陽刃,飛刃有四日,丙子丁丑戊子己丑,因作下衝出陽刃,與前日刃喜忌大同.)

年上양인과 時上양인이 가장 重하고, 年上[양인]은 주로 조상의 터전을 破하여 父母의 유업遺業을 계승하지 못하며 평생토록 은혜를 오히려 원한을 품고, 時上[양인]은 주로 妻子를 극하고 늦도록 결과結果가 없고, 사주에서 재차 [양인을] 만나면 手足에 질병의 재화(災禍;화상)를 당하고, 月上[양인]은 조금 가볍고 日上[양인]도 또한 가볍다. 人命에서 月 日의 干支에 財가 많아 日干이 쇠약하면 時에 陽刃이 있어도 害가 없고, 月에 칠煞이 있고 時에 陽刃이 있고 日柱가 유기有氣하면 크게 귀하지만, 만일 月에 陽刃이 있고 時上에 관성이 미약하게 있으면 힘으로 制할 수 없으니 역시 흉하다. (年上陽刃與時上陽刃最重,年上主破敗祖基,不受父母産業,平生施恩反怨,時上主剋妻子,晩無結果,四柱再逢,手足災疾,月上稍輕,日上又輕.人命月日干支帶財多,日干衰弱,時帶陽刃無害,月帶七煞,時帶陽刃,日主有氣,大貴,如月帶陽刃,時上微帶官星,力不能制,亦凶.)

대체로 陽刃은 조화造化를 가장 잘 파괴하는데 이미 좋은 命이라도 오히려 刃劫을 차서 제압하는 법처럼 모름지기 다르게 돌아와 發福하고, 후에 歲 운에서 併臨함을 보거나 혹, 刑合하는 위치에 있으면 옛 모습 그대로 禍가 있고, 刃格은 福으로부터 복이 되고 禍로부터 禍가 되니 둘은 서로 가리지 못하는 것이다. (大率陽刃最壞造化,旣是好命,卻帶刃劫,制按如法,須還他發福,後遇歲運併臨,或在刑合之位,依舊有禍,刃格,福自福,禍自禍,兩不相掩也.)

또 말하길, 5陰干이 5陽干을 만나면 패재(敗財=겁재)가 되어 비록 妻를 극하지 않을지라도 재백財帛을 소모消耗하고, 음사陰私구설口舌이 있고, 혹 소인小人이 침범하면 歲 時에서 官煞을 만나 혹 坐하거나 투출하여도 모두 길하다. 身弱한데 이[官 煞 財]를 만나면 패재겁재가 형刑을 받아도 길하지만, 身弱한데 官煞 財運으로 行하면 꺼리는데, 만약 四柱의 원국에 官煞이 없는데 歲運에서 재차 패지敗地 겁재를 만나면 재물로 인해 다투기 때문에 兄弟가 흩어져 거주하니 이것[官 煞]을 만나야 크게 길하다. 나머지 刃도 단정함이 동일하다. 이 格은 멋대로 일을 만들며 인의仁義가 없다. 만약 身이 太强한데 이를 만나면 귀하지 않으니 승僧이나 도道의 命인 것이다. (又曰,五陰干見五陽干爲敗財,雖不剋妻,亦主財帛消耗,陰私口舌,或小人相侵,歲時見官煞,或坐或透皆吉.身弱逢之,遇敗財受刑亦吉,身弱行官煞財運亦妨,若柱中元無官煞,歲運再逢敗地,因財爭競,兄弟分

居,遇此大吉,餘同刃斷,此格作事敢爲,無仁義,若身太强,見此便不爲貴,僧道命也.)

또 말하길, 남자의 命에서 패재(敗財=겁재)를 보고 또 傷官을 만나면 반드시 妻子를 극하고, 여자의 命은 남편을 극한다. 賦에서 이르길, 패敗財는 比肩에 비해 [비견을 비추어] 겁탈劫奪하는 神으로 재다신약財多身弱할 경우에 이패재를 만나면 기이奇異하고, 재약신왕財弱身旺할 경우에 이패재를 만나면 禍(재앙)가 되고, 財가 있는데 겁재를 만날 경우에 運이 財鄕에 들면 스스로 가정을 이룰 수 있고, 財가 없는데 겁재를 만날 경우에는 설령 財年이 아닐지라도 破하게 되고, 원국에 겁재가 있는데 또 겁재運을 만나면 곤궁한 처지를 슬퍼하고, 身旺한데 또 더하여 印綬가 도우면 반드시 영화榮華가 있어 발복發福한다. (又曰,男命見敗財,又見傷官,必剋妻子,女命剋夫.賦云,敗財者,比肩之曜,劫奪之神,財多身弱,遇之爲奇,財弱身旺,見之爲禍,有財遇劫,運入財鄕,自可成家,無財遇劫,縱非財年,亦須見破,元劫又遇劫運,守窮途而悽惶,身旺又加印助,必榮華而發福.)

논양인論陽刃-5

또 말하길, 陽이 陽을 만나고 陰이 陰을 만나면 比肩이 되고, 陽이 陰을 만나고 陰이 陽을 만나면 劫재가 되며 패敗재가 되는 둘은 화환禍患이 하나같고, 만일 人命에서 比肩은 重犯하고 財가 적어 부족하면 파재살破財煞이라 한다. 만약 일주는 健旺한데 比肩이 弱한곳에 坐하면 반드시 내가 旺하고 형제는 쇠衰하니 나는 조상의 거처에 머물고 형제는 다른 곳에 머물며, 비견이 旺한 곳에 坐하고 내가 쇠衰絶한 지지에 坐하면 오히려 比肩의 도움을 기뻐하니 兄弟는 榮華하고, 자신은 필히 간난신고艱難辛苦하여 妻와 재물이 쇠衰하여 薄하고, 太歲에서 거듭 만나면 관직을 잃고, 원국에 양인이 있는데 比肩을 만나면 재앙이 重하고, 원국에는 比肩이 없고 大運에서 이를 만나도 財를 破하고 妻를 손상한다. (又曰,陽見陽,陰見陰爲比,與陽見陰,陰見陽爲劫爲敗二者,禍患如一,如人命比肩重犯,馬劣人微,謂之破財煞,若日主健旺,比肩坐弱,必然我旺兄弟衰,我得祖居,兄弟異處,比肩坐旺,我坐衰絶之地,卻喜比助,兄弟榮華,己必艱苦,妻財衰薄,太歲重逢,官亦失脫,原有羊刃,見比災重,原無比肩,大運逢之,亦主破財傷妻.)

또 말하길, 比肩에 하나의 煞이 들어오는 格인 경우는, 유근有根한데 財와 印綬가 만나면 禍가 되고, 무근無根한데 傷官과 七煞이 만나면 복이 된다. 독보에 이르길, 傷官은 比肩을 꺼리지 않고 七煞을 만나야하고, 무근無根하면 比肩이 돕는 것을 좋아하며 身旺하면 도리어 重한 것을 싫어한다. 또 이르길, 甲乙은 寅卯월에 金이 많으면 오히려 吉함이 창성하지만, 重한 水를 만나면 좋지 않고, 火土는 편안함을 유지한다. (又曰,比肩一煞入格,有根有財神印綬,見之爲禍,無根有傷官七煞,見之爲福.獨步云,傷官不忌比,七煞要相逢,無根喜比助,身旺卻嫌重.又云,甲乙寅卯月,金多反吉昌,不宜重見水,火土保安康.)

상심부에 이르길, 겁재와 양인은 조상의 집을 떠나고, 외형外形은 화합함과 의리를 숭상하지만 내심內心은 사납고 독살스러움을 알지 못하는데 각박하여 자애로운 마음이 없다. 심경에 이르길, 陽刃이 重重한데 煞을 만나면 크게 귀하여 수석으로 등과한다. 현기부에서 이르길, 陽刃은 偏官을 지극히 좋아하고, 재앙과 난리를 평정한다. 訣에 이르길, 煞과 刃이 상정하면 병권兵權을 장악한다. 또 이르길, 陽刃이 생氣생기=인수와 함께 하면 대궐 밖의 권력을 가진다.生氣는 곧 印綬 신명부에 이르길, 陽刃이 權力을 지니면 반드시 변방의 장수가 된다. (相心賦云,劫財羊刃,出祖離家,外象謙和尚義,內心狠毒無知,有刻剝之意,無慈惠之心.心境云,陽刃重重又見煞,大貴登甲科.玄機云,陽刃極喜偏官,削平禍亂.訣云,煞交刃兮掌兵權.又云,陽刃倘同生氣,閫外持權.生氣卽卽印綬.身命賦云,陽刃持權,必作邊庭將帥.)

천리마에서 이르기를, 陽刃은 편관의 制가 있으면 병권을 장악하는 직책을 맡는다. 또 이르길, 남자가 陽刃을 만날 경우 身弱하여야 기이奇異하게 된다. 또 이르길, 양인 칠살은 출사出仕하면 명성名聲을 날린다. 또 이르길, 양인이 官 煞에 들면 위진만리威振萬里한다. 보감부에 이르길, 陽刃이 陽月에 머물고 중첩하게 만나면 이익을 쫓아 이름을 이룬다. 비결에서 이르길, 양인이 重重한데 제制 복伏하면 일생토록 부귀하여 종신토록 좋다. 또 이르길, 陽刃이 印綬를 거듭 만나면 매우 청렴하며 모든 계책에 能하다. 또 이르길, 지지는 刃이고 천간은 官으로 月 時에서 거듭 만나면 관직은 반드시 한다. 가령 甲인이 辛卯 癸卯의 종류를 만난 것이다. (千里馬云,陽刃偏官有制,膺職掌於兵權.又云,男逢陽刃,身弱遇之爲奇.又云,羊刃七煞,出任仕馳名.又云,羊刃入官煞,威鎭邊疆.寶鑑賦云,陽刃疊逢居陽月,名成利就.秘訣云,陽刃重重有制伏,一生富貴善終身.又云,陽刃重逢印綬,廉頗有百計之能.又云,支刃干官,時月重逢官必顯.如甲人逢辛卯癸卯之類.)

논양인論陽刃-6

통명부에 이르길, 月刃 日刃 아울러 時刃이 貴煞을 兼하면 부귀하여 身이 영화롭다. 소식부에 이르길, 소영대휴小盈大虧함은 겁재의 지지이기에 두려운 것이다. 옥갑부에 이르길, 火金의 陽刃은 녹주綠珠가 드리워진 높은 망루에서 사死한다. 또 이르길, 陽刃이 3~4로 重重하면 반드시 장님 귀머거리의 질환이 있다. 삼거[일람]에 이르길, 양인은 바늘을 지닌 얼굴이 흉악스러운 도둑이다. (通明賦云,月刃日刃,並時刃兼貴煞,富貴榮身.消息賦云,小盈大虧,恐是劫財之地.玉匣賦云,火金陽刃,綠珠墜死於高樓.又云,陽刃重重三四,必須患疾盲聾.三車云,陽刃持針離面賊.)

경신부에 이르길, 만반滿盤한 陽刃은 반드시 분시分屍한다. 통명부에서 이르길, 印綬가 兩陽刃을 생하면 결국 형刑을 當한다. 정진편에서 이르길, 陽刃이 만약 印綬를 만나면 설령 富할지라도 잔질殘疾이 몸에 있다. 조미론에서 이르길, 陽刃이 五鬼를 만나면 중한 범죄로 귀양을 가게 된다. 내가 보건대, 羊刃煞을 犯하면 소경이 많더라. (驚神賦云,滿盤陽刃,必定分屍.通明賦云,印生兩陽??刃終被刑.定眞篇云,陽刃若逢印綬,縱富而殘疾在身.造微論云,陽刃逢於五鬼,定要重犯徙流.余見犯羊刃煞者多瞽,如癸酉戊午戊寅癸丑,丙寅庚寅丙午乙未,丁卯癸卯甲子乙亥,三命皆無目.)

예) 命造-1
癸 戊 戊 癸
丑 寅 午 酉

예) 命造-2
乙 丙 庚 丙
未 午 寅 寅

예) 命造-3
乙 甲 癸 丁
亥 子 卯 卯
세 개의 命 모두 시력이 없다.

고가에서 말하길, 陽刃이 時에 있다고 [반드시] 凶으로 보아선 안 되는데, 身弱하면 도리어 도와주는 것이 오히려 적합하게 되고, 단지 歲月에서 거듭 만나는 것을 싫어하며 생時를 가지고 怒한 宮이라고 해서는 안 된다. 또, 陽刃은 歲君과 衝合함을 싫어하고, 流年에서 만나면 재앙인데 三刑 七煞을 동시에 만난다면 반드시 염라閻羅대왕이 불러갈 것이다. (古歌曰,陽刃在時莫看凶,身輕反助卻爲中,單嫌歲月重相見,莫把生時作怒宮.又,陽刃嫌衝合歲君,流年遇此主災迍,三刑七煞如交遇,必定閻羅出引徵.)

또, 時에서 陽刃을 만나면 편관을 기뻐하는데, 만약 재성을 만나면 온갖 재앙이 있고, 歲 운에서 衝과 함께 합하면 발연히 재앙이 일어나고 가문이 쇠퇴한다. 또, 양인이 合을 거듭 만나면 손상하고, 主人은 心性이 고강한데 刑 충이 태중하면 흉한 厄이 많고 制함이 있으면 보호할 수 있으니 吉함이 창성한다. 또, 刃이 七煞을 만나면 官鄕을 그리워하고, 오직 刑衝을 싫어하니 녹祿이 번성하지 않으며 會合하고 다시 財旺한 運을 만나면 재앙이 자신에게 미치는 것을 방비해야 한다. 또, 비견 양인의 格은 비상非常한데 官星과 煞을 만나야 하고, 원국의 神에 만약 官 煞의 制함이 없는데 재차 比劫으로 나아가면 재앙을 당한다. 또, 겁재 陽刃은 감당하기 어렵고, 사주에 財가 없으면 일생이 가난하며, 출가하였다가 환속하여 돌아오거나 그렇지 않으면 잔질殘疾에 身을 손상한다. (又,時逢陽刃喜偏官,若見財星禍百端,歲運相衝併相合,勃然興禍至門闌.又,陽刃重逢合有傷,主人心性氣高強,刑衝太重多凶厄,有制方能保吉昌.又,刃逢七煞慕官鄉,惟怕刑衝祿不昌,會合更逢財旺運,預防災禍致身殃.又,比肩陽刃格非常,要見官星與煞鄉,元辰若無官煞制,再行比劫禍難當.又,劫財陽刃不堪親,四柱無財一世貧,出性歸宗還俗客,不然殘疾亦傷身.)

또, 일간이 年月에서 왕성하여 신왕하면 오로지 祿 財 官은 절絶되니 어찌 劫刃을 감당할 수 있겠는가! 또 상봉相逢하면 모든 기교(機巧;공교로운 솜씨와 잔꾀)가 변하여 졸렬하게 된다. 또,

일간이 심하게 旺하여 의지할 곳이 없으면 오히려 歲 운에서 財地를 만나면 기뻐하고, 四柱 원국에 財가 있는데 財를 만나면 發하지만 財가 없는데 財를 만나면 요절夭折한다. (又,日干旺盛於年月,身旺專祿財官絶,那堪劫刃又相逢,百般機巧翻成拙.又,日干旺甚無依倚,卻喜歲運逢財地,元命有財見財發,無財見財壽夭折.)

又, 재성이 경미輕微하며 刃은 강강剛强한데, 身旺한 곳은 대단히 不吉하고, 과부 홀아비로 외롭고 쓸쓸한 밤을 원망하고, 妻를 등한시等閑視하여 2~3번 짝을 극한다. 又, 기와 神이 원래 旺하며 日干이 强한데 사주에 財가 없어 극 傷을 당하고 공망 화개가 거듭 犯하면 [검은 도포에 갓을 쓰고 虛皇을 공경한다.] 스님이 된다. (又,財星輕弱刃剛强,身旺之鄕大不祥,鳳寡鸞孤寒夜怨,等閒妻剋兩三雙.又,氣神元旺日干强,四柱無財被剋傷,重犯空亡華蓋位,緇袍冠冕拜虛皇.)

又, 刃이 七煞을 만나고 官鄕 운에 刑衝 破害하면 貴가 이상異常하고, 절대 꺼리는 財旺한 지지와 합하게 되면 반드시 재앙을 만나니 도리어 刑 상한다. 又, 日중의 陽刃은 마땅히 煞을 만나야하고 運이 財로 변하면 貴함이 반드시 옮기고, 刑 害가 구전俱全하면 吉地가 되어 財가 會合하면 재앙이 있는 해年가 된다. 又, 戊 가 5月중에 생하여 陽刃이 天宮천간에 있고 金이 많고 水가 있으면 바야흐로 귀하게 되고, 火가 重하면 모름지기 比劫을 만난 것과 동일하다. (又,刃逢七煞運官鄕,破害刑衝貴異常,切忌合逢財旺地,必遭災禍反刑傷.又,日中陽刃宜逢煞,運轉財鄕貴必遷,刑害俱全爲吉地,財神會合是災年.又,戊己生逢五月中,忽逢陽刃在天宮,金多有水方爲貴,火重須逢比劫同.)

논양인論陽刃-7

又, 봄의 木과 여름의 火는 旺한 때를 만나고, 가을의 金과 겨울의 水는 일반적으로 동일하고, 陽刃이 천간에 投出하는 것은 좋지 않고, 歲 운에서 만나면 모든 일이 흉하다. 又, 丙 丁이 離巽午巳은 刃의 根인데 運이 강호(江湖;水鄕)에 이르면 명리名利가 참되고, 官이 旺하면 寅 午 戌로 行함을 좋아하고, 官이 없으면 오히려 申 子 辰이 필요하다. 又, 秋金의 酉월은 생왕生旺함이 重하니 火의 단련함이 부족하지 않아야 그릇을 이루고, 運이 동남으로 行하면 財名이 發하지만, 西北을 만나면 재앙을 맞이한다. (又,春木夏火逢時旺,秋金冬火水一般同,不宜陽刃天干露,歲運相逢事事凶.又,丙丁離巽是刃根,運到江湖利名眞,官旺喜行寅午戌,無官卻要申子辰.又,秋金酉月重生旺,除非火煉器方成,東南行運財名發,西北相逢禍便迎.)

又, 水는 겨울이 되면 旺하니 근심이 없고, 印綬는 透出하고 官이 암장하면 祿은 골고루 利로우며 순역順逆을 구분하지 않아도 부귀하고, 刑傷으로 月의 提綱을 破하면 休한다. 又, 水가 旺한데 다시 亥子宮에 생하여 水는 많고 火가 弱한 格중에 거듭 火土로 行하면 財 官이 旺하고, 運이 서방에 도달하면 [걸음걸음이] 나아갈 때마다 흉하다. 又, 日刃은 羊刃과 같이 동일한데 관성과 七煞을 지지에서 만나는 것을 기뻐하고, 歲君에서 만약 刃을 손상함이 없으면 지지에서 刑衝을하더라도 무공武功을 세운다. (又,水歸冬旺本無憂,透印藏官利祿周,逆順不分還富貴,傷刑還破月

提休.又,水旺又生亥子宮,水多火弱格中重,重行火土財官旺,運到西方步步凶.又,日刃還如羊刃同,官星七煞喜支逢,歲君若也無傷刃,支上衝刑立武功.)

또, 壬子는 午宮을 만나면 休하는데, 午宮은 또 子의 충을 두려워하고, 丙干에 坐하여 休한 午를 거듭 만나고 身宮을 會合하면 흉한 일이 있다. 또, 羊刃은 항상 祿 앞에 머물러 있는데, 성품은 강직하고 용맹스러우나 측은지심惻隱之心이 부족하고, 會合은 좋지 않으니 재앙을 막아야하고, 만약 재성을 만나면 반드시 禍와 얽히고, 官도 있고 煞도 있으면 명성名聲이 현달顯達하고, 衝도 없고 破도 없으면 녹祿이 영전榮轉되고, 다시 刑害 魁罡이 아울러 더하면 변방에서 공적을 쌓아 중한 권력을 장악한다. (又,壬子休來見午宮,午宮又怕子來衝,丙干坐午休重見,會合身宮事有凶.又,羊刃常居在祿前,性剛果毅少慈憐,不宜會合防災至,若見財星禍必纏,有官有煞名顯達,無衝無破祿榮遷,更加刑害魁罡併,發迹邊疆掌重權.)

또, 離 火를 거듭 만나는 것을 싫어하고 北方은 공功이 있어 좋은데, 비록 水를 만나면 좋을지라도 그러나 提綱이 衝되는 것을 두려워한다. (又,離火怕重逢,北方喜有功,雖然宜見水,猶恐對提衝.如一命,壬申壬子戊午乙卯,自坐陽刃,二壬申子,財旺且多,子午雖衝,申子會午不能衝,時官星制伏陽刃,只作財官格看,所以大貴.)

예) 命造
乙 戊 壬 壬
卯 午 子 申
自坐 陽刃하고 2壬과 申子하여 財旺하고 또 많아 子午가 비록 충을 할지라도 申子가 會合하여 午가 충을 하지 못하게 하고, 時의 관성이 陽刃을 제복制伏하니, 단지 財官格으로만 성립하기에 大貴하다.

又一命,丙戌,癸巳,戊子午,丁巳,戊歸祿巳,午雖羊刃,所以護祿,又印綬化刃,故貴.

예) 命造
丁 戊 癸 丙
巳 午 巳 戌
戊가 巳에 歸祿하고 午가 비록 羊刃일지라도 祿을 보호하고 또 印綬가 刃으로 화化하므로 귀하다.

12. 논건록論建祿-1~2

논건록論建祿-1 此與前論祿同參

建祿은 甲일의 寅월, 乙일의 卯월인데 오행에서 임관臨官의 위치인 이것이다. 甲은 金을 官으로 삼고, 金은 寅에서 절絶하며, 土를 財로 사용하고, 土는 寅에서 병病인데 身旺함이 太過하여 財官을 모두 얻지 못하고, 만약 별도로 財 官을 取할 수 없는데 재차 劫奪을 당하면, 馬는 이미 돕지 않으며, 祿도 역시 양육養育되지 않으니 대부분 貧賤하다. 時에 偏官, 偏財 혹은 食神이 있으면 매우 좋은데, 다시 年時상을 살펴보고 노출한 것이 많으면 取用하지만, 그러나 만약 財官이 약탈당하면 오히려 쟁탈爭奪하니 불길不吉한 것이다. (建祿者,乃甲日寅月,乙日卯月,五行臨官之位是也.甲用金爲官,金絕在寅,用土爲財,土病於寅,以身旺太過,財官俱不得,若別無財官可取,再遇劫奪,馬旣不扶,祿又不養,多主貧賤,頗宜時帶偏官偏財或食神,更看年時上露多者取用,若略見財官,反爭奪不吉.)

무릇, 命에서 月令이 建祿이면 조업祖業을 구하기 어려우니 평생토록 재물財物은 모이지 않지만 그러나 병病은 적고 長壽하며 運行에서 재차 比肩을 만나면 妻를 극하며 父를 꺼리고 자식을 손상하는데, 혹 관재시비 파재, 혹 妻子로 인해 재백財帛을 쟁탈爭奪당한다. 만일 八字의 內外에 원래 財 官이 있는데 득지得地하여 旺하며 관성의 도움이 있고, 운에서 관성이 유기有氣한 지지에 臨하면 역시 귀하고, 재성이 돕고 運이 財旺한 지지에 臨하면 역시 富하고, 財官이 모두 旺하면 富貴한 命이 된다. (凡命月令建祿,難招祖業,必主平生見財不聚,卻病少壽長,行運再見比肩,剋妻妨父損子,或官非破財,或因妻孥財帛爭奪.如八字內外元有財官,引旺得地,官星有助,運臨官星有氣之地,亦貴,財星有助,運臨財旺之地,亦富,財官俱旺,乃富貴之命.)

만약 時에서 財庫를 만나고 運이 財鄕에 이르면 老年에 大富하게 된다. 年상에서 財 官의 도움이 있으면 반드시 조상의 음덕蔭德을 누린다. 만약 四柱 원국에 財 官이 없으면 설령 運이 財官의 지지로 흐를지라도 일장춘몽一場春夢일 뿐이다. 命에는 財官이 없는데 歲運에서 또 比肩으로 行하면 한평생 가난에 허덕인다. (若時逢財庫,運至財鄕,必主晚年大富.年上財官有助,必享祖蔭.若四柱元無財官,縱運行財官之地,亦止虛花而已.命無財官,歲運又行比肩,一生貧蹇.)

賦에서 이르길, 뿌리가 있어야 먼저 싹이 있고, 꽃이 핀 다음에 열매가 있다. 먼저의 말은 뿌리가 있고 난 후에 싹이 자라고, 꽃이 있고 난 후에 결과(結果;열매)가 있다. 만약 太歲에 원래 財官이 없으면 비록 財官의 吉運을 만나더라도 發福은 크지 않다. (賦云,根在苗先,實在花後.言先有根然後長苗,有花然後結果.若當生歲元無財官,雖遇財官吉運,發福不大.)

논건록論建祿-中

가령 甲일의 寅월이 柱중에 乙 卯 未의 字글자가 많으면 조상의 財재물가 없으며 妻를 극하고, 일생이 외롭고 가난하며 헛된 일을 꾸며 속이고, 생김새는 큰 사람이다. 乙일의 卯월생은 柱중에 庚 辛 巳 酉 丑 申 및 戊 己 巳 午 辰 戌등이 있어 財官이 많으면 귀하고, 壬 癸 申 子 辰 亥

水의 印綬 局을 이루어도 역시 아름다우며, 다시 운에서 만나면 더욱 기묘奇妙한데, 만약 柱중에 財 官 印 食을 만나지 못하면 앞[甲일 寅월]과 동일하게 단정한다. (假如甲日寅月,柱中乙卯未字多,主無祖財,剋妻,一世孤貧,作事虛詐,爲人大模樣.乙日生卯月,柱有庚辛巳酉丑申,及戊己巳午辰戌等字,財官多則貴,壬癸申子辰亥水印成局亦佳,更運逢之尤妙,若柱不見財官印食,同前斷.)

丙이 巳월에 생하여 歲時의 干支에 金水가 局을 이루고 운에서 財官의 왕지旺地를 지나도 부귀하다. 丁이 午월 생은 金은 패敗하고 水는 절絶되어 財 官이 함께 배반하여, 順運에는 妻를 극하지만 逆運은 3명의 妻를 극하는데, 만약 柱중에 巳 酉 丑 庚 辛 壬 癸 亥 申 子 辰이 있으며 運이 財官의 왕지旺地에 臨하면 역시 발달하고, 煞 혹은 印을 사용하여도 많으면 [旺盛하면] 귀하지만 만약 建祿뿐이면 역시 앞과 동일하다. (丙生巳月,歲時干支水金成局,運歷財官旺地,亦主富貴.丁生午月,金敗水絕,財官俱背,順運剋妻,逆運剋三妻,若柱有巳酉丑庚辛壬癸亥申子辰,運臨財官旺地亦發,用煞或印,以多爲貴,若止建祿,亦同前斷.)

戊일의 巳월은 年 日 時에 水가 없으면 妻를 극하며 조업祖業이 없고 자식이 많아도 불초不肖하고, 柱중에 官이 많으면 길하고, 만일 편관을 만나면 존귀尊貴하고, 歲月에 만약 火가 많아 오히려 印綬[局]을 이루면 비록 財官이 없더라도 길하고, 만약 四柱내에 壬 癸 亥 申 子 辰의 水局이 은현(隱顯;숨거나 나타남)하면 늦게 1~2의 자식을 보고, 甲 寅 乙 卯 亥 未의 木局이 있으며 運이 財官의 왕지旺地에 이르면 역시 발달한다. (戊日巳月,年日時無水,主剋妻,無祖業,子多不肖,柱中多有官則吉,如見偏官,主尊貴,歲月若是火多,反成印綬,雖無財官,主吉,若柱內隱顯壬癸亥申子辰水局,晩子一二,有甲寅乙卯亥未木局,運至財官旺地亦發.)

己일이 午월 생은 壬水가 財가 되며 5월은 水가 가두어져 조상의 재물이 없고, 妻를 극하며 자식 또한 많지 않고, 歲時에 寅甲의 正官이 투출하면 5月은 甲이 사死하니 관직은 반드시 보잘 것 없이 낮고, 亥 卯 未 乙을 만나면 좋아하고, 身旺한데 官 煞을 만나면 기묘奇妙하고, 편재 또한 아름답다. (己生午月,以壬水爲財,五月水囚,主無祖財,剋妻,子亦不多,歲時透出寅甲爲正官,五月甲死,官必卑小,喜見亥卯未乙,身旺見官煞爲妙,偏財亦美.)

庚일 申월의 上旬에 생하면 木의 餘氣가 남아 조상의 재물이 줄지 않은데, 비록 節氣가 木이 절絶하는 곳에 臨하더라도 오히려 3~4分의 財가 고庫에 있으니 복이 되고, 運이 丙戌에 이르면 財가 다하게 된다. 만약 年 日 時에 財가 많으면 좋은 命으로 보고, 丙 丁 巳 午 寅 戌의 火局을 만나면 官이 있고, 煞이 官으로 화化하고, 官이 적어도 역시 청현清顯하지 못하고, 壬 癸 亥 子를 두려워하니 官을 극하여 이루지 못한다. (庚日申月,上旬生,近木餘氣,略無祖財,雖節氣臨木絕之鄕,尚有三四分庫財,爲福,運至丙戌,財盡矣,若年日時多財,好命看,見丙丁巳午寅戌火局,則有官,以煞化官也,官小亦不清顯,怕壬癸亥子,剋官不成.)

辛일 酉월은 조상의 재물이 없으며 柱중에 분탈分奪을 많이 만나면 외롭고 가난하여 妻가 없고,

혹 妻를 극하며 財가 없는데, 만약 木火가 생왕生旺하면 당연히 부귀하고, 원국에 財 官이 없는데 다시 생지生地로 行하면 겁재의 재앙이 더욱 重하고, 혹 辛酉를 만나면 專祿이 되고, 다시 財官 印 食이 있으며 歲運에서 재차 만나면 더욱 좋고, 逆運의 남방은 길하고, 順運인 北方은 모든 일을 이루지 못하는데, 만약 辛卯 辛未일에 身이 財에 坐하면 衣祿이 있고, 辛巳일은 귀하지만 官祿은 역시 가볍다. (辛日酉月,無祖財,柱中多見分奪,孤貧無妻,或剋妻無財,若帶木火生旺,又當富貴,原無財官,又行生地,其劫禍尤重,或見辛酉,則爲專祿,更有財官印食之神,歲運再逢尤好,逆運南方則吉,順運北方,百事無成,若辛卯辛未日,身自坐財,可許衣祿,辛巳日有貴,官祿亦輕.)

壬일 亥월과 癸일 子월은 모두 조업祖業이 없는데, 柱중에 火土가 많으면 自立하여 官을 이루고, 만일 水가 많으면 범람氾濫하여 이루지 못하며 妻를 극하고 가난하며 보잘 것 없다. (壬日亥月,癸日子月,俱無祖業,柱中多見火土,主自成立有官,如見水多,泛濫無成,剋妻貧薄.)

논건록論建祿-2

또 말하길, 甲일 寅月은 壬申時, 乙日 卯月은 辛巳時, 丙일 巳月은 己亥時, 丁일 午月은 子時, 戊일 巳月은 甲寅時, 己일 午月은 乙丑時, 庚일 申月은 丙戌時, 辛일 酉月은 丁酉時, 壬일 亥月은 戊申時, 癸일 子月은 己未時가 적당한데 煞을 만나면 귀하지만 그러나 太多함은 불가하며, 歲運에서 재차 煞地를 만나면 요절夭折한다. (又曰,甲日寅月,宜壬申時,乙日卯月,宜辛巳時,丙日巳月,宜己亥時,丁日午月,宜庚子時,戊日巳月,宜甲寅時,己日午月,宜乙丑時,庚日申月,宜丙戌時,辛日酉月,宜丁酉時,壬日亥月,宜戊申時,癸日子月,宜己未時.是見煞取貴,然亦不可太多,歲運再逢煞地,主夭折.)

예) 命造
乙 辛 丁 丙
未 酉 酉 戌
月令이 건록建祿이며 또 일주도 전록專祿인데, 壽는 48세에 마쳤는데, 壬寅運 壬申年에사망했다. 歲[年運]와 運[大運]이 충하고, 또 상관과 煞이 모여, 건록에 財官을 用하는데 傷官이 丙火를 제거하므로 요절夭折한 것이다.[30] (如一命,丙戌丁酉辛酉乙未,月令建祿,又是專祿日主,壽止四十八,壬寅運,壬申年不祿,歲運衝,且會傷官煞也,建祿用財官,傷去丙火,故夭.)

[사언]독보에 이르길, 月令이 建祿이면 생가에서 살지 못하고, 하나의 財官을 만나면 자연히 복을 이룬다. 또 이르길, 建祿은 提綱인 月에 생한 것으로 財官이 천간에 투출하여야 좋고 身이 재차 旺하면 좋지 않으며 오직 財가 무성하여야 좋다. 백장歌에 이르길, 提綱이 建祿이면 무엇을 취하는가? 모름지기 年時에 많이 투출한 것을 보고 局중에서 六格을 스스로 밝히고, 提綱만을 고집하여 오히려 그르치지 않아야한다. 또, 癸의 祿은 子인데 冬月에 생하면 천간에는 財官이 투

30) 辛金이 酉월에는 관살혼잡을 꺼리지 않는다.

출하는 것을 가장 좋아한다. 만일 火土로 行하면 財祿이 흥興한데 수왕水旺하여 貴元가 破해지는 것을 방비하여야 한다. 명통부에 이르길, 건록建祿 좌록坐祿 혹은 거록居祿은 오직 財官 印綬를 보아야 부귀하고 장수한다. (獨步云,月令建祿,多無祖屋,一見財官,自然成福.又云,建祿生提月,財官喜透天,不宜身再旺,惟喜茂財元.百章歌云,提綱建祿將何取,須看年時多透露,局中六格自光明,莫泥提綱反爲悞.又,癸祿居子生冬月,天干最喜透財官,如行火土興財祿,水旺提防破貴元.明通賦云,建祿坐祿或居祿,獨遇財官印綬,富貴長年.)

모든 설을 종합하여 살펴보면, 자평이 건록을 논한 것과 고인古人이 祿을 논한 것은 그 取用이 상당히 다른 것이다. 내가 陽刃 比肩 敗財 建祿을 살펴보니, 명칭은 비록 다르더라도 실제로 일가동기一家同氣로서, 지지에 있는 것은 刃양인 祿록이라 하고, 천간에 있는 것은 比비견 劫겁재이라 하는데, 그 취용取用이 대략 서로 같다. 따라서 건록은 陽刃의 뒤에 있고, 예전에는 건록格이 없었으며 근래에 月支에서 취하는데, 格을 취할 수 없고, 그리고 천간에 財官의 貴氣가 있다. 따라서 건록建祿을 取한 것은 比劫과 같이 특별하게 그 뜻을 밝힌 것뿐이다. (合諸說觀之,子平論建祿,與古人論祿,其取用迴不同矣.余按陽刃比肩敗財建祿,名雖不同,實一家同氣之神,在地支者,曰刃曰祿,在天干者,曰比曰劫,其取用大略相同,故以建祿繼陽刃之後,建祿舊無格,近亦取以月支,無可取之格,而天干倘有財官貴氣,故取建祿,若比劫特發明其義耳.)

劵5 終

三命通會 6卷

出處:武陵出版司, 著者:萬民英

1. 정란사차井欄斜叉

희기篇에 이르기를, [정난사차는] 庚일이 윤하潤下를 온전히 만나는 것인데, 丙 丁 巳 午의 방향을 꺼리고 時에 申 子를 보면 복이 반감半減된다. 이정난사차 格은 庚申 庚子 庚辰의 三日인데, 지지에 三合하여 水局을 이루고 천간에 세 개의 庚이 투출하면 전봉윤하全逢潤下가 된다. 庚은 丁을 官으로 用하니, 申 子 辰으로 寅 午 戌 火局을 衝[出]하니 庚일은 官星을 얻어 귀하게 되고, 丙 丁이 있으면 官 煞이 노출한 것이고, 巳 午가 있으면 우물의 입구가 전실(塡實;메워져 막힘)한 것이다. 時에서 丙子를 보면 시상편관時上偏官이 된다. 甲申은 일록귀시日祿歸時가 되어 이 格을 이루기 어렵다. 그래서 福氣가 온전하지 못하여 반감反感하는 것이다. (喜忌篇云,庚日全逢潤下,忌丙丁巳午之方,時遇子申,其福減半.此格以庚申庚子庚辰三日爲主,地支三合水局,天干透三庚,乃爲全逢潤下.庚用丁爲官,以申子辰,衝寅午戌火局,庚日得官星爲貴,丙丁則官煞顯露,巳午則井口塡實.時遇丙子,爲時上偏官.甲申爲日祿歸時,難成此格.所以福氣不全,而減半也.)

정란叉는 즉 우물의 입구이다. 윤하는 물이다. 우물 속에 물이 있으므로 사람을 구제하고, 午未를 보면 전실塡實하는데 水는 土에 섞이면 [물이 흙에 섞이면] 구제하는 사람의 공功이 없다. 만약 月에 寅 午 戌이면 衝[出]을 파괴하여 水火가 相戰하니 도리어 禍를 당한다. 만약 천간에 壬 癸가 있으면 申 子 辰을 끌어와 상관이 되어 寅 午 戌의 화력火力을 제거한다. 戊 己의 字글자가 水局을 극 상하면 寅 午 戌 火의 귀한 것을 衝[出]을 不能하게 하니, 運數를 減한다.歲 運도 동일하다. (井欄叉,即井口也.潤下者水也.井中有水,所以濟人,見午未塡實,水爲土雜,則無濟人之功.若月寅午戌衝壞,水火相煎,反受其禍.若天干有壬癸字,則引申子辰爲傷官,去寅午戌火力.戊己字尅傷水局,不能衝寅午戌火貴,乃減分數,歲運同.)

이 [정란차]格은 반드시 사주에 일점의 火氣도 없어야하고 秋冬절에 생하여 合局하여야 한다. 戊辰 戊子를 보아도 역시 무방無妨하다. 만약 庚子가 재차 子時를 만나면 다만 비천록마로 논한다. 辰월은 印綬로 논하고, 子월은 상관으로 논하고, 소식(消息;時運의 변화)에 의해 변통變通해야 한다. 정란차격에 부합하면 청淸하고 기묘奇妙하여 貴顯하지만 다만 富는 크지 않고, 運은 東方의 財運과 상관運 기뻐하고, 남방의 火 土運은 꺼리고, 서방은 平平보통이다.하다. (此格須柱無一點火氣,生秋冬爲合局.見戊辰戊子亦不妨.若庚子再見子時,只作飛天祿馬論.在辰月,以印綬論,在子月,以傷官論,須變通消息.果合此格,主清奇貴顯,但不甚富,運喜東方財,北方傷,忌南方火土,西方平平.)

如王都統,庚子庚辰庚申丁丑,丁卯年戌邊得十次官誥,尹鳳武狀元參將癸未庚申庚申庚辰,見行東方運,所以官顯,乃此格之純粹者.

예) 命造-1
丁 庚 庚 庚
丑 申 辰 子
왕도통의 命인데, 丁卯년 戌邊에 차관次官에 封해졌다.

예) 命造-2
庚 庚 庚 癸
辰 申 申 未
윤봉 武장원 참장의 命 인데, 東方 運을 만났을 때 관직이 현달하였는데 순순한 정난차격인 것이다.

부에서 이르길, 정란 윤하는 3개의 庚은 기묘奇妙하고, 財印은 기뻐하고, 離宮의 午位는 꺼리고, 寅字글자를 만나게 되면 기뻐하는데 전실塡實하면 부귀영화富貴榮華하고, 刃이 있으면 천군千軍을 관장管掌한다. 고하였는데, 이 說을 자세히 살펴보면, 庚은 土가 印綬가 되며 土는 전실정구(塡實井口;우물의 입구를 메움)하니 寅이 申을 衝할 수 있으니 用神을 극 상하는데 어찌 귀하다고 하겠는가? 생각해봐야 할 것이다.[31] (賦云,井欄潤下,三庚爲妙,財印爲忻,忌離宮午位,喜寅字邀神,塡實則榮華富貴.帶刄則掌管千軍.詳此說,庚以土爲印,土能塡實井口,寅能衝申,用神尅傷,何以爲貴？試思之.)

詩에서 말하길, 庚일이 申 子 辰을 온전히 만나면 정란차격으로 무리 중에 우뚝하게 出世하고, 丙 丁 寅 午가 전혀 없어야 [淸朝의] 富貴한 사람이 된다. 또 정란은 庚일에 申 子 辰과 庚이 많으며 局이 온전하여야 格을 비로소 이룬 것인데, 寅 午 戌이 局을 破하는 것을 크게 두려워하고 丙 丁을 만나면 無情하다. 또 정란은 東方 운을 기뻐하니 財鄕에 이르러야 참으로 부귀하고, 丙 丁 巳 午의 歲 運을 만나면 祿을 잃고 破財하니 마땅히 두려운 것이다. (詩曰,庚日全逢申子辰,井欄叉出世超羣,丙丁寅午全無露,定是淸朝富貴人.又井欄庚日申子辰,庚多局全格始成,大怕寅午戌破局,丙丁逢著亦無情.又井欄運喜東方地,得到財鄕眞富貴,丙丁巳午歲運逢,失祿破財須且畏.)

또, 申 子 辰이 완전하고 日이 庚인 정란차격은 관성을 제制하므로 局중에 火가 없어야 귀하고, 제강提綱에 巳에 臨하면 破하고 동하여 재앙이 된다. 또, 三 庚을 만나 생하면 기가 새로워져 기쁘고, 온전한 윤하를 만나야 참다운 정란이고, 金의 精은 寅 午 戌을 만나는 것을 싫어하고, 水가 빼어난 것은 申 子 辰인데, 많은 壬 癸를 만나면 貴함을 손상하고, 丙 丁이 함께 臨하면 관직을 그만둔다. 運은 대체로 東方이 좋고, 일생토록 영화로우며 빈곤貧困하지 않다. (又,申子辰全日遇庚,井欄叉格制官星,局中無火方爲貴,破動提綱禍巳臨.又,生遇三庚喜氣新,全逢潤下井欄眞,金精怕

31) 전자는 賦에서 인용한 구문이고 후자는 선사의 견해이다. 간략하게 말하면 전실이 害가 되는데 어찌 귀하다고 賦에서 말하는가?

見寅午戌,水秀偏宜申子辰,傷貴緣多壬癸見,露官休共丙丁臨.運行大抵東方美,一世榮華不受貧.)

2. 임기용배壬騎龍背

희기篇에 이르길, 陽水壬가 辰을 중첩하게 만나면 임기용배(壬騎龍背;壬이 龍의 등에 올라탐)인 것이다. 임기용배격은 壬일이 辰에 坐한 것이며, 壬은 丁이 財가 되고 己는 官이 되는데, 壬이 지지의 辰을 사용하여 戌중의 丁 戊를 暗衝시켜 壬일이 財 官을 얻으므로 귀한 것인데, 柱중에 마땅히 辰이 많아야 비로소 衝出할 수 있고, 다시 하나의 寅을 얻으면 합하여 財 官이 머무르니 기묘奇妙하고, 財 官이 노출되어 있으면 좋지 않고, 身旺 및 傷官 食神의 運으로 行하는 것을 기뻐하고, 남방 財 官의 지지를 꺼린다. (喜忌篇云,陽水疊逢辰位,是壬騎龍背之鄕.此格以壬日坐辰,壬以丁爲財,己爲官,壬用支辰,暗衝戌中丁戊,壬日得財官之貴,柱中須辰多,方能衝起,再得一寅字,合住財官爲妙,不宜財官顯露,喜行身旺,及傷官食神運,忌南方財官之地.)

四柱에 丁 巳 午 戌이 있으면 단지 財 官으로 논하면 되고, 만약 壬일이 寅에 坐하면 柱중에 辰이 많아야 임기용배격을 취한다. 壬의 食神은 甲인데, 甲은 壬의 官이 되는 己를 합하고, 甲은 壬의 財가 되는 丁을 생하고, 辰은 戌을 衝할 수 있는데 寅이 이를 合함으로서 貴가 되는 것이다. 만약 壬辰일이 年 月 時에 모두 寅 午 火局이면 財가 득지得地하여 생왕生旺하니 財가 많아 맑지 못하므로 단지 富한 命일 뿐이다. (柱有丁巳午戌,只作財官論,若壬日坐寅,柱中辰多,亦取此格,以壬食甲,甲合己爲壬官,甲生丁爲壬財,辰能衝戌,寅以合之爲貴.若壬辰日,年月時皆寅午火局,財生旺得地,財多不清,只爲富命.)

또 이르길, 壬辰일은 辰이 많으면 暗衝하여 戌중의 火 土 金이 튀어나와 財 官 印의 삼기三奇가 되고, 만약 3辰과 1寅이라면 衝과 合으로 貴氣가 유력하게 되는데, 만약 壬辰일에 年 月 時 모두가 寅이면 역량은 가볍지만 오히려 寅중의 甲木을 사용하여 食神이 財를 생하게되므로 주로 富하게 된다.[32] 柱중에서 丑 未를 만나야 귀하지만, 己의官 戊의煞과 乙의傷官 丁의合은 格에 들지 못하게 하니 크게 싫어하는데, 설령 辰이 많을지라도 운수(運數=福)는 減하고, 北方의 亥子 運은 꺼린다. (又曰,壬辰日取辰多,暗衝起戌中火土金,爲財官印三奇,若三辰一寅,爲衝合貴氣有力,若壬辰日,年月時皆寅,力輕,卻用寅中甲木,爲食生財,故主富.柱中宜見丑未爲貴,大怕己官戊煞,乙傷丁合,不入格,縱辰多亦減分數,忌北方亥子運.)

또 말하길, 壬辰은 괴강日이 되어 마땅히 身旺해야하고, 財 官을 만나는 것을 두려워하고, 休하지 않는지 運을 참작하여 상세히 살피고, 만약 柱중에 申子를 온전히 보면 당연히 윤하격潤下格

---

32) 식신생재와 食神生財格을 혼동하면 안 된다.

으로 논하고, 운에서 戊 己 辰 戌이 충하고 歲運에서 아울러 臨하면 길한 중에 도리어 禍가 되는데, 이는 기용주충(騎龍走衝;용을 타려고 하지만 衝擊으로 龍이 도망치는 꼴)이 되니 格을 이루지 못하는 것이다. (又曰,壬辰爲魁罡日,宜身旺,怕見財官,休否以運參詳,若柱中全見申子,當以潤下格論,運戊己辰戌又衝,歲運併臨,吉中反禍,此爲騎龍走衝,不成格也.一命,己丑戊辰壬辰庚子,甲子舉人,戊辰年乙卯月死,正是己官煞太旺,剋壬爲凶.)

예) 命造
庚 壬 戊 己
子 辰 辰 丑
甲子운 戊辰년 乙卯월에 사망하였는데, 官 煞이 太旺하여 壬을 극하니 凶死하게 된 것이다.

독보에서 이르길, 임기용배는 戌을 만나면 무정無情하고, 寅이 많으면 富하고, 辰이 많으면 영화롭다. 경감부에 이르길, 임기용배는 寅 辰의 두 글자를 기뻐하며, 戊 己 巳 午는 머뭇거리기에 싫어하고, 寅이 많으면 곡식이 썩을 정도로 돈이 가득한데, 순수純粹하면 자식들을 조정에 出仕시킨다. 상심부에 이르길, 임기용배는 丁을 만나면 破[格]하여, 욕심은 신장(申棖;申棖은 공자의 제자로 字는 周이고, 魯나라 사람으로 욕심이 많은 인물이다)에 비유된다. (獨步云,壬騎龍背,見戌無情,寅多則富,辰多則榮.景鑑賦云,壬騎龍背,喜寅辰二字相怡,忌戊己巳午爲迍,寅多者錢滿粟腐,純粹者姓播朝廷.相心賦云,壬騎龍背逢丁破,慾比申棖.)

요상부에 이르길,陽水壬가 辰을 만나고 戊 己를 보면 災殃을 피하기 어렵다. 천리마에 이르길, 壬일 壬時는 寅 辰이 중첩하여 절개가 높고 승은承恩으로 대궐의 누각에 오른다. 보감부에 이르길, 사주에 寅이 많으면 석숭石崇과 같은 부호富豪가 된다. 비결에서 이르기를, 임기용배는 오행에서 寅 辰만을 기뻐한다. (妖祥賦云,陽水逢辰見戊己,災臨難避.千里馬云,壬日壬時疊寅辰,高節承恩登御閣.寶鑑賦云,石崇豪富,柱中多寅.秘訣云,壬騎龍背,五行偏喜寅辰.)

詩에서 말하길, 壬辰일은 騎龍이라 부르는 것은 對宮을 충하여 관성이 飛出하고, 사주에 辰이 많으면 벼슬을 하지만, 寅이 많으면 오히려 부잣집의 늙은 사람일 뿐이다. 또, 陽水임가 辰을 많이 만나면 임기용배인데 貴가 비상非常하고, 柱중에 寅 辰이 모두 있으면 부귀 쌍전富貴雙全하며 묘당(廟堂;의정부)에 있게 된다. 또, 임기용배는 상당히 좋은데, 辰이 많고 寅 字글자가 있으면 발양發揚하고, 官星이 와서 破格하는 것을 크게 꺼리며 災와 형刑을 만나면 壽元이 손상된다. (詩曰,壬辰日誕號騎龍,飛出官星在對衝,四柱辰多官爵顯,寅多卻作富家翁.又,陽水多逢辰字鄉,壬騎龍背貴非常,柱中俱有寅辰字,富貴雙全在廟堂.又,壬騎龍背喜非常,辰多寅字轉發揚,大忌官星來破格,災刑須見壽元傷.)

또, 壬寅은 壬辰일에 미치지 못하고, 사주에 壬辰의 글자가 많아야하는데, 辰 字가 많으면 관직官職이 重하고 寅자가 많으면 석숭石崇에 비할만하다. 또, 임기용배는 상당히 좋은데, 陽水[壬]가

重重하면 鄭의 諸侯가 되고, 辰이 戌을 충하면 秀氣가 나타나고, 戌이 午에 오면 官鄕에 이르고, 만일 龍辰을 중첩하게 만나면 관작官爵이 封해지고, 만약 虎寅를 거듭 만나면 창고가 가득 차고, 상하가 三合하여 완전한 水局이면 부귀 쌍전富貴雙全하며 보통을 넘어 뛰어나다. (又,壬寅不及壬辰日,四柱壬辰字要多,辰字多兮官職重,寅多可比石崇過.又,壬騎龍背喜非常,陽水重重繞鄭邦,辰向戌中衝秀氣,戌來午上到官鄕,龍如疊見封官爵,虎若重逢滿庫倉,上下三合全水局,富貴雙全逈異常.)

자고천에서는, 陽水壬가 辰이 중첩하면 가장 상서롭고, 사주에 戊己가 없으면 조정朝廷에 자리하고, 辰이 戌속을 衝[出]하면 財 官이 귀하며, 柱에 寅의 合이 있어야 强해진다. 경옥간에서, 금장을 받고 사해四海의 국경을 평정하며, 지위가 높고 어질어 천덕天德으로 백성을 다스리니 대단한 위명威名이 사방팔방에 두루두루 퍼진다. (鷓鴣天,陽水疊辰最吉祥,柱無戊己坐朝堂,辰衝戌內財官貴,柱有寅合方是强.檠玉簡,受金章,澄淸四海鎭邊疆,尊賢容衆修天德,烈烈威名徧八方.如孫丕揚都憲,壬辰甲辰壬寅庚子,是此格也.)

예) 命造
庚 壬 甲 壬
子 寅 辰 辰
도헌都憲 손 비양孫 丕揚의 命인데, 임기용배격인 것이다.

3. 자요사록子遙巳祿

희기篇에 이르길, 甲子일이 재차 子時를 보면 庚 辛 申 酉 丑 午를 두려워하는데, 이 [자요사록]格은 甲子일 甲子 時로서, 甲은 辛을 官으로 삼으며 2개의 子중의 癸水가 巳중의 戊土를 요합遙合할 수 있는데, 戊가 와서 癸를 합하려하지만 子상 甲木의 극 制가 두려워서 감히 合을 하려하지 않는다. 그런데 戊와 丙은 巳에 동궁同宮하며 丙 戊는 父子지간이 되어 戊가 동하면 丙도 또한 동하는데 丙은 오히려 酉중의 辛과 相合하니, 甲木을 극하는 甲일의 관성을 얻으니 戊가 비로소 癸와 合을 얻으니 이것이 巳 酉 丑이 三合하여 관성局이 되는 것이다. 年 月에 午가 子를 충하거나 丑이 子를 기반羈絆함을 크게 두려워하는데. 遙合을 할 수 없는 것이다. (喜忌篇云,甲子日,再遇子時,畏庚辛申酉丑午,此格以甲子日甲子時,甲以辛爲官,二子中癸水,能遙合巳中戊土,戊來合癸,畏子上甲木剋制,不敢來合.戊與丙同居巳宮,丙戊爲父子,戊動丙亦動,丙卻與酉中辛相合,來剋甲木,甲日得官星,戊方得合癸,是謂巳酉丑三合,會起官星局,年月大怕有午衝子,丑絆子,不能遙矣.)

혹 말하길, 甲이 主가 되어 巳중의 戊土를 극出하고, 또 子중의 癸水를 사용하여 巳중의 丙火를 극出하니, 戊는 이미 극出을 당하였으나 오히려 癸와 합하고, 丙은 극出을 당하여 짝이 없어 酉중의 辛金을 찾아 합하니, 甲일은 財 官의 아름다움을 얻게 된다. (或曰,甲爲主,剋出巳中戊土,又用子中癸水,剋出巳中丙火,戊旣被剋出,卻與癸合,丙被剋出無配,來尋酉中辛金相合,而甲日得財官之

美.)

또 말하기를, 자요사격은 2개의 子중 癸수가 巳중의 戊土를 합하니 甲의 財가 되고, 丙과 戊는 녹祿이 함께 巳에 있으니 丙은 甲의 爵星이며 戊는 丙의 爵星인데, 戊가 동하면 丙도 또한 동하는데, 丙은 자식인 戊를 만나면 [甲의] 印綬가 되는 癸 妻를 貪合하니 丙이 도리어 甲의 官인 辛金과 합하게 된다. 가령, 사람은 자식이 있으면 父의 뒤를 이어 가계家系를 전傳함으로서 父道의 존귀尊貴함을 이루는 것이다. (又曰,此格以二子中癸水,進合巳中戊土,爲甲之財,丙戊祿同在巳,丙是甲之爵星,戊是丙之爵星,戊動丙亦動,丙見子戊,貪合癸妻爲印綬,丙卻合起辛金,爲甲之官,如人有子,繼其後,傳其家,以成父道之尊貴.)

[甲은] 壬 癸 亥 子月의 印旺하고 寅 卯월의 身旺한 月에 생하면 官旺한 곳으로 흐르는 것을 기뻐하는데, 반드시 登科하고 食祿이 있고 권력은 귀하나 富는 혼탁하다. 庚 辛 丙의 글자가 명료하게 나타나는 것과 申 酉 巳의 글자가 破格하는 것을 만나면 꺼리는데, 만일 制 化가 있으면 害가 되지 않는다. 柱중에 丑 午의 羈絆이나 충이 있으면 運數를 減하는데, 歲運도 동일하다. (喜生壬癸亥子月印旺,卯寅月身旺,行官旺鄕,必主登科食祿,權貴濁富.忌見庚辛丙字明露,申酉巳字破格,如有制化,亦不爲害.柱有丑午絆衝,則減分數.歲運同.)

만약 酉 丑월에 생하면 단지 正官격으로 취하고, 庚 字가 虛露根이 없이 천간에 투출하여도 富貴한데, 月令이 어떠한가를 전부 살펴보고, 혹 煞이 印綬를 생조生助하는데 만약 자요사격이 성립해도 모름지기 꺼려하고, 남방 運은 더욱 싫어한다. (若生酉丑月,只作正官格取,虛露庚字,亦主富貴,全看月令何如,或可煞生印助,若成此格,須忌,尤怕南方運.如樊繼祖尚書,庚子己卯甲子甲子,眞此格也.經云,甲子逢合祿,終身須富足.)

예) 命造
甲 甲 己 庚
子 子 卯 子
상서 번 계조의 命인데, 참된 자요사격이다. 經에서 이르길, 甲子가 合祿을 만나면 종신토록 富를 풍족하게 누린다.

詩에서 말하길, 甲子일이 甲子시를 만나면 官祿을 遙合하여 貴는 의심의 여지가 없고, 丑의 기반羈絆과 午의 衝과, 官煞이 나타나면 福은 상서롭지 못하고 祿도 또한 지체된다. 또, 甲子일이 甲子시를 거듭 만나면, 관성이 旺하면 좋지 않다고 말할 수 없다. 月에서 일주를 생하면 根이 견실堅實해지는데, 運은 金鄕에 이르면 오히려 기묘奇妙한 것이다. (詩曰,甲子日逢甲子時,遙合官祿貴無疑,丑絆午衝官煞顯,福不爲祥祿亦遲.又,甲子重逢甲子時,休言官旺不相宜,月生日主根元壯,運到金鄕反是奇.)

또, 甲子일이 甲子시에 생하면 돌연히 官을 만나는 것을 누구나 알 수 있고, 癸가 와서 戊를 동하게 하고 戊는 丙을 동하게 하니 丙이 辛을 합하여 근본 복이 되고, 庚 辛 申 酉의 字글자를 절대로 꺼린다. 또 丑의 기반羈絆과 午의 충을 싫어하고, 柱중이나 운에서 분명히 만나면 格 局을 이루지 못하여 福은 줄어든다. (又,甲子日生甲子時,驀地逢官孰得知,癸來動戊戊動丙,丙合辛生是福基,切忌庚辛申酉字.又嫌丑絆午衝之,柱中運內遭逢著,格局不成福有虧.)

자래요사(子來遙巳;子에 遙巳가 오는 것)는 자세하고 깊게 생각해야 하고, 甲子가 甲子를 만나게 되면 癸는 巳중의 戊토를 맞이하고 丙이 와서 酉상의 辛金을 합하여 暗으로 申 酉와 三合 六合하는 것을 기뻐하고, 明천간으로 庚 辛 둘이 癸를 침범하는 것을 싫어하고, 丑 午를 만나지 않으면 높은 格으로 논하는데, 수석首席으로 등과登科하여 경림瓊林에서 연회를 베풀게 된다.[33] (子來遙巳細沉吟,甲子還將甲子尋,癸向巳中邀戊土,丙來酉上合辛金,暗忻申酉三六合,明怕庚辛二癸侵,丑午不逢高格論,登科及第宴瓊林.)

4. 축요사록丑遙巳祿

희기篇에 이르길, 辛일 癸일은 丑을 많이 만날 경우에 관성을 좋아하지 않아 歲 時에서 子 巳의 2宮을 만나면 허명虛名 허리虛利인 것이다. 축요사格은 단지 辛丑 癸丑 2日뿐인데, 辛은 丙을 官으로 삼고, 癸는 戊를 官으로 삼으며, 丙 戊의 祿은 巳에 있는데, 오직 丑만이 巳를 破할 수 있으니, 柱중에 丑을 많이 만날 경우에는 丙 戊의 녹祿이 튀어나오는데 辛 癸가 요합遙合하여 官星을 얻게 되고, [자요사격은] 귀한데 子의 기반羈絆과 未의 충을 만나고 巳字글자가 전실塡實되면 허명虛名과 허리虛利에 지나지 않을 뿐이다. 세운歲運도 동일하게 논한다. (喜忌篇云,辛癸日,多逢丑地,不喜官星,歲時逢子巳二宮,虛名虛利.此格只有辛丑癸丑二日,辛以丙爲官,癸以戊爲官,丙戊祿在巳,惟丑能破巳,柱中多逢丑地,則丙戊之祿出,辛癸遙合得官星,貴見子絆未衝,巳字塡實,不過虛名虛利而巳已,歲運同論.)

辛丑일은 秋節에 생하여야 좋고, 癸丑일은 冬節에 생하여야 좋은데, 柱중에 金 水가 많아야 축요사격에 부합하고, 재차 申 酉중 하나를 얻으면 巳를 合으로 머물게 하여 貴氣에 이르진 못해도 기묘奇妙하게 된다. 丙 丁 巳 午가 없어야 辛일이 순수純粹하며, 戊 己 巳 午가 없어야 癸일이 순수純粹한데 다시 衝과 기반羈絆함이 없으면 사람됨이 순박하고 인정이 두터우며 부귀쌍전富貴雙全하고, 조금은 손상하여도 富는 충분하다. (辛丑日宜生秋月,癸丑日宜生冬月,柱中金水多,方合此局,再見申酉得一,合住巳字,不致貴氣走出爲妙.無丙丁巳午,辛日之純粹,無戊己巳午,癸日之純粹,再無衝絆,爲人淳厚,富貴雙全,略見損傷,亦主富足.)

---

33) 무릉출판사에서의 忻은 사고전서 원문에는 欣으로 되어 있으나, 懼의 오타라는 견해가 있다.]

만약 辰 戌 丑 未월에 생하면 마땅히 雜氣로서 취용取用하고, 卯 辰 申 酉 亥의 時를 만나면 축요사격이 되지 않는다. 만일 辛일이 丙寅 丙午 丙戌월에 생하면 단지 관성으로 논하는데, 가령 甲寅월에 생하면 木이 火를 도우니 財官을 用할 수 있다. 癸일이 土가 많으면 官煞로 논하고, 癸亥 時를 만나면 공록拱祿으로 논하고, 金旺한 節에 생하면 印綬로 논하고, 화왕火旺 節에 생하면 財星으로 논한다. 만일 甲寅월에 생하면 傷官은 無妨하며 官星이 득지得地하고 身旺한 運으로 흘러야 貴함이 크다. 丑遙巳格과 辛亥 癸亥의 비천록마와 대동소이하다. (若生辰戌丑未月,當以雜氣取用,逢卯辰申酉亥時,亦不作此格.如辛日生丙寅丙午丙戌月,只以官星論,如生甲寅,以木助火,可用財官.癸日土多,以官煞論,見癸亥時,以拱祿論,生金旺月,以印綬論,生火旺月,以財星論,如生甲寅月,傷官不妨,宜行官星得地,及身旺運,多貴.此格與辛亥癸亥,飛天祿馬大同.)

經에 이르길, 辛일 癸일이 合祿하면 평생토록 富는 넉넉하다. 詩에 말하길, 辛일 癸일이 丑을 많이 만나면 요사합관성(遙巳合官星;멀리 떨어진 관성인 巳를 합하다)이라 하는데, 官星이 旺한 것을 좋아하지 않는다고 말할 수 없고, 官이 오면 오히려 [名利]를 이룰 수 있다. 또, 辛丑 癸丑의 두 일간에서, 丑은 巳를 破할 수 있고 巳에는 관성이 암장하는데, 丑 字글자를 많이 만나야 비로소 기묘奇妙하게 되고, 子의 글자가 중간에 있는 것은 좋지 않다. (經云,辛癸日合祿,平生富有餘.詩曰,辛日癸日多逢丑,名爲遙巳合官星,莫言不喜官星旺,誰信官來反有成.又,辛丑癸丑二日干,丑能破巳巳藏官,丑字多見方爲妙,不宜子字住中間.)

또, 辛癸는 官이 없으면 丑이 많아야 멀리 있는 巳중의 丙 戊의 祿을 불러오고, 지지에서 申 酉와 합하는 것을 좋아하고, 格에 들면 반드시 貴祿이 풍요롭고, 辛은 丙丁과 겸하여 巳午를 꺼리고, 癸는 戊己 馬午 蛇巳 梟를 꺼리는데, 子가 오면 丑을 기반羈絆시켜 진심眞心으로 싫어하고, 格局이 이 같으면 가벼운 福도 소멸된다. (又,辛癸無官衆丑遙,巳中丙戊祿來朝,支元喜見酉申合,入格應須貴祿饒,辛忌丙丁兼巳午,癸兼戊己馬蛇梟,子來絆丑心眞懶,格局如輕福亦消.)

또, 丑遙巳格은 어떠한 것인가? 辛癸에 丑字가 많아야 좋고, 申 酉 癸가 官과 會合을 해야 하고 鼠子 蛇巳는 만나면 근심이니 복이 소모하고, 辛인은 丙과 丁을 만나는 것을 두려워하고, 癸일은 戊己와 화합和合하기 어렵고, 앞에서 경계한 것이 八字상에 臨하지 않으면 독보적으로 과거에 우등으로 급제한다. (又,丑遙巳格事如何,辛癸偏宜丑字多,申酉癸逢官會合,鼠蛇愁見福消磨,辛人怕與丙丁遇,癸日難將戊己和,前戒不臨八字上,也應獨步占高科.)

5. 형합득록刑合得祿

희기篇에 이르길, 6癸일이 寅時를 만나면 歲年 月에서 戊己가 되는 것을 두려워하고, 형합格은 6癸일이 主가 되고, 癸는 戊土를 관성으로 하는데 戊의 祿은 巳인데, 時상의 甲寅이 巳중의 戊토를 刑出하여 癸일이 관성을 얻는 것이다. 재성 혹은 印綬가 돕는 것을 좋아하며, 財星 印綬로

行하여 刑 衝 會合하면 모두가 아름답고, 歲년 月의 간지가 戊 己인 것을 두려워하는데, 官煞이 노출되면 運數를 減한다. 만약 歲 운에서 전실塡實되어 혹 福의 기운이 이미 지나갔으면 사망한다. 사주에 戊 己 字글자가 있으면 時가 공망空亡이 되는 것을 좋아하는데, 만약 月令이 偏官 正官이면, 時로서 喜 忌를 말하지 못하는 것이다. (喜忌篇云,六癸日時逢寅位,歲月怕戊己二方,此格以六癸日爲主,癸用戊土爲官星,戊祿巳,用時上甲寅刑出巳中戊土,是癸日得官星也.喜見財星或印助,行財印刑衝會合皆美,歲月支干,怕見戊己字,官煞顯露,則減分數,若歲運填實,或福氣已過,則死,柱有戊己字,時中喜逢空亡,若月令在偏正官位,卽不以時喜忌言矣.)

가령, 癸亥 癸卯 癸未는 좌하坐下가 木局인데 時에서 甲寅을 만나고 柱에 戊 己 巳 午가 있으면 진정眞正으로 "상관견관"이 되어 格에 들지 못하고, 세歲 운運에서 이를 만나면 재앙이 있다. 형합格과 비천록마는 대동소이하고, 이미 말하였지만 官을 충하고 또 합하는 것이 마땅한데, 사주에 酉 丑의 한 字가 巳를 합하는 것이 좋은 것이다. 오직 申을 쓰지는않는데 申은 寅을 衝 극할 수 있기 때문인 것이다. 亥나 혹 午 戌을 보면 기반(羈絆;굴레)이 되며 巳字는 전실塡實하고 申 庚의 글자는 衝 극하니 모두가 破剋하므로 귀하지 못한 것이다. (如癸亥癸卯癸未,坐下木局,時逢甲寅,柱有戊己巳午,眞正傷官見官,亦不入格,歲運逢之有禍,此格與飛天祿馬大同,旣曰衝官,亦宜有合,柱得酉丑一字合巳則可.惟不用申,以申能衝剋寅故也.見亥或午戌字爲羈絆,巳字爲塡實,申庚字爲衝剋,皆爲破剋不貴.)

또 말하길, 6癸일은 또한 庚申 時도 사용할 수 있는데, 巳중의 戊 祿을 刑合하여 官을 삼고, 6己일 역시 壬申 時를 用할 수 있는데 寅중의 甲 祿을 刑出하여 官을 삼고, 6辛일은 庚寅 時를 얻으면 형刑이 성립하지 않은 것은 辛은 비록 丙이 관성일지라도 건록이 巳에 있으니 庚이 甲을 극할 수 있고 寅 字가 손상함을 당하여 巳를 형하지 못하게 하니 辛일은 관성을 얻지 못하므로 취하지 않은 것이다. 계선篇에 이르길, 刑合하여도 正月에 생하면 傷官이 된다. 또 이르길, 사주에 만약 酉丑의 글자를 만나면 영웅호걸英雄豪傑로서 名利가 있다. (又曰,六癸日亦可用庚申時.刑合巳中戊祿爲官,六己日亦可用壬申時,刑出寅中甲祿爲官,六辛日得庚寅時,則刑不成,辛雖以丙爲官星,建祿在巳,庚能剋甲,寅字被傷,不能刑巳,辛日不得官星,所以不取.擧[繼]善篇云,刑合生於正月,便作傷官.又云,柱中若逢酉丑字,遇者英豪名利客.)

詩에서 말하기를, 6癸일이 甲寅 時에 생하면 刑合이라고 부르지만 참된 것은 아니다. 月令이 만약 寅 亥가 된다면 상관격에서 例를 찾아 추리하라. 또, 다만 癸일이 甲寅 時를 구하는 것은 관성을 刑出되니 귀한 것을 알 수 있고, 庚金이 甲木을 손상하는 것이 좋지 않고 寅 申이 衝 破하여 고통과 근심이 크다. 癸일이 官이 없고 時가 甲寅이면 巳중의 丙 戊는 寅이 刑出해야하는데 甲은 능히 戊를 극하고 丙은 스스로 튀어나오니 癸는 財官의 祿을 얻어 貴를 이룬다. 사주에 다시 戊己를 兼하지 않아야 비로소 형합격에 부합하여 크게 명성을 떨치고, 庚의 煞이 와서 甲을 손상하게 되면 설령 재물은 있을지라도 백정白丁에 지나지 않는다. (詩曰,六癸日生時甲寅,假名刑合亦非眞,月令若加寅亥位,傷官格內例推尋.又,但求癸日甲寅時,刑出官星貴可知,不喜庚金傷甲木,寅

申衝破主憂危.又,癸日無官時甲寅,巳中丙戊要寅刑,甲能剋戊丙自出,癸得財官祿貴成.四柱更兼無戊己,方爲合格大聲名,庚來煞見能傷甲,縱有資財是白丁.)

또, 형합격은 6癸에서 찾는데 생時에서 甲寅을 만나야 좋고, 寅이 와서 巳를 능멸하면 戊가 나오고 癸가 가서 蛇巳를 만나면 관직을 얻고, 戊 己는 흉하기 쉽고, 庚申을 홀연히 만나면 禍를 견디기 어렵고, 運이 飛天의 局으로 흐르면 경계하여 손상함이 없으니 복이 점점 더 깊어진다. (又刑合格向六癸尋,生時喜見甲寅臨,寅來淩巳戊應出,癸去逢蛇官得任,戊己倘逢凶易致,庚申忽遇禍難禁,運流有類飛天局,所戒無傷福愈深,如高拱閣老,壬申癸丑癸丑甲寅,柱中帶申,有破病,運行庚申,遇壬申流年罷官,幾致大禍.)

예) 命造
甲 癸 癸 壬
寅 丑 丑 申
각로 고공의 命인데, 柱중에 申이 있어 [寅을] 破하는 병病인데, 庚申大運 壬申 年에 관직을 파직 당하는 큰 禍를 입었다.

이상의 諸 요합 암형 비충 등의 格은 연원淵源에는 18격이 있고 주柱내에 원래 財 官이 없어야 사용한다. 무릇, 人命의 사주에는 三元이 있으며 內外로는 合이 없고 合이 있으면 별도의 위치에 존재하고, 허요虛邀 암공暗拱 刑 衝 破 극하여 별도의 祿을 합하는데, 이상의 諸格인 것이다. 만약 형刑이 있는데 合이 없으면 貴氣가 머물지 않아 格을 이루지 못하는 것이다. (以上諸遙合,暗刑,飛衝等格,淵源十八格,柱內元無財官方用,凡人命四柱三元,內外無合而有合在乎別位,虛邀暗拱,刑衝破剋,合於別祿,以上諸格是也.若有刑無合則貴氣不住,不成格矣.)

6. 충합록마衝合祿馬

예컨대, 甲日生 사람이 사주에 酉辛이 없으면, 오히려 卯가 많아서 酉를 衝[出]하여 巳 酉나 丑으로 합하여 甲일의 正官을 삼고, 壬 癸의 생조生助함을 좋아하며 辛 酉의 전실塡實을 꺼리는데, 만약 하나의 卯字라도 재차 刑 合을 일으키면 역시 好命이 된다. 乙일 생인이 사주에 申 庚이 없으면, 오히려 寅이 있어 申을 衝[出]하여 子 辰이 拱合하거나 或 巳를 刑出하여 乙의 正官을 삼고, 壬 癸의 생조生助를 좋아하고 申 庚의 전실塡實을 꺼린다. (如甲日生人,柱無酉辛,卻有卯多衝酉,巳酉合丑,爲甲日正官,喜壬癸生助,忌酉辛塡實,若止一卯字,再有刑合起,亦爲好命.乙日生人,柱無申庚,卻有寅衝申,子辰合拱,或巳刑出,爲乙正官,喜壬癸生助,忌申庚塡實.)

戊일 생인이 사주에 卯 乙이 없으면, 오히려 酉가 있어 卯를 衝[出]하여 亥未가 卯를 합하여 戊는 官星을 얻고, 壬癸의 財와 丙丁의 印綬를 좋아하고, 卯 乙을 보는 것을 꺼린다. 己일 생인이 사주에 寅 甲이 없으면, 오히려 申이 있어 寅을 衝[出]하여 午 戌이 寅을 합하면 暗으로 官星이 있고, 財 印을 좋아하고 寅 甲을 보는 것을 꺼린다. 丙 丁의 二일은 곧 "도충록마格"이다. 庚 辛 壬 癸의 四일은 곧 "비천록마격"로서 [官을 구하니] 그 例를 추리하라. 이상으로 四干[甲 乙 戊 己]의 衝 合은 모두 관성의 노출 및 月令이 손상당하는 것을 꺼리고, 官이 旺함을 타면 묘하게 되고, 衝神이 合을 만나고 기반羈絆하지 않으면 반드시 淸貴하여 장상將相 공후公侯가 되며, 하나라도 결缺하면 운수運數를 減하고, 破하면 貴는 衣食정도이고 甚破가 지나침하면 빈핍(貧乏;가난)하여 아무것도 없음하다. 세歲운運의 喜 忌도 동일하다. (戊日生人,柱無卯乙,卻有酉衝卯,亥未合卯,戊得官星,喜壬癸財,丙丁印,忌見卯乙.己日生人,柱無寅甲,卻有申衝寅,午戌合寅,即暗有官星,喜財印,忌見寅甲.丙丁二日,即倒沖祿馬格,庚辛壬癸四日,即飛天祿馬格,以例推之.以上四干衝合,皆忌官星明露,及受傷月令,得官乘旺爲妙,衝神遇合,不逢羈絆,必登淸貴,將相公侯,缺一則減分數,破則近貴衣食,甚者貧乏,歲運喜忌同.)

무보경에 이르길, 지절은, 가령 천간이 木에 屬하며 地元이 木에 屬하고 人元도 木에 屬하면 지절支節인데 그 사람은 부귀하여도 음란淫亂하지 않고 빈천貧賤하여도 변하지 않으며 위무威武에도 굴복하지 않는 대장부이다. 대개 음양陰陽의 배필配匹은 비유하면 육문六門과 같아 양간 半斤과 음간 半斤이라야 비로소 짝을 이루고, 그런데 편의(偏倚;한쪽으로 치우침)하면 조화造化를 이루기 어렵다. (巫寶經云,至節者,如天干屬木,支元屬木,人元屬木,乃爲至節,其爲人也,富貴不能淫,貧賤不能移,威武不能屈,大丈夫也.蓋陰陽匹配,譬如六門,陽干半斤,陰干半斤,方成配偶,倘遇偏倚,難成造化.)

만일 청결淸潔하며 정조貞操있고 조용한 여자라면 중정中正하고 현량賢良한 남편을 배우자로 원하듯이, 乙卯는 祿旺한 木으로 끝내 庚午 庚寅 庚子 庚辰의 金을 不合하는데, 이 쇠패衰敗한 金은 결국 乙卯의 旺木을 合할 수 없으니 어찌 이것을 얻겠는가? 運을 기다려 申 酉 金旺한 곳에 臨하면 乙 木이 순응하며 따를 것이다. 가령 열녀(烈女;乙木)인 곧은 무리는 庚申의 金이 旺하여야 짝이 되는 것인데, 庚午 庚寅 庚子 庚辰은 이러한 정숙한 여자를 妻가 된다면 굴복屈伏시킬 수 없다. 또 乙은 庚과 申을 夫로 삼는데, 柱중에 [庚申이] 없고, 오히려 子 辰 두 글자가 있으면 申중의 庚을 동하게 하여 合할 수 있으니 乙의 관성을 삼고, 이것이 있으면 寅字의 衝去를 재차 원하지 않아도 寅이 있어야 더욱 기묘奇妙하고, 사주에 子 辰이 없으면 衝出하여 取한다. (如淸潔貞靜之女,定要配中正賢良之夫,乙卯祿旺之木,終不合庚午庚寅庚子庚辰之金,此衰敗之金,終不能就合乙卯旺木,值此奈何?直待運臨申酉金旺之鄉,乙木隨時而順,如烈女直等庚申金旺爲配也,庚午庚寅庚子庚辰,不能屈伏,此貞女爲之妻也.且如乙用庚與申爲夫,柱無,卻有子辰二字,則能合起申中之庚,爲乙官星,有此不必再要寅字去衝,有寅更妙,柱無子辰,乃取衝出.)

甲寅,乙卯,丙午,丁未,戊午,己未,庚申,辛酉,壬子,癸亥 이상의 十日은 본래 身이 健旺하여 祿元을 충하는 것이 가장 긴요緊要하고, 壬辰 壬戌 戊辰 己丑은 祿을 충하면 급하지 않고 그 나머지 干은 불용不用한다. (甲寅,乙卯,丙午,丁未,戊午,己未,庚申,辛酉,壬子,癸亥以上十日本身健旺,衝祿元最

緊,壬辰,壬戌,戊辰,己丑,衝祿則慢,其餘干不用.如明神宗,癸亥辛酉癸亥辛酉,主本癸亥健旺,衝出巳中丙戊祿馬爲癸用,卻得二酉合住爲妙.)

예) 命造
辛 癸 辛 癸
酉 亥 酉 亥
明나라 神宗[황제]의 命인데, 보래 癸亥가 健旺하니 巳중의 丙 戊의 녹마祿馬를 衝出시켜 癸의 用神을 삼는데, 오히려 두 개의 酉가 [巳를] 합하여 머물게 하니 기묘奇妙하게 된 것이다.

7. 파관破官

四柱 원국에 財官 印綬가 없으면 오히려 破官하는 신辰이 있는데, 가령 癸卯일은 午중의 己土를 破出시켜 官으로 삼고, 甲午일은 酉중의 辛金을 破出시켜 官으로 삼는데, 柱중에 모름지기 [파출시키는] 1글자를 얻어 三合하면, 合으로 貴氣가 머물러 기묘奇妙하게 된다. (四柱元無財官印綬,卻有破官之辰,如癸卯日,破出午中己土爲官,癸酉日,破出辰中戊土爲官,甲午日,破出酉中辛金爲官,柱中須得一字三合,合住貴氣爲妙.)

원리부에 이르길, 卯가 午를 破하고 午가 酉를 破하면 재관쌍미財官雙美가 된다. 또 이르길, 年日의 지지에 破官하는 신辰이 없어도 月 時의 지지에 破官 合官하는 신辰이 있으면 귀하다. 가령 甲寅일이 破가 없고 月에서 丙午를 만나고 時가 己巳면, 午가 酉중의 辛을 破하여 官을 취하고, 巳가 있으면 酉를 합하며, 또 巳중의 丙戊가 辛을 합하여 귀한 것이다. (元理賦云,卯破午,午破酉,財官雙美.又云,年日支,無破官之辰,月時支有破官合官之辰,主貴.如甲寅日無破,月逢丙午,時臨己巳,此取午破酉中辛官,有巳合之,又用巳中丙戊合辛,爲貴.)

詩에서 말하길, 卯가 午 未를 破하면 관직이 높고, 午未가 酉를 破하면 보통으로 보고, 丑이 巳午를 破하는 것은 [破의] 例가 되지 않고, 子가 卯辰을 破하여도 用하기에 어렵지 않다. (詩曰,卯破午未有大官,午未破酉一般看,丑破巳午不爲例,子破卯辰用不難.)

8. 비재飛財

日干과 月干이 동일하거나 日支와 時支가 동일한 경우에 대궁對宮의 財를 衝出하는 것이다. 이 格을 얻으면 당연히 財祿이 發하고, 설기洩氣를 꺼리는데 흉하다. 만일 壬申일 생이 時支가 역시 申이면 두 개의 申이 寅중의 甲丙을 衝出한 財를 用하고, 歲運에서 子를 만나면 화化하여 水局을 이룬다. (日干同月干,日支同時支,衝出對宮之財是也.得此格,當發財祿,忌泄氣凶.如壬申日生,時支

亦申,二申衝出寅中甲丙爲財爲用,歲運遇子,則化成水局.)

만일 日干이 庚이면 局에게 洩氣를 당하여 傷官이 財를 생할 수 없고, 歲君이 柱내에서 재차 七煞을 만나 身을 극하면 반드시 사망한다. 대개 飛財格은 지지가 다른 局으로 변화하여서는 안 되기 때문이다. (如日干是庚,被局泄氣,傷官不能生財,歲君柱內,再逢七煞剋身,必死.蓋飛財格,支辰不可變化他局故也.如戊寅己未戊寅甲寅,三寅一甲七煞,六月全無財氣,比肩甚旺,卻得三寅衝出申中長生之水爲財,運行西北,資財巨萬.)

예) 命造
甲 戊 己 戊
寅 寅 未 寅
3寅 1甲이 七煞인데 6月에는 財氣가 전혀 없으며 比肩이 심히 旺하니, 오히려 세 개의 寅이 申중에 장생하는 水를 衝出시켜 財로 삼고, 運이 西北으로 나아가니 재물이 수만금이었다.

9. 파재破財

파재格은 乙卯일생이 八字에서 財官을 만나지 않고 卯字가 午 未중의 己土를 破出하여 財로 사용하게 되고, 寅戌의 한 字가 있어 財氣를 暗合하면 기묘奇妙하게 되고, 劫財의 전실塡實을 꺼리는데, 단 財의 위치 및 塡實 충하는 자리에 있으면 破로 나아가지 않은 것이다. (此格如乙卯日生,八字不見財官,用卯字破出午未中己土爲財用,要寅戌一字,暗合財氣爲妙,忌劫財塡實,但有財位,及塡實衝位,便破不行矣.)

가령 庚申 辛酉일이 寅 卯 辰의 木을 破하여 財로 삼고, 丙午 丁未일은 酉 戌의 金을 破하여 財로 삼으며, 壬子 癸丑일은 巳 午중의 火를 破하여 財로 삼는데, 이 며칠은 본래 日刃 日祿으로 본체本體가 자강自强하므로 衝破할 수 있으니 財를 취하여 用한다. 그 나머지 일주는 유약하니 破하고 빼앗기는데 어찌 횡재橫財할 수 있겠는가? 이 格에 해당하면 대부분 횡재할 수 있어 뜻밖의 재물을 취한다. (如庚申辛酉日,破寅卯辰之木爲財,丙午丁未日,破酉戌之金爲財,壬子癸丑日,破巳午中之火爲財,此數日本日刃日祿,本體自強,故可衝破,取財爲用,其餘日主柔弱,豈能破奪橫來財乎?合此格者,多能橫發,取不意之財.)

詩에서 말하길, 命속에 財가 없으면 破財를 살피는데, 破는 財祿이 산더미처럼 오고, 運이 官印으로 行하면 복이 더욱 많지만, 그러나 刑 衝 전실塡實은 재앙으로 두려워한다. (詩曰,命裏無財看破財,破來財祿似山堆,運行官印多多福,卻怕刑衝塡實災.又,卯破午未取財看,午未破酉總一般,丑破巳午財來廣,酉破辰卯福不難.)

10. 묘미요사卯未遙巳

요사格은 辛卯 癸卯 辛未 癸未의 四日로서, 辛癸가 巳중의 丙戊를 합하여 官이 된다. 잇달아 3~4位의 卯 字글자가 酉를 충하며 3~4位의 未 字글자가 丑을 衝해야하는데, 酉 丑은 巳중의 丙戊를 암합暗合하여 辛癸일의 官星이 된다. 巳 字글자의 塡實을 크게 꺼리며 세歲운運은 동일하다. 만약 [卯未가] 1~2位라면 요사格을 불용不用하고, 단지 財官의 貴와 食神으로 이를 단정한다. (此格以辛卯癸卯辛未癸未四日,辛癸合巳中丙戊爲官.要連見三四位卯字衝酉,三四位未字衝丑,酉丑暗合巳中丙戊,爲辛癸日官星,大忌巳字塡實,歲運同,若一二位,卽不用此格,只取財官貴食斷之.)

11. 호오분사虎午奔巳

이 格은 辛 癸일이 丑 寅을 만나는 것인데, 寅[巳]의 刑과 丑[巳]의 合을 취하여 刑合으로 巳중의 丙 戊가 나오니 辛 癸의 官星이 되고, 다시 하나의 酉字가 貴와 합하면 기묘奇妙하게 된다. 刑은 있는데 合이 없으면 녹祿이 머무를 수 없고, 柱에 申 巳를 만나면 즉 格이 되지 않는다. (此格乃辛癸日見丑寅,取寅刑丑合,刑合出巳中丙戊爲辛癸官星,更得一酉字合貴爲妙.有刑無合,祿不能住,柱見申巳,卽不入格.)

예) 命造-1
庚 辛 辛 壬
寅 丑 亥 戌

예) 命造-2
甲 癸 辛 甲
寅 丑 未 戌
상기 두 命은 호오분사格에 부합하여 귀하였다. (如壬戌辛亥辛丑庚寅,甲戌辛未癸丑甲寅二命,合格爲貴.)

詩에서 말하길, 辛 癸일生이 歲년 月 時에서 만약 寅 丑을 만나면 기묘奇妙하게 되고, 寅이 형하고 丑이 합하는 巳중의 녹祿이 부귀공명富貴功名의 근본인 것이다. (詩曰,辛癸日生歲月時,若逢寅丑便爲奇,寅刑丑合巳中祿,此是功名富貴基.)

12. 양격저사羊擊豬蛇

양격저사格은 辛未 癸未의 二일인데, 2~3개의 未字글자는 亥字와 合을 일으켜 巳중의 丙戊를 衝出하니 辛癸의 官이 되고, 柱에 酉丑이 한 글자라도 있으면 합하여 貴氣가 머물러 기묘奇妙하게 된다. 전실塡實 刑衝을 두려워한다. (此格乃辛未癸未二日,以二三未字合起亥字,衝出巳中丙戊,爲辛癸之官,柱有酉丑一字,合住貴氣爲妙,怕塡實衝刑.)

예) 命造-1
癸 癸 辛 甲
丑 未 未 戌

예) 命造-2
乙 辛 癸 庚
未 未 未 申
상기의 두 命은 양격저사격에 부합하니 모두 귀하였다. *如甲戌辛未癸未癸丑,庚申癸未辛未乙未二命,合格俱貴.)

詩에서 말하길, 양격저사격은 최강인데 日은 辛未나 癸未를 마땅히 만나야 하고 그리고 柱중에 재차 酉나 申字가 있어야 合祿으로 손상함이 없으니 묘당(廟堂=조정朝廷)에 들어가게 된다. 이상으로 모든 格들은 모름지기 柱중에 財 官이 없어야 비로소 사용하고 있으면 취하지 못한다. (詩曰,羊擊豬蛇格最強,日逢辛癸未相當,柱中再遇酉申字,合祿無傷入廟堂.以上諸格,須柱中無財官方用,有則不取.)

낙녹자가 이르기를, 무합유합無合有合은 후학後學들이 알기 어려운데, 득일분삼得一分三을 예전에 현인賢人들이 기재하지 않았다. 가령 寅과 戌이 있으면 午가 있음과 같고, 申과 辰이 있으면 子가 있음과 같은데, 이것이 득일분삼得一分三으로 그 원신元神을 보는 것인데, 이것이 있으면 福도 되고 禍도 된다. (珞琭子云,無合有合,後學難知,得一分三,前賢不載,如有寅有戌便有午,有申有辰便有子,是得一分三,看其元辰,有此爲福爲禍.)

갈라진 三合이 온전하면 오히려 대궁對宮의 물物이 갈라져 나올 수 있는데, 福도 되고 禍도 된다. 가령 寅 午 戌은 子중의 癸水가 갈라져 나오고, 申 子 辰은 午중의 丁火가 갈라져 나오고, 辛 癸일이 丑 寅을 만나면 刑合하여 巳중의 丙戊가 나오는데 모두가 무합유합無合有合이 된다. 학자學者들은 모름지기 이를 자세히 살펴야하는데 이 [양격저사는] 命의 이치가 미묘하기 때문이다. (叉三合全者,卻能叉出對宮物來,爲福爲禍.如寅午戌,叉出子中癸水,申子辰叉出午中丁火,辛癸日見丑寅,刑合出巳中丙戊,皆爲無合有合.學者須細詳之,此命之理,所以爲微也.)

13. 형충대합刑衝帶合

刑은 삼형이고 合은 육합이며, 刑은 비砒와 같고 合은 밀蜜과 같다. 사람들은 꿀의 단맛만을 알 뿐이며 안에 비소의 독해毒害가 있음을 알지 못한다. 이 格은 가령, 甲子가 己卯를 보고, 丙子가 辛卯를 보고, 庚申이 乙巳를 보는 종류인데, 천간은 합하며 지지는 형하니 上은 합하고 下는 형하는데, 人命에서 이것을 犯하면 대부분 주색酒色을 즐기고, 重하면 파가破家 상신喪身하고, 輕하면 고질병이 있으며 노경에 이르기까지 고치지 못한다. 만일 십분 格에 부합하면 권세가 있는 귀한 大命이지만, 酒色으로 연이은 질병은 免하지 못하며 규문(閨門=閨中;안방)의 德이 없다. 만약 천박한 命이라면 평생토록 술과 여자에 혼미昏迷하고 방랑 방탕하여 이루지 못하고, 運이 凶殺로서 身을 극하는 곳으로 흐르면 대부분 사망하게 되는데, 女命에서는 더욱 꺼린다. (刑者三刑,合者六合,刑者如砒,合者如蜜,人止知蜜之甛美,不知內有砒之毒害,此格如甲子見己卯,丙子見辛卯,庚申見乙巳之類,干合支刑,上合下刑,人命犯之,多耽酒色,重則喪身破家,輕則成疾,至老不改.如十分合格,亦有權貴大命,但不免酒色成疾,閨門無德.若是淺薄之命,終身花酒昏迷,漂蕩無成,運行凶煞剋身,多致喪生,女命尤忌.)

詩에서 말하길, 지지는 형하고 천간이 합하면 가장 좋지 못하니, 酒色으로 몸을 망치고 재화災禍가 따르는데, 설사 관직이 정내(鼎鼐;높은 관직)에 머물지라도 주색酒色으로 인해 身이 위태롭게 될 것이다.[34] (詩曰,支刑干合最非宜,酒色傷身災禍隨,縱使爲官居鼎鼐,也因好色致身危.)

14. 육음조양六陰朝陽

희기篇에 이르길, 6辛일이 戊子時를 만난 것인데, 午위를 싫어하고 運은 서방을 기뻐한다. 이 格은 6辛일을 위주로 하고, 辛은 丙을 官星으로 삼으며 癸는 壽星食神이 되고, 戊子 時를 좋아하는 것은 戊는 癸를 합하며 子는 辛의 생지生地이고 戊의 祿은 巳에 있으며 戊는 辛의 印綬이고 戊는 丙의 자식인데, 丙은 辛의 印綬인 戊를 만나면 丙은 오히려 戊를 생하며 辛은 합하여 貴가 되니 辛일은 관성을 얻는 것이다. (喜忌篇云,六辛日時逢戊子,嫌午位,運喜西方.此格六辛日爲主,辛以丙爲官星,以癸爲壽星,喜戊子時,以戊合癸,子乃辛之生地,戊祿在巳,戊來印辛,戊乃丙之子,丙見戊印辛,丙卻生戊合辛爲貴,辛日得官星也.)

柱중에는 단지 一位의 子 字글자여야 하며 많으면 적중的中하지 않고, 午의 衝과 丑이 기반羈絆하면 陰이 조양朝陽할 수 없고 丙巳가 전실塡實함을 싫어한다. 運은 서방의 金旺한 지지로 흐르는 것을 기뻐하고, 東北方의 財食傷은 그 다음이고 남방에서 사절死絶하면 꺼린다. (柱中只宜子字一位,多則不中,怕午衝丑絆,則陰不能朝陽,丙巳塡實,運行西方金旺之地,故喜,東北財傷,次之,南方死絶,則忌.)

---

34) 형충대합은 곤랑도화와 대동소이 하다.

이육음조양格은 마땅히 申 辰 亥 卯 未 酉월에 生해야 하는데, 만약 四季에 생하면 印綬로 논하고, 丙午 丙寅 丙戌月은 財 官으로 논하고, 甲寅 乙卯월은 단지 財로만 논한다. 月令을 위주로 하고 行運은 南 北에 구애받지 않으며 身旺하여야 기묘奇妙한데, 만약 이 格을 이루면 대부분 재물보다는 명성을 우선하며 사람됨이 자존심이 높아 남에게 굽이지 아니하며, 妻를 손상하고 자식을 害친다. 만일 위의 꺼리는 것을 犯하면 가난하며 보잘 것 없다. (此格只宜生申辰亥卯未酉月,若生四季,以印綬論,丙午丙寅丙戌月,以財官論,甲寅乙卯月,只以財論.月令爲主,行運不拘南北,身旺爲妙,若成此格,多名勝於財,爲人高亢,傷妻害子,如犯上忌,貧薄.)

또 말하길, 午에서 1陰이 생하며 亥에 이르면 6陰으로 마치고, 辛金이 亥에 坐하거나 혹 亥月에 생하면 6陰의 지지가 되며 子時를 얻으면 子중에 1陽이 시생되어 陰이 陽으로 돌아오므로 [朝陽이라] 부르는 것이다. 辛未 辛酉는 역시 같으나 나머지 三日[辛巳 辛卯 辛丑]은 같지 않은데, 이는 金은 水에 함涵하여 빼어나야 귀하게 된다. 或 이르길, 辛은 陰金이고 丙은 陽火이니 辛이 丙을 向하는 것이 조양朝陽이 아니면 무엇이겠는가? 六陰이라 하는 것은 오직 6辛일을 말하는 것인데 이 또한 통용通用되는 것이다. (又曰,午一陰生,至亥六陰畢,辛金坐亥,或生亥月,乃爲六陰之地,得子時,取子中一陽生,乃陰還陽,故名.辛未辛酉亦是,餘三日則非,是金水涵秀爲貴.或云,辛乃陰金,丙乃陽火,以辛向丙,非朝陽而何?六陰云者,猶言六辛日也,亦通.)

계선편에 이르길, 陰이 만약 조양朝陽을 만나면 丙丁의 離位를 절대 꺼린다. 경감에 이르길, 조양朝陽의 喜忌는 丙 丁을 두려워하여 離位를 싫어하고, 丑 字글자를 꺼리며, 運은 서방을 좋아하는데, 만약 전실全實하게 되면 삼장(三場;과거科擧 제도制度의 초시初試, 복시覆試, 전시殿試의 총칭)에 진출하기 어려우며, 丙丁을 만나면 입안立案으로 공명功名하고 그렇지 않으면 곡식을 나누어 백성을 구제하고, 어떤 사람은 공문公文에 힘쓸 것이다. 또 이르길, 四季나 가을에 생하여 亥 字가 없으면 부귀영화富貴榮華가 더욱 기이奇異하다. 계선篇에 이르길, 조양朝陽이 季月에 생하면 印綬로 칭한다. 진보부에 이르길, 육음조양이 印綬를 차면 淸朝[35]한 선비이다. (繼善篇云,陰若朝陽,切忌丙丁離位.景鑑云,朝陽喜忌,怕丙丁而嫌離位,忌丑字,運喜西方,若塡實時,三場難進,見丙丁位,立案功名,不然則輸粟濟衆,或者是主辦公文.又云,四季秋生無亥字,榮華富貴業尤奇.擧善篇云,朝陽生於季月,可稱印綬.眞寶賦云,六陰朝陽帶印,淸朝之士.)

비결에 이르길, 辛일 子時는 火의 지지로 行하는 것을 꺼리고, 西北으로 行하면 길하지만 동남으로 한번 行하면 凶함이 근심된다. 고가에 이르길, 辛이 戊子를 만나는 것을 조양朝陽이라 한다. 運은 서방을 좋아하며 祿位가 창성하고, 丑 午 丙 丁이 출현出現하지 않으면 허리에 금대金帶를 두르고 자의붉은 옷을 입고 조당(朝堂=조정)에 들게 된다. 또 남방은 보통이지만 北方은 가장 싫어하며, 서방이 제일이고 東方은 그 다음이다. 만약 다시 子 字글자를 만나지 않으면 조당(朝堂=조정)에 이름을 드날리는 귀한 신분이 된다. (秘訣云,辛日子時,忌行火地,西北行來則吉,東南

---

35) '淸朝'란 淸나라 조정인데, 삼명서적이 나온 것은 明代이니 다소 意外다. 깨끗한 조정의 선비라는 말일 것 같다.

一去憂凶.古歌云,辛逢戊子號朝陽,運喜西方祿位昌,丑午丙丁無出現,腰金衣紫入朝堂.又,南地平平最嫌北,西方第一次東方,若還子字無相遇,貴處朝堂姓字香.)

또, 辛일生이 戊子 時를 만나면 戊가 와서 辛의 官이 되는 丙을 동하게하여 6陰의 金은 조양格에 부합하니 富貴의 토대가 되기에 어렵지 않고, 子宮은 단지 一位를 얻어야 하는데, 만약 많으면 1子보다 복이 도리어 감소하고, 丙 丁 巳 午는 모두가 흔적이 없고 運이 서방으로 向하면 귀한 자리에 든다. 또, 6陰[朝陽격]은 서방의 運行을 기뻐하고, 동방에 다다르면 吉함이 창성하고, 北方은 대부분 不吉하니 가장 두려워하고, 南의 離宮은 衝 破하여 재앙이 있게 된다. (又,辛日生時逢戊子,戊來動丙作辛官,六陰金合朝陽格,富貴鎡基是不難,子宮只宜得一位,若多一子福還慳,丙丁巳午俱無跡,運向西方入貴班.又,六陰行運喜西方,臨到東方也吉昌,最怕北方多不吉,南離衝破主災殃.)

조양朝陽貴格은 6辛金이 戊子時에 머물러 복이 두텁고, 子는 會合하여 연못을 이루어 貴함을 감추고, 戊가 오면 丙이 동하여 官을 얻고, 丙 丁이 분명히 나타나는 것을 진실로 꺼리고, 巳 午를 거듭 만나면 가증스럽고, 運은 서방을 지나는 것이 제일인데, 만일 남방 離宮이면 禍가 반드시 臨한다. (又,朝陽貴格六辛金,戊子居時福轉深,子隱貴淵成會合,戊來動丙得官神,丙丁明現誠爲忌,巳午重逢亦可憎,運歷西方爲第一,如轉南離禍必臨.)

자고天에서는, 戊子時가 6辛日을 만나면 朝陽으로 丙이 동하여 官星이 되고, 庚 辛 甲 乙이 상련相連함을 좋아하고, 자수(紫綬;자색으로 수놓은 관복)의 금장을 찬 재상이 되고, 寅卯는 귀하며, 丙丁은 가난하고 불리하여 身을 손상함이 있고, 중화中和되어 한쪽으로 치우치지 않으면 조정朝廷에 편히 앉아 모든 사람을 다스리게 된다. (鷓鴣天,戊子時逢日六辛,朝陽合丙動官星,庚辛甲乙相連喜,紫綬金章作宰臣,寅卯貴,丙丁貧,南方不利有傷身,中和稟得無偏倚,穩坐朝堂治萬民.)

15. 육을서귀六乙鼠貴

희기篇에 이르길, 陰木乙이 오직 子時를 만나야 육을서귀六乙鼠貴의 지지가 된다. 乙은 子申이 귀한 神이 되는데, 오직 子를 보면 鼠子는 用하지만 猴申는 不用하는 것이다. 乙은 庚金을 官星을 삼는데, 丙子 時를 얻으면 子上에 丙火는 巳중의 본래의 녹祿이 멀리서 돌아오니 巳가 와서 申을 합하며 申이 와서 子를 동하게 하는 이것을 일러 申 子 辰 三合하여 貴가 모인다고 하고, 申중에 있는 庚이 오면 乙일은 官星을 얻는 것인데, 申時를 用하면 관성이 나타난 것이므로 취하지 않는다. 만약 子 字글자가 많으면 취귀(聚貴;貴가 모임)라 하여 더욱 기묘奇妙하다. (喜忌篇云,陰木獨遇子時,爲六乙鼠貴之地.乙以子申爲貴神,獨遇子者,用鼠不用猴也.乙用庚金爲官星,得丙子時,以子上丙火,遙歸巳中本祿,巳來合申,申來動子,是謂申子辰三合貴會,謂申中帶將庚來,乙日得官星,用申時則官星顯露,所以不取.若子字多,謂之聚貴,尤妙.)

年月중에 午의 충이나 丑의 기반羈絆이 있으면 子는 멀리서 祿을 끌어올 수 없고, 申 庚은 官이 노출한 것이며 酉 辛은 煞이 노출한 것인데 丙이 子에게 손상을 당하면 오히려 해당되지 않은 것이다. 歲 運도 동일하다. 이 格은 月에 木局이 통하여야 하며 日下의 지지 모두 목왕木旺한 지지이어야 하고, 水의 印綬는 역시 옳으나 金 火를 만나는 것은 꺼리는데, 만약 歲運에서 申 酉를 만나면 凶함을 후회하고, 東方은 점점 쇠퇴하고, 午運이면 사망한다. (年月中,有午衝丑絆,則子不能遙祿,申庚爲官露,酉辛爲煞露.被丙傷子,反不中矣.歲運同.此格要月通木局,日下支神皆是木旺之地,水印亦可,忌見金火,若若歲運逢申酉凶悔,東方漸退,午運則亡.)

예) 命造
丙 乙 辛 壬
子 未 亥 寅
상기의 命은 육을서귀格에 부합하는데, 만약 乙丑일이면 子를 기반羈絆하고, 乙酉일이면 煞이 손상하니 運數를 減하고, 1子의 字글자가 卯의 형刑이나 丑의 기반羈絆을 만나는 것을 두려워하지만 많으면 무방하고, 辛이 투출하여 旺하지 않은데 재차 丙丁의 合剋이 있으며 丙이 辛을 합하여 水로 화化하고, 運이 順行하여 貴를 손상하지 않는다. (如一命,壬寅辛亥乙未丙子,合格,若乙丑日絆子,乙酉日煞傷,則減分數,一子字,怕見卯刑丑絆,多則不妨,透辛字不旺,再有丙丁合剋,丙合辛化水,運順行,不傷貴.)

예) 命造
丙 乙 丙 己
子 卯 子 丑
두 子[사이]에 하나의 卯가 끼어있고,

예) 命造
丙 乙 壬 丁
子 丑 子 巳
두 子[사이]에 하나의 丑이 끼어있는데, 비록 위에서 말한 꺼리는 것을 犯하였더라도 오히려 교협交夾하여 귀한 가운데 생하였으므로 두 命造 모두가 크게 귀하였다. (如己丑丙子乙卯丙子,兩子夾一卯,丁巳壬子乙丑丙子,兩子夾一丑,雖犯上忌,卻是交夾貴中生,故皆大貴.)

만약 하령夏令에 생하면 단지 傷官으로 論하고, 7~8月에 생하면 가난한 것보다 못하다. 만일 庚申월인데 運은 北方의 지지면 오히려 官으로 論한다. 사계四季에 생하면 財庫가 있는데, 水局 傷官 食神을 기뻐하고 남방의 運도 또한 길하다. 무릇 月令에서 財 官 印이 旺하면 財 官을 取用하며 午가 子를 충하여야 禍가 되지 않는다. 만일 鼠貴格에 해당하고 柱에서 未가 午를 합하면 손괴損壞하니 富하여도 허명虛名이다. (若生夏令,只以傷官論.生七八月貧下.如得庚申月,運北地,卻以官論.生四季,有財庫,喜水局傷官食神,南運亦吉.凡月令見財官印旺,即以財官取用,不以午衝子爲

禍.如合鼠貴,柱有未合午,略有損壞,富而虛名.)

상심부에 이르길, 육을서귀는 午의 충을 보면 적빈여세(赤貧如洗;가난하기가 마치 물로 씻은 듯하여 아무 것도 가진 것이 없다)하다. 진보부에 이르길, 서귀鼠貴에 食神이 있으면 조위번성미원지상蚤爲藩省薇垣之相이다. 詩에서 말하길, 乙木생이 丙子 時에 臨하면 午의 破와 卯의 형刑이 없으며 사주에 申 酉 丑을 만나지 않으면 소년 시절에 관교官敎를 받고 단지丹墀에 절하게 된다. 또 이르길, 육을서귀가 생時에 있으면 官 煞 衝 破는 좋지 않고, 月중에 通한 眞 三木을 얻어야 비로소 利와 녹祿이 기이奇異하게 된다. 또, 乙일 생인生人이 子時를 얻으면 이름을 鼠貴라 하며 가장 기이奇異하게 되고, 午 字글자가 와서 衝破하는 것을 절대로 싫어하고, 辛 酉 庚 申은 모두 좋지 않다. (相心賦云,六乙鼠貴,遇午衝而赤貧如洗.眞寶賦云,鼠貴帶食,蚤爲藩省薇垣之相.詩曰,乙木生臨丙子時,要無午破卯刑之,四柱不逢申酉丑,管教年少拜丹墀.又,六乙鼠貴在生時,煞官衝破不相宜,月中通得眞三木,方可當元利祿奇.又,乙日生人得子時,名爲鼠貴最爲奇,切嫌午字來衝破,辛酉庚申總不宜.)

또, 6乙 생인이 子時를 보고 이미 관성이 있는데 이를 다시 用하면 庚 申 辛 酉 馬午 牛丑를 기만하니 1位라도 만나면 걸인이 된다. 또, 乙일은 時에서 丙子의 旬을 만나면 관성이 月중에 있어서는 안 되며, 乙丙은 羊刃을 생부生扶할 수 있고, 丙이 형刑을 얻고 庚은 貴神에 이르면 그 格은 刃 午를 만나는 것은 좋지 않으며, 해당되어도 역시 庚辛을 만나는 것은 꺼리는데, 만약 歲運에서 그 이치와 같이 추리하면 破가 없어야 조용하고 여유가 있으며 복을 누리는 사람이다. (又,六乙生人時遇子,旣帶官星復用此,庚申辛酉馬牛欺,一位逢之爲丐子.又,乙日時逢丙子旬,官星不要月中存,乙丙能生扶羊刃,丙得刑庚至貴神,其格不宜逢刃午,於中亦憚見庚辛,若推歲運如其理,無破淸閑享福人.)

서강月에서, 乙일 생이 丙子를 만나면 이름을 서귀유현鼠貴幽玄이라 하고, 衝도 없고 破도 없어야 복이 완전하고, 印 食 身이 旺하면 대부분 현달顯達하고, 子가 많아야 貴가 모이게 되는데, 衝破를 만나면 허물이 있고, 봄에 印綬의 지지에 생하면 복이 넘쳐나고, 歲 運이 金鄕이면 戰剋한다. (西江月,乙日生逢丙子,名爲鼠貴幽玄,無衝無破福周全,印食身旺多顯,子多名爲聚貴,略逢衝破有愆,生春印地福滔天,歲運金鄕剋戰.)

16. 일록귀시日祿歸時-1~2

1.

희기篇에 이르길, 日의 녹祿이 時에 있으며 관성이 몰沒하면 청운득로靑雲得路라 한다. 이 格은 7日이 있는데, 甲은 寅時, 丁은 午時, 戊는 巳時, 己는 午時, 庚은 申時, 壬은 亥時, 癸는 子時로 日柱의 녹祿이 時의 위치에 있는 것이다. 日干이 旺한 곳에 坐한 것을 좋아하고, 印綬가 생月

이며 財의 원천이 되는 傷官 食神이 투출하고 천월이덕天月二德이 되면 크게 부귀하다. 刑 衝 破 害 공망 死絕 및 겁재가 祿을 分奪하는 것과 倒食이 合을 하는 것과 官煞이 制剋하는 것을 꺼리는데, 비록 취용取用한다 하더라도 순수純粹하지 않은 것이다. 세운歲運도 동일하다. (喜忌篇云,日祿歸時,沒官星,號青雲得路.此格有七日,甲寅丁午戊巳己午庚申壬亥癸子,日主之祿,歸於時位,喜日干坐旺,印綬生月,透財元傷食,天月二德,主大富貴.忌刑衝破害空亡死絕,及劫財分祿,倒食作合,官煞剋制,雖可取用,亦不純粹.歲運同.)

만일, 乙일이 己卯 時를 만나면 시상편재時上偏財이고, 丙일이 癸巳 時를 보면 관성이 투출한 것이고, 辛일이 丁酉時를 만나면 시상편관時上偏官이 되어 귀록격歸祿格이 되지 않는다. 四柱를 어떻게 봐야하는가? 만약 月에 관성이 있고 혹 천간에 財官이 투출하면 단지 財官으로만 논하고, 만약 時支에 歸祿하고 年 月 時에도 역시 녹祿이 있으면 취복귀록聚福歸祿이라 하고 또 오행귀록五行歸록이라고도 한다. 만약 日의 녹祿이 時에 있으며 時의 녹祿이 日에 있으면 호환록互換祿이라 한다. (如乙日見己卯時,是時上偏財,丙日見癸巳時,是官星顯露,辛日見丁酉時,是時上偏官,不作歸祿格.看四柱何如?若月有官星,或天干透財官,只作財官論,若時支歸祿,年月時支亦有祿,謂之聚福歸祿,又謂五行歸祿,若日祿歸時,時祿歸日,謂之互換祿.)

만약, 年의 祿은 時에 있고 時의 祿은 年에 있는 경우, 가령 甲申이 庚寅을 보고, 乙酉가 辛卯를 만나고, 壬午가 丁亥를 보고, 癸亥가 壬子를 만나는 等의 종류인데, 모두가 크게 歸하며 복을 누린다. 만약 祿의 자리를 거듭 보는 경우, 가령 甲일의 寅時이며 그리고 正月에 생하여 財 官이 모두 弱하면 단지 建祿으로 봐야하고, 만약 月 日이 天元이 같은데 時에만 녹祿이 있으면 분록分祿이라 하여 무용無用하게 되는데, 만약 각각의 녹祿이 있으면 오히려 무방無妨하다. 이 [일록귀시]格에는 7法이 있다. (若年祿歸時,時祿歸年,如甲申見庚寅,乙酉見辛卯,壬午見丁亥,癸亥見壬子等類,俱主大貴享福,若重見祿位,如甲日寅時,又生正月,財官俱弱,只作建祿看,若月日天元同,而止有時祿,謂之分祿,便爲無用,若各自歸祿,卻又不妨.此格有七法.)

처음 말하길, 청운득로青雲得路이다.

예) 命造
己 乙 甲 戊
卯 亥 寅 子
四柱중에 한 점의 관성도 없으며 身旺한 局을 얻고 印綬가 생조生助하고 있는데, 비록 子가 卯의 祿을 刑할지라도 局을 破할 수 없으므로 귀하다. (一曰青雲得路,如戊子甲寅乙亥己卯,柱中無一點官星,身旺得局,有印生助,雖子刑卯祿,不能破局,故貴.)

예) 命造
辛 壬 庚 壬

亥 子 戌 午
신왕한데 印綬가 도우니, 戊辰 年에 진사進士에 오르고 형부刑部의 낭중郞中이 되었다. 잡기格으로 논하는 것이 더욱 옳은데, 따라서 丁丑運 戊辰年에 등과한 것은 丑은 형하며 辰은 충하기 때문인 것이다. (又壬午庚戌壬子辛亥,身旺印助,登戊辰進士,爲刑部郎中,作雜氣格論,尤是,故丁丑運,戊辰科,丑刑辰衝故也.)

두 번째 말하길, 관성좌록官星坐祿이다.

예) 命造
癸 丙 丙 丙
巳 申 申 申
丙은 癸가 정관인데, 7月에 생하여 金에 의탁하며, 運은 西北의 官이 생왕生旺한 곳으로 行하고, 丙은 申에 臨하여 無氣한데, 세 개의 丙이 서로 의지하며 寅 장생長生을 衝[出]하고, 癸 官이 巳에 臨하니 용신用神이 귀인에 坐하여 재관쌍미財官雙美를 얻었다. 따라서 少年에 급제及第하여 중년中年에는 정승으로 임명 받았다. (二曰官星坐祿,如丙申丙申丙申癸巳.丙以癸爲正官,生七月,金鄕有托,運行西北官生旺之鄕,丙臨申無氣,三丙相倚,衝寅長生,癸官臨巳,用神坐貴,得財官雙美,故少年及第,中年拜相.)

세 번째 말하길, 귀록봉이덕歸祿逢二德이다.

예) 命造
丙 甲 辛 辛
寅 寅 卯 亥
甲의 專祿과 丙寅을 얻으니 食神에 녹祿이 모이며, 甲은 月德이 되고, 月令辛卯는 甲의 정관이 되지만 辛은 2月에 無氣한데 두 寅중의 丙이 2개의 辛을 合去하여 두 寅만 있어 甲의 녹祿이 되고, 月德에 歸祿을 만나니 공명정대하게 보국輔國하는 영웅英雄이다. (三曰歸祿逢二德,如辛亥辛卯甲寅丙寅,甲專祿而得丙寅,爲食會祿,甲爲月德,月令辛卯爲甲正官,辛逢二月無氣,二寅中丙合去二辛,止有二寅,爲甲之祿,月德逢歸祿,乃平章輔國英雄.)

2.
네 번째 말하길, 귀록봉인수歸祿逢印綬이다.

예) 命造-1
丙 甲 壬 丁
寅 子 子 未
두 子의 印綬가 旺하고 丁과 壬이 木으로 화化하며 寅時가 되니 목왕木旺하고, 운에서 官 煞을 만나도 丙 丁이 制 합하여 局을 손상할 수 없으므로 귀하다.

예) 命造-2
丙 甲 丙 壬
寅 辰 午 寅

예) 命造-3
丁 戊 癸 丙
巳 午 巳 戌
일록이 歸時하고 官 煞을 만나지 못하여 丙 食神을 用하는데 寅에서 장생長生하고 午에서 旺함을 기뻐하며 午중의 己土가 財가 되고, 年干의 印綬는 日에서의 고庫에 旺하므로 조상의 음덕蔭德으로 가업과 벼슬을 물려받아 富貴와 명성을 이루었다. (四曰歸祿逢印綬,如丁未壬子甲子丙寅,二子印旺,丁壬化木,引至寅時木旺,運逢官煞,丙丁制合,不能損局,故貴.又壬寅丙午甲辰丙寅,日祿歸時,不逢官煞,用丙爲食,喜生寅旺午,午中己土爲財,年干印綬,庫旺於日,所以承祖蔭受職,富貴成名.)

四柱에 한 점의 官星이 없으며 丙丁의 印綬와 戊가 日時에서 祿을 서로 바꾸고, 午 戌 巳는 모두 火의 지지인데, 印綬가 身을 생하여 太旺하고, 運은 서방으로 行하니 食神 傷官의 지지로 財를 생하며 癸와 戊가 합화合化하여 火의 상象을 이루므로 소년시절에 등과 급제하여 관직이 3品에 이르렀다. (又丙戌癸巳戊午丁巳,柱無一點官星,丙丁印,戊日時祿互換,午戌巳俱是火地,印綬生身太旺,運行西方,食神傷官之地生財,癸與戊合,化成火象,所以少年登第,官至三品.)

다섯 번째 말하길, 귀록봉상관歸祿逢傷官인데 官을 만나는 것을 크게 싫어한다.

예) 命造
庚 己 乙 壬
午 亥 巳 辰
己가 亥에 坐하여 [亥중의] 甲은 官이 되는데 巳가 충거衝去하고, [월상에] 乙은 煞이 되는데 庚과 합화合化하여 眞金 傷官이 되고, 壬의 財를 用하는데 고庫에 坐하며 日下에 녹祿이 있다. 運이 남방으로 行하여 身旺하고, 서방은 金旺하여 傷官으로 煞을 除去하니 財氣가 생出하여 有用하니 영령수실英靈秀實의 귀한 것이다. (五曰歸祿逢傷官,大忌見官,如壬辰乙巳己亥庚午,己坐亥,有甲爲官,得巳衝去,有乙爲煞,得庚合化,爲眞金傷官,用壬爲財,坐庫,歸祿日下,運行南方身旺,西方金旺,傷官去煞,生出財氣,有用,英靈秀實之貴也.)

여섯 번째 말하길, 귀록봉살歸祿逢煞이다.

예) 命造

丁 戊 丙 甲
巳 申 寅 申
戊가 申에 坐하여 自生하고, 年干의 甲 煞이 투출하여 寅에 녹祿이 있고 두 申이 寅을 제制하고, 戊는 時의 지지에 녹祿이 있어 官의 혼잡混雜함이 없으므로 병권兵權을 장악掌握하여 변강(邊疆;변경)까지 위세를 떨쳤다. (六曰歸祿逢煞,如甲申丙寅戊申丁巳,戊坐申自生,年干透甲爲煞,歸祿於寅,二申制之,戊歸祿時地,無官混雜,所以掌握兵權,威鎭邊疆.)

일곱 번째 말하길, 귀록봉재歸祿逢財이다.

예) 命造-1
丙 丁 丙 己
午 丑 寅 亥
財庫에 자좌自坐하여 丙이 奪財하는 것을 亥중의 壬이 제制하고, 寅과 亥가 합하여 운에서 官煞을 만나도 比肩이 强旺하여 임무를 감당하고, 己土 食神은 時에 녹祿이 있으니 그 官 煞을 제制하고, 運이 戌 酉 申 行하면 모두 財旺한 지지이므로 귀한 것이다. (七曰歸祿逢財,如己亥丙寅丁丑丙午,自坐財庫,丙奪財,亥中壬制,寅與亥合,運逢官煞,比肩強旺,可以勝任,己土食神,歸祿於時,制其官煞,運行戌酉申,俱財旺地,故貴.)

예) 命造-2
丁 戊 丙 甲
巳 子 子 子
셋의 子가 財가 되니 [財가] 많으며 또 旺하고, 年干에 甲이 투출하여 煞이 생을 만나고, 日干 戊土가 時에 녹祿이 있으니 득지得地함을 기뻐하고, 월간의 火 印綬도 時에 녹祿이 있는 것이므로 크게 귀하였다. (如甲子丙子戊子丁巳,三子爲財,多而且旺,年干透甲,爲煞逢生,喜日干戊土,歸祿於時得地,月干火印,亦歸祿於時,所以大貴.)

독보에 이르길, 일록귀시는 청운득로(靑雲得路;벼슬길에 오름)하며, 月令에 財官이 이를 만나면 길한 도움을 받는다. 원리부에 이르길, 歸祿이 財를 얻으면 복을 얻지만 歸祿은 財가 없으면 가난하다. 또 이르길, 일록귀시는 四柱 歲運에서 모두 관성을 좋아하지 않고, 刑 害가 있으면 그 복이 반감半減된다. 경감에 이르길, [일록귀시]가 官 煞을 만나면 벼슬길에 오르기 어렵고, 刑 害 驛馬가 있으면 身이 영화롭다. 호중자가 이르길, 두대각답(頭戴脚踏;머리에 이고 다리로 밟는 것)하는 것은 甲年이 寅時를 만나듯이 희소稀少하다. (獨步云,日祿歸時,靑雲得路,月令財官,遇之吉助.元理賦云,歸祿得財而獲福,無財歸祿亦須貧.又云,日祿歸時,四柱歲運,皆不喜官星,有刑害,其福減半.景鑑云,見官煞靑雲難遂,著刑害驛馬榮身.壺中子云,頭戴脚踏,罕遇甲年寅時.)

詩에서 말하기를, 日柱가 생時에서 祿을 만나 충이 없고 刑도 없으며 공망이 되지 않고, 官 煞

이 臨하지 않고 財와 印綬가 旺한데 傷 食과 身이 健旺하면 녹祿이 천종千鍾이다. 또 6甲 생인은 녹祿이 寅에 있는데, 만약 官을 만나면 貴가 되기 어렵고, 身이 健旺하지 않으면 印綬의 생함을 기뻐하고, 녹祿이 많이 남으면 食神을 좋아한다. 만약 충을 보면 재앙이 반드시 이르고, 流年과 大運은 모두 동일하게 논하고, 부귀하며 尊崇받아 衆人을 압도한다. (詩曰,日主生歸時祿逢,無衝無刑不落空,官煞不臨財印旺,傷食身健祿千鍾.又,六甲生人祿在寅,若逢官曜貴難伸,身無健旺忻生印,祿有多餘愛食神.若遇相衝災必至,忽遭剋破福無因,流年大運皆同論,富貴尊崇壓衆人.)

17. 공록공귀拱祿拱貴

희기篇에 이르기를, 공록 공귀拱祿 拱貴는 전실塡實하면 흉하고, 拱은 向이며 夾이다. 祿은 臨官건록의 祿을 말하고, 貴는 官星의 貴를 말한 것인데 혹 天乙貴人을 지칭하기도 하고, 공록拱祿은 5日 5時가 있는데 癸亥癸丑, 癸丑癸亥는 子祿을 拱하며, 丁巳丁未, 己未己巳는 午 祿을 拱하고, 戊辰戊午는 巳祿을 拱한다. 공귀拱貴도 5日 5時가 있는데, 甲申甲戌은 酉를 拱하고, 乙未乙酉는 申을 拱하여 官貴가 되고, 甲寅甲子는 丑을 拱하며, 戊申戊午는 未를 拱하고, 辛丑辛卯는 寅을 拱하며 官貴와 천을貴人도 兼한다. (喜忌篇云,拱祿拱貴,塡實則凶,拱向也,夾也.祿是臨官之祿,貴是官星之貴,或指天乙貴人,拱祿有五日五時,癸亥癸丑,癸丑癸亥,拱子祿,丁巳丁未,己未己巳,拱午祿,戊辰戊午,拱巳祿.拱貴有五日五時,甲申甲戌,拱酉,乙未乙酉拱申,是官貴,甲寅甲子拱丑,戊申戊午拱未,辛丑辛卯拱寅,官貴兼天乙貴.)

무릇 공격拱格은 모름지기 日과 時의 천간이 같고, 貴祿과 月令의 기가 通해야 하고, 運行은 身旺하며 그리고 貴祿의 왕지旺地가 매우 좋은데, 印綬 傷官 食神 財星의 運도 길하고, 刑 衝 破 害 羊刃 七煞을 꺼리며 日時가 손상되었으면 拱에 貴氣가 머물지 않으니, 塡實과 공망을 크게 꺼린다. 비유하자면, 그릇은 비어 있으면 담을 수 있지만 가득하면 사용할 수 없는 것이므로 단지 拱은 비어 있어야 하고, [그릇이] 온전하면 담을 수 있으나, [그릇이] 破하면 사용할 수 가 없는 것이므로 공망을 만나는 것을 두려워하는 것이다. 세歲, 운運도 동일하다. (凡拱格,須日時同干,貴祿與月令通氣,運行身旺,及貴祿旺地方大好,印綬傷官食神財運亦吉.忌刑衝破害羊刃七煞,傷了日時,拱不住貴氣,大忌塡實空亡,譬如器皿,虛則能容,實則無用,所以只宜虛拱,完則能盛,破則無用,所以怕見空亡,歲運同.)

또 이르길, 허공에서 拱하는 法은 拱하여 나오는 허공虛空중의 물物을 살피는 것인데, 내 집에 어떤 물物이 혹 吉神과 凶煞의 종류가 매여져 있는가? 만일 子寅이 丑을 拱하면 甲日이 官星을 얻는데 未가 있어서 丑을 충하면 공협拱夾하지 않고 貴氣가 튀어나와 달아나는데, 만약 未는 없고 辰 戌이 있으면 비록 핍박하더라도 急하니 오히려 바라게 되고, 亥卯가 있으면 拱한 기운이 견고한데, 하나라도 缺하면 편고偏枯하여 질서를 잃게 되는데, 이것이 소방면小方面의 格이다. (又云,虛拱之法,看拱出空中之物,端係我家何物,或吉神凶煞之類.如子寅拱丑,甲日固得官星,有未衝丑,

則拱夾不定,貴氣走透,若無未,有辰戌,逼迫雖急,猶且庶幾,有亥卯則拱氣堅牢,缺一則偏枯失序,此小方面格也.)

또, 丑 寅 巳 午는 卯 辰을 공협拱夾하여 광절포고廣切包顧하고, 卯辰에 나의 貴氣가 있으면 다시 남은 천간으로 그 안의 유정有情한 것을 깨우는데 중방면中方面의 格이다. 또 東西南北의 지면地面을 拱하면, 남방의 巳 午 未는 자연히 火氣가 있고, 東方의 寅 卯 辰은 자연히 木氣가 있으니 대방면大方面의 格이다. 만약 格局이 웅장하지 아니하면 體가 대기(大器;큰 그릇)하여 취하는데 어지럽지 않고 매우 소통됨이 넓기 때문이다. (又如丑寅巳午,拱夾卯辰,廣切包顧,而卯辰有我貴氣,更以餘干喚醒其內有情者,中方面格也.又如拱東西南北地面,南則巳午未,自然有火氣,東則寅卯辰,自然有木氣,大方面格也.若非格局雄壯,體段大器,不敢亂取,大疏闊故也.)

賦에 이르기를, 녹祿이 重한 위치를 나타내면 협록夾祿하는 곳을 알게 되는데, 가령 癸丑이 癸亥를 보면 子位를 拱하며, 癸의 녹祿이 秋冬에 생하면 녹祿이 重하여 有氣하다. 가령 戊子가 甲寅을 만나도 또한 丑의 貴가 拱하지만 그러나 戊가 甲에 극을 받게 되니 어찌 丑을 拱할 수 있겠는가? 나머지는 例로써 추리하라. 독보에 이르기를, 공록 공귀拱祿拱貴는 전실塡實하면 흉하니, 제강提綱을 用하는데 있어 논하는 것이 서로 같지 않다. (賦云,祿重位顯,定知夾祿之鄉,假如癸丑見癸亥,拱子位,癸祿生秋冬,祿重有氣,如戊子見甲寅,亦拱丑貴,然戊受甲剋,豈能拱之,餘以例推.獨步云,拱祿拱貴,塡實則凶,提綱有用,論之不同.)

三命에 이르기를, 협록 협귀夾祿 夾貴는 반드시 팔좌지존八座之尊에 거한다. 심경에 이르기를, 천간이 旺하고 祿貴가 夾하면 청정淸正한 관원이다. 경감에 이르기를, 공록 공귀拱祿 拱貴가 순수純粹하면 왕후王侯와 동등하고, 전실塡實되면 허명허리虛名虛利하고, 財 印이 없으면 傷官의 害를 좋아하지 않으며 官煞을 꺼리고, 또 공망을 두려워한다. (三命云,夾祿夾貴,必居八座之尊.心鏡云,干旺而祿貴夾,淸正官員.景鑑云,拱祿拱貴,純粹者,王侯之倫,塡實者,虛名虛利,無財印,不喜傷害,忌官煞,又怕空亡.)

詩에 이르기를, 日時의 한 쌍이 拱祿이 되면 금궤장주격金匱藏珠格으로 가장 청淸하고, 지극히 귀하며 뛰어난 君子의 命이고, 근심걱정이 없으며 공경公卿에 이른다. 또, 貴神을 허공虛空에서 공拱하고 兼하여 祿位는 전실塡實 및 공망을 만나지 않고, 衝 刑 羊刃과 아울러 七煞이 官星을 破敗하는 것은 마땅하지 않다. 또, 拱祿拱貴格중에는 드물게 月令의 지지로 보는데, 提綱이 有用하면 提綱이 重하고, 月令에 用神이 없어야 기묘奇妙하다. 또 拱하는 곳이 塡實되는 것을 두려워하고, 傷官이 月支에 있는 것을 두려워하고, 陽刃이 重重하면 破格이 된다. 만일 破함이 없으면 貴는 틀림없다. (詩曰,日時雙拱祿中庭,金匱藏珠格最淸,至貴至高君子命,無憂無慮到公卿.又,虛拱貴神兼祿位, 不逢塡實及空亡,衝刑羊刃併七煞,破敗官星不可當.又,拱祿拱貴格中稀,也須月令看支提,提綱有用提綱重,月令無神用此奇.又,所拱之位怕塡實,又怕傷官在月支,陽刃重重來破格,如無此破貴無疑.)

18. 충록衝祿

이 格은 예컨대, 庚의 祿은 申인데 사주에 申이 없으며 庚寅일에 年 月 時에 다시 寅 字글자가 아울러 있으면 申을 衝[出]하여 庚의 녹祿이 된다. 甲의 祿은 寅인데 사주에 寅이 없고 오히려 甲申일에 年 月 時에 다시 申字글자가 아울러 있으면 寅을 衝[出]하여 甲의 녹祿이 된다. 丙이 庚을 손상하는 것과 庚이 甲을 손상하는 것을 크게 꺼리고, 祿의 자리를 전실塡實하면 귀하지 못한다. 나머지는 例로서 추리하라. (此格如庚祿申,柱中無申,得庚寅日,年月時,再有寅字併衝申,爲庚之祿.甲祿在寅,柱中無寅,卻得甲申日,年月時再有申字併衝寅,爲甲之祿.大忌丙傷庚,庚傷甲,塡實祿位,則不貴.餘例推.)

예) 命造-1

戊 庚 丁 己

寅 寅 丑 巳

예) 命造-2

壬 甲 乙 辛

申 申 未 巳

예) 命造-3

辛 辛 甲 乙

卯 卯 申 卯

세 개의 命은 [충록]格에 부합하여 귀하였다. (如己巳丁丑庚寅戊寅,辛巳乙未甲申壬申,乙卯甲申辛卯辛卯,三命合格貴.)

19. 육임추간六壬趨艮

육임추간格은 6壬일이 甲寅 時를 만나면 [寅이 亥를] 합하여 亥중의 壬祿을 출현시키는 것인데, 즉 암록暗祿格이다. 經에서 이르길, 명록明祿은 암록暗祿보다 못한 것이다. 亥 字의 전실塡實을 꺼리며 刑 衝 破 극을 두려워한다. 壬寅과 壬辰 二日이 [육임추간의] 正인데, 寅 字를 많이 보면 크게 富하다. 寅중에 甲木의 食神이 丙火가 장생長生하는 財를 생하니 財가 旺하여 官을 생하는 것이므로 아름다운 것이다. 官 煞이 身을 손상하는 것과 申 庚이 甲을 손상하는 것을 꺼리는데, 財를 생할 수 없게 하여 흉하게 된다. (此格乃六壬日見甲寅時,合出亥中壬祿,即暗祿格.經云,明祿不如暗祿是也.忌亥字塡實,怕衝刑剋破.壬寅壬辰二日爲正,見寅字多者,大富,以寅中甲木食神,生丙火長生之財,財旺生官,故美.忌官煞損身,申庚傷甲,不能生財,爲凶.)

또 이르길, 壬일이 寅 字를 많이 보면 寅중의 甲木을 사용하여 暗으로 己土를 끌어들여 壬의 관성을 삼고, 寅중의 丙火는 暗으로 辛金을 끌어들여 壬의 印綬을 삼는다. 午의 合과 申의 충을 두려워하고, 財 官이 전실塡實되는 것을 꺼리며, 身旺한 지지를 좋아한다. 세歲운, 運도 동일하다. (又云,壬日多見寅字,用寅中甲木,暗邀己土,爲壬官星,寅中丙火,暗邀辛金,爲壬印綬,怕午合申衝,忌財官塡實,喜身旺地,歲運同.)

구결에서 말하기를, 육임추간은 亥월을 만나면 반드시 가난하다. 상심부에 이르길, 육임추간은 지혜로우며 인자함이 많다. 진보부에 이르길, 육임추간은 財 印이 투출하면 기이奇異하고, 官 煞이 침범하면 도리어 빈궁貧窮하며 하천下賤하게 된다. (口訣云,六壬趨艮,逢亥月必貧.相心賦云,六壬趨艮,智足多仁.眞寶賦云,六壬趨艮,透財印爲奇,官煞來侵,反爲貧窮下賤.)

詩에서 말하길, 육임추간이 예사롭지 않게 좋은데, 壬일 寅時가 귀한 곳이다. 刑衝과 더불어 制剋을 크게 두려워하고, 세歲, 운運에서 申을 만나면 재앙이 있다. (詩曰,六壬趨艮喜非常,壬日寅時是貴鄕,大怕刑衝併剋制,逢申歲運有災殃.)

20. 육갑추건六甲趨乾

육갑추건格은 甲일이 亥를 만난 것인데, 亥는 천문天門의 자리이며 북극성으로 甲木이 장생長生하여 힘을 얻는다. 또 亥는 寅중의 祿을 합하여 출현하게 하니 추간[格]과 동일하다. 寅字의 전실塡實과 巳字의 刑衝을 싫어한다. 또 말하기를, 甲이 亥時를 만나면 亥는 壬의 녹祿이 있어 印綬가 되고, 辛金을 만나 印綬를 생하는 것을 기뻐하지만 財를 만나는 것은 좋아하지 않는다. 사주에 卯가 있어 亥를 합하면 寅중의 祿을 합하지 못하게 하는데, 만약 身弱한데 巳 酉 丑의 局을 보면 金神이 대단히 많으니 세歲운運에서 거듭하여 만나면 재앙災殃이 발생한다. (此格乃六甲日見亥.亥天門之位,北極之垣,甲木賴之長生.又亥能合出寅中本祿,與趨艮同.忌寅字塡實,巳字刑沖.又曰,甲見亥時,亥有壬祿爲印,喜見辛金生印,不喜見財,柱有卯合亥,即不能合寅中祿矣,若身弱,遇巳酉丑局,金神太多,歲運重見,生災.)

상심부에 이르길, 육갑추건格은 인자仁慈하며 강직한 마음이 평안하다. 진보부에 이르길, 육갑추건格은 印綬가 투출하면 아름답고, 財星은 중첩되게 만나면 벼슬길로 나아간다. 천리마에 이르길, 壬추간과 甲추건은 청조淸朝한 선비로 길하다. (相心賦云,六甲趨乾,主仁慈剛介心平.眞寶賦云,六甲趨乾,透印綬爲佳,財星疊見,位列名卿.千里馬云,壬趨艮,甲趨乾,淸朝吉士.)

6甲이 趨乾하는데 가장 기이奇異하고, 甲일 생인이 亥時를 얻고 만약 歲運에서 財旺한 곳을 만나면 관재官災의 환난患難이 미친다. 자세하게 시詩와 부賦에서는 財星의 喜忌가 같지 않은 것이 있으나, 내가 보건대 印綬가 투출하면 財를 꺼리고 身旺하면 기뻐한다고 생각된다. (詩曰,趨

乾六甲最爲奇,甲日生人得亥時,歲運若逢財旺處,官災患難來尋之,詳詩與賦,有忌財喜財不同,余見透印忌財,身旺喜財.)

21. 재관쌍미財官雙美

계선篇에 이르길, 6壬생이 午位에 臨하면 "록마동향"이라고 부르고, 癸일이 巳宮에 坐하면 "재관쌍미"이다. 祿은 즉 官이며 財는 곧 馬인데 두 어구는 동일한 뜻이다. 壬은 丁火가 財馬이고 己토는 官祿인데 녹祿이 모두 午에 있고, 癸는 丙火가 정재이고 戊토는 正官인데 모두 녹祿이 巳에 있다. 人命에서 녹마祿馬 財 官을 겸전兼全하여 얻기가 어려운데, 하물며 좌하의 지지에 [록마동향=재관쌍미] 있으므로 貴가 된다. (繼善篇云,六壬生臨午位,號曰祿馬同鄕,癸日坐向巳宮,乃是財官雙美.祿即官,財即馬,二句同一義也.壬以丁火爲財馬,以己土爲官祿,俱祿於午,癸以丙火爲正財,戊土爲正官,俱祿於巳,人命祿馬財官,難得兼全,況自坐支下,所以爲貴.)

秋節생을 좋아하는데, 金이 旺하면 水를 생하고 木은 사死하니 土를 극할 수 없기 때문에 害로움은 멀어진다. 만약 寅 卯의 旺함을 만나면 빼어나지만 부실不實하고, 겨울에 생하면 현무당권[格]으로 貴는 왕후王侯처럼 된다. 만일 사주에 財 官이 있으며 다시 이 [재관쌍미=록마동향] 二일에 생하면 더욱 기묘奇妙하게 된다. (喜秋生,金旺水生,木死不能剋土,故爲遠害.若見寅卯旺,則秀而不實,冬生玄武當權,貴爲王侯.如柱有財官,更得此二日生尤妙.如己丑丁卯壬午癸卯,年月透出丁巳[己],歸祿日下,合此大貴.)

예) 命造
癸 壬 丁 己
卯 午 卯 丑
年月에 丁 己가 투출하고 日下에 歸祿하여 이 格에 부합하니 크게 귀하였다.

낙록자珞琭子가 이르길, 삼태(三台;삼정승)가 아니면 팔좌(八座;중국 후한後漢. 진晋나라에서 육조의 상서 및 일령, 일복야의 총칭)가 된다. 또 이르길, 귀인貴人과 식록食祿을 만나면 녹마祿馬同鄕이 아닌 것이 없는 것이다. 甲戌 乙丑 乙巳 丙申 丁丑 戊辰 己亥 庚寅 辛未 壬戌 癸未의 이 같은 日柱도 지지속에 財 官을 감추어서 역시 "록마동향"이지만, 經에서는 오직 壬午 癸巳의 二日만 취하는 것이 壬 癸가 坐한 곳은 정재와 정관이지만, 나머지는 혹 偏이나 혹 正으로 순일純一하지 못하기 때문인 것이다. 이런 종류들을 잘 추리해야 한다. (珞琭子云,祿馬同鄕,不三台而八座.又云,每見貴人食祿,無非祿馬同鄕是也.甲戌乙丑乙巳丙申丁丑戊辰己亥庚寅辛未壬戌癸未,此數日,支內自藏財官,亦是祿馬同鄕,經獨取壬午癸巳二日,以壬癸所坐,正財正官,餘則或偏或正,不純一故也.類推之.)

甲戌 乙丑의 2일은 土金 분야를 좋아하여 부귀하지만 단 金氣가 태다太多하면 안 되는데, 신身을 손상하며 도기盜氣하는 것이 두려운데, 만약 官貴가 없으면 반드시 財가 발달하여 富하다. 丙

申 丁丑의 2일은 金 木월에 생하면 귀하며 오직 土의 重함을 꺼리는데, 만약 土가 官을 극하면 富하다. 己亥일은 마땅히 4季月에 생해야하고 혹 의지할 것이 相生함이 있으면 길하게 된다. 庚寅일은 火를 보는 것을 좋아하니 마땅히 동지冬至후에 생해야 하며 1陽이 생하는 火 旺한 때이면 귀한데, 만약 金이 剛하고 火强하면 제련하여 칼날의 기물을 이루고 秋節에 생하여 火를 만나면 더욱 아름답게 된다. (甲戌乙丑二日,喜金土月分富貴,但金氣不可太多,恐傷身盜氣,若無官貴,必發財富.丙申丁丑二日,生金木月貴,惟忌土重,若會起土剋官,主富.己亥日,宜生四季月,或有倚托相生爲吉.庚寅日,喜見火,宜生冬至後,一陽生,火旺之時,主貴,若得金剛火強,煉成鋒刃之器,秋生逢火,尤佳.)

당 태제의 命造이다.

예) 命造
丙 壬 庚 丙
午 午 子 午

壬일이 子월에 생하여 身旺한데, 年干의 丙을 충하여 동하고, 두 丙이 동과同窠하여 오히려 日의 庚 梟神을 충거衝去하니 庚은 이미 衝 극을 받았으나 丙은 면하고, 본래 日은 午상이며 時干의 丙은 月支의 子를 취就하고, 壬은 庚의 子이고, 時干의 午를 취就하며, 丙午 丙子와 庚午 壬午를 변성變成하니 모두 록마동향祿馬同鄕이 되고, 또 수화기제水火旣濟가 되며, 또 육임이환六壬移換이라고도 하니 따라서 크게 귀하였다. (唐太宰丙午庚子壬午丙午,壬日生子月身旺,衝起年干丙字,二丙同窠,卻衝去日庚梟食,庚既受衝剋,則避丙,就本日午上,時干丙就月支子,壬是庚之子,就時干午,變成丙午丙子,庚午壬午,皆祿馬同鄕,又爲水火旣濟,又名六壬移換,故主大貴.)

대체로 보아 大貴한 命은 2~3개의 格局으로 좌우左右에서 근원을 만나고, 格이 많다고 하여 혼잡混雜하다 할 수 없는데, 연원淵源의 설명과 같은 것이다.

예) 命造
辛 壬 丙 甲
丑 戌 寅 子
日일이 戌에 坐하여 丁戊가 財官인데, 어찌 戌중의 火가 土를 생할 것이며, 寅월은 병病이 되고 그런데 辛丑 時를 얻어 丑은 午를 害하고 子는 또 午를 충하여, 衝 害로 午중의 丁己를 출현하니 壬의 財官이 되고, 寅 戌도 또한 午중의 녹마祿馬를 합하여 머물게 하고, 火는 寅 戌을 만나면 局을 얻고, 己土는 丑중에서 득위得位하니 모두 有氣하고, 運이 남방으로 行하니 녹마祿馬가 旺相하니, 이것은 하나의 丑을 얻어 변한 것이 3奇가 되고, 녹마祿馬가 飛天하고 무합유합無合有合하므로 크게 귀하였다. (大凡大貴命,合三二格局,取之左右逢源,不可以格多爲雜,如淵源之說.又如甲子丙寅壬戌辛丑,壬日坐戌,丁戊爲財官,奈戌中火方生土,遇寅月受病,卻得辛丑時,丑去害午,子又衝午,衝害出午中丁己,爲壬財官,寅戌又合住午中祿馬,火見寅戌得局,己土丑中得位,皆有氣,運行南

方,祿馬旺相,此得一個丑字,變爲三奇,祿馬飛天,無合有合,故亦大貴.)

예) 命造
丙 壬 甲 丙
午 戌 午 午
壬이 5월에 생하여 日간은 무기無氣하고, 火가 太旺하니 마땅히 丁 壬은 火를 좇아야하고, 運이 서방의 官旺한 지지로 行하면 이것이 화상化象의 아름다움이고, 壬의 일간이 본래 弱한데, 도리어 3午를 얻으니 酉중 辛金을 파출破出하여 印綬가 되고, 子중의 양인을 충하니 동하여 身을 도와 財官을 감당해내니, 평생에 하루도 한가한 날이 없어 일관(一官;하나의 관직)을 나가지 않았는데 또 다른 일관一官이 왔다. 運이 庚子에 이르러 火가 사死하는 지위가 되면, 庚은 梟食이 되고 겸하여 水가 旺해져서 그 의지하는 것을 손상하니, 火神이 무기無氣하고 토土는 유탕流蕩하며 수水는 충격衝擊하고, 또 전실塡實하면 권인權刃의 위치가 불리不利하다. (如丙午甲午壬戌丙午,壬生五月,日干無氣,火太旺,當以丁壬從火,運行西方官旺之地,此化象之美,壬干本弱,卻得三午,破出酉中辛金爲印,衝起子中羊刃助身,勝任財官,生平無一日空閒,一官未去一官來,運至庚子火死之地,庚爲梟食,兼水旺傷其倚托,火神無氣,土流蕩而水衝擊.又是塡實權刃之位,所以不利.)

詩에서 말하기를, 사처死處에서 생하며 왕처旺處에서 脫하는 것인 것이다. 자평에 이르기를, 삼기와 록마동향은 생時에 休敗한 지지에 있지 않아야한다. 고가에 이르길, 록마동향은 剋奪이 없으며 財官이 같은 곳이면 가장 영화롭게 되고, 삼태三台 팔좌八座의 진실로 貴함이 기이奇異하고, 극탈여강剋奪如强하면 명리名利에 흠결欠缺이 있다 (訣曰,死處生而旺處脫是也.子平云,三奇祿馬同鄉,要生時不在休敗之地.古歌云,祿馬同鄉無剋奪,財官同處最爲榮,三台八座眞奇貴,剋奪如強欠利名.)

22. 이덕부신二德扶身

천월이덕은 日月이 회합會合하여 내리 비치는데, [二德이] 있으면 어찌 음매사암(陰昧邪暗;그늘지고 어둡고 사악한곳)하겠는가? 과감히 그 사이를 용납하기 때문에 간악한 도둑도 그만두고, 짐승의 흉악함도 감추어지고, 신명神明이 도와 사악한 귀신이 숨는다. 이것은 천지덕수天地德秀의 기運으로 흉이 변화하여 吉神이 되고, 人命에 이 [천월이덕] 것이 있으면 큰 福德이 되고, 다시 녹마祿馬 귀인 印綬가 서로 돕고 혹 二德이 財 官 印 食이 된다면 모두 귀격에 부합한다. 재차 三奇를 만나고 오행이 생왕生旺하며 傷 극 파괴破壞가 없으면 관록官祿은 영화로우며 일생동안 흉한 일을 만나지 않는다. 만약 破하여 손상함을 犯하면 하고자하는 일을 이루지 못하고, 命이 적합한 格이 아니면 빈천하고 흉악한데 이 [天月二德] 것을 만나면 도와서 구원할 수 있다. (天月二德,乃日月會合照臨,有何陰昧邪暗,敢容其間,故奸盜息,惡獸潛,神明扶,邪鬼遁.此天地德秀之氣,化凶爲吉之神,人命帶之,大爲福德,更祿馬貴人印綬相扶,或二德就爲財官印食,合諸貴格.再遇三奇,五行

生旺,無傷剋破壞,官榮祿顯,一生不遭凶橫,若犯傷破,作事無成,命不合格,貧賤凶惡,見此亦有救解.)

또 말하기를, 天德은 마땅히 월장月將에서 서로 도와야 하는데, 正月寅의 [天德은] 丁인데 亥의 월장을 기뻐하며 癸를 만나면 丁을 손상하니 꺼리고, 2월의 [天德은]은 坤申으로 마땅히 戊이 월장인데 寅의 破를 꺼리고, 3월은 [天德이] 壬인데 마땅히 酉가 월장인데 戊가 손상하는 것을 꺼리고, 4월의 [天德은] 辛으로 마땅히 申이 월장인데 丁이 손상하는 것을 꺼리고, 5월의 [天德은] 乾亥으로 마땅히 未가 월장인데 己가 破하는 것을 꺼리고, 6월의 [天德은] 甲으로 마땅히 午가 월장인데 庚이 손상하는 것을 꺼린다. 7월의 [天德은] 癸로서 마땅히 巳가 월장인데 己가 손상하는 것을 꺼리고, 8월의 [天德은] 艮寅으로 마땅히 辰이 월장인데 申이 破하는 것을 꺼리고, 9월의 [天德은] 丙으로 마땅히 卯가 월장인데 壬이 손상하는 것을 꺼리고, 10월의 [天德은] 乙로서 마땅히 寅이 월장인데 辛이 손상하는 것을 꺼리고, 11월의 [天德은] 巽巳으로 마땅히 丑이 월장인데 亥가 破하는 것을 꺼리고, 12월의 [天德은] 庚으로 마땅히 子가 월장인데 丙이 손상하는 것을 꺼린다. (又曰,天德宜月將相扶,正月丁,喜亥將,忌見癸傷丁,二月坤宜戊將,忌寅破,三月壬,宜酉將,忌戊傷,四月辛,宜申將,忌丁傷,五月乾,宜未將,忌己破,六月甲,宜午將,忌庚傷.七月癸,宜巳將,忌己傷,八月艮,宜辰將,忌申破,九月丙,宜卯將,忌壬傷,十月乙,宜寅將,忌辛傷,十一月巽,宜丑將,忌亥破,十二月庚,宜子將,忌丙傷.)

月德은 寅 午 戌월의 丙은 辛을 합하며 壬이 손상하는 것을 꺼리고, 亥 卯 未월의 甲은 己를 합하며 庚이 손상하는 것을 꺼리고, 申 子 辰월의 壬은 丁을 합하며 戊가 손상하는 것을 꺼리고, 巳 酉 丑월의 庚은 乙을 합하며 丙이 손상하는 것을 꺼린다. 만약 이 꺼리는 것을 犯하면 德 合을 이루지 못하는 것이다. (月德,寅午戌月,丙合辛,忌壬傷,亥卯未月,甲合己,忌庚傷,申子辰月,壬合丁,忌戊傷,巳酉丑月,庚合乙,忌丙傷.若犯此忌,不成德合矣.)

二德에서 천덕天德이 重하고 月德은 그 다음이고, 財 官 印綬가 변화하면 福力이 배가倍加되고, 혹 일간이 이것을 취就하면 더욱 길하다. 비결에서 이르길, "천월이덕"이 일주에 臨하면 일생토록 험난險難함이 없으며 근심도 없고, 다시 장성將星을 보면 이름이 상부相府에 오른다. 귀곡[자]가 이르길, 一德의 도움이 있으면 흉한 무리들이 풀리고, 남자가 [德을] 만나면 평보平步로 높은 벼슬에 오르고, 여자가 덕德이 있으면 福과 壽를 온전히 갖춘다. (二德以天德爲重,月德次之,變財官印綬,則加一倍福力,或日干就是,尤吉.秘訣云,天月二德臨日主,一生無險無虞,更遇將星,名登相府.鬼谷云,一德扶持,衆凶解釋,男逢平步靑雲,女值福壽俱全.)

옥감에 이르기를, 괘卦에 天德을 합하여 생기生氣를 만나면 壽命이 길다. 三命검에 이르길, 天月德은 음양이 동류同類이며 다른 위치의 德이다. 범인凡人이 이를 만나면 문학文學에 뛰어나고 벼슬살이를 청렴하게 한다. 삼거[일람]에서 이르길, 天月二德의 도움이 있으면 관직에는 이롭고 병病은 적다. 심경에 이르길, 天月二德이 구원하면 온갖 재앙이 害가 되지 않는다. 삼심부에 이르길, 二德이 印綬를 생하면 은혜를 베풀어 德을 펼친다. 유미부에 이르길, 자상민혜(慈祥敏慧;자비와 민첩하고 슬기로움)는 천월이덕의 상서로움을 나타낸 것이다. 오지부에 이르길, 命에 煞이 旺하여 이지러지면 천사天赦 이덕二德의 상서로운 것이 있어야한다. (玉鑒云,卦逢生氣天德合,在世長年.三命鈐云,天月德者,陰陽同類異位之德也.凡人遇之,文學超群,仕宦淸顯.三車云,天月二德扶持,利官少病.心鏡云,天月二德爲解救,百災不爲害.相心賦云,二德印生,作事施恩布德.幽微賦云,慈祥敏慧,天月二德呈祥.奧旨賦云,命虧煞旺,要天赦二德呈祥.)

詩에서 말하길, 天德은 원래 크게 길하고 창성한데, 만약 日時에서 만나면 가장 좋고, 글을 올리면 반드시 과갑(科甲;장원급제)하고, 보통사람이 경영을 도모하면 온갖 일에 힘쓴다. 또, 人命에 만약 月德을 만나면 온갖 일에 많은 이익을 남기고, 사농공상士農工商이 각각 다 알맞고, 형제兄弟와 처자妻子를 破剋함이 없다. 또, 음양의 두 命이 煞星이 통하여 化煞하면 권력이 德속에 있고, 日 時에서 만약 天月德을 만나면, 남자는 一品이고 여자는 부봉褒封이다. 또, 天月二德을 거듭 만나면 기쁜데, 貴는 분양汾陽[36]에 富는 석숭(石崇;富者의 대명사이다)에 비교되고, 조상의 음덕으로 厚한 복을 계승하고, 그렇지 않으면 소년 시절에 섬궁蟾宮에 나아간다. (詩曰,天德原來大吉昌,若逢時日最爲良,脩文必定登科甲,庶俗營謀百事强.又,人命若還逢月德,百事所求多利益,士農工商各相宜,兄弟妻兒無破剋.又,陰陽二命煞星通,化煞爲權德在中,時日若逢天月德,男當一品女褒封.又,天月二德喜重逢,貴比汾陽富石崇,祖蔭豊肥承福厚,不然年少步蟾宮.)

또 태양의 궤도에서 많은 별들이 별자리에 머물러 入局하는 것, 예컨대 正月 생은 매일 子時를 얻고, 2월은 亥, 3월은 戌, 4월은 酉, 5월은 申, 6월은 未, 7월은 午, 8월은 巳, 9월은 辰, 10월은 卯, 11월은 寅, 12月은 丑인 이 時를 얻어 태어나고, 다시 日의 干支와 관섭關涉이 있으면 가장 길하다. (又太陽躔度,衆星居垣入局,如正月生,每日得子時,二月亥,三月戌,四月酉,五月申,六月未,七月午,八月巳,九月辰,十月卯,十一月寅,十二月丑,得此時生,更與日干支有關涉者最吉.)

23. 장성부덕將星扶德

낙녹자가 이르길, 장성부덕은 天乙[貴人]이 더한 것으로 本主가 휴수休囚하여 감추는 것에 몰두沒頭한다. 자평에 이르길, 월장의 德合이 日貴를 만나면 명성이 팔좌八座에 오르고, 장성은 正月의 亥상에서 일어나 12월을 運行하여 1달月에 1宮씩 臺를 지나 비추고, 매월 중기후에 太陽이 宮을 지나야 비로소 將星을 만나고, 六壬에서 월장가시月將加時가 이것의 올바른 뜻이다. 正月은 공조, 2월은 대충, 3월은 천강, 4월은 태을, 5월은 승광, 6월은 소길, 7월은 전송, 8월은 종괴, 9월은 하괴, 10월은 등명, 11월은 신후, 12월은 대길인데, 將星이 본래의 생月에 臨하고 德位를 만나면 귀격에 부합하고, 本主가 흥왕興旺하면 부귀상전富貴雙全하고, 本主가 휴수休囚하면 천시天時와 지리地利에 부합하지 않아, 명리名利가 헛되고 건체한 명命이다. (珞琭子云,將星扶德,天乙加臨,主本休囚,行藏汨沒.子平云,月將德合逢日貴,名登八座,將星正月從亥上起,運行十二月,一月一

36) 中國, 山西省 서부, 분수汾水 상류 서쪽에 있는 도시 태원시太原市의 남서 약 100㎞ 지점. 소흥주紹興酒와 아울러 일컬어지는 분주汾酒의 특산지로 유명함

宮,須照臺歷,每月中氣後太陽過宮,方爲遇將,六壬月將加時,正此義也,正月功曹,二月大衝,三月天罡,四月太乙,丑五月勝光,六月小吉,七月傳送,八月從魁,九月河魁,十月登明,十一月神后,十二月大吉,將星臨於本生月,逢德位,合貴格,本主興旺,富貴雙全,本主休囚,不合天時地利,虛名虛利,蹇滯之命.)

장성부덕은 만일 正月의 우수 후라면 亥월장을 얻고 太陽의 궤도는 추자지차娵訾之次이며, 丙丁日을 만나는 것이다. 다시 일간에 모인 官貴 녹마祿馬를 만나 도우면 格局에 부합되어, 위인은 학문이 넓어 총명하며 지혜가 뛰어나니 한원청대翰苑淸臺에서 귀한데, 만약 사주에 偏官이면 전병형典兵刑의 權이다. (將星扶德,如正月雨水後得亥將,太陽已躔娵訾之次,又見丙丁日是也.更會日干,見官貴祿馬相扶,合格局,主爲人廣學,聰明叡智,翰苑淸臺之貴,若柱偏官,則典兵刑之權.)

가령 나의 命은 12월생으로 大寒 뒤인데, 太陽이 丑宮 斗 19度에 있고, 天月二德이 庚에 있으며 日主에 속한다. 또 庚은 丑에서 貴神이 되며 장성부덕인데 天乙[貴人]이 가임加臨하고, 庚이 丑월에 생하여 비록 休할지라도 不弱하고, 壬午年으로 근본 旺하고 丙戌時로 사주에 偏官이 있으므로 전병형典兵刑에 청대淸臺가 되었지만, 일주가 휴폐休廢하니 관직이 높지 않았고, 총병부진總兵傅津에 요옥괘인腰玉掛印이 나의 命과 동일하며 西人에 가까운 것은 庚일이 득지得地하였기 때문이고, 출신出身은 무과武科인데 命이 그렇다고 믿는다. (如余命,庚寅日,生十二月大寒後,太陽在丑宮斗十九度,天月二德在庚,屬日主,又庚以丑爲貴神,是將星扶德,天乙加臨,庚生丑月,雖休不弱,年壬午,本則旺,時丙戌,柱有偏官,所以典兵刑,爲淸臺,日主休廢,官故不大,總兵傅津,腰玉掛印,與余命同,傅西人,庚日得地故也.出身武科,命信然.)

詩에서 말하기를, 장성부덕은 귀인을 기약하는데, 장원급제하여 경성에 화려하게 명성을 드러내고, 貴神[貴人]을 暗合하여 도운다면 팔좌(八座;고위관직)에서 위권威權이 헛되지 않는다. 장성將星은 문무文武가 둘 다 적당하고, 녹祿이 重하고 권력이 높은 것을 알 수 있고, 재상은 되지 않아도 청淸한 요직으로 정기(旌旗;깃발을 지닌 관청)의 장수에 거한다. [上記]의 속에 있는 나의 命인데 육오가 스스로 稱한 것이다. (詩曰,將星扶德貴人期,名顯京華折桂枝,暗合貴神來拱助,八座威權定不虛.又,將星文武兩皆宜,祿重權高定可知,不作宰臣淸要職,便居帥府擁旌旗.內余命,育吾自稱也.)

24. 금신金神

금신은 파패破敗의 神으로 곧 煞인데, 세 개의 時뿐으로 癸酉 己巳 乙丑이다. 이 格은 6甲일이 主가 되어 이 세 개의 時를 만나면 금신으로 논한다. 甲子 甲辰의 二日이 최고이고, 月令에 金氣가 통하고 火局을 이루어야 비로소 취용取用할 수 있고, 사주에 다시 七煞 傷刃이 있어야 眞貴人이다. 만약 月令에 金氣나 火局이 통하지 않으면 마땅히 다른 格으로 논하고 혹 財官 印綬로나 혹 변화하는 종류를 따르는데, 비록 水를 꺼리더라도 또한 좋다. 만약 화化하는 것이 없이

水鄕으로 行한다면 禍는 이루 말할 수 없다. (金神者,破敗之神,卽的煞,止有三時,乃癸酉己巳乙丑.此格六甲日爲主,見此三時,作金神論,甲子甲辰二日爲最,月令通金氣成火局,方可取用.柱中更帶七煞傷刃,眞貴人也,若月令不通金氣火局,卽當以他格論,或財官印綬,或變化從類,雖忌水亦可,若無化而行水鄕,禍不可言.)

또 말하기를, 위맹威猛한 것은 강포强暴할 수 있고, 위엄이 참되지 않으면 사람이 조롱을 당하고, 그러나 너무 강하면 반드시 꺾어지는데 이를 제制하지 않으면 관맹寬猛과 강유剛柔가 서로 조화롭지 않은데, 어찌 중화中和의 도道를 걷겠는가? 만약 조절이 잘 되어 중화中和가 된다면 복록福祿이 따른다. 이 格을 얻으면 명민明敏하여 강단剛斷하는 재능이 있고, 견강堅强하여 굴복하지 않는 의지가 있으며, 四柱가 火局인데 運이 火鄕으로 行하면 이 格을 이룬 것으로 논한다. (又曰,威猛者以强暴爲能,威苟不專,人得侮之,然太剛必折,不有制之,則寬猛剛柔不相濟,何以履中和之道?若調攝馴伏,致其中和,則福祿踵至,得此格者,有明敏剛斷之才,堅强不屈之志,四柱火局,運行火鄕,作此格論.)

亥 卯 未월에 생하여 火鄕으로 나아가도 이 格으로 논하지만, 만약 水월에 생하거나 혹 水鄕으로 나아가면 불용不用한다. 辰월에 생하여 北方의 運으로 나아가면 印綬가 되어 官 煞과 陽刃은 좋아하지만 刑衝을 두려워한다. 만약 癸酉時를 만나면 酉는 甲의 官이 되어 金神은 火로 制한다고 단정해서는 안 되는데 마땅히 정관으로 논해야하며 財官이 득지得地하는 운에 發福하고, 年月에서 申 庚을 거듭 만나서 官 煞이 혼잡混雜하면 마땅히 金神으로 논하며 歲運에서 火를 만나면 반드시 福인데 水를 만나면 반드시 禍가 되고, 柱중에 火가 있어도 火鄕으로 行하지 않으면 역시 발달하기 어렵고, 財를 만나는 것을 좋아하며 財運으로 行하여도 또한 발달하고, 6己일이 이 세 개의 時를 만나면 또한 金神으로 논하고, 運이 金水鄕으로 나아가면 곧 禍가 미치고, 財運은 아름답고, 火鄕이면 더욱 기묘奇妙하다. (生亥卯未月,行火鄕,亦以此格論,若生水月,或行水鄕,不用.生辰月,行北方運,可作印綬,喜官煞陽刃,怕刑衝,若逢癸酉時,酉爲甲之官位,不可以金神火制之說斷之,當作正官論,財官得地之運發福,年月重見申庚,官煞混雜,當作金神論,歲運見火必福,見水必禍,柱中有火,不行火鄕,亦難發,喜見財,行財運亦發,六己日見此三時,亦作金神論,運行金水鄕,卽禍立至,財運乃美,火鄕更妙.)

독보에 이르길, 甲일의 金神은 火地가 마땅하지만 己일의 金神은 어찌 火의 制가 수고로울 것인가! 또 이르길, 6甲이 봄에 생하여 時에 金神을 犯하면 水鄕에서 발달하지 못하고, 火가 重하여야 참된 것이다. 또 이르길, 甲乙의 丑월은 時에 金神이 있으며 月 천간에 煞을 만나면 두 눈이 밝지 않다. 經에서 이르길, 金神이 火를 보면 위세가 변방까지 떨친다. 요상부에 이르길, 金神은 칠煞을 좋아하고 刑 충을 싫어한다. (獨步運,甲日金神,偏宜火地,己日金神,何勞火制.又云,六甲生春,時犯金神,水鄕不發,火重名眞.又云,甲乙丑月,時帶金神,月干見煞,雙目不明.經云,金神遇火,威鎭邊疆.妖祥賦云,金神喜七煞而忌刑衝.)

현기부에 이르기를, 金神은 제복制伏하는 것이 가장 좋다. 秘訣에 이르길, 金神은 화왕火旺한 곳을 좋아하는데 만약 北方으로 行하면 흉하게 된다. 상심부에 이르길, 金神은 귀격인데 火地가 기묘奇妙하도다! 강단剛斷하고 명민明敏한 재능이 있고, 마음을 상하게 하거나 기만欺瞞하는 뜻이 없다. 정진篇에 이르길, 金神은 運이 水鄕에 도달하면 身이 터지는 수검을 당한다. (玄機賦云, 金神最宜制伏.秘訣云,金神喜火旺之鄕,若行北方則凶.相心賦云,金神貴格,火地奇哉.有剛斷明敏之才, 無刻剝欺瞞之意.定眞篇云,金神運到水鄕,身屍分拆.)

詩에서 말하길, 癸酉 己巳와 아울러 乙丑 3位의 金神이 時에 있는 것을 두려워하니, 火鄕에 煞刃이 서로 만나야 귀한데, 만일 水가 있으면 刑과 醜하게 된다. 또, 癸酉 己巳와 아울러 乙丑은 時상에서 만나면 福神인데, 재능을 믿는 거만한 물物이니 마땅히 제복制伏해야 하고, 煞 刃이 교차하여 만나야 참 귀인이다. 또, 6甲생인이 본래 身이 旺하고 時에서 酉 兌方을 만나야 金神이 되는데, 만일 巳位를 만나면 모름지기 制로 돌아오는데, 酉丑이 어찌 단련(鍛鍊=煆煉)함이 심해야 하겠는가? (詩曰,癸酉己巳並乙丑,三位金神時怕有,火鄕煞刃貴相逢,如在水鄕隨刑醜.又,癸酉己巳並乙丑,時上逢之是福神,傲物恃才宜制伏,交逢煞刃貴人眞.又,六甲生人旺本身,時逢酉兌作金神,如逢巳位須還制,酉丑何須煆煉深.)

또, 甲干이 時상에서 金神을 만나면 煞刃이 서로 臨하면 참된 귀인이고, 木火가 旺한 중에 財祿이 발달하는데, 만일 金水를 만나면 반드시 身을 손상한다. 또, 金神은 火를 만나면 貴는 틀림없고, 金水는 재앙이 있고, 運이 火향에 이르면 발달함이 많아 관직은 높고 집안은 富裕하니 둘 다 서로 좋다. 또, 時에서 金神을 만나야 貴氣가 많은데, 만일 양인은 만나면 도리어 중화中和되고, 만약 水運으로 行하면 가난하며 질병이 있는데 火로 제制하면 명성이 높고 작위爵位가 당당하게 된다. (又,甲干時上見金神,煞刃相臨眞貴人,木火旺中財祿發,如逢金水必傷身.又,金神遇火貴無疑,金水災殃定有之,運到火鄕多發達,官崇家富兩相宜.又,時遇金神貴氣多,如逢陽刃卻中和.若行水運貧而疾.火制名高爵位峨.)

또, 金神은 癸酉가 時에 있어야하며 己巳와 다시 乙丑과 함께 셋은 사주에 水多한 北方을 쫓는 것을 싫어하고, 오행은 화왕火旺한 남방으로 달려야하고, 그런데 양인을 만난다면 凶은 吉이 된다. 설령 편관이 있더라도 고통은 달콤하게 변하고, 명민明敏한 강단剛斷으로 굴절(屈節;절개나 정조를 굽힘)하지 않고, 적당한 관함官銜을 가지게 된다. (又,金神癸酉在時參,己巳還同乙丑三,四柱水多忌趁北,五行火旺要趨南,雖逢羊刃凶爲吉,縱欲偏官苦變甘,敏斷剛明無屈節,調馴得所有官銜.)

예) 命造
己 甲 乙 壬
巳 辰 巳 午
방봉시 병부상서인데, 甲일주가 己巳를 만나 金神이 주관하니 巳 午의 순수한 火로 制해야하는데, 運이 남방을 지날 때 소년시절에 급제하고, 서방의 官煞[運]에는 공功名이 주춤거렸고, 北方

의 水鄕에서 어떻게 지극히 귀한 一品을 하였는가! 甲木은 印綬가 적은데 北方에 이르러 충분하지 않았겠느냐! (如方逢時兵部尚書,壬午乙巳甲辰己巳,甲見己巳,金神主事,巳午純火,制之得宜,運歷南方,少年科第,西方官煞,功名迍蹇,北方水鄕,如何貴極一品,四柱火多,甲木少印,至北而足之耶.)

趙 鏗縣조 갱현 승상의 命도 같았는데, 辛亥 운에 수왕水旺하여 주색酒色에 미친 듯이 빠져 전답과 재산을 탕진하였다. 方은 초인(楚人;초나라 사람)으로 火地이고, 趙는 연인(燕人;연나라 사람)으로 水地인데, 강역(疆域;강토의 구역)이 동일하지 않기 때문인 것이다. (趙鏗縣丞命同,辛亥運水旺,酒色風狂,破蕩田産,方楚人,火地,趙燕人,水地,疆域不同故也.)

원나라 탈탈 승상丞相의 命이다.

예) 命造
己 己 丁 壬
巳 丑 未 辰
金神이 6월 중순에 생하여 火가 旺하고, 未와 수고水庫에 편관이 있고, 年干에 壬이 투출하니, 丁壬이 합화合化하여 眞木으로 官을 돕는다. 기쁜 것이 또 刃이 있으며 運이 서방으로 行하고, 戊 己가 水를 극하고, 申 酉가 편관을 제복制伏한다. 戌運에 行하여 [辰戌]衝으로 火庫가 열려 金神을 제制하니 貴는 태보(台輔;관직명)에 이르렀고, 亥運에 수왕水旺한 지지로 行하여 37세 戊辰 年에 歲君이 [辰 辰自刑] 형하여 수고水庫가 열려 金神을 제制하지 못하니, 財旺하여 官煞이 생기生起하여 禍재앙가 되어 짐독(鴆毒;짐새의 깃에 있다는 맹렬한 독)에 사망했다. (元脫脫丞相,壬辰丁未己丑己巳,金神生六月中旬,火旺,未有水庫偏官,年干透壬,丁壬合化眞木助官,喜又帶刃,運行西方,有戊己剋水,申酉制伏偏官.行戌運,衝開火庫,金神有制,貴至台輔,行亥運水旺之地,三十七戊辰,歲君刑開水庫,金神無制,財旺,生起官煞爲禍,死於鴆毒.)

25. 일귀日貴

日貴는 天乙[貴人]이 자좌自坐한 것이다. 이 格은 단지 四日로 丁酉 丁亥 癸巳 癸卯 뿐인데, 사람됨이 순수하고 인덕仁德이 있으며 자색姿色도 있고, 기운은 드세나 거만하지 않다. 貴氣가 日에 모이고 다시 財 官 印이 있어 貴氣를 도우면 복이 된다. (日貴者,自坐天乙是也.此格只有四日,丁酉丁亥癸巳癸卯,主爲人純粹,有仁德,有姿色,不傲物氣高.貴氣聚於日,更有財食印,相助貴氣爲福.)

三合이나 六合이나 宅 묘墓合을 기뻐하며, 귀인이나 財旺한 運으로 行하면 發福한다. 刑 衝 破 害 공망을 크게 꺼리며 運行에서 재차 이것을 만나는 것을 꺼리고, 태세와 會하고 다시 魁罡이 있으면 가난하거나 요절하게 된다. 만약 다른 格을 이루면 논하지 않는다. 日貴는 모름지기 주야晝夜를 구분해야하는데, 日(낮=晝)에 태어나면 癸卯 丁亥여야하고, 夜밤에 태어나면 癸巳 丁酉이어야 주야晝夜에 위배 되지 않고 체體를 얻게 되는 것이다. (喜三六合,宅墓合,行貴人財旺運發福.大忌刑衝破害空亡,運行再遇前忌,太歲加會,更見魁罡,定主貧夭.若別成格,不論.日貴須分晝夜,日生要癸卯丁亥,夜生要癸巳丁酉,日夜不背爲得體.)

經에서 이르길, 귀인은 사랑으로 공손하며 편안함을 말하는데, 덕성德性과 존중尊重의 이름이다. 財 官 印 食을 보면 길하고, 煞刃이 刑衝하면 흉하고, 운에서 괴강(魁罡;우두머리)을 만나면 害가 적지 않다. 또 이르길, 귀인이 刑衝 破害를 만나면 태어나면서부터 빈천貧賤하고 목숨이 위태롭게 된다. (經云,貴人者,慈祥愷悌之號,德性尊重之名,遇財官印食則吉,値煞刃衝刑則凶,運遇魁罡,爲害不淺.又云,貴逢破害刑衝者,生來貧賤壽傾危.)

고가에서 이르길, 생日의 천간에서 귀인의 지지를 보는데 [日貴가 있어도], 만약 괴강을 만나면 복을 구하기 어렵고, 年은 月에서 祿을 만나면 좋지 않고, 日貴를 거듭 만나면 기이奇異하고 또 奇異하다. 또, 丁日에 猪돼지 雞닭 [丁亥 丁酉], 癸日에 兎토끼 蛇뱀 [癸卯 癸巳]는 刑 衝 破 害를 겁내니 애석하게 여기며 탄식하고, 會合하여야 비로소 貴를 이루고, 시종始終으로 아름다운 것이다. (古歌云,生日天干遇貴支,若見魁罡福不齊,年逢月祿不爲喜,日貴重逢奇又奇.又,丁日猪雞癸兎蛇,刑衝破害謾咨嗟,纔臨會合方成貴,終始分之乃是佳.)

또, 日德과 日貴는 사랑의 길한 조짐인데, 財 官 印을 만나면 福의 영화로움이 창성하고, 刑 衝 煞 刃을 만일 만나게 되면 도리어 길한 것이 흉이 되어 마땅치 않다. 또, 癸가 蛇(뱀=巳)나 兎(토끼=卯)면 영특하고 호걸답고, 丁이 猪(돼지=亥) 雞(닭=酉)로 向하면 같은 例로서 추리하고, [天乙貴人은] 魁罡괴강을 절대 꺼리며 주야晝夜로 나누고, 다시 刑 害는 尊함을 잃고 卑하게 되는 것을 방비하여야 하고, 運이 좋게 흐르면 명성名聲이 마땅히 나며, 命에 공망이 있으면 禍는 반드시 따르고, 貴가 重하고 존엄尊嚴하며 후덕厚德한데, 혹 경계警戒하기 前에는 凶을 만나는 것은 분명하다. (又,日德日貴主慈祥,財官印遇福榮昌,刑衝煞刃如來見,反吉爲凶不可當.又,癸臨蛇兎是英奇,丁向豬雞一例推,切忌魁罡分晝夜,更防刑害失尊卑,運行嘉會名須重,命帶空亡禍必隨,貴重尊嚴持厚德,或逢前戒凶無疑.)

26. 일덕日德

이 格은 5日이 있음에 그치는데, 甲寅 丙辰 戊辰 庚辰 壬戌이다. 甲 丙 戊 庚 壬의 5陽干을 취하는데, 甲은 寅祿에 坐하고, 丙은 辰의 官庫에 坐하고, 庚은 辰의 財印이 양전兩全한데 坐하고, 壬은 戌의 三奇를 구비俱備한 곳에 坐한다. 寅은 삼양三陽의 으뜸이 되고, 辰 戌은 괴강의 지지가 되고, 干支는 나눈 자리가 다르므로 日德이라 하는 것이다. (此格止有五日,甲寅丙辰戊辰庚辰壬戌,取甲丙戊庚壬五陽干,甲坐寅得祿,丙坐辰官庫,庚坐辰財印兩全,壬坐戌三奇俱備.寅爲三陽之首,辰戌爲魁罡之地,干支異於別位,故名日德也.)

사실 吉神의 125位에는 日德이 없는데, 어떤 것은 다르게 취하는 뜻이 있다고 하지만 나는 아직 깨닫지 못하고 있다. 日德은 많아야 하는데 2~3位가 병행竝行하면 같은 것을 비로소 用하지만, 만약 一位뿐이면 다시 月令의 財 官 寅 食으로 취하는데, 어떤 것이 得位 得時하며, 어떤 것이 失時하여 害를 입는 것인가? 用할 수 있는 것은 취하고 用할 수 없는 것은 버린다. (査吉神,一百二十五位,無日德,或者別有取義,余則未曉,日德要多,二三位併踏,同者方用,若只一位,還以月令財官印食取之,何者得位得時,何者被害失時,可用者取之,不可用者去之.)

만약 日德에 符合을 하면, 사람은 성격性格이 자애慈愛로우며 선량하고, 신체身體는 장대하고 가난하면 불쌍히 여기고 노인을 공경하는 마음이 있다. 독해毒害 극박剋剝한 뜻이 없으니 흉凶을 만나면 구원함이 있고, 어려움을 만나도 풀어지고, 횡액橫厄을 만나지 않으며 복福은 반드시 풍족하고 두텁다. (若合日德,主爲人性格慈善,體貌魁梧,有憐貧敬老之心,無毒害剋剝之意,逢凶有救,遇難有解,不遭非横,福必豐厚.)

賦에서 이르길, 日德은 심성이 선량하고 크게 온후하여 작사作事에 자상한 것이다. 運이 身旺하면 크게 뛰어나지만, 만약 왕기旺氣가 쇠약하였는데 괴강을 만나게 되면 반드시 죽고, 혹 아직 發福하지 않았는데 格局이 좋고 運이 魁[罡]에 이르면 반드시 화환禍患이 발생하는데, 하나를 벗어나면 또 재발再發하지만 마침내 미력微力해진다. 이 格은 단지 一位의 財官을 기뻐하지만, 日德이 重疊한데 財官을 만나는 것은 좋지 않고, 刑 衝 破 害 공망 魁罡이 會合을 더하는 것은 모두 크게 꺼린다. (賦云,日德心善,多穩厚而作事慈祥是也.運臨身旺,大是奇絕,若旺氣已衰,行遇魁罡,必死,或未及發福,格局旣好,運至魁,必生禍患,一脫乎此,亦能再發,終力微.此格只一位,喜財官,日德重疊,不宜見財官,及刑衝破害,空亡魁罡,會合加臨,皆爲大忌.)

詩에서 말하기를, 壬戌 庚辰은 日德의 宮이고, 甲 寅 戊 丙은 龍辰을 타야하고, 운에서 身旺을 만나면 心性이 자애롭고 선량하며 日德이 있으면 복이 많아 저절로 풍족하게 된다. 또 日德은 魁罡 만나는 것을 좋아하지 않으며 화化하여 煞을 이루는 것이 가장 감당하기 어려운데, 局중에서 거듭 만나면 다시 질병이 되고, 운에서 만나게 되면 반드시 죽게 된다. (詩曰,壬戌庚辰日德宮,甲寅戊丙要騎龍,運逢身旺心慈善,日德居多福自豐.又,日德不喜見魁罡,化成煞曜最難當,局中重見還須疾,運限逢之必定亡.)

또, 丙辰이 壬辰을 만나는 것을 절대 꺼린다.壬丙은 辰을 함께하여 1水 1火이므로 꺼린다. 壬戌은 戊戌이 臨하면 제방堤防된다. 壬戌는 戌을 함께하여 극하는 자리를 이루고, 1水 1土이다. 日에 坐한 庚辰은 庚戌을 두려워한다. 납음은 같은 金인데, 辰 戌이 충하니 더욱 重하다. 甲寅은 또 庚辰을 걱정하게 된다. 金木이 상극하며 日德은 魁罡을 두려워하는 것이다. 日德이 重重하면 재앙災殃을 免하고, 관성은 또 財鄕을 보는 것을 꺼리며 다시 衝破 공망의 물物이 없으면 조정에서 하나의 동량棟梁이 될 만하다. (又,丙辰切忌見壬辰,壬丙同辰,是就位剋,一水一火,故忌.壬戌隄

防戊戌臨,壬戊同戌,是就位剋,一水一土.日坐庚辰畏庚戌,納音同金,辰戌對衝尤重.甲寅還且慮庚辰,金木相剋,是日德畏魁罡也.日德重重免禍殃,官星且忌見財鄕,更無衝破空亡物,堪作朝中一棟梁.)

또, 日德은 煞을 좋아하고 身强을 좋아하며, 재성과 官이 旺한 곳을 좋아하지 않고, 성품은 온유溫柔한데 더욱 자애慈愛하며 선량하여 一生토록 福壽가 예사롭지 않고 좋다. 장 촉운과 동일하다.

예) 命造-1
壬 戊 戊 甲
戌 辰 辰 神
학관學官이 되어 금색자의를 허리에 두르고, 5品의 교지敎旨를 받은 이 格인 것이다.

예) 命造-2
甲 戊 己 庚
寅 辰 卯 辰
3位가 日德이 되어 이 格으로 논하는데, 단지 甲寅이 庚辰을 보는 것을 꺼리고, 運이 壬午 財鄕의 지지로 行하니, 午중의 陽刃이 권력을 잡으나 모두가 日德을 犯하니 꺼리는 것인데, 丁巳년에 寅 巳가 상형相刑하여 4월에 죽었는데, 壽가 38세였고, 평생토록 性重하였고, 또한 자애慈愛와 선량善良하지 않았고, 악질惡疾을 오래토록 앓았다. 日德을 재고再考해 보니 丙子 壬午 辛卯 丁酉등의 日이 있거나, 그리고 乙巳 乙酉 乙丑등의 日이 있으면, 그러하지 않고 두려운 것이다. (又,日德喜煞喜身强,不喜財星官旺鄕,爲性溫柔更慈善,一生福壽喜非常.如張燭運同,甲申戊辰戊辰壬戌,由學官而腰金衣紫,得五品官誥,是此格也.一命庚辰己卯戊辰甲寅,三位日德,作此格論, 但甲寅忌見庚辰,運行壬午財鄕之地,午中陽刃持權,皆犯日德所忌,丁巳年寅巳相刑,四月死,壽止三十八,平生性重,亦不慈善,惡疾久纏.再考日德,有丙子壬午辛卯丁酉等日,又有乙巳乙酉乙丑等日,恐未然.)

27. 괴강魁罡

이 格은 庚辰 壬辰 戊戌 庚戌의 4日이 있다. 辰은 天罡이고 戌은 河魁인데, 음양이 멸절滅絶하는 지지이므로 [괴강魁罡이라고]하는 것이다. 단지 甲의 천간을 除하고 천간에 머무는 으뜸된 것으로 辰에 있으면 청룡靑龍이 되고, 戌에 있으면 녹당祿堂이 되어 吉은 있으나 凶은 없기 때문인 것이다. 이 格은 모름지기 중첩한 자리에 거듭 만나야 하고, 日位에 臨한 무리들을 더하여 제복制伏됨으로써 귀하게 되는 것이다. (此格有四日,庚辰壬辰戊戌庚戌.辰爲天罡,戌爲河魁,乃陰陽絶滅之地,故名.獨除甲干,以居干之首,在辰爲青龍,在戌爲祿堂,有吉而無凶故也.此格須疊位重逢,日位加臨者衆,以伏爲貴.)

經에서 이르기를, 괴강이 무리를 이루면, 發福이 대단하고, 주로 사람은 성격이 총명하고 文章을 떨치며, 일에 臨해서는 과단果斷하고 권력을 잡으며 살상殺傷을 좋아한다. 賦에서 이르길, 魁罡은 성격이 엄격嚴格하여 장악력이 있으며 사람이 총명하고 민첩한 것이다. 運이 身旺으로 흐르면 발복發福함이 대단한데, 財官을 한번 만나면 화환禍患이 세워지며 혹 刑煞을 차면 더욱 甚하고, 혹시 일주의 자리에 홀로 [괴강]이 있는데 刑衝 制剋이 거듭 臨하면 필시 소인배小人輩로서 형벌과 책망뿐만 아니라 가난이 뼈에 사무치고, 運이 財官이 旺한 곳에 臨하면 이상한 禍재앙을 방비해야한다. 만약 月令에서 財 官 印綬를 만나면 日主의 一位는 곧 財官 印綬를 취용取用하는데, 비록 조금의 파破 패敗가 있더라도 財 官 印 食이 득위得位하면 역시 큰 害는 없으니, 모름지기 제강提綱을 짐작斟酌하여 마땅히 用[神]을 취하고 이 소절小節=구절에 구애받아서는 안 된다. (經云,魁罡聚衆,發福非常,主爲人性格聰明,文章振發,臨事果斷,秉權好殺.賦云,魁罡性嚴有操持,而爲人聰敏,是也.運行身旺,發福百端,一見財官,禍患立至,或帶刑煞尤甚,倘日位獨處,刑衝剋制重臨,必是小人,刑責不已,窮必徹骨,運臨財官旺處,主防奇禍.若月令見財官印綬,日主一位,卽以財官印食取用,雖微有破敗,財官印食得位,亦無大害,須斟酌提綱,當用者取之,不可拘此小節。)

또 말하기를, 庚戌 庚辰의 二日에는 관성이 없는데, 만약 괴강이 중첩重疊하여 유정有情하면 부자로서 명성이 높다. 그러나 財를 보면 局을 이루지 못하며 歲運에서 다시 財旺한 곳을 만나면 禍재앙은 헤아릴 수 없다. 庚辰일이 9月에 생하면 비록 辰 戌이 相衝할지라도 運이 남방으로 흐르고 柱중에 火가 있으면 역시 귀하다고 말할 수 있다. 庚戌일이 3月에 생하면, 설령 官星 印綬가 있더라도 또한 用할 수 없다. 대개 庚은 戌중의 [丁]火인 官庫를 쓰는데 戊土는 印이 되고, 辰중의 癸水는 傷官으로 또 庚의 기운을 泄하니 格을 이루지 못하는 것이다. (又曰,庚戌庚辰二日,無官星,若魁罡重疊有情,主富高於名,但見財則不成局,歲運再見財旺之鄕,禍不可測.庚辰日,生九月,雖辰戌相衝,運行南方,柱中有火,亦可言貴.庚戌日生三月,縱有官星印綬,亦不用,蓋庚用戌中火爲官庫,戊土爲印,辰中癸水傷官,又泄庚氣,不成格矣.)

戊戌일은 財가 없으면 귀하지 않고 官을 보는 것은 좋지 않은데, 만약 괴강이 중첩重疊하여 유정有情하면 富貴를 겸전兼全한다. 壬辰일은 財官을 만나는 것을 두려워하지만 印綬 劫財와 煞을 매우 좋아하는데 歲 運도 동일하다. 또 말하기를, 辰은 수고水庫이며 천강天罡에 屬하고, 戌은 火庫이며 지괴地魁에 屬하는데, 辰 戌이 서로 만나면 천충지격天衝地擊이 된다. 자평총론에서 이르기를, 身이 천강지괴를 둘 경우, 쇠약하면 가난하고 쓸쓸함이 뼈에 사무치고, 强旺하면 귀현貴顯함이 절륜絶倫하게 된다.[37] (戊戌日,無財不貴,不宜見官,若魁罡重疊有情,富貴兩全.壬辰日怕見財官,大喜印綬劫財與煞,歲運同.又曰,辰是水庫屬天罡,戌是火庫屬地魁,辰戌相見,爲天衝地擊.子平總論云,身値天罡地魁,衰則徹骨貧寒,强則絶倫貴顯.)

詩에서 말하길, 壬辰 庚戌 庚辰 戊戌의 괴강魁罡인 4성신은 財 官 刑 煞을 아울러 만나서는 안되고, 身이 旺한 지지로 흐르면 귀하여도 인륜人倫이 없다. 또, 魁罡은 4日이 가장 우선시하며,

37) 괴강격은 강왕함을 요하고 쇠약하면 재앙을 초래한다.

중첩되게 만나면 대권大權을 장악하고, 庚戌 庚辰은 官이 있음을 두려워하고, 戊戌 壬辰은 財와 연결되는 것을 꺼린다. 또, 일주가 魁罡인데 사주에 [괴강이] 많으면 이 가운데 貴氣가 조회朝會하러 오고, 日主가 홀로 衝 극을 거듭하여 만나고 財 官이 노출되면 禍재앙이 무궁(無窮;끝이 없음)하다. 또, 괴강이 중첩重疊하면 귀인이며, 天元이 健旺하여 身에 臨하는 것을 좋아하고, 財官을 一見하면 재화災禍가 생기고, 刑煞이 온전하게 갖추면 괴롭고 고생한다. (詩曰,壬辰庚戌與庚辰戊戌魁罡四座神,不見財官刑煞併,身行旺地貴無倫.又,魁罡四日最爲先,疊疊相逢掌大權,庚戌庚辰怕官顯,戊戌壬辰畏財連.又,魁罡四柱日多同,貴氣朝來在此中,日主獨逢衝剋重,財官顯露禍無窮.又,魁罡重疊是貴人,天元健旺喜臨身,財官一見生災禍,刑煞俱全定苦辛.)

이 格은 辰 戌을 함께 사용하는데, 오직 천간이 조금 다르고, 이 중에 庚辰 2日은 이미 日德에서 말하였고, 또 魁罡에서도 그 格局으로 논하는데, 그런데 상당히 다르니 반드시 논리에 구애받아서는 안 된다. (按,此格俱用辰戌,獨天干少異,內庚辰二日,既曰日德,又曰魁罡,論其格局,迥然不同,不必拘論.如張時僉事,庚午丁亥戊戌丙辰,劉大受少卿,丁亥癸丑庚戌戊寅,二命魁罡日,只取財官印是也.)

예) 命造-1
丙 戊 丁 庚
辰 戌 亥 午
張時 첨사僉事의 사주이다.

예) 命造-2
戊 庚 癸 丁
寅 戌 丑 亥
유 대수 소경의 사주이다.

두 命은 괴강일인데 단지 財 官 印을 취하였는데, 이것인 것이다.

28. 복덕수기福德秀氣

이 格은 오로지 巳 酉 丑 金局으로 천간에서 얻은 것을 살펴보는 것이다. 예컨대, 乙巳 乙酉 乙丑의 三日은, 乙이 金 煞을 用하면 印綬를 기뻐하며 制伏함을 좋아하는데, 6월生의 未는 묘墓상에서 [乙木이] 旺하니 좋지 않고, 金이 木을 극할 수 있는 8月 생은 좋지 않고, 다시 煞이 투출하고 運이 印綬나 官이 旺한 곳으로 나아가면 發福할 수 있다. (此格專以巳酉丑金局,而看所得天干,如乙巳乙酉乙丑三日,是乙用金爲煞,喜印綬,喜制伏,不宜生六月逢未,以墓上帶旺,金能剋木,不宜生八月,再露其煞,運行印綬官旺鄉,便能發福.)

丁巳 丁酉 丁丑의 三日은, 丁이 壬의 官을 用하면 金이 旺하여 水를 생함을 기뻐하고, 역시 8월 생은 좋아하지 않은데, 8月은 火가 사死함으로서 공명功名이 휘청거리고, 또 11月 생은 좋아하지 않은데, 11월은 癸水가 煞이 되어 壽를 부지扶持하기 어렵고, 사주에 財官을 만나면 좋아하며 [財官이] 旺한 자리는 귀하고, 運이 官旺한 곳으로 行하면 發福할 수 있다. (丁巳丁酉丁丑三日,是丁用壬爲官,喜金旺生水,亦不喜生八月,以八月火死,功名蹭蹬,又不喜生十一月,以十一月癸水爲煞,爲壽不耐,柱中喜見財官旺位爲貴,運行官旺,便可發福.)

己巳 己酉 己丑의 三日은, 己는 甲木의 官을 用하는데, 巳 酉 丑의 金局이 모두 그 官을 손상하며 또한 도기盜氣하는데, 어찌 길하게 될 것인가? 金이 水財를 생할 수 있는 것을 알지 못함이고, 그래서 財運으로 行함을 좋아하며 발달發達하는 것이고, 柱중에 丙 丁 寅 午 戌를 만나는 것을 원하지 않은데, 金局을 손상하며 刑 衝 破 害하고, 또 4月 생을 좋아하지 않은 것은 화왕火旺하여 수기秀氣가 천박淺薄하므로 입신立身이 늦으며 成敗의 孤剋함이 많다. (己巳己酉己丑三日,是己用甲木爲官,巳酉丑金局,皆傷其官,亦名盜氣,何以爲吉？殊不知金能生水財,喜行財運便發,柱中不要見丙丁寅午戌,以傷金局,及刑衝破害,又不喜生四月,火旺,秀氣淺薄,立身在晩,多成敗孤剋.)

癸巳 癸酉 癸丑의 三日은, 金神인 印綬를 用하는데, 巳 酉 丑의 金局을 만나면 癸水를 생할 수 있으니 秋 冬절을 좋아하고, 또한 4月 생은 좋아하지 않은 것은 水가 巳에서 절絶한다. 그렇지만, 金은 巳에서 장생長生하여 金이 水를 생하니 역시 절絶이 되지 않고, 官 印運을 얻으면 發福할 수 있으나 단지 火의 財가 金[印綬]을 손상하는 것을 싫어한다. 혹 말하기를, 이 三日은 비천록마와 동일하다고 하는데, 만일 4月생이면 월림풍月臨風이라 하여 이것은 貴位가 전실塡實함을 일컫는데, 역시 [비천록마와] 통하는 것이다. (癸巳癸酉癸丑三日,是用金神爲印,見巳酉丑金局,能生癸水,喜秋冬,亦不喜生四月,以水絶於巳,雖然金生在巳,以金生水,亦不能絶,得官印運,便能發福,只嫌火財傷金.或曰,此三日與飛天祿馬同,如生巳月,名爲月臨風,是謂塡實貴位,亦通.)

辛巳 辛酉 辛丑의 三日은, 柱가 전부 金局으로 기묘奇妙한데, 만약 午戌의 화왕火旺함을 만나서 破하게 되면 도리어 재앙과 허물이 생기고, 만약 丙火의 旺함이 통하면 正氣 관성이 되고, 혹 寅위에 놓이면 天乙貴人이 되어 모두 길하다. 세운歲運도 동일하다. (辛巳辛酉辛丑三日,柱全金局爲妙,若見午戌火旺有破,反生災咎,若通丙火旺爲正氣官星,或値寅位,爲天乙貴人,俱吉.歲運同.)

古歌에 말하길, 陰木에 酉 丑 蛇巳이 臨함을 더하고 6月생이면 애석하게도 官祿을 얻어도 오래가기 어렵고, 설령 글 솜씨가 있더라도 자랑할 것이 못된다. 또, 乙巳 乙酉 乙丑이 8月 생인은 수명壽命이 짧은 사람이고, 만약 사주에 火 傷官을 만나면 벼슬이 강등하거나 실직은 틀림없는 것이다. 또, 陰火가 巳 酉 丑에 臨하고 丑월 생은 수명壽命이 장구長久하기 어렵고, 거듭 명리名利를 겸하여도 성패成敗가 다단多端하고, 파패破敗하고 황음(荒淫;음탕한 짓을 함)함을 감당할 수 없다. (古歌曰,陰木加臨酉丑蛇,生居六月暗咨嗟,爲官得祿難長久,縱有文章不足誇.又,乙巳乙酉倂

乙丑,八月生人人短壽,四柱若見火傷官,降官失職定然有.又,陰火相臨巳酉丑,生居丑月壽難長,更兼名利多成敗,破敗荒淫不可當.)

또, 丁巳 丁酉 丁丑의 8月 생인은 사람이 오래지 않아 앞날의 명리名利 모두 구차스럽고, 다시 음주飮酒 및 교우(交友;친구를 사귐)하는 것을 싫어한다. 또, 陰土가 蛇巳 雞酉 牛丑을 만나면 福德은 비휴貔貅라 부르고, 수기秀氣는 火가 내침來侵하여 破剋하니 모름지기 명리名利는 한때 휴식休息하게 된다. 또, 己巳 己酉 己丑은 복덕수기福德秀氣가 조화造化가 있으며 사주에 火가 침입하는 것을 크게 두려워하는데, 설령 공명功名이 있을지라도 장구長久하지 않는다. 또, 陰金이 合局하면 앞날에 조화造化가 淸奇하고 유정有情함이 크다. 사주에 火가 내침來侵하여 파극破剋하면 마땅히 명리名利는 모두 이루지 못하는 것을 알아야 한다. (又,丁巳丁酉併丁丑,八月生人人不久,前程名利兩區區,更忌飮酒及交友.又,陰土逢蛇雞與牛,名爲福德號貔貅,秀氣火來侵剋破,須教名利一時休.又,己巳己酉及己丑,福德秀氣造化有,大怕四柱火相侵,縱有功名不長久.又,陰金合局主前程,造化淸奇大有情,四柱火來侵剋破,須知名利兩無成.)

또, 陰柔陰干이 서방의 金氣에 坐하면 休囚하여도 두려워하지 않고, 鬼煞이 생할 때에 바야흐로 발복發福하니 공명功名을 좇아 영주瀛洲[38]에 오른다. 또, 癸巳 癸酉가 月이 풍목(風木=춘절)에 臨하면 모든 일이 지연遲延되어 하는 일이 헛되고, 名利가 생성生成하여도 유망有望하기 어려우니 비로소 사람이 오행중에 존재하는 것을 알게 된다. 또, 癸巳 癸酉 癸丑은 4月 생인의 사람은 길지 않은 공명功名의 성패成敗가 만년晩年에 있다. 여색을 탐하는 것과 음주飮酒를 가장 꺼린다. (又,西方金氣坐陰柔,不怕休時不怕囚,鬼煞生時方發福,功名隨步上瀛洲.又,癸巳癸酉月臨風,百務遲延作事空,名利生成難有望,始知人在五行中.又,癸巳癸酉及癸丑,四月生人人不久,功名成敗在晩年.最忌貪淫併飮酒.)

29. 삼기진귀三奇眞貴-1~2

1.

經에 이르기를, 만약 삼기 眞祿馬를 보면 이름이 세상에 널리 알려지고, 日主가 녹마祿馬의 旺함을 만나 흥륭興隆하면 일거一擧에 명성을 이룬다. 가령 甲이 酉 丑 未月에 생하고, 乙이 巳 申月에 생하여 柱에 壬癸 혹 亥子가 있으며 財 官 印을 온전히 겸하면 삼기지귀三奇之貴하게 되고, 傷官 七煞 劫財 刑衝 破害를 꺼리고, 運은 財官 印 身旺한 지지를 좋아한다. (經云,若遇三奇眞祿馬,名聞達天下,日逢祿馬旺興隆,一擧便成名.如甲生酉丑未月,乙生巳申月,柱有壬癸或亥子,財官印兼全,爲三奇之貴,忌傷官七煞劫財刑衝破害,運喜財官印身旺之地.)

---

38) 영주瀛洲 ; 실제 지명인지의 可否는 모르겠으나 筆者가 "서유기"에서 읽은 바로는 신선들이 머무는 섬으로 기억된다. 한편, 영주산은 봉래산蓬萊山·방장산方丈山과 더불어 三神山이라 불리운다.

무릇 사람이 삼기를 만나면 총명하며 학문을 좋아하고, 신동神童으로 장원급제壯元及第하고, 절개와 지조가 있고, 도의道義가 있으며, 삼기는 내외內外를 구분하며, 천간에 노출한 것은 外가 되고 지지에 암장暗藏한 것은 內가 되는데, 외기外奇는 노력하여 富貴 안처安處를 이루지만 항상 편안하지 않은 상象이 있는 것은 천간이 항상 동하기 때문인 것이다. 月令의 財 官이 쇠패衰敗하거나 혹 運이 쇠약한 지지로 흐르면 빈곤貧困한 命이 된다. (凡人遇之,主聰明好學,神童狀元,有節操,有道義,三奇分內外,天干明露爲外,地支暗藏爲內,外奇主勞而成,富貴安處,常有未寧之象,以天干常動故也.倘月令財官衰敗,或運行衰地,卽爲貧困之命.)

예) 命造
辛 甲 癸 己
未 午 酉 卯
좌 감랑중의 命이다. 천간이 三奇인데 단지 日干은 쇠약하며 財官은 旺하고 印綬도 弱하여 크게 귀하지 못할까 염려된다. 만약 內 三奇라면 지지의 財官이 암회暗會하여 眞祿馬가 되어 천간의 扶合을 얻고, 衝剋을 만나지 않으며 月令에서 財官의 생왕生旺한 기와 通한다. 만일 辛이 巳月에 생하면 官 印이 모두 建祿이고 다시 財旺하고 日主가 건왕健旺하면 貴는 마땅히 一品이 된다. (如左鑑郞中,己卯癸酉甲午辛未,是天干三奇,但日干衰而財官旺,印又弱,恐不大貴,若內三奇,地支暗會財官,爲眞祿眞馬,得天干扶合,不逢衝剋,月令通財官生旺之氣.如辛生巳月,官印俱建祿,更得財旺,日主健强,貴當一品.)

經에 이르기를 남자가 三奇를 보고 생왕生旺하게 되면 一品의 尊貴한 곳에 머물게 된다.

예) 命造-1
辛 辛 辛 乙
卯 酉 巳 酉
장거정 각로의 命이다. 月令은 官 印의 建祿이며 日主는 祿에 坐하여 自旺하고, 年에 乙 財가 時에 卯 建祿을 끌어오니, 日主가 財官 印이 모두 祿에 坐하고, 4月은 天德[귀인]이 辛인데, 辛乙에 녹祿이 호환互換하여 돌아오므로 연소한 나이에 승상의 자리에 배명拜命을 받아 소사(少師; 종2품의 벼슬)가 되고, 여섯 자식에 父母 兄弟를 다 갖추어 온전하였고, 자식과 동생이 癸酉년에 동일한중에 한 자식은 한림翰林으로 前 조정의 각신閣臣으로 총애를 받아 견줄 수가 없었다. (經云,男遇三奇逢生旺,定居一品之尊.如張居正閣老,乙酉辛巳辛酉辛卯,月令官印建祿,日主坐祿自旺,年乙財,引歸時卯建祿,是日主財官印俱坐祿,四月天德在辛,辛乙互換歸祿,所以少年拜相位爲少師,六子父母兄弟俱全,子與弟癸酉同中,一子翰林,前朝閣臣,寵任無與爲比.)

예) 命造-2
丙 丁 甲 庚
午 未 申 辰

담륜 상서의 命이다. 財 官 印이 모두 月令에 있고, 丁未가 팔전(八專;壬子에서 癸亥까지의 12일중에 丑 辰 午 戌의 나흘을 제외한 나머지 8일 [子 寅 卯 巳 未 申 酉 亥]동안의 專祿을 말함)이며 또 時에 歸祿하여 身旺하고 三奇를 얻으니, 평생토록 軍에서 공功을 세워 貴가 一品에 이르렀다. (又譚綸尙書,庚辰甲申丁未丙午,財官印俱在月令,丁未八專,又歸祿於時,身旺而得三奇,平生以軍功顯,貴至一品.)

2.

또 말하기를, 甲이 중추절[酉]에 생하여 干支에 壬癸 戊己가 있으며 일주가 왕기旺氣를 타면 大貴하다. 만약 干支에서 다시 申庚을 만나면 官 煞이 혼잡한데 柱에 乙을 얻어 庚을 합하거나 혹 旺한 丙이 制剋하면 역시 취용取用할 수 있으나 결국은 청순淸純하지 못하다. 만약 계하(季夏=未)나 계동季冬=丑에 생하여 공포재덕空抱才德하면 명성名聲을 이루기 어려운데, 甲이 丑월에 생하면 丑중에 辛[金]이 있으니 甲의 正官이 되고, 己[土]의 正財가 있으며, 癸의 正印이 있으니, 四柱는 月令에서 三奇가 有氣한데, 혹 局을 결성結成하여 일주가 健旺하고 印綬의 생조生助가 있으면, 印綬에 貴氣가 모이게 되어 가장 아름답다. 나머지는 例로써 추리하라. (又曰,甲生仲秋,干支有壬癸戊己,日主乘旺,亦主大貴,若干支又逢申庚,官煞混雜,柱得乙合庚,或旺丙剋制,亦可取用,終不淸純,若生季夏季冬,空抱才德,難以成名,甲生丑月,丑中有辛,爲甲正官,有己正財,有癸正印,四柱月令三奇有氣,或結成局,日主健旺,略帶印生助,爲帶印聚貴,最佳,餘以例推.)

또 말하기를, 財 官 食神이 전비全備하여도 역시 三奇가 되기 때문에 食神을 취하는 것인데, 甲의 食神은 丙이며, 丙은 己[土]를 생할 수 있어 甲의 財가 되고, [丙은] 辛을 합하여 甲의 官을 삼고, 月令 및 日時에서 인왕引旺하면 기묘奇妙하게 된다. 무릇 사람이 食神을 보면 權貴가 설령 가볍더라도 역시 재백財帛은 풍성豐盛한데, 그러나 三奇에 모인 食神은 단지 偏印을 꺼리게 된다. 또 말하기를, 삼기는 順해야 하고 다시 같은 旬내에서 합하면 가장 아름답다. (又曰,財官食全備,亦爲三奇,所以取食者,以甲食丙,丙能生己爲甲之財,合辛爲甲之官,要月令及日時,引旺爲妙.凡人遇之,主權貴縱輕,亦財帛豐盛,但三奇會食,只以偏印爲忌.又曰,三奇宜順逢,更一旬內合見最貴.)

가령 甲子일이 己巳 辛未를 보고, 乙丑일이 戊寅 庚辰을 만나고, 丙寅일이 辛卯 癸巳를 보고. 丁未일이 庚戌 壬子를 만나고, 戊戌일이 己亥 癸卯를 보고, 己未일이 壬申 甲戌을 만나고, 庚辰일이 乙酉 丁亥를 보고, 辛巳일이 乙未 丙申을 만나고, 壬午일이 丁未 己酉를 보고, 癸卯일이 丙辰 戊午를 만나는 경우, 이상은 三奇인데, 순서대로 같은 旬안에서 만나면 진 녹마眞 녹마祿馬가 되고, 다시 印綬가 있어 身을 도우면 공후公侯가 된다. (如甲子日見己巳辛未,乙丑日見戊寅庚辰,丙寅日見辛卯癸巳.丁未日見庚戌壬子,戊戌日見己亥癸卯,己未日見壬申甲戌.庚辰日見乙酉丁亥,辛巳日見乙未丙申,壬午日見丁未己酉,癸卯日見丙辰戊午,以上三奇,順逢一旬內遇,爲眞祿馬,更有印助身,主爲公侯.)

또 말하기를, 甲이 酉 子 巳를 만나고, 乙이 申 午 亥를 보고, 丙이 子 卯 申이 臨하고, 丁이

亥 酉 寅을 좋아하고, 戊가 卯 亥 午를 만나고, 己가 寅 子 巳를 만나고, 庚이 午寅를 보고, 辛이 巳와 아울러 卯에 臨하고, 壬은 午와 아울러 酉를 좋아하고, 癸가 巳申을 보면 지지는 三奇가 된다. 또 內 三奇라는 것은 財印이 서로 손상시키지 못하기 때문에 正官 正印이 偏財와 모인 것이다. 무릇 사람이 內 三奇를 만나고 衝破가 없으며 생왕生旺하면 반드시 세상살이에 영웅이 되고, 장원급제하여 벼슬이 경상卿相에 이른다. (又曰,甲逢酉子巳,乙遇申午亥,丙臨子卯申,丁喜亥酉寅,戊見卯亥午,己逢寅子巳,庚遇午及寅,辛臨巳並卯,壬喜午並酉,癸見巳與申,爲地三奇.又名內三奇,財印不可相傷,故正官正印會偏財也. 凡人遇此,無衝破,帶生旺,必然處世英雄,科甲高第,官至卿相.)

또 말하기를, 三奇의 貴는 모름지기 財 官 印에서 무엇이 생조生助하고 있으며, 무엇이 손상하고 있는가를 자세히 살펴야 한다. 그렇지만 제일 꺼리는 것이 있는데 귀기貴奇가 손상損傷함이 있으면, 무리를 따라 화복禍福을 단정斷定하는데, 만일 재성이 피겁被劫되고 歲運에서 다시 比劫을 만나면 이 年해에 상처傷妻와 파재破財하는 것으로 단정斷定하고, 혹 妻와 자식으로 인해 官이 아니면 파모破耗한다. (又曰,三奇之貴,須要詳審財官印爵,有何生助,有何傷損,但有一忌,便是奇貴有損,逐類斷其禍福,如財星被劫,歲運再逢比劫,斷此年傷妻破財,或因妻孥,官非破耗.)

만일 官貴가 명암明暗으로 손상이 있으며 歲運에서 다시 손상하는 神을 만나면 이 年은 박관퇴직(剝官退職;관직을 박탈당하거나 퇴직함)하게 되고, 인성이 손상을 당하면 조상의 터전이 파모(破耗;파괴되어 줄어든다)하는데 歲運에서 사절死絶의 지지에 臨하거나 다시 파괴破壞하는 神을 만나면 반드시 重한 재앙이 나타난다. (如官貴明暗有傷,歲運再逢傷損之神,斷此年剝官退職,印星有損,破耗鎡基祖蔭,歲運臨死絶之地,再逢破壞之神,必見重禍.)

그러나 대체로 命을 볼 때에, 사주에 무엇이 用神이 되고, 무엇이 도우는가를 살펴야 하는데, 만일 官貴가 用[神]이 되면 사死敗 破壞를 만나는 것은 꺼리고, 만약 用神이 손상을 당하면 도우는 것의 구원이 있으면, 비록 凶할지라도 죽지는 않지만, 다시 조력자助力者가 制剋을 당하여 가로막혀 있고, 日主도 또한 쇠약하면 반드시 죽게 된다. (但凡看命,要察柱中何者爲用神,何者爲助,如官貴爲用,忌見死敗破壞,若見用神被傷,相助者有救,雖凶不死,再相助者亦有阻剋,日主又衰,其死必矣.)

詩에서 말하기를, 財 官 印綬를 三奇라 부르는데, 문관文官으로 영웅이 되며 무관武官으로 권위가 있게 되고, 심성心性은 충성스럽고 선량하며 기강綱紀이 높고 가문家門에 음덕蔭德을 받아 찬란하게 된다. 또 財官의 작위爵位와 印綬를 三奇라 부르는데, 셋이 온전한 것은 드문 일로서 [삼기를 전부] 만나게 되면 소년 시절에 급제하며 무리 중에 우두머리가 되어 공훈功勳은 세상을 덮고 수명은 100세가 된다. 또 印綬 祿官이 날아오고 馬財를 타고 나아가면 [財 官印을 모두 갖추면], 재물과 관직은 모두 마땅히 얻고, 旺한 중에 다시 본원本元이 도우면 영화榮華로우며 제일 뛰어난 上格이다. (詩曰,財官印綬號三奇,文將英雄武將威,心性忠良綱紀大,滿門受蔭定光輝.又,財官爵印號三奇,三者兼全罕遇之,年少科名魁衆彦,功勳蓋世壽期頤.又,印祿飛來就馬騎,資財官職兩相

宜,旺中更爲本元助,上格榮華第一奇.)

30. 천원암록天元暗祿

이 格은 庚寅 乙巳 丙申 己亥의 4일을 取한다. 예컨대, 庚일은 丁火가 正官인데, 年 月 時중에서 丁을 만나지 않으면 官이 없는 것이니 庚이 寅에 自坐한 것을 기뻐하고, 寅중에는 장생長生하는 火氣가 있어 庚을 극하는 官이 되고, 甲의 祿은 寅에 있으며 木은 火의 母로서 모자母子는 서로 이어지는 法이고, 歲 月 時중에 戊 己가 있어 天元이 자조滋助하는 것을 기뻐하고, 사주에서 乙丁을 다시 만나면 아름답지만 丙煞을 만나면 壬 癸 亥 子가 있어 [丙煞을] 제制하여야 한다. (此格取庚寅乙巳丙申己亥四日.如庚日取丁火爲正官,年月時中不見丁,則無官矣.喜庚自坐寅,寅中有長生火氣,庚自剋出爲官,甲祿在寅,木乃火之母,母子有相繼之理,歲月時中,喜有戊己,滋助天元,四柱見乙丁更佳,見丙煞,宜得壬癸亥子制之.)

乙巳일은 金이 장생長生하는 곳에 坐하여 官이 되며 [巳중에] 戊의 祿은 財가 되는데, 사주에 다시 庚戊가 투출하는 것을 기뻐하며 壬癸 印綬의 생조生助가 필요하다. 辛金 七煞을 꺼리는데, 巳중에는 원래 丙火의 旺함이 있으니 마땅히 壬癸 亥子가 그 火氣를 제거해야 비로소 아름다운 것이다. (乙巳日,坐長生之金爲官,戊祿爲財,柱喜再見庚戊引透,要壬癸印生助,忌辛金七煞,其巳中原帶丙火旺,須壬癸亥子,去其火氣,方美.)

丙申일은 庚辛의 財, 癸水의 官, 甲乙의 印綬를 좋아하고, 戊己의 官을 손상損傷하는 것을 싫어한다. 己亥일은 亥중의 장생長生지에 坐한 甲木의 官이 되어 金의 傷官을 꺼린다. (丙申日,喜庚辛財,癸水官,甲乙印,忌戊己傷官.己亥日,坐亥中長生,甲木爲官,忌金傷官.)

經에서 이르길, 庚은 寅에서 祿을 만나면 權으로 기쁜데 丙丁을 만나면 수명壽命은 반드시 끝난다. 또 말하길, 庚이 寅을 보면 丙을 둔 것인데 일주가 旺하면 위태롭지 않다. 또 말하기를, 丙이 申에 臨하고 陽水를 만나면 수명壽命을 연장하기 어렵고, 己가 亥宮에 들어 陰木을 만나면 결국은 수명壽命이 손상하여 연장하기 어렵다. 또 말하기를, 乙이 巽宮에 들어도 절絶이 되지 않고, 이 4일을 가리키는 것이다. (經云,庚逢寅位祿權歡,丙丁逢之壽必端.又曰,庚遇寅而値丙,主旺無危.又曰,丙臨申位,逢陽水難獲延年,己入亥宮,見陰木,延年損壽.又曰,乙入巽宮,名爲不絶,是指此四日也,聞淵尙書,庚子甲申庚寅丙戌,潘濆尙書,丙辰丙申丙申壬辰,一都憲,辛巳辛丑己亥丙寅,一副使丁亥壬寅己亥乙亥.一知縣,甲子丁卯乙巳丙子,數命此日生.)

예) 命造-1

丙 庚 甲 庚
戊 寅 申 子

문연 상서의 命이다.

예) 命造-2
壬 丙 丙 丙
辰 申 申 辰
반황 상서의 命이다.

예) 命造-3
丙 己 辛 辛
寅 亥 丑 巳
일 도헌의 命이다.

예) 命造-4
乙 己 壬 丁
亥 亥 寅 亥
일 부사의 命이다.

예) 命造-5
丙 乙 丁 甲
子 巳 卯 子
일 지헌의 命이다.
上記 다섯의 命은 이[천원암록]日에 생한 四柱이다.

31. 록원삼회祿元三會

예컨대, 이 格은 甲일이 巳 酉 丑을 만나면 壬 癸 印綬의 생조生助는 기뻐하지만 亥 卯 未의 衝 극과 庚의 煞과 丁의 傷官을 꺼리고, 陽干이 만나면 불순不純한데 사주에 制가 있으면 편관으로 取할 수 있다. 丙일이 申 子 辰을 만나면 甲 乙 印綬는 좋아하지만 壬의 煞과 己의 상관과 寅 午 戌의 衝剋을 꺼린다. 戊일이 亥 卯 未를 만나면 丙 丁 印綬는 좋아하지만 甲의 煞과 辛의 상관과 巳 酉 丑의 衝剋을 꺼린다. 庚일이 寅 午 戌을 만나면 戊 己 卯는 기뻐하지만 丙의 煞과 癸의 傷官과 申 子 辰의 衝剋을 꺼린다. 壬일이 寅 午 戌을 만나면 庚 辛의 印綬는 좋아하지만 戊의 煞과 乙의 傷官과 申 子 辰의 衝 극을 꺼린다. (此格如甲日見巳酉丑,喜壬癸印生助,忌亥卯未衝剋,庚煞丁傷,陽干遇之不純,柱中有制,取偏官可也.丙日見申子辰,喜甲乙印,忌壬煞己傷,寅午戌衝剋.戊日見亥卯未.喜丙丁印,忌甲煞辛傷,巳酉丑衝剋.庚日見寅午戌,喜戊己卯,忌丙煞癸傷,申子辰衝剋.壬日見寅午戌,喜庚辛印,忌戊煞乙傷,申子辰衝剋.)

이록원삼회 格은 身旺하고 印綬가 도와야하는데, 運이 官 印 身旺한 곳으로 行하면 반드시 부귀하게 된다. (此格要身旺印滋,運行官印身旺之鄕,必發富貴.)

낙녹자가 論하기를, 록에 삼회가 있다는 것은 즉 甲이 寅을 보면 寅午戌을 얻거나, 乙이 卯를 보면 즉 亥卯未를 얻는 것이 되는데, 하나를 얻으면 셋으로 나뉜다고 하는 이것을 가리켜 임관의 록이라고 한다. (珞琭子論,祿有三會乃甲見寅而得寅午戌,乙見卯而得亥卯未,謂之得一分三,是指臨官之祿.)

32. 록원호환祿元互換

이 格은 단지 戊申 丁酉 丙子 庚子의 4日만 있다. 戊申일이 乙卯 時를 만나면 戊는 卯중의 乙木으로 官을 삼고, 乙은 申중의 庚金으로 官을 삼아 호환(互換;서로 교환함)하여 그 貴祿을 이룬다. 사주에 壬癸의 財가 乙木 관성을 생조生助하는 것을 기뻐하고, 運이 官이 旺한 곳에 臨하면 곧 貴命이고, 甲의 煞과 辛의 傷官과 寅 酉가 충하는 것을 꺼린다. 丁酉가 壬寅을 보고, 丙子가 癸巳를 보고, 庚子가 丁亥를 만나는 것의 喜 忌는 앞과 동일하게 추리하면 된다. (此格只有四日,戊申丁酉丙子庚子.戊申日見乙卯時,戊取卯中乙木爲官,乙取申中庚金爲官,互換成其貴祿.柱中喜壬癸爲財,生助乙木官星,運臨官旺鄕,便是貴命,忌見甲煞辛傷,寅酉衝.丁酉見壬寅,丙子見癸巳,庚子見丁亥,喜忌與前同推.)

예) 命造-1
癸 丙 壬 癸
巳 子 戌 亥
호환互換하여 녹祿이 旺한데, 각각 관官귀貴가 임臨하고 刑 衝 破 害가 없기 때문에 귀하다. (如一命,癸亥壬戌丙子癸巳,互換祿旺,各臨官貴,無刑衝破害,故貴.)

예) 命造-2
癸 丙 辛 己
巳 子 未 未
[록원호환]格에 부합하니 크게 귀하다. 고법古法에서 祿元互換을 논하기를, 가령 戊午가 丁巳를 보는 例로서 임관臨官의 祿을 取한 것이다. (又,己未辛未丙子癸巳,合格大貴.古法論祿元互換,如戊午見丁巳之例,是取臨官之祿.)

33. 육임이환六壬移換

이 格은 柱중에 녹祿이 있으며 刃이 있고 官이 있고 印綬가 있는데, 本身이 衝剋을 만나면 변화變化하여 따르지 않는다. 천간 지지에 衝剋이 있는데, 혹 年 月 日이 衝剋하거나, 혹 日 時가 간극지충(干剋支衝=天地剋衝)하는 것은 마땅히 피차간에 서로 바꾸어 用이 되고, 천간은 항상 동하고 지지는 정靜하기 때문에 지지의 衝 극으로 因하여 천간이 동하는 것이다. (此格柱中有祿,有刃,有官,有印,不就本身者,遇衝剋則變化.有天干地支衝剋,或年月日衝剋,或日時干剋支衝者,當彼此互換爲用,以天干常動,地支靜,故地支因衝剋以動天干也.)

가령, 甲子일이 庚午 時를 보거나, 壬子일이 丙午 時를 만나거나, 庚子일이 甲午 時, 丙子일이 壬午 時를 만나는 것으로 取用하여 禍福을 논하고, 庚午일이 丙子 時를 보거나, 癸亥일이 丁巳 時를 만나면 丙午 丁亥가 된다고 논하고, 그런데 丁酉가 癸卯를 만나면 오히려 이환移換되지 않고, 丁이 酉에 생하고 癸가 卯에 생하면 각기 天乙貴人으로 貪生하기 때문인 것이다. (如甲子日見庚午時,壬子日見丙午時,便當以庚子日甲午時,丙子日壬午時,取用論禍福,庚午日見丙子時,癸亥日見丁巳時,當作丙午丁亥論,惟丁酉遇癸卯.卻不移換,緣丁生於酉,癸生於卯,各就天乙貴人貪生故也.)

예전에 三命에서는 먼저 用을 主로 세웠는데, 허중李 虛中은 오의奧義에서 화복禍福 빈천貧賤을 방책(方冊;목판木板이나 대쪽에 쓴 글)에 실었는데 모든 것을 갖추었다. 오늘날 사람들은 왕왕往往 用이 징험하지 않은 것은 단지 앞에서 설명한 이치를 알지 못하기 때문인 것이다. (古以三命先立主用,乃虛中之奧旨,禍福貧賤,載在方冊,無不悉備,今人往往用之不驗,惟不知前說之理故也.)

예) 命造
癸 丁 癸 己
卯 卯 酉 巳
2卯와 1酉이며 丁癸가 상극하고, 지지의 卯 酉 衝으로 인해 천간이 요동搖動치고, 1丁이 2癸의 가운데 끼여 펼쳐나가기 어려울 듯하다. 丁은 곧 태세太歲 己의 母인데 己가 丁을 극하는 癸를 만나니 자식이 와서 母를 구원하여, 도리어 癸酉의 水를 손상하므로 癸는 己를 벗어나 卯를 차지生하고하고, 丁은 오히려 癸에게 양보하며 卯에 거하는데 곧 兒를 따라 酉에 머물러 각각 貴地를 만나므로 크게 귀하엿다. (如己巳癸酉丁卯癸卯,二卯一酉,丁癸相剋,此因地支卯酉衝,撼動天干,一丁夾二癸之中,似難展步,丁乃太歲己之母,己見癸剋丁,子來救母,反傷癸酉水,癸避己占卯,丁卻讓癸居卯,乃就兒居酉,各逢貴地,所以大貴.)

예) 命造
壬 戊 甲 甲
子 辰 戌 午
甲戌이 戊辰을 衝剋하여, 戊는 壬위에 거하는 子를 탈취하고, 壬은 辰위로 돌아와 "임기용배"가 되고, 戊가 子를 얻으니, 日 時에서 함께 재관쌍미財官雙美한 것이다. (又,甲午甲戌戊辰壬子,甲戌衝剋戊辰,戊奪壬位居子,壬歸辰位,爲壬騎龍背,戊得子,日時俱財官雙美.)

예) 命造
壬 庚 丙 丙
午 辰 申 子
양兩丙으로 煞이 重한 듯하니 壬午 時를 얻어 기쁘지만 丙子를 衝剋하여 壬은 丙의 자리를 빼앗아 子에 머물고, 丙은 庚을 빼앗아 辰에 머무니 庚은 丙을 피하여 오히려 午상에 머물러 각각 官印이 구전俱全하고, 또 7月의 丙은 [庚을] 극할 수 없으며 壬水가 德이 되는데 庚이 도와 유력有力하므로 合을 이루어 조화造化가 기묘奇妙하다. (又,丙子丙申庚辰壬午,兩丙似乎煞重,喜得壬午時,衝剋丙子,壬奪丙位居子,丙去奪庚居辰,庚避丙卻居午上,各得官印俱全,且七月丙不能剋,壬水爲德,助庚有力,所以合成造化之妙.)

예) 命造
戊 壬 戊 乙
申 午 子 亥
하나의 壬이 양兩戊의 중간에 거居하여 존재하기 어려울 듯한데, 기쁜 것이 子午의 衝動을 얻어 戊는 壬을 빼앗아 午에 머물고, 壬은 戊를 피하여 子에 머물러 각각 [陽]刃의 힘을 가져 다투지 않고 머무르니 戊午와 戊申으로 변화하여 공귀격拱貴格을 이룬다. (又,乙亥戊子壬午戊申,一壬居二戊之中,似難存濟,喜得子午衝動,戊奪壬居午,壬避戊居子,各持刃力停不戰,變成戊午戊申拱貴之格.)

예) 命造
庚 甲 丁 癸
午 子 巳 亥
地支가 巳亥 子午가 충하여 동하니 천간 역시 동하여, 丁은 亥에 거하고, 癸는 巳에 거하여 각각 貴地를 만났다. 庚이 子에 거하면 비록 사지死地일지라도 가까운 月令에서 장생長生하니 도리어 巳중의 丙火를 用하여 편관의 制가 있게 되고, 甲은 午에서 사死하고 子에서 패敗하니 前後로 의지할 데가 없으므로 만년晩年에 불측지화不測之禍를 당하게 된다. (又,癸亥丁巳甲子庚午,地支巳亥,子午衝動,天干亦動,丁居亥,癸居巳,各逢貴地.庚居於子,雖是死地,近月令長生,卻用巳中丙火,爲偏官有制,甲死午敗子,前後無依,所以晩年致不測之禍.)

34. 절지재관絶地財官

심경에 이르기를, 녹마祿馬가 절絶한 곳은 도리어 財를 向하고, 人元이 튀어 나오면 극한다. 이 말은 命에서 財官이 절지絶地를 만나면 運중에서 도리어 人元이 나오는 것을 극하여 發福한다는 것이다. (心鏡云,祿馬絶處卻向財,人元剋出來.此言命遇財官絶地,運中卻得人元剋出,主發福.)

낙록자가 이르기를, 지지에서 人元이 만들어지고, 運의 여정旅程에서는 득실得失인 것이다. 詩에서 말하길, 절지絶地의 財官은 알아야하는데, 人元이 극出하면 財를 기대할 수 있고, 運중에서 다시 支元이 힘을 얻으면 이것이 부귀영화富貴榮華의 근본인 것이다. (珞琭子云,支作人元,運商途而得失是也.詩曰,絶地財官要得知,人元剋出有財期,運中更得支元力,此是榮華富貴基.)

35. 자오쌍포子午雙包

子는 제좌帝座이고 午는 단문端門이 되어 제왕이 머무는 자리이다. 人命에서 혹 양兩子와 양兩午, 혹은 양兩午가 하나의 子를 감싸거나, 혹은 양兩子가 하나의 午를 감싸면 수화상제水火相濟의 도가 있으니 陽이 생하고 陰이 생하는 조짐을 만나는 것은 귀하게 된다. (子爲帝座,午爲端門,帝王所居之位,人命或兩子兩午,或兩午包一子,或兩子包一午,有水火相濟之道,陽生陰生之機,遇者主貴.)

예) 命造-1
壬 戊 壬 壬
子 午 子 午
兩午 兩子인 命이다.

예) 命造-2
壬 戊 癸 壬
子 午 丑 子

예) 命造-3
戊 丙 庚 甲
子 申 午 子

예) 命造-4
庚 丁 戊 戊
子 未 午 子
2~4번 命造는 모두 兩子 하나의 午를 감싼다.

예) 命造-5

庚 甲 甲 戊
午 申 子 午

예) 命造-6
庚 甲 壬 甲
午 子 申 午
5~6번 命造 모두는 양兩午가 子를 감싼다. 전부 貴命이다. (如壬午壬子戊午壬子,兩午兩子,壬子癸丑戊午壬子,又甲子庚午丙申戊子,又戊子戊午丁未庚子,皆兩子包午,戊午甲子甲申庚午,又甲午壬申甲子庚午,皆兩午包子.俱貴命.)

36. 청룡복형靑龍伏形

甲 乙 木은 동방에 속하며 청룡복형靑龍伏形이라고 하여 金에게 굴복하는 것이다. 예컨대, 甲申 甲戌 乙巳 乙酉 乙丑의 이 5일生은 좌하坐下가 財官으로, 모두 月令에 의지하여야 하고, 官星이 득지得地하면 상관을 만나지 않아야 金 木이 상정相停하여 합하는 상象이 되고, 乙巳의 日 時에 있으면 청룡복장靑龍伏藏이라 하여 주로 음주飮酒로 손실損失이 많아 暗으로 福壽를 손상하니 음주飮酒를 하지 않은 것이 좋다. (甲乙木屬東方,謂之靑龍伏形者,伏於金也.如甲申甲戌乙巳乙酉乙丑,此五日生,坐下財官,俱要月令有托,官星得地,不見傷官之神,金木相停爲合象.有以乙巳日時,名靑龍伏藏,主飮酒有失,暗損福壽,不飮則可.)

詩에서 이르길, 甲乙이 申酉에 거하면 춘절의 旺함을 만나야 가장 좋고, 만약 사주에서 고庫를 만나 도우면 재관쌍미財官雙美로 예사롭지 아니하다. (詩曰,甲乙如居申酉鄕,木逢春旺最爲良,四柱若逢庫相助,財官雙美不尋常.)

37. 백호지세白虎持勢

庚 辛 金은 서방에 속하며 백호지세白虎持勢라 하여 그 세력을 얻은 것이다. 예컨대, 庚午 庚寅 庚戌 辛巳 辛卯 辛未의 이 6일 생은 좌하坐下에 財 官 印이 [있어] 귀하고, 일주는 생氣를 받아 의지해야하고, 官旺하고 得時하여 도움이 있으면 財 官을 만나지 않아야하고, 官을 用하면 반드시 귀하고, 財를 用하면 반드시 富한데 세운歲運도 동일하다. 辛卯의 日時에 있으면 백호를 犯하는데, 용맹勇猛하나 전투戰鬪에 불리不利하고, 영인令人은 대부분 안목眼目의 질병疾病이 있으며 중범重犯하는 것을 더욱 꺼린다. (庚辛金屬西方,謂之白虎,持勢者,得其勢也.如庚午庚寅庚戌辛巳辛卯辛未,此六日生,坐下財官印貴,要日主有托,受生氣,或官旺得時有助,不見財官,用官必貴,用財必富,歲運同.有以辛卯日時,犯白虎,不利勇猛戰鬥,令人多有眼目之疾,重犯尤忌之.)

詩에서 말하기를, 백호지세는 寅 卯가 强한데, 만일 巳 午 未 戌의 지지에 臨하고 사야四野가 이를 만나면 대부분 부귀하며 반드시 황도(皇都;황성)로 나아가 동량棟梁이 된다. (詩曰,白虎持勢寅卯强,如臨巳午未戌鄕,四野遇之多富貴,必向皇都作棟梁.)

38. 주작승풍朱雀乘風

丙 丁 火는 남방에 속하며 주작승풍朱雀乘風이라 하여 지세持勢의 뜻이다. 丙丁은 金 水鄕에 머무는 것을 기뻐하며 身旺하여야 부귀하다. 가령 丙子 丁亥는 수화기제水火旣濟가 되고, 또 태원胎元을 합하여 기를 받음으로 귀한데, 官이 旺하고 財가 旺하면 최상이 된다. 丙丁은 申 子 辰의 水局이 있어야 또한 기제旣濟가 된다. (丙丁火,屬南方,謂之朱雀乘風,亦持勢之義也.丙丁喜居金水之鄕,身旺有托,富貴.如丙子丁亥,水火旣濟,又合胎元受氣之貴,官旺財旺爲上.丙丁有申子辰水局,亦爲旣濟.)

賦에서 이르길, 화왕火旺한데 水를 얻으면 기제旣濟의 공功을 이루고, 모름지기 水火가 상정相停하여야 편고偏枯하지 않다는 것이다. 丙申 丙辰 丁酉 丁丑은 身이 의지할 데가 있어야 생기生氣가 돕고, 財官이 旺相하면 모두 길하고, 丁未의 日時면 주작절족朱雀折足이라 하여 크게 불리不利하며, 육축(六畜;집에서 기르는 대표적인 여섯 가지 가축)이 달아나거나 다치거나 죽거나, 혹 창질(瘡疾;매독)에 걸리고, 甲乙에 있으면 자손子孫에게 있다. (賦云,火旺得水,以成旣濟之功,須水火相停,不致偏枯方是.丙申丙辰丁酉丁丑,得身有托,生氣相扶,財官旺相俱吉.有以丁未日時,名朱雀折足,大不利,六畜亡散死傷,或患瘡疾,有甲乙則有子孫.)

詩에서 말하기를, 주작승풍은 丙丁인데, 만일 金 水를 만나면 쟁영(崢嶸;우뚝하게 솟음)하고, 申 子 辰에서 대부분 귀하게 되고, 時에서 만나면 금전옥계(金殿玉階;대궐의 朝廷)에 노닐게 된다. (詩曰,朱雀乘風是丙丁,如逢金水便崢嶸,申子辰鄕多貴達,逢時金殿玉階行.)

39. 현무당권玄武當權

壬 癸 水는 北方에 속하며 현무당권玄武當權이라 하여 지세持勢의 뜻이다. 가령 壬寅 壬午 壬戌 壬辰 癸巳 癸丑 癸未는 모두 좌하坐下에 財 官 印인데 만약 身旺하여 의탁依託함이 있으면 관성이 月令의 생氣에 통하면 귀하게 되고, 水局과 傷官을 크게 꺼리는데 거듭 아우르면 凶惡하고 불의不義에 사死한다. 만약 土局과 火의 重함을 만나면 마땅히 金의 洩氣를 만나야하고, 本身을 생조生助하면 길하지만, 衝破하고 身弱하면 흉한데 세운歲運도 동일하다. 壬辰의 日時에 있으면 현무수착玄武受戳이라 하여 주로 官員은 모함당하여 관직을 잃고, 小人은 시비로 편안하지

못하다. (壬癸水,屬北方,謂之玄武當權,亦持勢之義.如壬寅壬午壬戌壬辰癸巳癸丑癸未,俱坐下財官印,若身旺有依託,官星通月令生氣爲貴,大忌水局傷官,重併凶惡,死於不義.如遇土局火重,宜見金泄氣,生助本身爲吉,衝破身弱則凶,歲運同.有以壬辰日時,名玄武受戳,主官員被讒有失,小人是非不寧.)

詩에서 말하기를, 현무가 가을에 생하여 北方에서 旺한데, 만일 巳 午의 土에 臨하고, 만약 간방艮方의 寅 財를 만나면 복이 두텁고, 평생토록 名利가 길하며 창성하다. 또, 현무당권은 참된 것을 얻어야 하는데, 일간 壬 癸에 財星이 坐하고 관성이 만약 문호門戶에 거한다면 破함이 없어야 크게 쓰이는 사람이 된다. (詩曰,玄武秋生旺北方,如臨巳午土神鄕,若見艮寅財福厚,平生名利兩吉昌.又,玄武當權要得眞,日干壬癸坐財星,官星若也居門戶,無破當爲大用人.)

40. 구진득위勾陳得位

戊 己 土는 중앙에 속하며 구진勾陳의 자리라 하여 당권當權하는 의미이다. 예컨대, 戊寅, 戊辰, 戊子, 戊申, 己卯, 己亥, 己未는 좌하坐下에 모두가 財 官 印으로 만약 身旺하고 官이 득시得時하면 귀하며, 財가 得時하면 富한데 상관과 겁재를 만나지 않으면 기묘奇妙하게 되고, 刑衝을 싫어하며 煞이 旺하면 재앙이 발생하는데, 세운歲運도 동일하다. (戊己土,屬中央,謂之勾陳,當位,即當權之義.如戊寅,戊辰,戊子,戊申,己卯,己亥,己未,皆坐下財官印,若身旺,官得時者貴,財得時者富,不見傷官劫財爲妙,忌衝刑煞旺生災,歲運同.)

詩에서 말하기를, 戊己 구진勾陳이 旺한 곳에 있으면 寅卯의 宮이 가장 强해야하는데, 만약 다시 辰 卯 未가 臨[있으며]하여 亥 子와 相逢하면 대단히 길하고 창성하다. 또, 일간 戊 己가 財官이 坐하면 句陳得位라 부르며 큰 재능과 상서로운 기운으로 구분하고, 命중에 句陳得位가 있으면 조정의 반열에 들어서게 된다.[39] (詩曰,戊己勾陳在旺鄕,寅卯之宮號最强,若是更臨辰卯未,亥子相逢大吉昌.又,日干戊己坐財官,號曰勾陳得位看,知有大才分瑞氣,命中值此列朝班.)

41. 태원재관胎元財官

賦에서 이르길, 오행의 절絶한 곳이 곧 태원胎元인데, 생日에서 태원을 만나면 이름을 수기受氣라 말하는데, 이에 陽干 陰干이 수태受胎하는 위치가 月前의 三位가 태胎神이 아닌 것이다. 甲申 乙酉 丙子 丁亥 戊寅 己亥 庚寅 辛卯 壬午 癸未의 十月 생인은 절대 身弱하고 鬼를 만나서는 안 되는데, 단지 의지할 데가 있으면 貴命이 된다. 가령 甲木은 金으로 官을 삼으며 水는 印綬가 되고, 또 戊土가 있으면 甲의 財가 되니, 이 日生을 보면 다만 身旺하고 財官이 有氣하여야 귀하게 되고, 八字가 비록 格에 들지 않더라도 富貴도 또한 가득하고도 남음이 있는데, 모든

39) 譯者 閑談 ; 필자의 늦둥이 아이가 '구진득위'격이다.

干은 例로서 추리하라. (賦云,五行絶處,卽是胎元,生日逢之,名曰受氣,此乃陽干陰干受胎之位,非月前三位胎神也.甲申乙酉丙子丁亥戊寅己亥庚寅辛卯壬午癸未十月生人,切不可遽言身弱,遇鬼,但有依托,便爲貴命.如甲木以金爲官,水爲印,又有戊土,爲甲之財,遇此日生,但要身旺,財官有氣爲貴,八字雖不入格,富貴亦有盈餘,凡干例推.)

經에서 이르길, 포태胞胎에서 印綬를 만나면 祿은 천종(千鍾;많은 봉록)을 누리는데, 태胎元일을 만나 더욱 印綬의 생을 얻으면 귀하고, 月令이 正印이면 가장 기묘奇妙하다. 詩에서 말하기를, 오행의 절絶處가 태胎元인데, 태胎속에서 財官의 기운을 먼저 받고, 月前의 三位를 취하지 않고, 모름지기 日下에서 유현(幽玄;事物의 理致 또는 雅趣가 헤아리기 어려울 만큼 깊음)함을 찾아야 한다. (經云,胞胎逢印綬,祿享千鍾,見胎元日,尤以得印生爲貴,月令正印最妙.詩曰,五行絶處是胎元,胎裏財官稟氣先,不是月前三位取,須於日下探幽玄.)

42. 환혼차기還魂借氣

五行이 사절死絶하여 번갈아 가며 구원하여 돌아오는 것이 있다. 가령 木의 절絶은 申에 있는데 甲申을 만나며, 金의 절絶은 寅에 있는데 戊寅의 類를 만나는 것으로 가장 길하고 福神이 있으면 다음이고, [福神이] 없으면 그 아래다. (五行自死絶,而有救遞相還者.如木絶在申,而遇甲申,金絶在寅,而遇戊寅之類.最吉,有福神次之,無則下.)

43. 음자양생陰藉陽生

五陰일이 陽의 장생長生을 만나면 양생음사陽生陰死로 논해서는 안 된다. (五陰日逢陽長生,不可以陽生陰死論.)

乙이 午를 만나면 시탄(柴炭;땔감과 숯 또는 석탄)의 木이 되고, 亥가 없으면 생할 수 없다.
예) 命造
丙 乙 庚 甲
子 亥 午 申
亥로 생함을 얻었다. (乙見午爲炭柴之木,無亥不能生.如甲申庚午乙亥丙子,得亥生.)

丁酉는 석정(石精;나프타)의 火인데 寅이 없으면 다시 밝을 수 없다.
예) 命造
甲 丁 甲 戊
辰 酉 寅 子

寅으로 생함을 얻었다. (丁酉石精之火,無寅不能復明.如戊子甲寅丁酉甲辰,得寅生.)

己卯는 분양(糞壤;더러운 땅이나 썩은 흙)의 土인데 申이 없으면 물物을 생할 수 없다.
예) 命造
壬 己 庚 辛
申 卯 子 亥
申으로 생함을 얻었다. (己卯糞壤之土,無申不能生物.如辛亥庚子己卯壬申,得申生.)

辛이 子를 만나면 유사流砂의 金인데, 巳가 없으면 생할 수 없다.
예) 命造
戊 辛 辛 己
子 亥 未 巳
巳로 생함을 얻었다. (辛見子爲流沙之金,無巳不能生.如己巳辛未辛亥戊子,得巳生.)

癸卯는 지고(脂膏;기름이나 지방)의 水인데, 申이 없으면 응결凝結이 된다.
예) 命造
癸 癸 戊 壬
巳 卯 申 寅
申으로 생함을 얻었다. (癸卯脂膏之水,無申則爲凝結.如壬寅戊申癸卯癸巳,得申生.)

독보에서 이르기를, 寅 申 巳 亥 四生의 局으로 고인古人은 이것으로 4長生을 논하였다. 만약 四柱가 入格하고 다시 年이 月의 기운에 통하면 크게 귀하고, 관살혼잡官煞混雜을 크게 꺼리며 가난하고 고생스럽다. 詩에서 말하기를, 5陰일은 陽의 생지生地에 탄생誕生함을 기뻐하는데, 만약 年의 지지면 복이 가장 형통하고, 月의 기운과 소통하면 모름지기 크게 귀하고, 오직 官 煞을 싫어하며 외롭고 가난하게 된다. (獨步云,寅申巳亥,四生之局,此古人所以只論四長生也.若命入格,更年通月氣者大貴,大忌官煞混雜,貧苦.詩曰,五陰日誕喜陽生,若是年支福最亨,月氣得通須大貴,惟嫌官煞主孤貧.)

44. 생처취생生處聚生

經에서 이르기를, 생처취생生處聚生은 五馬의 제후諸侯로 귀한데, 이 格은 印綬가 身을 생하는 것이며 그리고 일주의 장생長生하는 지지인 것이다. 사주에 관성이 있으면 더욱 貴 하고, 印綬를 극하는 것을 크게 꺼린다.

예) 命造

庚 丙 丁 乙
寅 寅 亥 卯
木火가 상생하여 身이 생왕生旺한 지지가 되어 귀하게 되었다. (經云,生處聚生,五馬諸侯之貴此格遇印綬生身,又引日長生之地是也.柱有官星,尤貴.大忌剋印之辰.如乙卯丁亥丙寅庚寅,木火相生,引身生旺之地爲貴.)

詩에서 말하기를, "생처취생"은 복이 가장 아름다운데, 印綬가 旺하면 복이 한이 없다. 장생長生이 다시 장생長生의 지지가 되면 오마제후五馬諸侯의 富貴한 가문家門이다. (詩曰,生處聚生福最佳,印綬引旺福無涯.長生復到長生地,五馬諸侯富貴家.)

45. 복원귀살伏元貴煞

이 格에서 만일 甲일이면, 官이 酉인데 丁酉를 보면 丁은 辛의 祿을 제복制伏하고, 煞이 申인데 丙申을 보면 丙은 庚煞을 제복制伏하고, 財는 午未인데 甲午 乙未를 만나면 木이 己土를 제복制伏하여 감히 나타나지 못하지만 庚午를 만나면 甲이 庚을 두려워하여 己財를 就할 수 없다. 가령 甲이 辛官을 쓰는데 丁酉를 만나면 官이 傷官의 아래에 있고, 辛巳를 만나면 官이 煞의 위에 있는 것인데, 만약 火神이 의지함이 있으면 官이 制를 받아 甲은 곧 辛 官의 힘을 얻지 못하는 것이다. 그런데 만약 金이 旺한 달月에 생하고 사주에 壬 癸의 制나 合이 있으면 역시 복이 될 수 있다. (此格如甲日,官在酉,見丁酉,丁伏辛祿,煞在申,得丙申,丙伏庚煞,財在午未,見甲午乙未,木伏己土,不敢出,見庚午,甲畏庚,不能就己財.假令甲用辛官,見丁酉,是官在傷下,見辛巳,是官在煞上,若火神有托,官受制,甲卽不得辛官之力矣.若生金旺月,柱有壬癸制合,亦能爲福.)

丙은 食神으로 祿은 巳에 있는데 丙이 水에게 제복制伏을 당하면 甲은 食神을 얻지 못하지만, 만약 丙이 旺相하면 길한 것이다. 庚은 煞로서 祿은 申에 있는데, 만약 丙申이면 庚이 丙의 아래에 있어 丙의 制剋을 받아 煞로서 動할 수 없고 煞이 변화하여 權이 되고 貴가 되어 取用하게 된다. 戊己는 財인데 사주에서 甲寅 乙卯를 만나면 財가 劫財에게 制를 당하여 그 財를 얻지 못하니, 모름지기 月令의 기가 통하고 생왕生旺하여야 좋고, 甲午를 만나면 財가 分奪을 당하지만 두 개의 午를 얻으면 발달할 수 있다. 戊午 壬午는 父母와 조상의 財이지만 庚午를 보면 財가 煞을 생하여 불길不吉하고, 丙午는 富하나 귀하지 않은데, 燥한 土가 金을 생할 수 없으며 官은 또 제복制伏을 당하기 때문인 것이다. (見丙爲食神,丙祿在巳,丙受水制伏,則甲不得食矣,若逢丙旺相,則吉.見庚爲煞,庚祿在申,若丙申,是庚在丙下,受丙剋制,不能起而爲煞,化煞爲權,作貴取用.戊己爲財,柱見甲寅乙卯,是財被劫制,不得其財,須月令財通氣生旺方可,見甲午財被分奪,得兩午自能發見.戊午壬午,是父母祖財,見庚午,是財生煞不吉,丙午富而不貴.爲燥土不能生金,官又被伏故也.)

詩에서 말하길, 복원귀살伏元貴煞의 干支를 자세히 살피고 휴구休咎함을 자세히 구분하여 헤아리고, 財官은 손상함이 없고 煞이 동하지 않으면 태어나면서부터 福祿이 비상非常하다. (詩曰,伏元貴煞干支詳,休咎之中細分量.財官無傷煞不起,生來福祿自非常.)

46. 팔전록왕八專祿旺

8專日은 앞에서 소개하였는데, 다르게 또 덧붙이면 丙午 丁巳 戊辰 戊午 己巳 乙丑 壬子 그리고 丁未는 아니며, 60甲子에서 오직 간지가 같은 종류로서 甲寅 乙卯 庚申 辛酉 四日이 스스로 專祿하여 旺하니 올바른 것이 된다. 甲乙은 마땅히 亥卯 未寅월에 木局을 이루고, 庚 辛은 마땅히 巳 酉 丑 申月에 金局을 이루는데, 수기秀氣가 순수하고 雜되지 않아서 위인爲人은 총명聰明하고 장수長壽하며 평생토록 질병은 적지만 대부분 주색酒色을 좋아하고, 사주에 官煞이 있으면 비록 身强하여 두려워하지 않더라도 그러나 混雜하면 專一한 祿을 얻지 못하여 결국에는 재앙이 있게 된다. 八字에 財 印 食이 있으면 복이 되고, 運은 專祿으로 旺한 곳과 財 印 食이 旺한 지지로 行하면 모두 부귀하고 발달한다. 比肩 겁재를 두려워하며 사주에 財 食 官 印이 없으면 고독함이 많으며 혹 승도僧道가 된다. (八專日見前,或又添丙午丁巳戊辰戊午己巳乙丑壬子,而無丁未,六十甲子,獨此干支同類,內甲寅乙卯庚申辛酉四日,自專祿旺爲正,甲乙宜亥卯未寅月,成木局,庚申辛宜巳酉丑申月,成金局,爲秀氣純而不雜,主爲人聰明有壽,平生少病,多好酒色,柱有官煞,雖身强不畏,但混雜則祿不得專,終爲有禍,八字帶財印食爲福,運行專祿旺鄕,財印食旺之地,皆發富貴,怕比肩劫財,柱無財食官印,多孤,或爲僧道.)

經에서 이르기를, 간여지동은 妻와 財物을 손상한다. 또 이르길, 身旺하여 의지할 곳이 없으면 정히 僧이나 도가 된다는 것이 이것이다. 만약 一位의 祿뿐이면 運이 身旺하거나 財 食 印의 旺한 지지로 行하여도 역시 귀하며 발달한다. 만약 3~4位의 녹祿이 아울러 겹치고 財 官이 없으면 또 대궁對宮의 財福을 충동衝動하여 사용하고, 혹 月時에 官이 有氣하여, 身旺한데 官을 만나면 더욱 귀격이 된다. 刑衝을 꺼리는데, 나의 旺한 기운이 흩어지면 설령 貴할지라도 병病이 많이 발생한다. (經云,干與支同,損財傷妻.又云,身旺無倚,定爲僧爲道,是也.若只一位祿,運行身旺,財食印旺之地,亦主發貴.若併疊三四位祿,而無財官,又取衝起對宮財福爲用,或月時帶官有氣,以身旺逢官,尤爲貴格.忌衝刑,散我旺氣,縱貴亦多生病.)

예) 命造-1

庚 甲 丙 庚

午 寅 戌 戌

주 문공의 命造인데, 專祿으로 食神인 火局을 얻고 두개의 庚 煞이 화왕火旺한 고庫에 거하며 木은 득지得地하여 빼어나니 煞이 변하여 權이 되니 학식이 높은 선비가 되었다.

예) 命造-2

丁 乙 辛 己
亥 卯 未 巳
동 승상의 命造인데, 專祿이며 木局을 온전히 얻어 일간은 생왕生旺한 秀氣가 모이고, 運이 東方으로 흐르니 身旺한 局이 온전하니 대궁對宮의 祿을 충기衝起하여 權이 되므로 크게 귀하였다. (如朱文公,庚戌丙戌甲寅庚午,專祿,得火局爲食,二庚爲煞,居火旺庫,木秀得地,化煞爲權,宜成大儒.董丞相,己巳辛未乙卯丁亥,專祿而得木局全,日干聚生旺秀氣,運行東方,身旺局全,衝起對宮之祿爲權,所以大貴.)

또 말하기를, 丁未 己丑 戊戌 戊辰의 四日은 자집自執이 되고, 壬子 癸丑 丙午 丁巳의 四日은 제왕帝旺이 되고, 戊午 己未도 또한 제왕帝旺에 坐한다. 그렇지만 8專日은 단지 앞의 四日만 取할 뿐이다. 8專이 미심쩍어 상세히 설명하면 단지 8日로서 앞에서 조명照明한 것이다. 8專을 논하면 24방향에서 천간은 여덟, 지지는 열둘을 취하고 乾 坤 艮 巽을 더하니 오직 子 午 卯 酉가 專이 되고, 나머지는 雜氣로서 순수하지 못하니 이것이 그 뜻이다. (又曰,丁未己丑戊戌戊辰四日,爲自執,壬子癸丑丙午丁巳四日,爲帝旺,戊午己未,亦坐帝旺,故八專日,只取前四日也.詳八專疑只八日,照前爲是.論八專以二十四向,取天干八,地支十二,加乾坤艮巽,獨子午卯酉爲專,餘則雜氣不純,此其義也.)

47. 간지지왕干支持旺

甲乙일이 亥 卯 未월에 생하여 時에서 寅 卯를 만나고, 丙丁일이 寅 午 戌월에 생하여 時에서 巳午를 만나고, 戊己일이 巳 午월에 생하여 時에서 辰 戌 丑 未를 만나고, 庚辛일이 巳 酉 丑월에 생하여 時에서 申酉를 만나고, 壬癸일이 申 子 辰월에 생하여 時에서 亥子를 만나면 이것은 일주가 본래 득지得地한 것이 되는데, 귀歸에서 局을 이루는데, 믿을 세력이 있어 自强하니 주인主人은 身이 건강하여 一生이 편안하고 해로움은 멀어지고 관계에서 물러나 자리를 벗어나고, 명성이 낮아 이로움이 적지만, 세속을 벗어난 탈속脫俗인이다. 만약 甲乙인이 寅卯에 있고, 丙丁인이 巳午에 있는 종류는 오행이 섞이지 않아야 한다. 經에서 이르기를, 오행이 雜되지 않으면 음욕淫慾한 성품이 없는 것은 각각 祿位에 거하기 때문이다. (甲乙日生亥卯未月,時逢寅卯,丙丁日生寅午戌月,時逢巳午,戊己日生巳午月,時逢辰戌丑未,庚辛日生巳酉丑月,時逢申酉,壬癸日生申子辰月,時逢亥子,得此爲主本得地,歸方就局,倚勢自强,主人身健,一生自要安居遠害,退身避位,名輕利薄,去塵脫俗人也.若甲乙人在寅卯,丙丁人在巳午之類,爲五行不雜.經云,五行不雜,無淫慾之性,各居祿位故也.)

48. 곡직曲直

甲乙일이 亥 卯 未의 局을 얻고 柱중에 亥의 印綬가 있으면 入格되는데, 만약 亥는 없고 卯가 있으면 木의 本氣뿐이므로 오히려 金土를 만나야 귀하게 되고, 亥[字]가 없는데 다시 金 土도 없으면 木이 빼어나지도 못하고 부실不實하여 귀하다고 말하기 어렵다. 가령 甲寅일이 亥가 있고 時에서 丁卯를 보면 겁재 양인 상관으로 비록 貴할지라도 온전히 格에 부합하지 못한다. (甲乙日得亥卯未局,柱中須有亥字帶印,爲入格,若無亥有卯,止是木之本氣,卻要見金土爲貴,旣無亥字,又無金土,則木不秀不實,難以言貴.如甲寅日有亥,時見丁卯,劫財陽刃傷官,雖貴不全合格.)

詩에서 말하기를, 甲 乙일이 亥 卯 未에 생하여 곡직曲直이 온전한 局이면 모름지기 영귀榮貴하고, 柱중에 亥가 없으면 마땅히 土 金이 있어야 태어나면서부터 자연히 복을 누린다. 또 말하기를, 甲 乙생인이 寅 卯 辰이 [온전하면] 또 이름하여 仁과 壽가 둘 다 뛰어나고, 亥 卯 未가 온전하면 백제(白帝;西方의 金을 지칭)를 싫어하는데, 만약 坎의 位를 만나면 반드시 身이 영화롭게 된다. (詩曰,甲乙日生亥卯未,局全曲直須榮貴,柱中無亥宜土金,自是生來享福地.又曰,甲乙生人寅卯辰,又名仁壽兩堪評,亥卯未全嫌白帝,若逢坎位必身榮.)

49. 염상炎上

丙丁일이 寅 午 戌의 [火]局을 만나고 사주에 寅[字]의 印綬가 있어야 [염상에] 入格하고, 寅이 없으면 구류九流에 가까운 귀명貴命일 뿐이데, 만약 火가 자왕自旺한데 亥水의 상제相濟함이 없으면 귀하지 않다. 東北方 運을 기뻐하며 辰 丑 戊 己를 만나는 것은 싫어하고, 火의 광명光明이 어두워지면 안질眼疾이 많고, 혹 풍기(風氣=風病)병인데 사주에 木의 制가 있으면 貴를 이루고, 金 水鄕을 싫어하며 충을 두려워한다. (丙丁日,遇寅午戌局,柱中須有寅字帶印,爲入格,無寅止是九流近貴之命,若火自旺,無亥水相濟,不貴.喜東北方運,忌見辰丑戊己,晦火光明,多主眼疾,或患風氣,柱有木制成貴,忌水金鄕,怕衝.)

詩에서 이르길, 丙丁일이 寅 午 戌에 坐하면 火의 炎上格을 좇아 나타나는데, 寅이 없으며 亥도 없으면 명성을 얻지 못하고, 土를 만나 어두워지는 것을 싫어하는데 주로 잔질殘疾이 있다. (詩曰,丙丁日坐寅午戌,火炎上格從此出,無寅無亥不成名,忌逢土晦主殘疾.)

50. 종혁從革

庚辛일이 巳 酉 丑의 局을 만나면 모름지기 丙 丁 巳 午가 1~2位는 있어야 그릇을 이루는데, 그러나 火가 많아서는 안 된다. 예를 들면 辛巳 辛酉 辛丑의 三日은 5월午生을 좋아하지 않은데

火에게 손상을 당하므로 8月이 마땅하고, 혹 水와 土의 食神과 印綬가 양육養育하면 길하게 된다. (庚辛日,見巳酉丑局,須帶丙丁巳午一二位,方成其器,但不可火多.如辛巳辛酉辛丑三日,不喜五月生,被火所傷,宜八月,或水土養育食神印綬爲吉.)

詩에서 말하기를, 백호(白虎;庚辛)는 단지 巳 酉 丑의 從革格을 만나야 명성이 두텁고, 丙 丁 巳 午를 적게 만나야 귀한 기운이 단련되어 官이 가장 오래간다. 또, 金이 從革에 거하고 귀인이 공경하면 조화造化가 청고淸高하여 복福이 가장 깊고, 사주에 火가 와서 혼잡混雜하면 공문(空門;승도)의 방편이나 예술藝術의 經만 논하게 된다. (詩曰,白虎但逢巳酉丑,格乎從革名偏厚,丙丁巳午少逢之,貴氣煉成官最久.又,金居從革貴人欽,造化淸高福最深,四柱火來相混雜,空門藝術漫經論.)

51. 윤하潤下

壬癸일은 申 子 辰을 전부 보면 卯 巳, 사절死絶하는 지지와 3刑 4衝하는 곳을 꺼리는데, 사절死絶하면 흐르지 않으며 刑衝하면 횡류橫流한다. 세歲운運도 동일하다. 혹자가 말하기를, 水가 크게 범람하면 사주에 土가 1~2位로 제지하여 제방堤防을 이루어야하고, 이미 土가 있으면 木을 보는 것이 두려우니 흉이 되고, 만일 木이 土를 손상하면 金 印綬가 구원해야 하지만 결국은 일생동안 성패成敗만 있다. 運은 서방을 좋아하고 東 남방은 좋지 않다.[40] (壬癸日,見申子辰全,忌引卯巳死絶之地,三刑四衝之鄕,死絶則不流,衝刑則橫流,歲運同.或曰水太泛須柱有土神一兩位制之,得成堤岸,旣有土,怕會木爲凶,如有木傷土,要金印救解,終是一生成敗.運喜西方,不宜東南.)

詩에서 이르길, 壬癸일이 申 子 辰을 만나면 局의 이름이 潤下로 가장 참되고, 필수적으로 巳午와 辰戌이 함께하면 申[字]은 권귀權貴가 절륜絶倫하다. 또 천간의 壬癸는 冬절에 생하는 것을 기뻐하며 다시 申辰과 會局을 이루거나 혹시 전부 亥 子 丑이면 가벼운 평보平步로 청운(靑雲;높은 벼슬)에 오른다. (詩曰,壬癸日逢申子辰,局名潤下最爲眞,必須巳午並辰戌,申字當權貴絶倫.又,天干壬癸喜冬生,更値申辰會局成,或是全歸亥子丑,等閑平步上靑雲.)

52. 가색稼穡

賦에서 이르기를, 戊 己는 4季를 만나는 것을 기뻐하니 가색稼穡이라 부른다. 戊己가 季月에 생하면 木의 官을 만나야 좋은데 하나의 木을 얻어야 기묘奇妙하고, 木이 많으면 土가 虛하여 헛된 거짓으로 파가破家하고 어질지 못한 사람이 된다. (賦云,戊己欣逢四季,乃爲稼穡之名.是戊己生逢季月,喜見木爲官,止得一木爲妙,木多則土虛,主虛詐,爲破家不仁之人.)

---

40) 體가 潤下라도 用神에 따라 다르다.

辰 未 土가 모인 지지에 巳 午 火를 만나면 곧 귀하지만 많으면 좋지 않은데, 많으면 土가 燥하여 만물을 기를 수 없다. 丑 戌의 土는 속에 金氣를 품고 있으니 중첩하게 만나는 것은 좋지 않은데 살기가 있어 두려우며 만물을 생하지 못하고, 또 金을 만나는 것은 좋지 않으니 洩氣하여 귀하지 못하다. 가을의 土는 그릇을 이루지 못하며 사토死土가 되어 土안에 金을 품고, 겨울의 土는 그릇을 이루지 못하며 진흙의 土가 되어 土안에 水를 품는다. 따라서 土는 단지 四季인 것이다. (辰未土聚之地,見巳午火,即貴亦不宜多,多則土燥,不能滋生萬物.丑戌之土,內懷金氣,不宜重見,恐存煞氣,不生萬物,又不宜見金,泄氣不貴.秋土不成器,爲死土,因土內含金,冬土不成器,爲泥土,因土內含水,故土只四季也.)

詩에서 말하기를, 戊 己일생은 마땅히 4季이며, 丑 戌은 金氣를 품고 방비함이 많아 생來하여 木을 보거나 혹 癸을 만나면 個中에는 消息이 참된 영귀榮貴가 있다. 또 戊己생이 4[季]月중에 거하고 辰 戌 丑 未를 전부 만나야하는데, 財의 지지로 行하는 것을 좋아하며 官 煞은 싫어하고, 運이 동방에 이르면 凶함이 있게 된다. (詩曰,戊己日生宜四季,多防丑戌懷金氣,生來見木或逢癸,個中消息眞榮貴.又,戊己生居四月中,戌辰丑未要全逢,喜行財地嫌官煞,運到東方定有凶.)

53. 토국윤하土局潤下

賦에서 이르기를, 戊己가 윤하에 거하면 타향에 떠도는 부평초이다. 이 상象은 戊申 戊子 戊辰 3日인데 申 子 辰 壬 癸의 수왕水旺한 곳에 생기지만 특별히 빈천貧賤하고 바쁜 것은 아니며, [토국윤하]에 부합하면 사지四肢와 안목眼目의 질병이 있고, 혹 악창惡瘡의 농혈膿血로서 죽는다. 辰 戌 丑 未의 運은 應하지만 그 나머지 虛한 土는 水 局을 만나면 모두 표류漂流하는 命인데, 만약 자왕自旺한 土는 水局이 있으면 부귀하고 火로 行하여야 발달發達한다. (賦云,戊己居於潤下,萍梗他鄕.此象乃戊申戊子戊辰三日,生於申子辰壬癸水旺之鄕,非特貧賤奔波,合主四肢眼目疾,或惡瘡膿血而死.辰戌丑未運應,其餘土虛逢水局,皆漂流之命,若自旺之土,在水局富貴,行火鄕發達.)

예) 命造
乙 戊 甲 戊
卯 申 子 辰
虛한 土가 윤하潤下를 만났는데 따라서 主는 눈에 안질眼疾이 있고 軍이 되었다.

예) 命造
壬 戊 庚 辛
子 辰 子 未
土가 많은 水를 쫓아 土가 제방堤防을 이루어, 丙申 丁酉 운에는 財를 생하여 大發하였고, 교체되어 乙未 運의 戊午 年에는 파재破財하였고, 다시 평장平章의 직책을 얻었다. 例에서는 戊

己가 윤하潤下에 거한다고 흉이 되는 것은 아니다. (如戊辰甲子戊申乙卯,是土虛逢潤下,故主目疾爲軍.辛未庚子戊辰壬子,土從衆水,得土堤防,行丙申丁酉運,生財大發,交乙未運,戊午年破財,復得平章之職.不可例戊己居潤下爲凶.)

54. 금백수청金白水清

賦에서 이르기를, 금백수청金白水淸한 이 무리는 과거에 급제하게 된다. 이 상象은 庚申 辛酉일이 秋節의 月令에 생하고 時상에서 亥子의 水鄕을 보면 金은 白희고하며 水는 淸(맑음)한 것으로 刑衝 破害가 없으면 상당히 부유하다. 夏節에 생하면 절대 꺼려서 入格하지 못하고, 2~3월에 春절의 金은 運이 西北으로 흘러야 좋은 것이다. (賦云,金白水淸,此輩宜登科第.此象乃庚申辛酉日生秋月令,引到時上,遇亥子水鄕,以金則白,以水則淸,無刑衝破害,主富厚.切忌夏生,則不入格,春金二三月,運行西北亦可.)

가령 庚辰 庚子 癸巳 癸酉 癸丑일 등은 秋冬의 月令에 생하여 火의 손상함이 없으며 土의 制함이 없으면 金 水가 상정相停하여 局을 이루는 것 또한 이것이다. (如庚辰庚子癸巳癸酉癸丑等日,生秋冬月令,無火傷,無土制,見金水相停成局,亦是.)

詩에서 말하기를, 금백수청하면 주로 영귀榮貴하고 문장이 수려하며 출중한데, 다시 火 土가 형刑이나 制함이 없으면 명성이 우뚝 솟아 한원(翰苑;한림원, 예문관)에 오른다. (詩曰,金淸水白主榮貴,秀麗文章定出羣,更無火土來刑制,聲譽掀騰翰苑人.)

55. 목화교휘木火交輝

賦에 이르기를, 화명목수火明木秀는 春節에 생하여야 영화롭게 된다. 이 상象은 甲戌 甲午 甲寅 丙午 丙寅 丙戌일등이 春月 혹은 夏月에 생하고 柱중에 金 水의 손상함이 없으며 時상에는 木火가 있어야하는데, 木火運으로 흐르면 木일은 火가 빼어나고, 남방運으로 흐르면 火일은 木이 빼어나고 東方 運으로 흐르면 淸貴하며 복이 두텁고, 火일에 火가 빼어나고 東方으로 行하여도 역시 귀하다. (賦云,火明木秀,生春月以爲榮.此象乃甲戌甲午甲寅丙午丙寅丙戌等日,生春月,或夏月,柱無金水傷壞,時上有木火.行木火運,木日火秀,行南方運,火日木秀,行東方運,主淸貴福厚,火日火秀,行東方亦貴.)

가령 丙辰일이 火가 旺한 달月에 생하고 木 火의 運으로 行하면 역시 좋은데 그러나 富하여도 귀하진 않고, 木이 빼어나도 火가 없으면 局을 이루지 못하는 것은 木火는 通明한 상象이 있기 때문인 것이다. [다음 命造를 보라] (如丙辰日,生火旺月,行木火運亦可,但富而不貴,木秀無火,則不成局,以木火有通明之象故也.如丁巳甲辰甲寅丁卯,甲午丙寅丁卯丙午,丁巳甲辰乙巳丁亥三命,皆木火光輝,淸貴之造.)

예) 命造-1
丁 甲 甲 丁
卯 寅 辰 巳

예) 命造-2
丙 丁 丙 甲
午 卯 寅 午

예) 命造-3
丁 乙 甲 丁
亥 巳 辰 巳
모두 木 火가 광휘光輝하니 청淸하여 귀한 命造이다.

56. 화금주인火金鑄印

부에서 이르길, 金은 火가 아니면 그릇을 이루지 못하며, 火는 金이 아니면 모든 쓰임을 나타내지 못하니, 金火가 상정相停하여야 주인(鑄印;鑄物로 찍어내어 만듦)하는 상象이 있는데, 丑[字]은 손상하는 모양이 되어 꺼린다. 賦에서 이르길, 승헌의면함은 金火가 어찌 많겠는가? 또 말하기를 金의 鬼가 치우침이 없어야 한다는 이것을 말하는 것이다. (賦云,金非火不能成器,火非金無以顯諸用,金火相停,有鑄印之象,忌丑字爲損模.賦云,乘軒衣冕,金火何多.又云,金鬼無偏,此之謂也.)

57. 화토협잡火土夾雜

火는 土를 보면 어두워지고, 土는 火에 머무르면 희미해지므로 火는 火로 土는 土로 둘은 서로 감싸지 않아야 기묘奇妙한데, 만약 火 土가 섞이면 주로 혼탁하여 어리석다. 經에서 말하기를, 火는 虛한데 土가 모이면 어찌 사용하겠는가? 정녕 속된 세상에서 고생하는 사람이 틀림없는 것이다. (火見土則暗,土宿火則晦,故火自火,土自土,兩不相掩爲妙,若火土夾雜,主愚濁.經曰,火虛土聚成何用,定是塵埃碌碌人是也.)

예) 命造-1

乙 丙 己 戊
未 午 未 申

예) 命造-2
戊 丙 己 庚
戌 辰 丑 戌

예) 命造-3
丙 己 丁 戊
寅 未 巳 戌
상기 세 개의 命造는 火 土가 협잡挾雜하여 평범한 사람이다. (如戊申己未丙午乙未,庚戌己丑丙辰戊戌,戊戌丁巳己未丙寅,三命,皆火土夾雜,平常.)

58. 청적시위부자靑赤時爲父子

이 상象은 靑赤의 이치인데, 父가 자식에게 傳하는 도이다. 요즘의 사람들은 단지 木生火 火生土 土生金 金生水 水生木만 알뿐이다. 그러나 陰이 陰을 생하며, 陽이 陽을 생하고, 陽이 陰을 낳으면 父가 되며, 陰이 陽을 낳으면 母가 되는 것을 알지 못한다. 丁과 壬이 합하여 甲 己를 생하고, 壬의 食神은 甲이며, 壬은 甲의 母이고, 丁은 甲의 父이며, 나를 생하는 것은 母이고, 丁의 食神은 己이며, 己는 壬의 父가 되며, 丁은 己의 母가 되고, 母를 극하는 것은 水이다. 甲 己가 다시 합하면, 甲의 食은 丙이며, 己의 食은 辛인데, 日상이 甲이고 3柱중에서 壬을 보면 丙 辛은 다시 합하고, 丙의 食은 戊이며, 辛의 食은 癸인데 日상이 壬이고 3位중에서 甲을 보면 순하게 食[神]의 戊癸가 둘레를 다시 시작한다. 靑 赤이 時에서 父子가 되는 것은 乙木이 主가 되어 時에 寅 午 戌을 만나는 것으로 이 상象의 主는 문장文章에 있다. (此象靑赤之理,父傳子道也.今人只知木生火,火生土,土生金,金生水,水生木.卻不知陰生陰,陽生陽,陽産陰爲父,陰産陽爲母.丁與壬合,生甲己,壬食甲,壬乃甲之母,丁乃甲之父,生我者母,丁食己,己以壬爲父,丁以己爲母,剋母者水也.甲己再合,甲食丙,己食辛,日上是甲,三柱中見壬,丙辛再合,丙食戊,辛食癸,日上是壬,三位中見甲,順食戊癸,周而復始,靑赤時爲父子者,乙木爲主,時見寅午戌也,此象主有文章.)

59. 수토패어유水土敗於酉

이 格은 만경晩景에는 불리不利한데, 만약 다시 水 命이나 土 命이며 일주가 水 土를 만나면 더욱 징험하다. (此格不利晩景,若更水命土命,而日主見水土者,尤驗.如甲寅癸酉癸未辛酉.癸亥乙丑癸酉辛酉.乙卯丙寅己巳癸酉.癸酉甲子戊辰辛酉.辛酉甲午戊子辛酉.諸命,或爲小官而早退閒,或止平常而早棄世.水土敗酉,不利晩景,信然.)

예) 命造-1
辛 癸 癸 甲
酉 未 酉 寅

예) 命造-2
辛 癸 乙 癸
酉 酉 丑 亥

예) 命造-3
癸 己 丙 乙
酉 巳 寅 卯

예) 命造-4
辛 戊 甲 癸
酉 辰 子 酉

예) 命造-5
辛 戊 甲 辛
酉 子 午 酉

[상기의]모든 命은 혹, 소관(小官;벼슬이 낮음)하며 일찍 퇴직하여 한가하거나, 혹 평상인에 불과하며 일찍 세상을 버렸다. 水 土가 酉에서 패敗하며 만경晩景에 불리不利한 것이 이러하니 확신한다.

60. 협고夾庫

고가에 이르길, 乙巳생인이 卯를 만나면 좋아하고 [辰을 공협], 癸酉는 亥時를 [보면] 반드시 일찍 발달하고 [戌을 공협], 庚午가 申을 만나면 금수문(錦繡文;비단에 수를 놓은 것 같은 문장)이고 [未를 공협], 丙子가 寅時를 [보면] 재보財寶가 많다. [丑을 공협]. 이 格은 전실塡實한 고庫위 및 刑衝 破害 공망을 크게 꺼리고, 歲運에서 官印을 만나면 좋아하고, 日月의 천간이 같고 고庫위를 虛로 拱하여야 좋다. (古歌云,乙巳生人喜見卯,夾辰,癸酉亥時必發早,夾戌,庚午逢申錦繡文,夾未,丙子寅時多財寶,夾丑,此格大忌塡實庫位,及刑衝破害空亡,歲運喜逢官印之鄕,日月同干,虛拱庫位,

亦好.)

예) 命造
甲 己 己 乙
子 巳 卯 亥
己일주가 巳제좌에 臨하며 己卯월을 얻으니, 虛로 拱한 辰중에 수고水庫가 財인데 사주에 辰[字]의 전실이 없고 공망 및 刑衝 破害를 犯하지 않으니 승상의 命이다. 나머지는 例로서 추리하라. (如乙亥己卯己巳甲子,己日爲主,臨巳帝座,得己卯月,虛拱辰中水庫爲財,柱無辰字塡實,不犯空亡破害刑衝,乃丞相命,餘例推.)

61. 묘살墓煞

고가에 이르기를, 묘墓 중에서 鬼를 만나는 것을 알아야 하는데, 夾煞한 구丘를 가지면 골육骨肉이 이별하고, 이 흉성凶星을 범犯하여 구조救助함이 없으면 태어나면서 복福과 수壽가 있더라도 소년시절에 이지러진다. (古歌云,墓中逢鬼要知之,夾煞持丘骨肉離,犯此凶星無救助,生來福壽少年虧.)

가령 甲일이 庚戌이나 庚辰을 보고, 乙일이 辛丑이나 辛未를 만나고, 丙일이 壬辰이나 壬戌을 보고, 丁일이 癸丑이나 癸未를 만나고, 戊일이 甲辰이나 甲戌을 보고, 己일이 乙丑이나 乙未를 만나고, 庚일이 丙辰이나 병戌을 보고, 辛일이 丁丑이나 丁未를 만나고, 壬일이 戊辰이나 戊戌을 보고, 癸일이 己丑이나 己未를 만나는 이것을 칠살입묘七煞入墓라고 일컫는다. (如甲日見庚戌庚辰,乙日見辛丑辛未,丙日見壬辰壬戌,丁日見癸丑癸未,戊日見甲辰甲戌,己日見乙丑乙未,庚日見丙辰丙戌,辛日見丁丑丁未,壬日見戊辰戊戌,癸日見己丑己未,此謂七殺入墓.)

낙녹자가 이르기를, 협살지구夾煞持丘하면 친인親姻척의 울음소리가 들린다. (珞錄子云,夾煞持丘,親姻哭送.如己巳戊辰癸丑丙辰,癸日見戊爲官,己爲煞,戊己倂在辰上,又爲癸水庫,多主早發早夭.又曰,癸日生四月,時臨戊辰,爲官星入墓,主早夭,仍帶病,蓋本身無氣,癸水與官星,俱入墓地逢鬼.或曰,煞非止七煞,乃羊刃亡劫,與日時,或日月,夾藏墓中,皆凶.)

예) 命造
丙 癸 戊 己
辰 丑 辰 巳
癸일이 戊를 보면 官이고 己는 煞인데, 戊 己가 병행하여 辰상에 있고, 또 癸水의 고庫가 되는데, 대부분 일찍 發達하였으나 일찍 요절하였다. 또 말하기를, 癸일이 4月에 생하여 戊辰 時이고 관성이 입묘하면 질병으로 인해 일찍 요절한다. 대개 本身이 無氣하면 癸水와 관성이 함께 入墓

地에서 鬼를 만난 것이다. 或 말하기를, 煞은 七煞뿐만 아니라 羊刃 亡劫이 日時에 혹 日月의 묘墓중에 夾藏하면 모두 흉하다.

62. 사위순전四位純全

寅 申 巳 亥는 오행에서 생氣인데, 역마 학당은 4生[地가]이 된다. 子 午 卯 酉는 오행의 왕기旺氣인데, 乙 辛 丁 癸가 臨하며 4正이 된다. 辰 戌 丑 未는 오행의 雜氣인데 화개 정인이 臨하며 4墓[地]가 된다. (寅申巳亥有五行生氣,驛馬學堂,是爲四生,子午卯酉有五行旺氣,乙辛丁癸臨之,是爲四正,辰戌丑未,五行雜氣,華蓋正印臨之,是爲四墓.)

經에서 이르기를, 財官 印綬는 寅 申 巳 亥의 진鎭에 거한다. 진보부에서 이르길, 子 午 卯 酉는 8專의 상象으로 문필文筆이 일품이며, 골방지주矻邦砥柱 무즉분모武則分茅 괘인성공掛印成功. 또 이르길, 寅 申 巳 亥가 [純全]하면 3公의 자리에 이른다. (經云,財官印綬,鎭居於寅申巳亥.眞寶賦云,子午卯酉,八專之象,文爲一品,矻邦砥柱,武則分茅,掛印成功.又云,寅申巳亥,位至三公.)

원리부에서 이르길, 子 午 卯 酉가 전비全備하면 주색酒色으로 혼미昏迷한다. 천리마에서 이르기를, 四庫가 전비全備하면 龍이 변화하여 대해大海를 만나니 구오지존(九五之尊;임금의 지존)이 된다. 보감부에 이르길, 辰 戌 丑 未가 순행順行하면 제왕帝王이나 군君의 命을 의심하지 않아도 된다.[틀림없다.] 이우가에서 이르길, 4庫가 온전한 때에는 4貴가 되어 위반상열거권형位班上列據權衡이 된다. (元理賦云,子午卯酉全備,酒色昏迷.千里馬云,四庫全備龍變化,逢大海爲九五之尊.寶鑒賦云,辰戌丑未順行,帝王君命無疑.理愚歌云,四庫全時爲四貴,位班上列據權衡.)

독보에 이르길, 寅 申 巳 亥 4生의 局은 身强하여 물物을 사용하면 發福한다. 子 午 卯 酉 4敗의 局은 남자가 犯하면 흥망興亡이 있고, 여자가 犯하면 고독孤獨한데, 이 格에 부합符合하면 대부분 크게 부귀富貴하지만, 단지 육친六親의 형刑해害는 면하지 못하며 진퇴進退가 연이어지는 것은 각각 상충相衝하여 합合하지 않기 때문인 것이다. (獨步云,寅申巳亥,四生之局,用物身强,遇之發福.子午卯酉,四敗之局,男犯興衰,女犯孤獨,此格合者,多主大富貴,但不免六親刑害,進退連茹,以各相衝無合故也.)

가령, 子 午 卯 酉가 年 月 日 時에 호환互換하여 子는 申 辰이 권속眷屬이 되고, 酉는 巳 丑이 동류同類가 되고, 午는 寅戌이 교합交合하고, 卯는 亥未가 연지連枝가 되니 四柱는 각각 친하여 그 친함으로 골육骨肉이 분리分離되고, 거듭하여 고과孤寡 刑 害하면 극을 당함이 반드시 重하다. (如子午卯酉,互換年月日時,子以辰申爲眷屬,酉以巳丑爲同類,午以寅戌爲交合,卯以亥未爲連枝,四柱各親其親,定主骨肉分離,更帶孤寡刑害,剋陷必重.)

[五行]정기에서 이르기를, 子 午 卯 酉가 입격入格하여 4극極이 전비全備하고 실국失局하면 편야도화遍野桃花인데 男女가 이를 犯하면 비록 귀하며 財가 있더라도 황음荒淫과 주색酒色을 免하기 어렵고, 德이 적은 사람이다. (精紀云,子午卯酉,入格爲四極全備,失局爲遍野桃花,男女犯之,雖貴有財,不免荒淫酒色,薄德之人.)

太乙에서 이르기를, 무릇 물物은 크게 성盛하면 꺾이는데, 만일 바람이 불고 폭우暴雨가 내리면 성쇠盛衰하기 쉬우니 태胎로서 대신하여 장대長大한 命이 된다. 그렇지 않고 내가 衝 犯한 것을 보니 일찍 사망하는 사람이 많았다. (太乙云,凡物太盛則折,如漂風暴雨之至,易盛易衰,要以胎代之,則爲可久可大之命,不然予見衝犯而早逹致死者多矣.)

詩에서 말하기를, 寅 申 巳 亥의 4글자가 연이어지거나, 辰 戌 丑 未도 또한 연이어지면, 대세大勢를 장악하여 우두머리의 권력을 가지지 못하면 반드시 조정에서 근시(近侍;임금을 가까이서 모시는 사람)가 된다. 또 日德 日貴와 아울러 괴강이 사주에 순전純全하면 대길大吉하고 창성한데, 6格 局중에 入格하면 전번에 [설명한 格의] 조화造化가 어찌 예사롭겠는가! 4위의 日德과 4위의 魁罡과 4위의 日貴를 취하면 干支를 분별할 수 없으니 4위가 순전純全한 格은 동일하게 논한다. (詩曰,寅申巳亥四字連,辰戌丑未亦如是,不居大勢掌魁權,必定朝中爲近侍.又,日德日貴並魁罡,四柱純全大吉昌,六格局中仍入格,這般造化豈尋常.此取四位日德,四位魁罡,四位日貴,無別干支,與四位純全格同論.)

63. 일기생성一氣生成-1~2

1.

4位가 순전純全해야 하는데, 만일 천간이 동류同類라면 天元이 一氣가 되고, 만일 지지의 神이 같은 글자는 지지의 물物이 서로 동일하여야 되는데, 3格으로 아울러 논한다. (卽四位純全,如天干同類,爲天元一氣,如支神一字,爲地物相同,三格倂論.)

천원일기天元一氣는 넷의 壬寅, 넷의 辛卯, 넷의 庚辰, 넷의 己巳, 넷의 戊午, 넷의 丁未, 넷의 丙申, 넷의 乙酉, 넷의 甲戌, 넷의 癸亥인 것이다. (天元一氣,乃四壬寅,四辛卯,四庚辰,四己巳,四戊午,四丁未,四丙申,四乙酉,四甲戌,四癸亥是也.)

四柱의 간지가 一氣인데 중간中間에 또한 경중輕重과 귀천貴賤이 있으니, 모름지기 상세히 분별하여야 한다. 壬寅 辛卯 甲戌은 부귀富貴가 쌍전雙全하며 己巳도 역시 귀하고, 戊午 丁未는 刃이 旺하여 성품이 强하니 비록 귀하더라도 흉험(凶險;마음씨가 그늘지고 험상궂음)하여 妻를 극하고 끝내는 좋지 않고, 庚辰은 귀하며 풍류風流가 있으며 명성은 두터우나 이로움은 가볍고, 乙酉는 상잔傷殘함이 많고, 癸亥는 빈박貧薄하고, 丙申이 北方에 생하여도 貴할 수 있지만 세歲

운運에서 만일 刑衝 破奪害을 만나면 반드시 재화災禍가 발생한다. (四柱干支一氣,中間亦有輕重貴賤,須細別之.壬寅辛卯甲戌,富貴雙全,己巳亦貴,戊午丁未,刃旺性强,雖貴亦多凶險,剋妻不善終,庚辰貴而風流,名重利輕,乙酉多傷殘,癸亥多貧薄,丙申生北方,亦可取貴,歲運如遇刑衝破奪,必生災禍.)

대체적으로 지지의 內에서 財官 印 의 入格 有無와 損傷한 천간의 有無와 得令의 有無와 上下의 干支에서 財官 印食이 화化하는지 화化하지 않는지와 從하는지 從하지 않는지를 추리하여 그 귀천貴賤의 경중輕重을 정한다. (大要推其支內,有無財官印食入格,有無傷損天干,有無得令,上下干支財官印食,可化不可化,可從不可從,定其輕重貴賤.)

또 말하기를, 4戊午는 子를 衝[出]하여 戊 癸가 [合]化하니 진화眞火이며, 午는 寅 戌을 합하여 印綬가 되어 권귀(權貴;권세가 있고 지위가 높음)한 命이다. 4壬寅은 食神生財하고 또 午 戌을 암합暗合하여 財가 되니 크게 부귀하다. 4辛卯는 酉 祿을 암충暗衝하여 귀하지만, 만년晩年에는 재물財物도 적으며 수명도 견고堅固하지 못하다. 4甲戌은 戌중에 財 官이 있어 귀하다. 그러나 네 개의 戌이 모두 火 土인데 묘墓의 기운氣運이 重하여 대부분 고독하고, 혹 어릴 때 양친兩親을 잃고, 혹 만년晩年에는 재화災禍가 많고, 만약 酉 未時를 만나면 상관견관傷官見官이며 亥時는 劫煞로서 가난하다. (又曰,四戊午,衝子,戊癸化眞火,午合寅戌爲印,權貴之命.四壬寅,食神生財,又暗合午戌爲財,主大富貴.四辛卯,暗衝酉祿,主貴,晩年財薄,壽不堅牢.四甲戌,戌中有財官主貴.但四戌皆火土,墓氣重,多主孤,或幼失雙親,或至晩年多災禍,若遇酉未時,傷官見官,亥時劫煞,主貧.)

4庚辰은 戌을 衝[出]하여 官貴가 되고, 괴강으로 논하는데 그러나 金이 성盛하면 흉한 재앙이 많고 妻를 극한다. 4丁未는 [羊]刃이 旺하여 흉악凶惡함이 많으며 군인軍人이 되고, 그런데 네 개의 未가 亥를 합하여 양격저귀(羊擊猪貴;천한 일에 종사하다가 크게 귀하게 됨)하게 되고, 운에서 刃을 합하고 官의 지지를 만나면 돌연히 재앙이 생기는 것이 두려우니 심히 반성해야 하는데, 그렇지만 刃格에 혹 合이 있으면 모두 禍가 있으니 모름지기 예방豫防해야 한다. (四庚辰,衝戌爲官貴,以魁罡論,但金盛,多凶禍剋妻.四丁未,刃旺,多凶惡,爲軍人,卻以四未合亥,爲羊擊豬貴,從賤役至大貴,運引合刃見官之地,恐勃然禍至,大宜警省,但是刃格或帶合,皆有此禍,須預防之.)

4丙申은 7월의 火가 병病死[地]인데 財가 旺하여 煞을 생하니 흉하고, 네 개의 丙 동류同類가 身을 돕는 것이 기쁜데 극하여 財를 얻으면 부귀하고 혹 선빈후부先貧後富하게 된다. 4乙酉는 태胎元이 貴가 되어 남자는 길하고, 여자는 대부분 횡망橫亡하고 수명이 짧다. 4癸亥는 水의 旺함이 태과太過한데, 기쁜 것이 巳중의 丙戊를 衝出하여 "비천록마"가 되고, 그러나 酉 丑이 一字라도 巳를 합하여 머무르지 않으면 中으로 귀하며 전실塡實을 크게 꺼린다. 4己巳는, 주로 빈곤貧困한데, 혹 亥중의 壬甲을 衝出하여 財官이 되고 네 개의 火가 印綬가 되어 貴함이 많지만 남자는 흉하고 여자는 길하다. (四丙申,七月火病死,財旺生煞爲凶,喜四丙同類助身,剋得財聚,主富貴,或先貧後富.四乙酉,胎元之貴,男吉,女多橫亡不壽.四癸亥,水旺太過,喜衝出巳中丙戊,爲飛天祿馬,但無酉丑一字,將巳合住,主中貴,大忌塡實.四己巳,主貧困,或衝出亥中壬甲爲財官,四火爲印,多貴,男凶女

吉.)

2.

또 말하기를, 네 개의 천간이 순일純一하여 雜되지 않으면 天元一氣가 되어 比肩으로 논하지 않으며 모름지기 지지에서 생化의 有無와 刑剋의 有無를 자세히 살펴서 財 官 印이 있어 格에 부합符合하고 세歲운運이 배반하지 않으면 반드시 크게 귀하고, 刑 衝 剋 制는 또한 흉하며 一氣를 고집해서는 안 되고 모두 貴로 말한다. (又曰,四干純一不雜,爲天元一氣,不可以比肩論,須詳其支神有無生化,有無刑剋,帶財官印,合格,歲運不背,必當大貴,衝刑剋制亦凶,不可執定一氣,皆以貴言.)

예) 命造

甲 甲 甲 甲

子 寅 戌 子

위와 같은 종류는 명칭이 봉황간격鳳凰干格이다.

예) 命造

壬 壬 壬 壬

寅 寅 子 辰

엽 정랑의 命인데, 壬이 寅에서 절絶하며 박잡駁雜하기 때문에 "정랑"에 그쳤다. (如甲子甲戌甲寅甲子之類,又名鳳凰干格.葉正郎,壬辰壬子壬寅壬寅,壬自絶於寅,是爲駁雜,故止正郎.)

또 말하기를, 四支가 순일純一하여 雜되지 않으며 지지의 물物이 서로 동일하면 일명一名 지란병수격芝蘭並秀格이라 하는데, 모름지기 干天干元에서 지지에 복이 모였는지 禍가 모였는지 살펴보아야 하는데, 만일 복이 모여 格에 부합符合하면 대부분 양부(兩府;文武를 말함)에 貴함이 머문다. (又曰,四支純一不雜,爲地物相同,一名芝蘭並秀格,須看干元,是支福聚禍聚,如是福聚合格,多居兩府之貴,如甲寅丙寅庚寅戊寅之類,又名鳳凰支格.)

예) 命造

戊 庚 丙 甲

寅 寅 寅 寅

위와 같은 종류의 명칭은 봉황지격鳳凰之格이라 한다.

만약 三子에 亥時라면 군서야유(羣鼠夜遊;쥐들이 밤에 활동함)가 되고, 三酉에 寅時라면 군계보효(群鷄報曉;닭이 새벽을 알림)가 되고, 丑이 己未를 보면 서우망월(犀牛望月;소가 달을 바라봄)이 되고, 寅이 己巳를 보면 맹호서풍(猛虎嘯風;호랑이 울부짖는 소리)이 되는데, 모두 바르게 추리한 방법으로 사람들이 응용하여 취한 것이다. (若三子時亥,爲羣鼠夜遊,三酉時寅,爲群鷄報曉,丑

見己未,爲犀牛望月,寅見己巳,爲猛虎嘯風,皆可理推,在人活取.獨步云,天元一氣,地物相同,人命得此,位列三公.)

詩에서 말하기를, 天元一氣는 존영(尊榮;지위가 높고 귀함)한데, 천간이 같은 글자로 청清하고 雜되지 않으면 比肩이 다투는 것으로 논하지 않고 태어나면서부터 부귀하며 공경公卿에 이른다. 또, 天元一字가 水이면 [水의]근원이 되어, 秋冬에 태어나면 기묘奇妙하다고 말할 수 없고, 土神의 一位를 만나면 大吉하여, 소년시절에 벼슬이 반드시 높게 된다. 또, 天元一字가 土면 基터전이 되니 사계四季에 태어나면 더욱 기묘奇妙하고, 申 酉의 두 지지를 더하여 入局하면 총명聰明준수俊秀하고 뛰어난 아이이다. (詩曰,天元一氣定尊榮,不雜天干一字清,非可比肩爭競論,生來富貴至公卿.又,天元一字水爲源,生在秋冬妙莫言,大吉土神逢一位,少年仕路必高遷.又,天元一字土爲基,四季生時更是奇,申酉二支加入局,聰明俊秀異常兒.)

또 天元一字가 木이면 根이 되어 전송등명현복원傳送登明顯福元, 사주관성여득지四柱官星如得地, 공명이록호쟁선功名利祿好爭先. 또, 天元一字가 만약 金이며 日時가 魁罡이면 福氣가 두텁고, 양인이 충을 만나고 아울러 貴[人]이 있으면 평생토록 귀인을 만나 존경을 받는다. 또 天元一字가 火면 온화하여 日 時중에서 공조功曹하여 大吉하고, 충하면 財 官이 동하여 發用하고, 평생토록 부귀하며 복이 흥륭興隆하고, 竊은 2格을 상세히 살피며 天元이 같으면 대부분 귀하고, 지지가 같은 것은 간격이 있으면 귀하지 않고 경청중탁輕清重濁으로 나누는 것이다. (又,天元一字木爲根,傳送登明顯福元,四柱官星如得地,功名利祿好爭先.又,天元一字若逢金,時日魁罡福氣深,羊刃逢衝幷帶貴,平生得遇貴人欽.又,天元一字火融融,大吉功曹時日中,衝起財官爲發用,平生富貴福興隆.竊詳二格,天元同者多貴,地支同者,間有不貴,輕清重濁之分也.)

또 사중四重의 陽水와 사중四重의 寅은 감리坎離가 交爭하여 왕기旺氣를 생하고, 運이 火鄕에 이르면 귀현貴顯함을 더하고, 왕래往來하면서 모름지기 제충(隄衝;막아 부딪힘)하는 것을 꺼린다. 또 人命에서 만일 四卯를 전부 만나고 干頭에 辛字와 서로 연결되면 身이 輕하여 복이 적으니 오히려 쓸모없는 일을 하고, 단지 두려운 것은 수명이 견실堅實하지 않은 것이다. (又,四重陽水四重寅,離坎交爭旺氣生,運至火鄕加貴顯,往來須忌對隄衝.又,人命如逢四卯全,干頭辛字又相連,身輕福淺猶閑事,只恐當生壽不堅.)

또, 金이 龍으로 변화하는 春3月을 사주에서 완전히 만나면 대권大權을 장악하여 조정朝廷에 들지 않는 재상宰相으로 모름지기 명리名利가 웅장하게 된다. 또 己巳가 전부 命 [四柱]속에 나열한 것을 만나면 구생천록토생매拘生天祿土生埋하여 사람들 가운데 반드시 명성을 존귀尊貴하게 나타내고, 빼어남이 산천을 잃을 정도로 출중한 재능이다. 또, 양陽토土가 重重하며 午[字]가 많고 천간一字가 중화中和를 얻으면 명성은 헛되나 실리實利는 평생토록 좋고, 子를 만나 제강을 충하면 수명이 어떠히겠는가? 또, 사중四重으로 丁未가 命속에 나열하면 陰生이 祿 刃 태胎를 암합暗合하여 東西로 나누어도 富貴를 이루고 수변水邊에 도달하면 무정無情하다. (又,金龍變化

春三月,四柱全逢掌大權,不入朝堂爲宰相,也須名利鎭雄藩.又,己巳全逢命裏排,拘生天祿土生埋,人中必顯名尊貴,秀奪山川出類才.又,陽土重重午字多,天干一字得中和,名虛利實平生好,見子衝提壽若何.又,四重丁未命中排,暗合陰生祿刃胎,有分東西成富貴,無情行到水邊來.)

또, 丙申의 4位가 命중에 완전하면 身과 煞이 상정相停하여 으뜸인 복을 나타내고, 보통과는 비교가 안 되는 명리名利가로 관교管教의 세력을 크게 진압하는 우두머리 權勢이다. 또, 陰木이 8月末에 생하면 重重한 乙酉가 상련相連함을 기뻐하여 좌우左右를 구분하지 않고 모두 영귀榮貴하며, 경유수성재만천更有收成在晩天. 또 천간의 4甲이 모두 戊을 만나면 財官을 분탈分奪하여 이익 되는 것이 없는데, 만일 運行이 돌아와 남방에 다다르면 傷官을 합하여 조금 길하다. 또, 천간 4癸가 乾宮에 서면 水木이 상생하고 도충倒衝을 하여 명리名利가 가득가득하니 모름지기 旺해야 하는데, 남방으로 行하면 운수運數가 흉하게 돌아온다. (又,丙申四位命中全,身煞相停顯福元,不比尋常名利客,管教勢大鎭魁權.又,陰木生居八月天末,重重乙酉喜相連,不分左右皆榮貴,更有收成在晩天.又,天干四甲皆逢戊,分奪財官無所益,如還行運到南方,合此傷官些小吉.又,天干四癸立乾宮,木水相生作倒衝,名利盈盈須有旺,南方行運數還凶.)

64. 천간순식天干順食 : 卽天干連珠, 지지夾拱, 卽地支連茹, 兩干不雜

순식은 예컨대, 甲이 丙을 만나고, 丙이 戊를 만나고, 戊가 庚을 보는 例이다. 협공은 예컨대, 子 寅 辰 午의 例이다. 부잡은 예컨대, 甲年 戊月에 甲日 戊時의 例이다. (順食,如甲見丙,丙見戊,戊見庚之例.夾拱,如子寅辰午之例.不雜,如甲年戊月,甲日戊時之例.脫脫丞相,壬辰甲辰丙戌戊戌,壬食甲,甲食丙,丙食戊,兩辰兩戌土,皆爲食神,先辰後戌不倒.此爲天干順食格也.)

예) 命造
戊 丙 甲 壬
戌 戌 辰 辰
탈탈 승상의 命인데, 壬의 食神은 甲이고, 甲의 食神은 丙이며, 丙의 食神은 戊인데 2辰 2 戌의 土가 모두 食神이 되어 先은 辰이고 후는 戌로 뒤집혀지지 않았다. 이 命은 “天干順食格”이 되는 것이다.

예) 命造-1
丙 丙 戊 甲
申 午 辰 寅
첩 간원 태사의 命인데, 寅 辰의 [사이에] 卯를 夾하고, 辰 午의 [사이에] 巳를 夾하고, 午 申의 [사이에] 未를 夾하는데, 이것은 “地支夾拱格”이 되는 것이다.

예) 命造-2

戊 庚 戊 庚
寅 寅 寅 寅
엽 승상의 命造인데, 이것은 "兩干不雜格"이 되는 것이다. (帖干遠太師,甲寅戊辰丙午丙申,寅辰夾卯,辰午夾巳,午申夾未,此爲地支夾拱格也.葉丞相,庚寅戊寅庚寅戊寅,此爲兩干不雜格也.)

구결에 이르기를, 順食은 식전방장(食前方丈;사방四方 열 자의 상에 잘 차린 음식이란 뜻으로, 호화롭게 많이 차린 음식을 이르는 말)이다. 원리부에 이르길, "兩干不雜"은 명리名利가 가지런하다. 독보에 이르기를, 팔자연주八字連珠는 지지가 유용有用한데 조화造化로우면 명리名利가 반드시 重하다. 時에서 말하기를, 천간順食은 富貴가 기이奇異한데 지지가 夾拱하는 것을 아는 사람이 적고, 兩干不雜은 모름지기 貴가 돌아오니 일생토록 생성生成되는 조화造化가 드물다. (口訣云,順食者食前方丈.元理云,兩干不雜利名齊.獨步云,八字連珠,支神有用,造化逢之,利名必重.時曰,富貴天干順食奇,地支夾拱少人知,兩干不雜須還貴,一世生成造化稀.)

65. 체악연방棣萼聯芳

이 상象은 年月의 천간이 같고 日時의 천간이 같으며, 兩甲과 兩乙의 종류인데, 지지도 역시 동일하며 寅 卯의 2位를 보면 더욱 기묘奇妙한데, 一名 이요진격二曜珍格이며, 또 봉황연록鳳凰戀祿이라 일컫는다. 만약 甲年 乙월과 甲일 乙時의 종류도 역시 같고, 만약 火年 火月과 木日 木時로 干支의 납음이 같은 종류라면 부자동류父子同類라 말하고, 또 甲申년이 甲申시를 만나면 수미공손首尾公孫의 동류同類가 되니 모두 이 [棣萼聯芳]格이다. (此象如年月干同,日時干同,兩甲兩乙之類,地支亦同,遇寅卯二位尤妙,一名二曜珍格,又謂鳳凰戀祿.若甲年乙月,甲日乙時之類,亦是,若火年火月,木日木時,干支納音相類,謂之父子同類,又甲申年見甲申時,爲首尾公孫同類,皆此格也.)

66. 극반격極返格

이 상象은 官이 많아도 官이 아니며, 鬼가 많아도 鬼가 아니고, 財가 많아도 財가 아닌데, 상관상진傷官傷盡하여 四柱가 온전하게 있는 것이 이것이다. 2位를 보는 것은 이것극반격이 아니고, 財가 많아도 身旺한 運으로 흐르면 역시 發財할 수 있고, 官이 많아도 身旺한 運으로 흐르면 역시 官이 발달할 수 있고, 煞이 많아도 身旺한 運으로 흐르면 공적이 빛날 수 있는데, 혹 煞이 화化하여 印綬 局을 이루면 더욱 기묘奇妙하다. 만약 財와 煞이 많은데 身弱하면 고독하거나 형刑을 받거나 질병으로 요절한다. (此象乃官多無官,鬼多無鬼,財多無財,傷官傷盡,四柱全有者是也.二位見者非是,財多行身旺運,亦可發財,官多行身旺運,亦可發官,煞多行身旺運,亦可烜赫,或煞化成印局尤妙.若財煞多身弱,主孤刑疾夭.)

예) 命造
甲 戊 甲 戊
寅 寅 寅 寅
하지부의 命인데, 사주에 순순한 煞로서 모두 火가 장생長生하는 印綬가 되고, 運이 남방의 火土가 旺한 지지로 흘러 煞이 印綬로 화化하니 당연히 귀하였다. 이것은 煞이 많아도 煞이 아닌 극반격極返格인 것이다. (如何知府戊寅甲寅戊寅甲寅,四柱純煞,皆有長生之火爲印,運行南方火土旺地,以煞化印,宜貴.此煞多無煞,爲極返格也.)

총가에서 이르기를, 모든 貴氣가 비록 格에 부합하더라도 6格을 중심으로 버리고 얻기가 어려우나, 다시 運이 흐르는 향배向背를 살펴보고 한 가지 방법을 取해서는 안 된다. (總歌云,諸般貴氣雖合格,六格大綱難去得,更看向背運辰行,不可一途而取則.)

67. 문희불희聞喜不喜

예컨대, 6甲 생인이 庚辛으로 官을 삼고 戊己는 財가 되는데, 寅 卯 午 亥 子月에 생하면 金의 절패絶敗 병사病死로 官을 삼을 수 없고, 土[神]는 春절에 사死하고 冬절에 囚하여 財가 되기에 부족不足하니, 설령 八字원국에서 辰 戌 丑 未 申 酉의 財 官을 만날지라도 福祿은 역시 엷은데, 운에서 財官이 旺한 지지로 바뀌어 흐르면 길하다. 홀연히 比肩 혹은 財官의 쇠衰한 지지를 만나면 유시무종(有始無終;시작은 있으니 끝이 없음)하다. 무릇 日時에서 財官을 만나면 문희聞喜하고, 年月에서 [財官을 만나면] 損剋하여 불희(不喜;좋아하지 않음)하는 것이다. (如六甲生人,以庚辛爲官,戊己爲財,生寅卯午亥子月,金絶敗病死,不能爲官,土神春死冬囚,不足爲財,縱遇八字元有辰戌丑未申酉財官,福祿亦薄,運行財官旺地轉吉.忽遇比肩,或財官衰地,有始無終.夫日時見財官,聞喜也,年月損剋,不喜也.)

經에서 이르기를, 官을 보는데 官이 배반하면 도리어 빈천貧賤하게 된다. (經云,見官背官,反爲貧賤.如甲戌庚午己丑丙寅,己用甲爲官,時逢寅位,祿旺本好,不合生午月,甲死,運行西方傷官之地,柱中無財可倚,無官可托.得日主健旺爲救,正爲聞喜不喜.一僧命也.)

예) 命造
丙 己 庚 甲
寅 丑 午 戌
己[일주]는 甲을 官으로 用하는데 時에서 寅位를 만나서 녹祿이 旺하여 본래 좋으나 午월에 생하여 甲이 사死하니 불합不合하며, 運이 서방의 상관의 지지로 行하니, 柱중에 財가 의지할 데가 없으며 官이 믿을 데가 없다. 일주가 健旺하여 救해야 하는데, 정확히 聞喜不喜가 된다. 한 스님의 命이다.

詩에서 말하기를, 甲乙은 庚辛이 官祿인데 寅卯에 생하면 영화가 창성하지 않고, 巽 離 乾 坎월도 동일하게 논하며 官의 무리가 있어도 명성이 현창(顯彰;명확하게 드러남)하지 않다. (詩曰, 甲乙庚辛官祿鄕,生逢寅卯不榮昌,巽離乾坎月同論,徒有官名不顯彰.)

68. 당우불우當憂不憂

예컨대, 甲일이 申庚을 만나면 본래 七煞로서 마땅히 근심이나 만약 春節에 身은 旺하고 金이 囚휴수한데, 歲 月 日 時에서 丙丁을 만나거나 혹 寅午로 제화制化하거나 혹 卯나 乙이 있어 합거合去하면 당우불우(當憂不憂;근심인 것이 근심이 안 된다)인 것이다. 만약 乙이 秋節을 만나 無氣한데, 혹 丙이 水上에 있으면 오히려 庚 煞을 制할 수 없다. 나머지도 例로써 추리하라. (如甲日生逢申庚,本爲七煞,當憂,若春月身旺金囚,歲月日時,見丙丁,或寅午,化制,或有卯乙合去,是當憂不憂也.若乙逢秋無氣,或見丙在水上,卻不能制合庚煞,餘例推.)

예) 命造
癸 壬 戊 丙
卯 戌 戌 寅
壬이 戊 七煞을 만나면 마땅히 근심인데, 癸卯 時를 얻어, 癸가 戊를 合去하고, 壬은 癸의 妹누이로 戊의 妻로 삼으며, 壬은 己는 官이 되고 卯는 상관이 되니, 오히려 戌중의 辛金으로 제制하는 것이 기쁜데 卯와 戌이 합하여 官을 손상할 수 없고, 9月은 辛은 旺하고 乙은 쇠衰하며 상관 七煞이 전혀 없고, 運이 東北으로 行하여 극하는 財가 모이고 寅戌이 財局으로 합하여 자연히 생기生起하니 근심하지 않은 것이다.(如丙寅戊戌壬戌癸卯,壬見戊,七煞當憂,得癸卯時,癸合去戊,爲壬以癸妹妻戊,壬以己爲官,卯爲傷官,卻喜戌中辛金制之,卯與戌合,不能傷官,九月辛旺乙衰,傷官七煞皆無,運行東北,剋得財聚,寅戌合財局,自然生起官星,是不憂也.)

時에서 말하기를, 甲이 庚 申을 만나면 비록 七煞일지라도 春節에 생하여 合을 만나거나 혹 형(熒;등불, 丁火)을 만나면 煞이 화化하여 權力으로 官貴 나타내고, 영웅이 기운을 내어 과거에서 급제를 차지한다. (詩曰,甲見庚申雖七煞,春生逢合或逢熒,化煞爲權官貴顯,英雄唾手占科名.)

69. 원청유탁源淸流濁

天干의 용신이 年月의 기운에 소통하여 생왕生旺한 도움을 얻고, 日時에서 일주 용신이 무력無力하면 혹 쇠패衰敗 사절死絶의 지지라면 조년(早年;젊은 나이)의 運이 길하지만, 후의 運이 無氣하면 반드시 만년晩年에는 고궁(孤窮;외롭고 가난하여 궁핍함)하다. 부賦에서 이르기를, 말년末

年이 고한孤寒한 것은 日時가 쇠衰 절絶한 지지를 犯한 것이다. 또 이르길, 時는 쇠衰하고 月이 秀하면 유시무종(有始無終;시작은 있으나 끝이 없다)하다. 또 이르길, 月이 旺한 곳이면 만년晩年이 부족不足하다. 詩에서 이르길, 年月이 생왕生旺하고 日時가 쇠약하면, 왕성할 동안은 복이 반드시 뛰어나지만 아손(兒孫;살아 있는 사람이 그 자손子孫을 일컫는 말)의 나이가 들어가면 모두 설 자리가 없고, 中 末年의 도중途中에는 오로지 굶주리는구나! (天干用神,年月通氣,生旺得助,日時引日主用神無力,或衰敗死絶之地,或早年運吉,後運無氣,必主晩年孤窮.賦云,末主孤寒,日時犯衰絶之地.又云,時衰月秀,有始無終.又云,月在旺鄕,晩年不足.詩曰,年月生旺日時枯,正旺之間福必殊,兒孫老去皆無立,中末途中一餓夫.)

70. 원탁유청源濁流淸

年月에 있는 財官 용신이 패절敗絶하거나 혹 공망은 조년(早年;젊은 나이)에 가난하여 고생하는데, 그러나 日時에서의 財官 용신이 생왕生旺한 지지라면 반드시 中 末年이 영화롭고, 月令의 運은 주로 초년初年의 득실得失이며 일주는 중년中年인 때의 결과結果가 되고, 月令의 힘이 弱하고 日 時가 旺하면 선빈후부先貧後富하게 된다. (年月財官,用神敗絶,或空亡,早年艱苦,日時卻引財官用神生旺之地,必主中末榮華,月令運元,主初年得失,日主中年時爲結果,月令力輕,日時引旺,故主先貧後富.)

詩에서 이르길, 원탁류청源濁流淸은 月令이 輕한 것인데, 출신出身이 한천寒賤하고 조년早年에는 평평하고, 年月을 지나서 日時가 생왕生旺하여 만년晩年에 재명財名과 福祿이 가득하다. (詩曰,源濁流淸月令輕,出身寒賤早平平,日時生旺過年月,晩歲財名福祿盈.)

71. 건록불부建祿不富

건록은 甲이 寅月에 생하고 乙이 卯월에 생하는 類인데, 月은 父母가 되는데 사람은 부모에 의해서 身몸이 생겨난다. 가령 사람은 집안에 의해서 태어나기 때문에 月令은 문호門戶가 되고, 大運은 月令에서 분리되는데 따라서 말하기를, 문(門=門戶)을 나서면 運의 고저高低가 한정적이다. 甲이 寅월에 생하면 祿旺한 寅중의 甲木 比肩이 먼저 祿旺하니 財를 점령한다. 예컨대 사람의 財物은 父母의 집안에 있는데 먼저 맏형이 맡아서 관리하고 아우는 명리名利를 별도로 구하지 못하고 밖에서도 다시 財祿을 만나지 못하면 오로지 조금 있는 재물을 사용하여 날마다 조금씩 소모하는데, 어찌 운에서 比劫을 다시 만나면 풍부豊富할 수 있겠는가? 예컨대 사람이 다시 兄弟가 있어 분리하게 되면 집의 재물을 나누는데, 나에게 前者에 있던 것을 이미 과용過用하여 나누어 준 재물이 없으면 반드시 소송訴訟으로 쟁탈爭奪을 부르니, 財物을 破하여 妻를 버리며, 자식을 잃고 부모를 떠나는 상象이기 때문에 建祿은 부유富裕하지 않은 것이다.[41] (建祿,乃甲生寅

月,乙生卯月之類,月爲父母,人從父母生身.如人從宅中而出,故月令爲門戶,大運離了月令,故曰出門行限運高低,甲生寅月,祿旺寅中甲木比肩,先祿旺占財.如人財物在父母家內,先有大哥收管,其弟不能別求名利,外又不遇財祿,專用見成有數之物,日漸支消,豈能豐富,運再遇比劫.如人再見弟兄有分之人,算分家財,在前我已過用,無財分與,必致詞訟爭奪,破財棄妻,失子離父之象也.故建祿不富.)

예) 命造-1
甲 丙 丁 癸
午 寅 巳 亥
건록과 장생 그리고 寅午의 合局으로 더욱 旺한데, 비록 壬癸의 官煞이 있을지라도 巳 午 戊己가 극傷하여 제거하니 일주가 太旺하여 官은 의지할 데가 없고 財가 믿을 곳이 없으므로 빈천貧賤하였다. (如癸亥丁巳丙寅甲午,建祿長生,寅午合局愈旺,雖有壬癸官煞,巳午戊己,傷剋去了,日主太旺,無官可依,無財可托,所以貧賤.)

예) 命造-2
丁 甲 甲 戊
卯 辰 寅 申
月令은 건록이며 辰은 財庫인데 戊는 편재이고 申은 甲의 煞이 되어 단지 좋으나, 丁卯 時의 상관 겁재를 만나서 좋지 않은데, 甲의 官이 되는 辛이 丁에게 손상을 입으니 戊의 財가 甲乙에게 탈취를 당하고, 용신인 申煞은 寅[중의] 丙에게 衝剋을 당하며 [寅중의] 丙火는 食神인데 申중壬에게 衝剋을 당하니 財 官 食 모두가 손상하기 때문에 빈천貧賤하였다. (又戊申甲寅甲辰丁卯,月令建祿,辰爲財庫,戊爲偏財,申爲甲煞,儘好,不合見丁卯時,傷官劫財,甲以辛爲官,被丁傷,以戊爲財,被甲乙奪,用申爲煞,被寅丙衝剋,丙火爲食,被申壬衝剋,財官食俱傷,所以貧賤.)

예) 命造-3
戊 己 丙 丁
辰 未 午 巳
月令이 건록이며 일주는 刃에 坐하고 겁재가 크게 重한데, 本身의 比肩이 모두 각각 刃을 차고 있다. 壬寅運으로 行하니 戊己가 壬을 탈취하고 財와 印이 서로 손상하며 寅巳가 상형相刑하고, 寅이 祿[元]을 형하니 직위가 없고, 己丑년 羊刃을 衝動하니 형벌을 받아 사망했다. (又,丁巳丙午己未戊辰,月令建祿,日主坐刃,劫財太重,本身比肩,俱各帶刃.行壬寅運,戊己奪壬,財印相傷,寅巳相刑,寅刑祿元無位,己丑年衝起羊刃,被刑而死.)

詩에서 말하기를, 건록生은 문호門戶에서 싫어하여 조업祖業을 구하고 재물이 풍부하기는 어렵고, 처와 종은 거듭하여 보아도 파패破敗하여 오히려 長年에 백발白髮의 늙은이가 되고, 從化하여 만약 別格을 이룬다면 자연히 명리名利는 둘 다 종용從容된다. (詩曰,建祿生嫌門戶中,難招祖

41) 月地가 建祿이면 自手成家형이 많다.]

業値財豐,妻奴破敗重重見,卻作長年白髮翁,從化若還成別格,自然名利兩從容.)

72. 배록불빈背祿不貧

背祿은 甲乙이 丙丁을 만나고 丙丁이 戊己를 보는 類인데, 官이 休囚하고 또 극 傷을 당하지만 食神과 傷官이 오히려 財를 생할 수 있는 것을 알지 못하는데, 運이 財鄕에 이르면 반드시 발달發達한다. 가령 壬癸가 寅卯월에 생하면 戊己가 실시(失時;때를 잃음)하고 또 상진傷盡된다. 1~2월은 목왕木旺하여 火相하니 暗中에 財가 있어 運이 財鄕에 이르면 반드시 발달하고, 만약 甲乙 寅 卯를 보고 壬 癸 亥 子상에 있으면 습목(濕木;젖은 나무)은 불꽃이 생겨날 수 없는데, 뛰어나지 않고 財가 薄하면 도리어 화禍를 자초自招하고 七煞을 만나면 재앙이 정체停滯한다. (背祿,乃甲乙見丙丁,丙丁見戊己之類,官遇休囚,又被傷剋,不知食神傷官,卻能生財,運至財鄕,必然發達.假令壬癸生寅卯月,戊己失時,又被傷盡.正二月木旺火相,暗中有財,運至財鄕必發,若見甲乙寅卯,在壬癸亥子上,濕木不能生焰,非特財薄,反自招禍,見七煞主災滯.)

經에서 이르기를, 일간이 背록하면 歲時에서 재성을 만나는 것을 기뻐한다. 그러나 財가 命사주에서 有氣하면 배祿을 만나도 가난하지 않다. 또 이르기를, 배록이 財를 만나는데 만약 時에서 보면 부호富豪로서 견줄 상대가 없다. (經云,日干背祿,歲時喜見財星.又云,但看財命有氣,逢背祿而不貧.又云,背祿逢財若遇時,富豪無相並.)

예) 命造
戊 丁 壬 壬
申 未 子 子
日干 丁은 壬의 官을 用하는데 戊가 [壬官을]손상하니 時支의 申중 庚金 財를 기뻐하고, 11月은 金이 비록 사지死地일지라도 丁壬이 합화合化를 의지하고, 癸水의 왕기旺氣가 未중의 丁火를 능히 극하고, 丁이 壬을 만나 그 남편을 따라 化木하여 水를 생함에 이롭고, 남방의 火가 東方木으로 화化하여 北方 水의 자양資養을 받으므로 가난하지 않았다. (如壬子壬子丁未戊申,日丁用壬爲官,有戊傷去,喜時支申中庚金爲財,十一月金雖死地,賴丁壬合化,癸水旺氣,能剋未中丁火,丁見壬從其夫化木,利於水生,是南方火,化爲東方木,受北方水資養,所以不貧.)

73. 배록축마背祿逐馬

배록은, 甲은 辛이 官이며 녹祿이 되는데, 甲이 春夏절에 생하면 金이 절絶하니 곧 官이 없는 것이기 때문에 배록이 된다. 축마는 甲은 己土가 財이며 馬가 되는데, 乙 및 亥 卯 未에게 겁탈

劫奪을 당하니 甲은 財가 없는 것이기 때문에 축마가 된다. 나머지는 例로서 추리하라. (背祿者,甲以辛爲官爲祿,甲生春夏,金絕則無官矣,故爲背祿.逐馬者,甲以己土爲財爲馬,被乙及亥卯未劫奪,甲無財矣,故爲逐馬.餘例推.)

예) 命造

乙 丁 壬 壬

巳 未 子 子

丁은 壬을 취하여 官祿을 삼고, 壬은 亥월이 건록이며 丁이 子月에 생하여 癸는 旺한 煞인데 壬의 祿은 이미 지나서 背가 되고, 向은 녹祿이 있으며 背는 녹祿이 없다. 丁은 庚을 취하여 財馬로 삼는데 子월에 庚은 사死하니 이것이 배록 축마가 된다. 煞運을 만나고 劫地로 行하면 역시 發福하지 않은데 근원根元이 없기 때문인 것이다. (如壬子壬子丁未乙巳,丁取壬爲官祿,壬,亥月建祿,丁生子月,癸旺是煞,壬祿已過,爲背,向者有祿,背者無祿,丁取庚爲財爲馬,子月庚死,此爲背祿逐馬,逢煞運,行劫地,亦不發福,無根元故也.)

낙녹자가 이르기를, 배록 축마는 궁한 처지가 되어 처황(悽惶;슬프고 괴로운 처지)인데, 이것은 賦중의 견해見解와 동일하지 않다. (珞琭子云,背祿逐馬,守窮途而悽惶,與此不同,解見賦中.)

74. 하초조상夏草遭霜

여름에는 이미 화염이 지극한데 夏至후에는 1陰이 발생하여 더위는 물러나고 寒氣가 점점 자라나고, 金이 장복藏伏하여 水를 생하는 기후이다. 가령 甲乙이 夏至후 10일안에 생하여 壬 癸 亥 子를 만나면 印綬가 旺하며 庚 辛 申 酉는 旺한 官이 되어 刑 衝 剋 奪을 만나지 않으면 반드시 대귀大貴하다. 丙丁이 夏至후 10일 안에 생하여 壬 癸 亥 子를 보고 官이 생함을 만나며 庚 辛 申 酉의 財가 有氣하게 되면 상관의 土局을 만나는 것을 크게 싫어하니 횡액橫厄으로 요절夭折하는데, 대개 1陰이 시생始生하면 그 기가 매우 微弱하기 때문이다. 이 상象은 丙일이 6月에 생하여 좌하坐下에 寅 午 戌 火[神]이며 壬 癸 甲 乙의 官 印을 만나는데 戊 己가 투출하여 극하고 運이 官印및 身旺한 곳으로 흐르면 크게 귀하고, 火의 패지敗地는 꺼리는데 불록(不祿;사망)한다. (夏已炎極,至後則一陰發生,爲暑退寒生之漸,金伏水生之候.如甲乙生夏至後十日內,遇壬癸亥子,爲旺印,庚辛申酉,爲旺官,不逢衝刑剋奪,必大貴.丙丁生夏至後十日內,遇壬癸亥子,爲官逢生,庚辛申酉爲財有氣,大忌見傷官土局,凶橫夭折,蓋一陰初生,其氣甚微故也.此象用丙日生於六月,坐下寅午戌火神,見壬癸甲乙爲官印,戊己透剋,運行官印,及身旺鄉,大貴,忌火敗地不祿.)

예) 命造-1

丙 乙 庚 甲

子 未 午 戌

하지 후 10일 안에 생하여 用[神] 金 水가 有氣하니 귀하여 도헌都憲이 되었다.

예) 命造-2
癸 丙 癸 乙
巳 子 未 酉
官印이 투출하여 극 傷함을 만나지 않고, 지지의 下에 巳 未로 화왕火旺하고 또 祿[元]이 호환互換하였는데 따라서 크게 귀하였다. (如甲戌庚午乙未丙子,生至後十日內,用金水有氣,貴爲都憲.又乙酉癸未丙子癸巳,明透官印,不逢傷剋,支下巳未火旺,又祿元互換,故主大貴.)

75. 동봉열화冬逢熱火

동지는 물이 얼어붙어 얼음이 되는 차가움이 왕성한 시기이다. 冬至 후에 1陽이 발동發動하여 난기煖氣가 시생始生하니 火가 있으면 쓰임을 얻는다. 만일 乙일이 亥 卯 未[地支의 神]에 坐하고 冬至후에 생하여 丙丁을 보고, 壬癸가 없거나 투출하면 극하거나 合해야한다. (冬至,冰成水凍,盛寒時也.至後,則一陽發動,煖氣初生,有火得用.如乙日,坐亥卯未支神,生於至後,見丙丁,無壬癸透剋合,象天順帝,丁未壬子乙未丙子,月上雖透水,丁壬合化,只以木論,所以貴爲天子.)

예) 命造
丙 乙 壬 丁
子 未 子 未
상천 순제의 命인데, 月상에 비록 [壬]水가 투출하였지만 丁壬이 합화合化하여 단지 木으로 논할 뿐이므로 귀한 천자天子가 되었다.

또 말하기를, 冬至후는 木相하여 火가 나오고, 만약 庚辛 생인이 冬至후 10일에 있으며 丙 丁을 만나면 官이 有氣하게 되는데, 모름지기 사주에 寅[字가]이 있어야 火를 생하는 근원이 되어 大貴하게 된다. 만약 丙丁이 천간에 투출하지 않으면 일주가 庚午나 辛巳를 만나도 역시 귀하고, 申 子 辰의 水局이 극 상하는 것을 크게 꺼리니 주로 잔질殘疾로 소경이 되지만 丑月은 서로 같지 않다. 만약 七煞을 만나면 대부분 水에서 사死하고, 壬癸일이 冬至후 10일에 생하고 천간에서 丙丁을 보면 1陽을 계승하여 財가 有氣하게 된다. (又曰,至後木相火出,若庚辛生人,在至後十日,逢丙丁爲官有氣,須要柱中有寅字,爲生火之源,方成大貴.若無丙丁明露,日逢庚午辛巳亦貴,大忌申子辰水局傷剋,主殘疾盲目,丑月不同.若見七煞,多死於水,壬癸日生於至後十日,干見丙丁,承一陽爲財有氣.)

戊己일이 冬至후 10일에 생하여 천간에 甲乙을 보면 1陽을 계승하여 官이 有氣하게 되고, 丙丁

을 만나면 印綬가 有氣하게 되니 이 局에 부합하면 부귀하고, 運은 財印의 지지를 좋아하며 생왕生旺한 곳을 만나면 禍가 발생하는데 甚하면 요절한다. (戊己日,生於至後十日,干見甲乙,承一陽爲官有氣,見丙丁爲印有氣,合此局富貴,運喜財印地,逢生旺鄕生禍,甚者夭亡.)

예) 命造-1
戊 庚 戊 庚
寅 寅 子 午
庚寅은 自坐에 丙煞인데 子중의 癸水가 제制하니 煞이 화化하여 權이 되고 1陽의 기運을 乘하여 귀하다.

예) 命造-2
戊 庚 壬 壬
寅 午 子 辰
庚이 午에 坐하고 官印이 兩全하여 비록 辰子가 會水할지라도 寅午 역시 會火하니 힘이 균정均整하며 항복하지 않으므로 귀하다. (如庚午戊子庚寅戊寅,庚寅自坐丙煞,得子中癸水制之,化煞爲權,乘一陽之氣爲貴.又壬辰壬子庚午戊寅,庚坐午,官印兩全,雖辰子會水,寅午亦會火,力停不降,故貴.)

詩에서 말하기를, 壬 癸 庚 辛은 지지가 寒한데 다시 西北에 머물러도 역시 그러한데, 만약 丙丁을 冬至후에 만나면 官이 자미원紫微垣에 들어 머문다. (詩曰,壬癸庚辛此地寒,更居西北亦如然,若見丙丁逢至後,居官定入紫微垣.)

6. 길회흉회吉會凶會

가령 甲일의 생인이 子辰을 전부 보면 甲의 七煞인 申庚이 모여 동하니 凶함이 모이는데, 사주에 丙이나 혹 乙의 合制가 있으면 化煞하여 權이 되지만, 만약 [丙이나 乙의 合 制가] 없으면 모름지기 일주가 得令하여야 비로소 禍를 면하고, 子 辰 水의 계절에 생하면 化煞하여 印綬가 되어 귀하다. (假甲日生人,見子辰全,會起申庚爲甲七煞,乃凶會也,有柱丙,或乙合制,是化煞爲權,若無,須日主得令,方免生禍,生子辰水候,化煞爲印,貴.)

乙일 생인이 子辰을 보면 申庚을 합하여 동하고, 甲일이 己丑을 만나면 酉辛을 합하여 동하는데, 모두 녹祿이 비천飛天하여 길하다. 丙일의 생인은 卯未를 보면 壬亥 칠살이 모여 나타나는데 사주에 戊丁의 合制가 있으면 그 煞은 權이 되지만 만약 [戊나 丁의 合制가] 없으면 모름지기 일주가 得令해야 비로소 禍를 免하고, 卯 未의 旺한 달月에 생하면 化煞하여 印綬가 되어 귀하다. 丁일이 卯未를 보면 壬水를 합하여 동하고, 丙일은 申辰을 보면 癸水를 합하여 동하는데 모두 녹祿이 비천飛天하여 길하다. 나머지는 例로서 추리하라. (乙日生人,見子辰合起申庚,甲日見己丑,

合起酉辛,俱飛天祿吉.丙日生人,見卯未會出亥壬爲七煞,柱有戊丁合制,其煞爲權,若無,須日主得令,方免生禍,生卯未旺月,化煞爲印,貴.丁日見卯未,合起壬水,丙日見申辰,合起癸水,俱飛天祿吉,餘例推.)

조용히 吉凶이 모이는 것을 자세히 추리해야 한다. 만일 命[四柱]에서 財官 印食 녹마祿馬 귀인을 기뻐하는데 大小 運歲君에서 모두가 會合하면 富貴가 대발大發하니 길회吉會라 일컫는다. 만일 命[四柱]에서 칠살 상관 양인 亡劫을 꺼리는데 大小 運과 流年에서 모두 會合하면 凶禍가 대발大發하니 흉회凶會라 일컫는다. (竊詳吉凶會,如命喜財官印食,祿馬貴人,値大小運歲君俱合會,決主大發富貴,謂之吉會.如命忌七煞傷官,羊刃亡劫,而大小運流年俱合會,決主大發凶禍.謂之凶會.非專指三合會起一物言也,其理尤長.)

詩에서 말하기를, 吉會하는지 凶會하는지 자세히 추리해야하는데, 吉會를 만나면 가장 길함이 창성하고, 만약 凶神이 합하여 동하면 파재破財 파직罷職하여 재앙災殃이 된다. (詩曰,吉會凶會要推詳,吉會相逢最吉昌,若是凶神相合起,破財剝職主災殃.)

77. 사주암대四柱暗帶

호중자가 이르기를, 사주에 암대暗帶하면 영욕(榮辱;영예와 치욕)이 있다. 가령 甲子년 丙寅월은 乙丑을 暗帶하여 正印으로 귀인이 되는 神을 끌어와 祿元에 편중되니 영화가 있다. 만약 甲子년 壬戌월이면 癸亥를 暗帶하여 亡神으로 正공망이 되어 치욕이 있다. 日時도 동일하게 보며, 사주에서 暗帶는 正帶가 切하면 곧 暗帶를 전거轉居로 삼아 귀천貴賤과 吉凶을 말한다. 만약 협살夾煞이 묘墓가 되면 凶死한다. (壺中子云,四柱之中逢暗帶,有榮有辱.如甲子年,丙寅月,暗帶乙丑,爲正印,爲貴人,爲引進神,爲偏祿元,是以有榮.若甲子年,壬戌月,暗帶癸亥,爲亡神,爲正空,是以有辱,日時同看,四柱暗帶切於正帶,卽憑暗帶,以言貴賤吉凶.若夾煞持墓,決主凶死.)

78. 오행구취五行拘聚

五行이 상극하는 이 법은 마땅히 內에 모인 것을 취해야 하는데, 이 法이 기묘奇妙한 것은 상생하는 法이다. 그런데 반드시 음양이 태왕太旺하여야 비로소 구취拘聚할 수 있다. 가령 木이 旺하면 火을 취할 수 있고, 火가 旺하면 土를 취할 수 있고, 土가 旺하면 金을 취할 수 있고, 金이 旺하면 水를 취할 수 있는데, 조화造化가 상생相生을 반복하여 다시 有情하게 된다. (五行相尅,此理之當,內有拘聚,此理之妙,乃相生法也,然必陰陽太旺,方能拘聚.如木旺則能拘火,火旺則能拘土,土旺則能拘金,金旺則能拘水,造化展轉相生,更爲有情.)

만일 일간이 土인데 卯月에 생하면 쇠약하며 干支에 水가 있으면 財煞이 太重한데, 日時에 단지 하나의 未[字]만을 얻어도 未중에 암장暗藏한 丁己는, 곧 水로서 木을 취하고 木으로 火를 취하고, 火로서 土를 취하니 火土가 身을 도와 財 煞을 감당할 수가 있으므로 大貴하게 된다. 나머지도 例로써 추리하라. (假日干是土,生於卯月衰弱,干支有水,財煞太重,日時但得一未字,未中暗藏丁巳[己],則以水拘木,以木拘火,以火拘土,火土扶身,勝任財煞,決主大貴,餘例推.)

79. 합화성국合化成局-1~3

1.

合이라는 것은 화합和合하는 것이며, 化라는 것은 변화變化하는 것인데 즉 甲과 己가 합하는 종류이다. 甲은 木에 屬하는 것이 본래의 상象인데 己와 합하면 변화하여 土가 되니 木으로 논하지 않는 이것이 화상化象인데 그 法은 이미 전자前者에 논하였고, 이제는 다시 합화合化하여 성국成局하는지 성국成局하지 않는지를 제시提示하여 설명하고자 한다. (合者和也,化者變也,卽甲與己合之類.甲屬木,本象,遇己合,則化爲土,不以木論,是化象,其理已論於前,玆又總合化成局不成局者,提出言之.)

經에서 이르기를, 天元의 化氣가 본래 참眞인데 세상에서는 사람이 모여 발명發明하지 않았으니 甲乙인은 오직 木에 屬한다고 말하는데 누가 표리表裏가 대부분 번복翻覆된 것을 알겠는가! 만약 진위眞僞를 분별할 수 있다면 이는 곧 상서로운 사람이다. 甲己의 化土가 戊辰을 보면 三元이 본래 바라는 곳으로 되돌아와 眞이 되고, 乙庚의 金이 時에서 庚辰을 만나면 조화가 심후한데 그러나 사주에 상해相害하지 않아야만 악살惡煞이 침범하기 어렵다. (經云,天元化氣本來眞,舉世無人會發明,甲乙人言惟屬木,誰知表裏多翻覆.若能辨得眞與僞,便是人間瑞,甲己化土見戊辰,三元歸本期爲眞,乙庚金,時見庚辰造化深,但看柱中無相害,惡煞亦難侵.)

丙辛의 水가 壬辰을 만나면 가장 아름다운데 지지에서 만약 天魁[戌]을 만나지 않으면 불세출不世出의 재능이 있는 사람이고, 丁壬의 木이 甲辰을 만나면 오직 복이 되는데 이것이 괴성魁星인 것을 어찌 알 것이며 만나면 모름지기 대명大名을 향유享有한다. 戊 癸의 火가 후에 丙辰을 만나면 오묘五妙한 法인데 三元이 왕래往來하면 조금은 방해되지만 삼원이 왕래하면 벼슬을 받게 되어 조당朝堂=조정에 드는데 이것이 천기天機의 참된 조화造化로서 황금黃金백옥白玉으로도 살 수 없는 값어치이다. 만약 생왕生旺 고庫를 만나서 돕게 되면 부귀공명富貴功名이 천하에 떨치는데 이것이 바른 化[변화]인 것이다. (丙辛水,逢見壬辰最爲美,支辰若不值天魁,此是人間不世才,丁壬木,甲辰來見獨爲福,那知得此是魁星,遇者須敎享大名.戊癸火,後見丙辰爲妙理,三元來往少相妨,值者垂紳入朝堂,此是天機眞造化,黃金白玉買無價.若逢生旺庫扶持,富貴功名滿天下,此正化也.)

대개 화기化氣는 일간이 主가 되는데 年 月 時의 천간을 합하면 모두 화化할 수 있다. 만일 천간에는 없고 지지에서 正祿을 보면 대신하는데, 甲이 己를 보지 않고 午를 만나면 己의 祿은 午

에 있는 종류로 역시 화化할 수 있다. 그러나 성국成局해야 하며 왕기旺氣가 時에 모여야 비로소 가능하고, 겸하여 月에서 기운을 얻으면 더욱 오묘奧妙한데 혹 日에서 旺함을 얻어도 화化하기에 충분하고 또 간지가 화化하여도 운에서 化氣가 旺한 곳으로 흘러야하는데, 그렇지 않으면 소용이 없다. (大概化氣以日干爲主,合年月時干皆可化.如天干無而地支遇正祿代之,甲不見己而見午,己祿在午之類,亦可化.但要成局,仍要旺氣聚於時方可,兼得月氣尤妙,或日得旺,自足以化,又有干支自化.卻要運行化氣旺鄉,不然無用.)

만약 月氣만 얻으면 오히려 화化하지 못하고 오직 日에 이 [化]氣가 있으면 財官 印食으로 논하지 않는다. 그러나 생왕生旺한 기를 얻어 성국成局하고 運이 化氣가 旺한 곳으로 行하여 극傷하는 지지를 만나지 않아야 모두가 발달한다. 身이 自旺함을 기뻐하며 혹 사주에 생기生氣가 도와 旺하면 化象이 더욱 유력有力해 진다. 상극相剋이 重한 것을 크게 싫어하며 化象을 이루지 못하여 主는 가난하고, 衝剋하는 運을 만나도 역시 禍가 많으며 사망에 이른다. 만약 干合하고 局을 이루지 못하면 不化하는데, 단지 본래의 干支로서 禍福을 단정하고 化氣를 논하는 것은 필요하지 않은 것이다. (若只得月氣,卻不可化,惟日有此氣,不論財官印食.但得生旺之氣成局,運行化氣旺鄉,不遇傷剋之地,皆是發越.喜身自旺,或柱有生氣助旺,則化象尤有力.大忌相剋重,化不成象,主貧下,遇衝剋之運,亦多禍而致死.若干合而不成局,則不化,但以本干支取禍福斷之,不必論化氣矣.)

2.

詩에서 이르기를, 丙辛의 합화合化는 甲辰을 기뻐하여 부귀영화富貴榮華로 복福있는 사람이다. 종혁從革의 局중에서 1~2은 소년시절에 단숨에 벼슬길에 오르고, 丙辛이 四季월중에 생하면 화化하기 어려워 福力이 적고, 土가 重하면 빈천貧賤하며 떠도는 신세身世가 부평초와 같다. (詩曰,丙辛合化喜甲辰,富貴榮華有福人,從革局中逢一二,少年平步上靑雲,丙辛四季月中生,受化艱難福力輕,土數重來貧且賤,飄飄身勢似浮萍.)

丁壬의 化木은 寅을 보는 것을 기뻐하며, 예원藝苑의 벌레소리는 의지와 기개가 새롭고, 윤하潤下가 다시 年月의 아래로 돌아가면 등한等閒한 사람이 아닌 것을 알아야한다. 丁壬의 합화合化가 金鄕에 들면 구록승영狗祿蠅營하여 헛되고 바쁠 뿐인데, 절개節槪는 보잘 것 없고 가진 것은 충분하지 않으며, 눈앞의 골육骨肉도 참상(參商;서로 떨어져 만나지 못함)한다. (丁壬化木喜逢寅,藝苑蛩聲志氣新,潤下更歸年月下,應知不是等閑人,丁壬合化入金鄕,狗祿蠅營空自忙,節槪低微無足取,眼前骨肉亦參商.)

乙庚의 金局은 酉에서 旺하며 從革을 만나면 더욱 기묘奇妙하게 되고, 辰 戌 丑 未를 보게 되면 名門인 정승집안의 자제子弟이다. 乙庚은 火 炎陽한 것을 가장 꺼리는데 뜻과 기개가 사라지고 하는 일이 불량不良하며 寅午를 만나면 下格으로 인연을 쫓아 분주奔走하나 의량(衣糧;옷과 양식)을 구걸한다. (乙庚金局旺於酉,時逢從革更爲奇,辰戌丑未如相見,此是名門將相兒,乙庚最忌火炎陽,志氣消磨事不良,寅午相逢爲下格,隨緣奔走乞衣糧.)

戊癸는 남방의 화염火焰이 높으며 午寅時상이면 영웅호걸로 용감하고, 局중에 曲直이 年月에 臨하면 쉽게 공명을 얻어 금의錦衣를 입는다. 天元의 戊癸가 지지에서 水를 만나면 가문과 관직을 파괴하는 일이 많고, 運行이 다시 水가 생왕生旺함을 만나면 妻子를 극傷하고 분파奔波한다. (戊癸南方火焰高,午寅時上逞英豪,局中曲直臨年月,垂手功名著錦袍,天元戊癸支逢水,敗壞門庭事緖多,行運更逢水生旺,傷妻剋子受奔波.)

甲己는 中央의 土[神]로 화化하며 時에서 辰巳를 만나면 애진(埃塵;속세)을 벗어난다. 局중에 歲月이 炎上을 좇아야 비로소 공명功名을 드러내고 부귀富貴한 사람이다. 甲己의 간두干頭가 春절에 생하면 평생토록 하는 일에 노고가 많고, 모든 것이 기교機巧를 부리다가 졸렬하여 주위 사람의 울타리가 조석朝夕으로 변한다. 格局이 청고淸高한 사람은 만나기가 드무니 모름지기 月氣에 암암리에 通해야 하는데, 月氣에 통하지 않고 생時에서 배반하면 요절夭折하거나 어떻게 곤궁困窮하지 않겠는가! (甲己中央化土神,時逢辰巳脫埃塵,局中歲月趨炎上,方顯功名富貴人.甲己干頭生逢春,平生作事漫勞神,百般機巧翻成拙,傍人籬落度朝昏.格局清高人罕逢,也須月氣要潛通,不通月氣生時背,早歲如何不困窮.)

3.

其一

甲이 己를 따라 합하면 土로 化生하고, 乙을 보면 妻와 財를 暗損하며 丁을 만나면 衣祿에 공功을 이루며 부귀한 집안으로 貴함을 드러낸다. 대개 辛金이 힘을 얻으면 집안이 크게 부유한데 모두 戊土의 공功 때문이고, 癸를 보면 평생토록 發福하고 壬을 만나면 일생을 방랑한다. 月에서 庚金을 보면 집안 형편이 매우 어렵게 되고 가도사벽(家徒四壁;사방에 벽만 있는 집으로 아주 곤궁함), 時에서 丙을 만나면 祿은 천종千鍾을 누린다. (甲從己合,賴土化生,遇乙兮妻財暗損,逢丁兮衣祿成空[功],貴顯高門.蓋得辛金之力,家殷大富,皆因戊土之功,見癸兮平生發福,逢壬兮一世飄落.月遇庚金,家徒四壁,時逢丙火,祿享千鍾.)

其二

己는 甲을 화化하는데 寅이 있어야 빼어나고, 丁을 만나면 타인他人을 능욕凌辱하며, 乙을 보면 자신이 머뭇거리게 되고, 陽水가 重重하면 분주奔走한 속세의 客이며, 庚金이 예리하면 외롭고 가난한 사람이다. 丙속에 辛을 감추면 반드시 貴함을 얻고, 戊중에 癸를 숨기면 가난하게 되지는 않은데, 만약 관직이 영전榮轉하려면 우선 癸를 보아야 하고 집안이 흥성하고 부유하려면 반드시 辛을 만나야 한다. (己能化甲,秀在於寅,逢丁兮他人凌辱,遇乙兮自己邅迍,陽水重重,奔走紅塵之客,庚金銳銳,孤寒白屋之人.丙內藏辛,必得其貴,戊中隱癸,不至於貧,若要官職遷榮,先須見癸,家殷大富,務要逢辛.)

其三

乙이 庚을 따라 화化하면 서방의 기품氣稟으로 丙의 지지를 만나 생하게 되면 막혀 어렵고, 壬鄕이 있어야 영화롭고, 丁火가 당권當權하면 봄의 꽃이 태양을 본 것과 같으며, 辛金이 世때를 잡으면 가을의 풀이 서리를 만난 것과 같고, 己가 臨하면 가장 좋은데 집안에 금옥金玉으로 가득차고, 甲을 향하면 麻삼베옷 麥보리이 창고에 가득하지만 날마다 수고롭다. 대개 구진句陳이 어지럽히게 되면 때때로 힘이 소비되고, 단지 현무玄武로 인해 재앙이 된다. (乙從庚化,氣稟西方,蹇難兮生逢丙地,榮華兮長在壬鄕,丁火當權,似春花之遇日,辛金持世,若秋草之逢霜,最喜己臨,滿堂金玉,偏宜甲向,麻麥盈倉,日日勞神.蓋爲句陳作亂,時時費力,只因玄武爲殃.)

其四

庚이 乙을 따라 화化하면 金의 질質이 한층 더 견고하고, 辛金이 암손暗損하는 것을 가장 꺼리고, 偏[官]인 丙火는 들볶아서 꺼리며 丁官을 보면 교룡이 비구름을 얻은 것과 같고, 己 印綬를 만나면 붕새가 가을하늘에 있는 것과 같고, 癸水가 旺하면 전원田園이 휩쓸려가고, 壬水가 성盛하면 財祿이 늘어나고, 戊를 만나 침탈하면 거부巨富를 이루지 못하고 壬이 조력助力을 하면 수명壽命을 오래토록 보존한다. (庚從乙化,金質彌堅,最忌辛金暗損,偏嫌丙火相煎,遇丁官兮,似蛟龍之得雲雨,逢己印兮,若鵬鶚之在秋天,癸水旺兮,田園飄蕩,壬水盛兮,財祿增遷,遇戊相侵兮,不成巨富,逢壬助力兮,永保長年.)

其五

丙은 陽火로서 辛을 만나면 水로 화化하는데, 戊土의 위치에 있어야 복이 있으며 乙木이 身에 臨해야 명성을 이루고, 벼슬이 영전榮轉하려면 癸巳를 만나야하고, 家門이 높이 빛나려면 항상 庚寅이 있어야하고, 강횡强橫함은 甲午에서 일어나고, 화패禍敗함은 壬辰에서 발생하고, 陰火를 자주 보면 설령 부귀하더라도 며칠뿐인 것이고, 己土를 거듭 만나면 비록 영화榮華가 있을지라도 부운(浮雲;뜬구름)인 것이다. (丙爲陽火,化水逢辛,有福兮戊土在位,成名兮乙木臨身,官爵遷榮,生逢癸巳,家門顯赫,長在庚寅,强橫起於甲午,禍敗發於壬辰,屢遇陰火,縱富貴能有幾日,重逢己土,雖榮華亦是浮雲.)

其六

辛은 水로 화化할 수 있는데 丙을 얻어야만 비로소 이루고, 사주에서 戊을 보는 것이 가장 좋으며, 一生에서 庚을 만나는 것이 가장 기쁘고, 己를 보면 어느 해에 發福하며 壬을 만나면 어느 날에 명성을 이룰 것인가? 癸水가 旺하면 설령 곤고할지라도 곤고하지 않고, 甲木이 旺하면 비록 영화롭더라도 영화롭지 않고, 부귀영화富貴榮華는 중중重重한 乙을 보고 상잔傷殘하여 위태한 것은 첩첩하게 丁을 만난 것이다. (辛能化水,得丙方成,四柱最宜見戊,一生最喜逢庚,見己兮何年發福,逢壬兮何日成名,癸水旺兮,縱困而不困,甲水[木]旺兮,雖榮而不榮,富貴榮華,重重見乙,傷殘窮殆,疊疊逢丁.)

其七

丁은 陰의 火인데, 陽인 壬[水]을 보면 기뻐하며 丙을 만나면 백년(百年=한평생)이 안일安逸하고, 辛을 만나면 일세(一世=일생)가 한가하며 편안하여 부귀쌍전富貴雙全하고, 甲이 천칭(天秤;저울)에 臨한 것을 기뻐하고, 己와 金인 牛[丑]이 함께하는 것을 즐거워하고, 생계가 어려운 것은 모두 戊가 패敗하므로 생애生涯가 적막寂寞하다. 대체로 癸가 囚하고 乙木이 重重하면 財 祿을 성취하는데, 庚金이 찬란하면 공명功名을 절대 지나치게 구求하지 말아야 한다. (丁爲陰火,喜遇陽壬,見丙兮百年安逸,逢辛兮一世優游,富貴雙全,喜甲臨於天秤,祿達雙美,欣己共於金牛,活計蕭疏,皆因戊敗,生涯寂寞.蓋爲癸囚,乙木重重,財祿決於成就,庚金燦燦,功名切莫妄求.)

其八

壬이 丁을 따라 화化하면 동방에서 빼어나는데, 甲을 보면 마부와 말馬을 많이 부리고, 辛을 만나면 넓은 전장(田莊;개인이 소유하는 논밭)을 두고, 丙 火와 상봉相逢하면 영웅英雄 호걸豪傑인데, 癸水와 상회相會하면 고생스럽게 장사를 하고, 印綬를 차면 수레관료가 타는 가마를 타고, 己가 官位에 臨하면 표봉락백(飄蓬落魄;떠돌고 쓸쓸함)하고, 戊가 煞方에 모이면 백발이 되도록 이루지 못하는 것은, 모두가 庚金이 旺[氣]을 탄 것이고, 청년靑年에 불우不遇한 것은 대체로 乙木이 재앙이 된다. (壬從丁化,秀在東方,遇甲兮多招僕馬,逢辛兮廣置田莊,丙火相逢,乃英雄之豪傑,癸水相會,爲辛苦之經商,佩印乘軒,己臨官位,飄蓬落魄,戊會煞方,皓首無成,皆爲庚金乘旺,靑年不遇.蓋是乙木爲殃.)

其九

戊가 癸를 따라 합하면 火로 화化하여 공功을 이루고, 乙을 만나면 결국은 현달顯達하며 壬을 만나도 역시 스스로 풍성하여 여러 아들을 두고, 丁이 乙位에 臨한 것을 기뻐하고, 육친六親이 불목不睦함은 甲이 寅宮에서 旺하기 때문이고, 丙火가 염염(炎炎;매우 뜨거움)하면 福祿을 구하기 어렵고, 庚金이 찬란하면 쉽게 형통亨通하지만 처자妻子가 손損하는 것은 모두가 己가 旺하기 때문인데, 계책은 졸렬하지만 대체로 辛은 웅장하게 된다. (戊從癸合,化火成功,見乙兮終能顯達,逢壬兮亦自豊隆,衆男拱持,喜丁臨於乙位,六親不睦,緣甲旺於寅宮,丙火炎炎,難尋祿福,庚金燦燦,易見亨通,妻子損兮,皆因己旺,謀爲拙兮,蓋爲辛雄.)

其十

癸가 戊를 따라 합하면 마땅히 火로 화化하고, 丙안에 辛을 감추면 一生에 成敗가 많고, 甲중에 己가 숨으면 오랫동안 노력하고 애를 써서 창고가 가득하고, 丁火를 만나면 기쁜데, 전답과 재물이 풍성하고, 庚 金을 얻으면 기쁜데 관작官爵에 영화롭고 잇달아 乙을 만나면 자산資産은 부귀富貴하고, 상하上下에서 壬을 만나면 재물이 얻기도 하고 잃기도 하고, 辛 金이 太旺한 연고로 벼슬길에 오르는 데 실패하는 것인데 대체로 己 土가 침입한 것이다. (癸從戊合,化火當臨,丙內藏辛,一世多成多敗,甲中隱己,百年勞力勞心,倉庫豊盈,欣逢丁火,田財殷實,喜得庚金,官爵揚榮兮,連綿見乙,資財富貴兮,上下逢壬,財源得失兮,緣辛金之太旺,仕路蹭蹬兮,蓋己土之相侵.)

80. 반상返象

대저 반返이라는 것은 절처봉생(絶處逢生;외로운 곳에서 떠돌이로 삶)의 뜻이다. 그리고 가령 乙庚이 化金하여 寅月에 생하면 金은 절지絶地인데 사주에 木이 重하면 도리어 化金하였던 이것은 곧 化氣가 실국失局하므로 반상返象이라고 한다. 玉井옥정오결에서는 또 화化한 중에 返은 본래의 化가 되돌아온 종류를 返이라고 일컫는다. 만일 乙庚 化金이 亥[地]를 많이 만나면 木이 重하여 化金이 아니라 오히려 化木이 그 뜻인 것이다. 歲運도 동일하게 판단하고, 혹 身弱한데 官煞을 만날 경우에, 官이 있으면 나아가고 煞이 있으면 물러나는 것 역시 返象이 된다. (夫返者,乃絶處逢生之意也.且如乙庚化金,生於寅月,乃金絶地,柱中木重,而卻化金,此則化氣失局.故曰返象.玉井又以化中返本倒化之類謂之返.如乙庚化金,見亥地多木重,非化金而卻化木,其義一也,歲運同斷,或以身弱而遇官煞,有官則進,有煞則退,亦爲返象.)

經에서 이르길, 화성化成한 조화造化가 쇠衰 묘절墓絶한 곳에 각각 거하면 상象이 雜局을 이루어 合을 만나도 오히려 만나지 않은 것과 같다. 그 상象중의 성정性情은 평생토록 거처를 자주 옮기는 것을 반복하여 이루는 것이 없으며, 뜻한 것을 정하지 못하는데, 신약身弱하여 官煞을 보는 것과 그 뜻이 또한 동일하다. (經云,化成造化,各居於衰墓絶鄕,象成雜局,遇合而猶如不遇.其象中性情,平生居止頻遷,返復無成,立心不定,謂身弱而遇官煞,其義亦同.假如辛未壬辰丙午癸巳,丙用癸爲官,不合有壬來剋,丙辛化水,柱中辰巳午未,乃水墓衰絶之地,眞返象也.)

예) 命造
癸 丙 壬 辛
巳 午 辰 未
丙은 官인 癸를 用하는데, 壬이 극하여 丙辛의 化水가 不合하고, 사주에 辰 巳 午 未는 水의 묘墓 쇠衰 절絶하는 지지인데 眞返象이 된다.

예) 命造
辛 丙 丙 癸
卯 申 辰 丑
丙과 辛이 합하는데 丙火는 申에 坐하여 無氣하고, 辛金은 卯에 坐하여 쇠衰하니, 辛金이 旺한 운에서는 夫가 妻를 따르고, 丙火가 旺한 운에서는 妻가 夫를 따른다. 이 命은 조업祖業이 없고 일생토록 진퇴進退로 이루는 것이 없다. 나머지는 이것을 따라 추리하라. (又,癸丑丙辰丙申辛卯,丙與辛合,丙火坐申無氣,辛金坐卯衰行,辛金旺運夫從妻,丙火旺運妻從夫.此命無祖業,一生進退無成,餘倣此推.)

81. 조상照象

대저 조照라는 것은 火土가 고명高明한 뜻이다. 火氣가 高明하여 土는 가색稼穡에 이르는데, 土는 위에 있어 연무煙霧가 허공을 가리는 것과 같으며 火는 아래에 있어 태양빛이 발산하는 것과 같으니 이는 곧 먼저는 어둡고 후에는 밝은 상象이다. 日干이 戊에 屬하며 寅 午 戌의 火局을 얻거나 혹 지지가 午火이며 時의 천간에는 丙이 있어 戊土를 생하면 조상照象이라 일컫는다. 사주에 水를 보는 것은 좋지 않은데, 水를 만나면 土는 질편하고 火는 소멸消滅하여 복력福力을 減한다. 또 만일 火는 위에 거하며 水가 아래에 거하여도 역시조상照象이 된다. 비유하자면 만일 태양이 天(하늘=위)에서 수려하면 水는 밑에서 광채가 있으니 역시 반조返照할 수 있다. (夫照者,乃火土高明之意也.火氣高明,土爰稼穡,土在上如霾霧遮空,火在下若太陽漏射,此乃先晦後明之象,日干屬戊,得寅午戌火局,或地支午火,時干有丙,生其戊土,謂之照象.柱中不宜見水,見水土溶火滅,則減福力.又如火居上,水居下,亦爲照象,譬如日麗於天,水底有光,亦能返照.)

經에서 이르기를, 사주에 손상損傷함이 없으면 곧 바로 조정朝廷에 배석하여 오르고,지지 중에서 무서워하며 두려워하여도 명예가 있고 가난하지 않으며, 運이 쇠衰한 곳에 이르면 반드시 재구(災咎;재앙과 허물)가 생긴다. (經云,四柱無傷,直列朝廷之上,支中畏懼,亦須聲譽非貧,運到衰鄕,必生災咎.如戊戌戊午丙午戊戌,丙日以三戊爲食,火又旺生,四柱無傷,午戌亦能衝子辰之官星.又丙戌癸巳戊午丁巳,日干戊土,至純巳午戌火局,年時丙丁生其戊土,柱中雖有一癸,亦化成火,又化氣得時得位,故皆大貴.)

예) 命造-1
戊 丙 戊 戊
戌 午 午 戌
丙일에 3戊가 食神이며 火도 또한 생왕生旺하고 四柱가 손상損傷함이 없고, 午 戌은 또한 子辰의 관성을 衝[出] 할 수 있다.

예) 命造-2
丁 戊 癸 丙
巳 午 巳 戌
일간 戊土가 巳 午 戌의 火局으로 더없이 순수하며 年時에 丙丁이 戊土를 생하고, 사주에 비록 1개의 癸가 있지만 화化하여 火를 이루고, 化氣가 득시得時 득위得位하였으므로 모두 大貴하였다

예) 命造-3
甲 丙 甲 戊
午 午 寅 戌

4位가 손상損傷함이 없다.

예) 命造-4
庚 丙 丙 甲
寅 午 寅 戌
上에서 비추고 破함이 없으니 모두 재상宰相의 命사주이다. (又戌戌甲寅丙午甲午,四位無傷.甲戌丙寅丙午庚寅,照上無破俱宰相命.)

82. 귀상鬼象

대저 귀鬼라는 것은 干이 煞의 극을 만나는 뜻인데, 모름지기 上下의 干支에서 혹 鬼旺하고 身衰한지 或 身旺하고 鬼衰한가를 밝혀야한다. 가령 乙木은 庚金으로 官을 삼는데, 천간에서 化合하고 다시 辛酉의 七煞을 만나면 鬼가 旺하게 된다. (夫鬼者,煞也,乃干逢煞剋之意也.須明上下干支,或鬼旺身衰,或身旺鬼衰.如乙木以庚金爲官,天干化合,又見辛酉七煞,則爲鬼旺.)

經에서 이르기를, 己身에 鬼가 臨하면 모름지기 천지중에 상象이 旺한지 상象이 쇠衰한가를 밝혀서 영고榮枯귀천貴賤을 알아야하는데, 身이 쇠衰한데 鬼가 旺하면 사지四肢가 손상損傷하고, 身이 旺한데 鬼가 쇠약하면 흉악凶惡하고 사나운 무리의 命이 되고, 身과 鬼가 모두 쇠약하면 남자는 떠돌아다니고 여자는 비구니女僧가 된다. (經云,己身臨鬼,須明天地之中,象旺象衰,要識榮枯貴賤.身衰鬼旺,應須肢體傷殘,身旺鬼衰,定作凶徒之命,鬼身皆衰,男子飄蓬,女作尼姑.)

玉井옥정오결에 이르길, 鬼와 身이 함께 强하면 병법兵法과 법률法律로 성공하고, 鬼와 身이 弱하면 파패破敗하고 방탕放蕩함을 어찌 의심하겠는가? 木氣가 勝하면 미약한 金을 用하고, 水氣가 많으면 병病土을 의지하고, 金氣가 旺하면 모름지기 쇠衰한 火를 의지하고, 火氣가 强하면 얕은 水를 빌려야 하고, 土氣가 두터우면 오히려 사목死木을 찾는다. 가령 本身이 왕기旺氣를 타고 鬼를 만난 상象은 貴命으로 되돌아오고, 旺한 중에 制가 있어야 완전한 복이 되고, 身과 鬼가 완전히 드러났는데 刃의 制를 얻으면 용맹하며 귀현貴顯하고, 혹 관직을 얻어 주연을 베푼다. (玉井云,身鬼俱强,兵法刑名而或濟,鬼身盡弱,敗破狂蕩以何疑,木氣勝者,專用微金,水氣多者,宜憑病土,金氣旺者,須憑衰火,火氣强者,要假淺水,土氣厚者,卻尋死木.假如本身乘旺而逢鬼象,返爲貴命,旺中有制,方爲全福,身鬼全彰得刃制,主勇暴而貴顯,或乘酒以得官位.)

예) 命造-1
辛 乙 辛 癸
巳 亥 酉 卯
乙木이 8月에 無氣하며 2개의 辛으로 煞이 旺하므로 잔질殘疾이 있었다.

예) 命造-2
庚 甲 己 戊
午 申 亥 辰
日에 煞星이 坐하고 또 庚이 時[干]에 있으니 本身이 극을 당하고, 그리고 亥중에 水가 旺한데 木이 午에서 사死하니, 이것은 떠돌아다니는 命이 되었다. (如癸卯辛酉乙亥辛巳,乙木八月無氣,二辛煞旺,故主殘疾,又戊辰己亥甲申庚午,日坐煞星,又値庚時,本身受剋,又亥中水旺,木死於午,此飄流命.)

83. 복상伏象

대저 복伏이라는 것은 숨어서 나타나지 않는다는 뜻이다. 사주에 財 官 印 煞이 月의 기에 통하지 않고 투로(透露;透干)하지도 않으며 지지의 人元중에 숨어서 무형無形으로 드러나지 않은 것을 말한다. (夫伏者,隱而不顯之意.柱中財官印煞,不通月氣,不曾透露,隱於地支人元之中,無形而難明之謂.)

옥정에 이르길, 本身이 月氣에 통하지 않고, 나의 기가 다른 지지속에 암장되어 도움이 있으면 일어나는 것이다. 또 일간이 생왕生旺하지 않고 사死 절絶하는 기운이 많아 오히려 官煞을 태심太甚하게 보면 그 身을 극하여 숨으니 역시 복伏하게 되는 것이다. (玉井云,本身不通月氣,而伏藏我氣於別支之內,有援而起者也.又日干不通生旺,死絶氣多,卻遇官煞太甚,剋伏其身,亦爲伏也.)

經에서 이르길, 官鬼가 모두 완전하면 수명壽命을 다하지 못하고, 천간중에 지지속의 것이 파패破敗하면 기예技藝가 따른다. (經云,官鬼皆全,乃遐齡而不遂,干中破敗於支內,技藝隨身.如戊午甲寅戊寅辛酉,戊日被甲寅剋之甚太,本身無氣,故爲手藝之人.又癸丑辛酉甲子己巳,甲木生八月無氣,月令官星太旺,巳酉丑三合官局,雖有貴而不得享,或中乙榜,或履任夭折.大抵伏藏之氣無援,主孤立貧寒無壽,有援則否.)

예) 命造-1
辛 戊 甲 戊
酉 寅 寅 午
戊일이 甲寅의 극을 매우 심하게 입고 本身은 無氣하므로 수예手藝하는 사람이 되었다.

예) 命造-2
己 甲 辛 癸
巳 子 酉 丑

甲木이 8月에 생하여 無氣하고 月令의 관성이 太旺한데, 巳 酉 丑이 三合하여 官局이 되어, 비록 貴함이 있었지만 누리진 못하고, 혹 中 을방(乙榜;乙科) 역임歷任중에 요절夭折한다. 대체적으로 암장한 기운이 도움이 없으면 고립孤立하여 빈한貧寒하며 수壽가 짧고 도움이 있으면 그러하지 않다.

84. 속상屬象

대저 속屬이라는 것은 오행이 각기 소속所屬한 것을 뜻하는 것이다. 천간에 어떠한 방위方位가 臨하면 東 西 南 北의 神인 것이다. 가령 寅 卯 辰은 東方으로 木에 屬하고, 巳 午 未는 남방으로 火에 屬하고, 申 酉 戌은 서방으로 金에 屬하고, 亥 子 丑은 北方으로 水에 屬하는데, 각각 오직 한 방위의 기인 것이다. (夫屬者,五行各屬之意.卽主干臨何方位,乃東西南北之神也.如寅卯辰,乃東方屬木,巳午未,南方屬火,申酉戌,西方屬金,亥子丑,北方屬水,各專一方之氣.)

經에서 이르기를, 먼저 東 西와 南 北으로 나누고, 다음에 三合속의 다른 것을 살피는데, 그러나 천간[神]에 소속되는 지지가 마땅한지 마땅하지 않은지, 혹 財官이 되거나 혹 印食 귀인이 되어서 貴象을 이루고, 이 干[神]이 지면地面에 들어서 기류氣類가 교감交感하는가를 살펴야 한다. (經云,先分南北與東西,次看二[三]合內別認,卻看干神,與所屬之地,宜與不宜,或爲財官,或爲印食貴人,以成貴象,此干神入其地面,氣類相感.)

만일 강남江南에서 귤의 씨앗은 귤이지만 강북江北에 옮겨 심으면 탱자가 되니, 각각 소속하는 기운이 마땅히 있거늘 어찌 사람이 기교機巧를 부리겠는가! 寅 卯 辰 木의 상象에 천간이 戊 己 土면 木에 屬하는 것으로 論하고, 巳 午 未 火의 상象에 천간이 庚 辛金이면 火에 屬하는 것으로 논하고, 申 酉 戌 金의 상象에 천간이 甲 乙木이면 金에 屬하는 것으로 論하고, 亥 子 丑 水의 상象에 천간이 丙 丁火면 水에 속하는 것으로 論하는데, 無氣하면 논하지 않고, 有氣하면 屬으로 논한다. (如橘種江南則爲橘,移植江北則爲枳,各宜所屬之氣,豈人之機巧乎,寅卯辰木象,天干戊己土,屬木而論,巳午未火象,天干庚辛金,屬火而論,申酉戌金象,天干甲乙木,屬金而論,亥子丑水象,天干丙丁火,屬水而論,無氣不言,有氣則屬.)

예) 命造-1
癸 癸 壬 壬
丑 丑 子 子
子丑은 北方에 속하고, 壬癸가 두 子인 癸의 祿을 탈취하여 일간日干이 크게 旺하다. 癸는 火를 妻로 삼으며 土는 자식인데, 火는 水를 만나면 滅하며 土는 水를 보면 절펵하니 妻子가 모두 쇠약하다. 따라서 僧徒가 되거나 그렇지 않으면 자식이 없다.

예) 命造-2
乙 乙 甲 乙
酉 酉 申 酉
天干은 甲 乙木이고 지지는 申 酉로 官이 되는 劉 文狀公 都憲의 命이다,

예) 命造-3
甲 甲 甲 乙
戌 申 申 酉
天干은 甲 乙木이고 지지는 申 酉 戌 金에 屬하는데 財官이 오묘奧妙하여 貴象을 이룬 것이다. (如壬子壬子癸丑癸丑,子丑屬北方,壬癸分奪二子癸祿,日干太旺,癸用火爲妻,土爲子,火遇水滅,土遇水溶,妻子俱衰,故爲僧道,不然,亦主無子.又乙酉甲申乙酉乙酉,天干甲乙木,屬地支申酉爲官,劉文莊公都憲.又乙酉甲申甲申甲戌,天干甲乙木,屬地支申酉戌金,爲財官之妙,以成貴象.)

85. 류상類象

대저 류類라는 것은 일가一家로 모임을 이룬다는 뜻이다. 가령 甲 乙 木이 亥 卯 未를 얻으면 木局을 이루고, 丙 丁이 寅 午 戌을 얻으면 火局이고, 庚 辛이 巳 酉 丑을 얻으면 金局이고, 壬 癸가 申 子 辰을 얻으면 水局이고, 戊 己가 辰 戌 丑 未를 얻으면 土局으로 오행이 그 重한 것을 좇아 類가 되고, 혹 말하기를, 比肩의 類는 오행이 모두 순일純一하게 돌아가 천간이 같은 무리로 본래 그 상象이 아니거나, 혹 化氣하는 무리가 局을 이루지 못하거나, 혹 印綬의 무리가 印綬 局을 이루지 못하면, 대부분 다른 사람의 힘에 의지하는 데릴사위나 양자의 命이 된다. (夫類者,會成一家之意也.如甲乙得亥卯未,會成木局,丙丁得寅午戌火局,庚辛得巳酉丑金局,壬癸得申子辰水局,戊己得辰戌丑未土局,乃五行從其重者爲類,或曰如比肩之類,五行皆歸純一,天干一類,本非其象,或類化氣而不成局,或類印綬而不成印,多靠別人之力,入贅過房命也.)

예) 命造
戊 庚 戊 丙
寅 戌 戌 寅
두 戊는 庚을 생하는 印綬의 무리이며 두 寅은 戌을 극하는 七煞이 되고, 寅 午 戌의 火局은 年 干에 丙이 투출하여 印綬 같으나 印綬가 아니고, 끓이고 볶이는 것이 태과太過하니, 다른 집 父母에게 맡겨졌다. (如丙寅戊戌庚戌戊寅,二戊生庚,類印綬,二寅剋戌,爲七煞,寅午戌火局,年干透丙,似印非印,煎熬太過,倚托別房父母.)

예) 命造
乙 乙 己 丁

酉 巳 酉 未
乙木이 巳 酉 丑 金국을 얻어 金으로 화化하여 從할 것 같으나 그러나 庚이 없어 불화不化하니 도리어 煞이 된다. 主人은 성질이 剛하고 병病이 많아 가난하여 요절했다. (又,丁未己酉乙巳乙酉,乙木得巳酉丑金局,似從金化,然無庚不化,反爲煞,主人性剛多病,倚托貧夭.)

經에서 이르기를, 생이 不生하면 양자나 데릴사위가 되는 사람이고, 化가 不化하면 머무르지 못하는 자식이 된다.

예) 命造-1
丙 庚 戊 庚
戌 午 寅 戌
金은 火의 무리로 탁濁하고 청淸하지 못하다.

예) 命造-2
丙 庚 丙 丁
戌 寅 午 丑
이 命造 역시 金이 火의 무리로 貴가 길지 못했다.

예) 命造-3 .... 예) 命造-4
乙 己 乙 癸 ... 乙 己 己 乙
亥 卯 卯 卯 ... 亥 卯 卯 亥
己土는 木의 무리[類象]이다.

예) 命造-5
乙 乙 乙 乙
酉 酉 酉 巳
乙이 金의 무리[類象]인데 鬼가 많은 것을 꺼리지 않고 모두 福으로 貴가 된다. (經云,生而不生,過房入贅之人,化而不化,蹭蹬淹留之子.又庚戌戊寅庚午丙戌,金類火,濁而不清.又,丁丑丙午庚寅丙戌,亦金類火,貴而不久.又,癸卯乙卯己卯乙亥.又,乙亥己卯己卯乙亥,己土類木.又,乙巳乙酉乙酉乙酉,乙類金,不忌鬼多,俱爲福貴.)

86. 종상從象

대저 종從이라는 것은, 부처夫妻간에 서로 從(따른다)한다는 뜻이다. 인용引用하여 기운을 논하면, 남편이 乘旺하면 아내가 따르고, 아내가 승왕乘旺하면 남편이 따르는데, 官煞은 남편이고 財

는 아내로 부처夫妻의 이름을 빌려서 사람의 화복禍福을 取한다. 가령 乙일이 巳 酉 丑 申의 位에서 생하면 婦는 夫를 쫓고, 庚일이 亥 卯 未 寅의 位에서 생하면 夫가 婦를 쫓는데, 만약 그 從을 보면 지지의 기운에 오직 從하는 것을 말한다. 만약 본래대로 돌아가면 곧 본래 從하는 것을 말한다. (夫從者,夫妻相從之意也.論引用之氣,夫乘旺則婦從,婦乘旺則夫從,官煞者夫也,財者妻也,借夫妻之名,以取人之禍福.如乙日生巳酉丑申之位,是婦從夫,庚日生亥卯未寅之位,是夫從婦,若遇其從,卽從其地支專氣言之.若歸其本,卽從其本言之.)

옥정에 이르길, 단지 有氣하여야 從하고 혹 무리가 많아도 從한다. 또 이르길, 자신自身이 無氣하면 局은 變하는 상象을 從하는데 지지의 三合에 소속所屬한 것과 동일한 것이다. 經에서 이르길, 從하는 가운데 貴도 있고 賤이 있으며 從하는데 득시得時하여 현귀顯貴하면 삼공(三公;정승의 반열)이고, 從하는데 실시失時하여 쇠패衰敗하면 외롭고 가난하며 분주奔走하다. (玉井云,但從其有氣,或黨多亦從.又云,自身無氣,從局變象,在支三合所屬同也.經云,從中有貴有賤,從中顯貴得時,位列三公,從中衰敗失時,孤貧奔走.)

예) 命造
己 庚 丁 甲
卯 申 卯 戌
庚申 金이 스스로 旺하며 卯월 卯時에 생하니 木이 극極旺한데 이는 妻가 乘旺하니 夫가 妻를 從하니, 妻로 인해 재물을 얻거나 혹 妻를 就하여 財를 얻는다. (如甲戌丁卯庚申己卯,庚申金自旺,生卯月卯時.木極旺,是妻乘旺而夫從之,主因妻得財,或就妻得財.)

예) 命造
丙 己 戊 庚
寅 酉 寅 申
己일이 月時에서 兩寅을 보고, 甲은 正官인데 夫가 旺하여 妻가 從하는 상象인데, 비록 庚申이라도 寅을 손상하고자 하나 寅은 丙火가 장생長生하여 그것을 제制하고, 甲은 酉중의 辛금이 正官인데 夫星인 官을 얻어 甲祿의 寅으로 돌아가므로 시집간 남편이 귀현貴顯하니 삼태(三台;삼공=정승命)의 부인인 것이다. (如庚申戊寅己酉丙寅,己日見月時二寅,甲是正官,乃夫旺妻從之象,雖庚申欲損寅,寅有長生丙火制之,甲用酉中辛金爲正官,夫星得官,甲祿歸寅,故嫁夫貴顯,三台之命婦也.)

또 말하기를, 無根하면 從象이 된다.

예) 命造
己 甲 壬 乙
巳 申 午 酉
甲목이 의지할 데가 없으니 土를 從할 수 있다.

예) 命造-1 ...... 예) 命造-2
庚 乙 乙 庚 ...... 壬 乙 乙 庚
辰 酉 酉 辰 ...... 午 酉 酉 戌
두 命造 모두 乙木이 의지할 데가 없으니 從金으로 화化하고, 하물며 庚辰 庚戌의 납음納音이 또 金에 屬하니 모두 貴命인 것이다. (又曰,無根爲從象,如乙酉壬午甲申己巳,甲木無倚,乃能從土.又,庚辰乙酉乙酉庚辰.又,庚戌乙酉乙酉壬午,俱乙木無依,從金而化,況庚辰庚戌納音又屬金,皆貴命也.)

87. 화상化象

대저 화化라는 것은, 음양이 합화合化하는 뜻이다. 천지에 상정相停하여 오행이 고르게 분배된다. 經에서 이르기를, 화化한 중에 성국成局하여 運轉[運行]하면 황제측근이 된다. 또 말하길, 化象이 복伏하면 평생토록 고생하고, 간지가 상정相停하여 화化하는 것은 日時가 합화合化하는지 합화合化하지 않는가를 살펴야한다. 옥정에 이르길, 五氣에는 化象이 있는데 모름지기 순수하고 청결淸潔하여야하고, 化가 혹시 返하면 貴도 있고 賤도 있고, 化가 不化하면 혹 장수하고 혹은 요절한다. (夫化者,陰陽合化之意也.乃天地相停,五行均配.經云,化內成局,運轉而成封帝側.又曰,化象伏而平生碌碌,謂干支相停者化,是看日時合化不合化.玉井云,五氣有化象,須要純一淸潔,化而或返,有貴有賤,化而不化,或壽或夭.)

통현론에서 이르기를, 乙이 旺하면 庚이 從하고, 庚이 旺하면 乙이 從하는데, 庚일주가 無氣하면 化가 有氣하여야 비로소 用할 수 있으나 만약 각각 다 無氣하면 用할 수 없다. 가령 丁壬이 化木하여 봄에 생하면 夫가 妻를 從하고 겨울에 생하면 妻가 夫를 從하는 이것이 化를 일컫는 것이다. (通玄論云,乙旺庚從,庚旺乙從,庚日主無氣,化有氣,方可用.若各無氣,不可用.如丁壬化木,生於春,則夫從妻生,生於冬,則妻從夫生,是謂化也.)

예) 命造-1
壬 甲 己 甲
申 戌 巳 寅
甲己가 化土하며 土局을 얻어 장생長生하는 申이 있다.

예) 命造-2
戊 癸 甲 甲
午 巳 寅 戌
戊癸가 化火하고 寅월에 생하여 巳에 임관臨官[건록]하고 午에 旺하니, 이 化는 得時 得位하였다.

예) 命造-3

庚 甲 戊 辛
午 寅 戌 卯

甲이 午중의 己土를 就하여 化의 眞土가 되므로 복이 厚하며 부귀하였다. 나머지는 이것을 따라 추리하라. (如甲寅己巳甲戌壬申,謂甲己化土,得土局長生在申.又甲戌甲寅癸巳戊午,戊癸化火,生於寅月,臨官於巳,旺於午,此化其得時得位.又辛卯戊戌甲寅庚午,甲就午中己土,化爲眞土,故主福厚富貴,餘倣此推.)

현허도인이 말하기를, 類屬 從化는 格의 旺衰를 판단하고, 照伏 拱遙는 局의 明暗을 구분해야 한다. 형산거사의 解釋에서 말하기를, 만약 甲乙의 일간이 지지에서 寅 卯 辰을 전부 만나면 類[象]가 되고, 亥 卯 未를 전부 보면 屬[象]이 된다. 乙일이 巳 酉 丑이나 혹 申 酉 戌의 종류를 보면 從[象]이 된다. (玄虛道人曰,類屬從化,格判旺衰,照伏拱遙,局分明暗.荊山居士解云,若甲乙日干,見地支寅卯辰全者爲類,見亥卯未全者,爲屬.乙日見巳酉丑,或申酉戌之類爲從.)

甲일이 己를 보고 乙일이 庚을 만나는 종류는 化[象]이 되고, 類屬은 身旺해야하며, 從化는 쇠약해야 하는 것이다. 丙丁일이 사주에 모두 火인데 時支에 卯목을 얻으면 목화상조木火相照라 하고, 壬癸일이 사주에 모두 水인데 時支에 하나의 金을 얻으면 금수상조金水相照라 한다. (甲日見己,乙日見庚之類爲化,類屬要身旺,而從化要衰也.丙丁日,四柱皆火,而時支得卯木,謂之木火相照,壬癸日,四柱皆水,而時支得一金,謂之金水相照.)

壬이 午월에 생하여 水가 無根하면 기명棄命하는데, 午중의 丁火를 從하여, 丁과 壬이 합하니 부부夫婦와 같은 이것은 伏象이다. 이 伏과 照의 설명은 동일하지 않지만 그 이치는 조금도 다름이 없다. 이상의 8法은 간명看命할 때 格을 定하는 큰 관건關鍵이니 모름지기 자세히 추리하여야 하고, 여러 대가들이 재고再考한 귀격이다. (壬生午月水無根,乃棄命以從午中丁火,丁與壬合如夫婦,此伏象也,此說伏照不同,其理無異.以上八法,乃看命定格之大關鍵,須細推之,再考諸家貴格.)

88. 천지덕합天地德合 [以下指南正貴]

干은 하늘의 청淸한 기운이고 支는 땅의 후재厚載이다. 干合은 현인賢人의 마음을 얻어 천상天上과 親한 것이 根本이고, 支合은 중인衆人의 마음을 얻어 지하地下와 친한 것이 근본인데, 간지가 모두 합하면 천지덕합天地德合이 된다. (干爲天之淸氣,支爲地之厚載.干合者,得賢人之心,本乎天者親上,支合者,得衆人之心,本乎地者親下,干支俱合,是爲天地德合.)

가령 甲子가 己丑을 만나고 戊戌이 癸卯를 보는 종류인데, 時와 합하면 上이 되고 日과 합하면 그 다음이다. 만약 年과 月이 서로 합하고 日과 時가 서로 합하면 더욱 복이 重하게 된다. [다음 예 命造를 보라.]

예) 命造-1
癸 戊 丁 乙
亥 寅 亥 卯
장 순신 尙書의 命이다.

예) 命造-2
甲 己 丁 辛
戌 卯 酉 未
임 견소 尙書의 命이다. (如甲子見己丑,戊戌見癸卯之類,時合爲上,日合次之.若年與月相合,日與時相合,尤爲福緊.如張舜臣尙書,乙卯丁亥戊寅癸亥,林見素尙書,辛未丁酉己卯甲戌,是也.)

89. 군신경회君臣慶會

天干은 군주의 상象이며 지지는 신하의 의미인데, 간지가 모두 합하며 같은 열흘 안에 만나는 이것을 군신경회君臣慶會라 한다. 가령 甲戌이 己卯를 보거나 戊辰이 癸酉을 만나는 종류인 것이다. 時와 합하는 것이 上이 되고, 日과 합하는 것은 그다음인데, 만약 年과 月이 합하고 日과 時가 합하면 쌍원덕합雙鴛德合으로 더욱 오묘奧妙하다. 이상의 두 格은 앞에서 論한 합화合化에서 이미 말하였지만, 단지 格이라고 이름을 지어서 들지 않았을 뿐이다. (干爲君之象,支爲臣之義,干支俱合,在一旬之內見之,是謂君臣慶會.如甲戌見己卯,戊辰見癸酉之類是也.時合爲上,日合次之,若年與月合,日與時合,爲雙鴛德合尤妙,以上二格,前論合化巳[已]言,但未提作格耳.)

고가에서 이르기를, 甲인이 己巳가 甲申에 이르거나, 乙인이 庚辰 乙酉가 가깝거나, 丙인이 辛卯 및 丙戌이거나, 丁인 下에 壬寅 丁亥를 타거나, 戊인이 癸亥 戊寅이거나, 辛이 丙申 辛巳를 맞거나, 壬이 丁未 겸 壬午를 만나거나, 癸인이 戊午 癸未의 神을 두거나, 己인이 甲戌에 己卯가 오게 되면 영화榮華와 장수長壽하는 복福이 있는데 그 중에 만약 다시 다른 격格 국局을 더하면 후왕侯王이나 재상宰相의 몸이 된다. (古歌云,甲人己巳到甲申,乙是庚辰乙酉親,丙須辛卯及丙戌,丁下壬寅丁亥乘,戊生癸亥戊寅日,辛用丙申辛巳迎,壬逢丁未兼壬午,癸注戊午癸未神,己因甲戌來己卯,此是榮華福壽齡,中若更加他格局,定主侯王宰相身.)

예) 命造-1
丙 戊 甲 癸
辰 午 寅 未

우 상서의 命이다.

예) 命造-2
庚 己 戊 甲
午 巳 辰 申
채 학사의 命이다.

예) 命造-3
庚 乙 甲 己
辰 酉 戌 卯
위 승상의 命이다.

예) 命造-4
壬 甲 己 丁
申 申 酉 巳
사 원명 상서의 命이다.(如虞尚書,癸未甲寅戊午丙辰,蔡學士甲申戊辰己巳庚午,魏丞相己卯甲戌乙酉庚辰,謝源明尚書,丁巳己酉甲申壬申是也.)

90. 일기위근一氣爲根

年 月 日 時 태胎 납음이, 순금純金 순수純水 순화純火 순토純土인 것이다.

예) 命造
胎 時 日 月 年
甲 乙 辛 癸 甲
子 未 巳 酉 子
위의 종류이다.[42] (謂年月日時胎納音,純金純水純火純土是也.如甲子癸酉辛巳乙未甲子胎之類.)

부에서 이르길, 一氣로 根이 되면 자사刺史 이부吏部이다. 만약 木인이 寅 卯 辰을 얻거나, 火인이 巳 午 未를 얻거나, 金인이 申 酉 戌을 얻거나, 水인이 亥 子 丑을 얻어도 또한 一氣이다. 만약 이 格을 만나면 鬼가 많은 것을 싫어하지 않으며 많아야 귀한 것인데, 간지가 一氣로 온전한 것과 같다. 예컨대 甲乙인이 丁 壬 亥 卯 未를 완전하게 얻는 종류로 더욱 기묘奇妙하다. (賦云,一氣爲根,則刺史吏部,若木人得寅卯辰,火人得巳午未,金人得申酉戌,水人得亥子丑,一氣亦是.若遇此格,不厭鬼多,多則貴,若干支全一氣.如甲乙人得丁壬亥卯未全之類尤妙.)

---

42) 납음으로 년 월 일 시 태가 전부 金이다.

예) 命造-1
辛 壬 庚 乙
亥 寅 辰 未
능상 도헌의 命이다.

예) 命造-2
丁 丙 戊 乙
酉 申 子 巳
왕 일기장원의 命이다.

예) 命造-3
丁 癸 己 戊
巳 巳 未 午
옹 만달상서의 命이다. 凌相都憲,乙未庚辰壬寅辛亥.王一夔狀元,乙巳戊子丙申丁酉.翁萬達尙書,戊午己未癸巳丁巳是也.

91. 양간부잡兩干不雜

年 月 日 時에서 연결한 兩 천간이 차지하며 한가지로 만 되며 섞이지 않아야 한다.

예) 命造-1
乙 甲 乙 甲
丑 戌 亥 子
甲乙의 두 글자가 어지럽지 않다.

예) 命造-2
丁 丙 丁 丙
酉 辰 酉 寅
丙丁의 두 글자가 어지럽지 않는 종류인 것이다. (謂年月日時,連占兩干,純一而不雜也.如甲子乙亥甲戌乙丑,甲乙兩字不亂.又丙寅丁酉丙辰丁酉,丙丁兩字不亂之類是也.)

賦에서 이르길, 천간의 頭에 있는 종류는 동취銅臭[43]하여 관직이 낮으며, 甲인이 乙을 얻거나 乙인이 甲을 얻으면 녹봉祿俸에만 치우쳐 대부분 과거에 급제하지 못한다. (賦云,干頭相類,銅臭

43) 동취銅臭:재화財貨를 탐하여 그것을 자랑하거나, 재화財貨로써 출세出世하는 따위. 모든 일을 금전金錢으로 해결解決하는 사람의 행위行爲를 비웃는 말

官卑,以甲人得乙,乙人得甲,謂之偏祿,多無科名.)

92. 삼합취집三合聚集 : 일명용봉삼합격 (一名龍鳳三合格)

年 月 日 時 태胎에서 혹 천간과 辰地支에 동일한 3位가 있거나, 혹 지지에서 辰地支의 동일한 3位가 있거나, 혹 납음이 동일한 3位가 있는 것이다. 무릇 1은 2를 생하며 2는 3을 생하고 3은 만물萬物을 생하니 가득한 수를 의미하는 것이다. 가령 3丁과 1癸, 3壬과 1戊, 3庚과 1丙의 종류로 建旺한 것을 절대로 꺼리는데 태과太過한 중에 태과太過한 것이고, 그러나 土 金은 그렇지 않다. 가령 3金이 土를 얻거나 3土가 火를 얻거나 혹 3戊가 3庚 3辛이면 建旺함이 방해받지 않고, 그 지지에서 만일 3寅과 1申은 馬가 되고, 3亥와 1寅은 合의 例가 된다. 납음納音의 3位는 만일 甲子 乙丑 壬申이면 金이 득지得地하는 종류로서 바야흐로 길하다. (謂年月日時胎,或干辰帶三位一同,或支辰帶三位一同,或納音帶三位一同.蓋取一生二,二生三,三生萬物,盈數之義也.如三丁一癸,三壬一戊,三庚一丙之類,切忌建旺,太過中又太過,惟土金不然.如三金得土,三土得火,或三戊三庚三辛,建旺不礙,其支辰如三寅一申爲馬,三亥一寅爲合之例.納音三位.如甲子乙丑壬申,則金得地之類方吉.)

93. 오행구족五行俱足

年 月 日 時 태胎에 있는 金 木 水 火 土가 혹 진기眞氣이거나 혹은 납음納音으로 삼원三元이 有氣한 것을 일컫는다. 또 5庫를 전부 만난 것을 말한다.

예) 命造

胎	時	日	月	年
己	丁	丁	戊	甲
未	未	巳	辰	子

이런 종류인 것이다. 모름지기 상생하고 사절死絶하지 않아야하고 福神이 드나들며 乘하여야 바야흐로 귀하다. 만일 사절死絶하며 구원함이 없으면 格에 들지 못한다. (謂年月日時胎帶金木水火土,或眞氣,或納音,而三元有氣.又謂之全逢五庫.如甲子戊辰丁巳丁未己未胎之類是也.須是相生不死絶,福神遞互乘之方貴.如自死自絶而無救,不入格.)

호중자가 이르기를, 오행이 구족具足하면 태胎를 논하지 않으며, 마땅히 생하는 眞氣를 取해야 원만하다. 대개 眞氣는 당년當年이 主이고, 사리에 어두운 자들이 태胎月의 一辰 납음을 더하는데 잘못된 것이다.

예) 命造-1

胎 時 日 月 年

乙 戊 丙 甲 辛

酉 戌 申 午 丑

이 정상尙書의 命이다.

예) 命造-2

胎 時 日 月 年

壬 辛 壬 辛 丙

辰 亥 子 丑 申

하락문 翰林의 命이다. (壺中子云,五行俱足不論胎,乃取當生眞氣而圓之.蓋眞氣卽當年之主,昧者添胎月一辰納音則誤,李廷相尙書,辛丑甲午丙申戊戌乙酉胎,何洛文翰林,丙申辛丑壬子辛亥壬辰胎是也.)

94. 육위상승六位相乘

年 月 日 時 태胎에 다시 年日에 녹마祿馬를 더하고, 혹 命宮이 12支神을 합기合起하고, 다시 천간의 5位가 十干을 온전히 합하면 귀하게 된다.

예) 命造

胎 時 日 月 年

戊 辛 戊 丁 甲

午 酉 寅 卯 子

巳상에서 안명安命한 종류이다.

예) 命造

胎 時 日 月 年

甲 丙 庚 癸 壬

辰 戌 寅 丑 午

나 [육오산인]의 命이다. 녹마祿馬가 申에 있는 것이다. 育吾 자신이 기록함. (謂年月日時胎,再加年日祿馬,或命宮合起十二支神,更天干五位,合全十干爲貴.如甲子丁卯戊寅辛酉戊午胎,巳上安命之類,余命,壬午癸丑庚寅丙戌甲辰胎,祿馬在申是也.育吾自記)

95. 취정회신聚精會神

회남자께서 이르기를, 정신精神은 천天에서 받고 형체形體는 지地에 받으니, 리離는 火가 되고 감坎은 水가 되며, 火는 태양日이고 水는 달月이 되어, 日月이 하늘에서 運行하여 사시四時를 이룸으로서 天은 정신精神으로 水는 精이 되고 火는 神이 되며, 精은 기의 母가 되고 기는 神의 子자식가 된다. (淮南子曰,精神者,所受於天,而形體者,所稟於地,離爲火,坎爲水,火爲日,水爲月,日月運行於天,以成四時,此天之精神也,水爲精,火爲神,精爲氣之母,氣爲神之子.)

一氣가 주류周流하여 장생長生하고 불사不死하는데 사람의 정精과 신神인 것이다. 만일 人命에서 혹 干支 혹은 납음이 2水 2火로 각각 득지得地하여 旺하고 타물他物이 혼잡하지 않고 상합相合 상제相濟하면 영령英靈한 기와 天은 運을 같이하여 貴가 출중出衆할 뿐만 아니라 수명壽命도 장구長久하다. [아래 命을 참고하라.] (一氣周流,而長生不死,此人之精神也.如人命或干支或納音,二水二火,各乘旺得地,無他物以雜之,相合相濟,則英靈之氣,與天同運,不但貴顯出人,抑且壽命悠久.)

예) 命造
己 癸 丁 丁
未 亥 未 卯
이 동양 각로의 命이다.

예) 命造
丁 壬 丙 甲
未 午 子 戌
양 일청 각로의 命이다. (李東陽閣老,丁卯丁未癸亥己未,楊一淸閣老,甲戌丙子壬午丁未是也.)

96. 신장살몰神藏煞沒

甲 庚 丙 壬은 陽干의 吉이 모이게 되는 孟月에 생하면 더욱 아름답다. 乙 辛 丁 癸는 陰干으로 귀한 德이 되는 季月에 생居하면 가장 좋다. 6凶神이 이것에 이르러도 몰래 숨고, 4惡煞이 만나도 굴복하여 숨는다. 만일 年 月 日 時의 4位 4天干이 분명分明하면 刑衝 破害를 논하지 않고 모두 길한 기운이 되는데 다시 녹마祿馬 官印을 더하면 더욱 길하다. (謂甲庚丙壬,爲陽干之吉會,生於孟月尤佳.乙辛丁癸,爲陰干之貴德,生居季月最好,六凶神至此而潛藏,四惡煞遇玆而伏沒.如年月日時四位四干分明,不論刑害衝破,皆爲吉氣,更加祿馬官印尤吉.)

賦에서 이르기를, 陽이 陰을 싹하면 기묘奇妙하여 최고의 영웅호걸인 것이다. 혹 말하기를, 오행에서 묘墓煞이 넷이 있는데, 寅 午 戌월은 丑에 있으며 丑은 金의 묘墓가 되기 때문에 大吉한

金의 煞이 되어 乾에 이르면 몰沒한다. 亥 卯 未월은 戌에 있으며 戌은 火의 묘墓가 되기 때문에 河魁로 火의 煞되어 坤에 이르면 몰沒한다. 申 子 辰월은 未에 있으며 未는 木의 묘墓가 되기 때문에 小吉한 木의 煞이 되어 巽에 이르면 몰沒한다. 巳 酉 丑월은 辰에 있으며 辰은 水의 묘墓가 되기 때문에 天罡으로 水의 煞이 되어 艮에 이르면 몰沒한다. 인명人命에서 만일 寅 午 戌월에 생하여 日에서 丑을 얻고 時에서 亥를 얻으면 煞이 몰沒한다. (賦云,陽奇陰偶最英豪是也. 或曰,五行墓煞有四,寅午戌月煞在丑,丑爲金墓,故大吉爲金煞,到乾沒.亥卯未月煞在戌,戌爲火墓,故河魁爲火煞,到坤沒.申子辰月煞在未,未爲木墓,故小吉爲木煞,到巽沒.巳酉丑月煞在辰,辰爲水墓,故天罡爲水煞,到艮沒,人命如生寅午戌月,日得丑而時得亥,則煞沒.)

天乙 凶將에는 여섯이 있다. 등사螣蛇 주작朱雀은 火에 屬하며 亥 壬 子 癸가 있으면 타수투강墮水投江하게 되고, 백호白虎는 金에 屬하며 巳 丙 午 丁이 있으면 소신燒身하게 되고, 현무玄武는 水에 屬하며 坤 艮인 辰 戌 丑 未가 있으면 절족折足하게 되는데, 모두가 制 극을 당하여 능가하면 六神이 감추는 것이니 곧 현무당권玄武當權 等의 煞이다. (天乙凶將有六,螣蛇朱雀屬火,在亥壬子癸爲墮水投江,白虎屬金,在巳丙午丁爲燒身.玄武屬水,在坤艮辰戌丑未爲折足,皆受制剋而勝,則是六神藏也,卽玄武當權等煞.)

97. 록마교치祿馬交馳

예컨대 寅 午 戌의 馬는 申인데 時의 천간에 庚을 얻거나, 亥 卯 未의 馬는 巳인데 時의 천간에 丙 戊를 얻거나, 申 子 辰의 馬는 寅인데 時의 천간에 甲을 얻거나, 巳 酉 丑의 馬는 亥인데 時의 천간에 壬을 얻는 것이다. 만일 年 月 日 時의 4位 干支에 호환互換하여 얻고, 年月에서 만나지 않으며 日 時에서 서로 보면 더욱 기묘奇妙한데 衝破 공망을 꺼린다. (如寅午戌馬在申,而時干得庚,亥卯未馬在巳,而時干得丙戊,申子辰馬在寅,而時干得甲,巳酉丑馬在亥,而時干得壬.如年月日時,四位干支,互換得之,年月不見,而日時互見,尤妙,忌衝破空亡.)

98. 간록란마趕祿欄馬

예컨대, 甲戌 생인生人은 甲의 녹祿이 寅에 있으니 丁丑을 얻으면 趕[祿]하고, 戌의 馬는 申에 있으니 癸酉를 얻으면 欄[馬]하여, 반드시 정록正祿 정마正馬를 구할 필요가 없으며 祿 馬는 저절로 오기에 이 格은 지극히 귀하다. 소위 祿을 따르지 않으면 發하지 않고, 馬가 난欄하지 않으면 머무르지 못하는 것이다. (如甲戌生人,甲祿在寅,得丁丑以趕之,戌馬在申,得癸酉以欄之,不必求正祿正馬,而祿馬自來,此格極貴,所謂祿不趕不發,馬不欄不住是也.)

99. 집복발복集福發福

4位의 제좌帝座에서 복을 불러오고, 帝座의 4位에서 발복發福한다. 이미 앞의 年 月 日 時에서 논하였다. [아래 命을 참조하라]

예) 命造
丁 乙 壬 壬
丑 酉 子 子
왕병 시랑의 命이다.

예) 命造
戊 壬 甲 戊
申 寅 寅 寅
오원 도헌의 命이다. (卽四位集福於帝座,帝座發福於四位,已論前年月日時中,王昺侍郞,壬子壬子乙酉丁丑.吳遠都憲,戊寅甲寅壬寅戊申是也.)

100. 간지쌍련干支雙漣

甲午가 乙未를 보거나 丙申이 丁酉를 보거나 戊戌이 己亥를 보는 것으로 상하가 서로 연결하는 종류를 일컫는다. 만일 甲子가 乙丑을 보고 庚午가 辛未를 보면 甲庚은 丑未가 貴귀인이고, 乙辛은 子 午가 귀인으로 一名 두 모양의 귀인을 짝하니 연주連珠하여 福神이 되어 중살衆煞을 억누를 수 있으며 다시 녹마祿馬를 더하면 온전한 命이다. 만약 연주連珠의 進退는 丙寅이 丁卯를 보면 같은 기인데 이름이 退氣인데 丁卯가 丙寅을 만나면 一辰을 退하지만 오히려 進하여 곧 진기眞氣인 것이다. (謂甲午見乙未,丙申見丁酉,戊戌見己亥.上下相連之類,如甲子見乙丑,庚午見辛未,甲庚貴丑未,乙辛貴子午,一名二儀貴偶,此爲連珠福神,能壓衆煞,更加祿馬,十分之命,若連珠進退,如丙寅見丁卯同氣,是名退氣,丁卯見丙寅,退一辰,卻是進,乃眞氣也.)

101. 천간연주天干連珠

年 月 日 時 태胎에 甲 乙 丙 丁 戊나 혹은 己 庚 辛 壬 癸를 얻으면 甲己合 乙庚合 丙辛合 戊癸로 합하여 그리고 십간연주격十干連珠格이라고 일컫는다. 만약 납음으로 4位가 연주連珠하여 서로 이어지고, 上에서 下를 생하거나, 혹은 下에서 上을 생하여도 역시 그러하다. (謂年月日時胎,得甲乙丙丁戊,或己庚辛壬癸,甲合己,乙合庚,丙合辛,戊合癸,又謂十干連珠格.若納音連珠四位相承,自上生下,或自下生上,亦是.)

도수연주倒垂連珠가 있는데, 만일 丁未人이 丙午 時를 얻거나 辛丑人이 庚子時를 얻은 종류이다. 정인연주正印連珠가 있는데, 壬午人이 癸未時를 얻거나 甲子人이 乙丑時를 얻은 종류이다. 현인연주懸印連珠가 있는데, 乙亥人이 甲戌時를 얻거나 癸巳人이 壬辰時를 얻거나 丁巳人이 丙辰時를 얻은 종류인 것이다. (有倒垂連珠,如丁未人得丙午時,辛丑人得庚子時之類,有正印連珠,壬午人得癸未時,甲子人得乙丑時之類,有懸印連珠,乙亥人得甲戌時,癸巳人得壬辰時,丁巳人得丙辰時之類.)

호중자가 이르기를, 일로연주一路連珠는 일찍 四方에 명예를 떨친다. [아래 命을 참조하라]

예) 命造
庚 己 戊 丁
午 亥 申 卯
팽 첨헌의 命이다.

예) 命造
庚 戊 丙 甲
申 午 子 戌
황 화경의 命인 것이다. (壺中子云,一路連珠,早擅四方之譽,彭僉憲,丁卯戊申己亥庚午.黃華卿,甲戌丙子戊午庚申是也.)

102. 지지연여地支連茹

年 月 日 時 태胎에서 子 寅 辰 午 申 戌를 얻어 지지의 각기 간격이 一位이거나, 혹은 子 丑 寅 卯 辰으로 서로 연결된 종류를 말한다. 賦에서 이르길, 발모연여(拔茅連茹;싹을 뽑으니 얽힌 나물이 연결되어 나옴), 유견유고(愈堅愈固;더욱 견고하고 딱딱함)라 한다. 또 이르길, 연여連茹하면 富하며 干支를 구분하여야 하고, 만약 천간과 지지가 함께 연결하면 부귀쌍전富貴雙全한다.

예) 命造-1
戊 丁 丙 丁
申 未 午 巳
영국 公의 命이다.

예) 命造-2
壬 庚 戊 庚

午 辰 寅 子
성 의백 劉瑜의 命이다.

만약 年은 2位를 隔하고 月에서 時와 日은 1位를 隔하는 것은, 가령 子年 卯月 巳日 未時의 종류인데 귀인 局이라 하여 길하다. (謂年月日時胎,得子寅辰午申戌,地支各間一位,或子丑寅卯辰相連之類.賦云,拔茅連茹兮,愈堅愈固.又云,得連茹者富,是干支之別也,若天干地支俱連,富貴雙全.如英國公,丁巳丙午丁未戊申,誠意伯劉瑜,庚子戊寅庚辰壬午是也.若年隔二位,月隔時日一位,如子年卯月巳日未時之類.謂之貴人局,主吉.)

103. 오행정인五行正印

예컨대, 甲子 생인이 乙丑 時를 얻거나 丙寅 생인이 甲戌 時를 얻은 종류인데, 만약 衝破 공망 사절死絶이 없고 더하여 福神이 서로 도우며 오행이 고庫에 들면 上格이 된다. 만약 甲 乙 未 丙 丁 戌의 종류가 年 月 日 時에 모두 있으면 오행이 고庫를 만난 것이라 하여 양부(兩府;文武)의 양부에서 태보(台輔;재상 삼공의 이름)의 貴가 있고 或 공망이 되더라도 역시 길하다. (如甲子生人,得乙丑時,丙寅生人,得甲戌時之類.若無衝破空亡死絶,更有福神互爲之助,五行入庫,取爲上格.若甲乙未丙丁戌之類,年月日時皆有,謂五行逢庫,主兩府台輔之貴,或落空亡亦吉.)

104. 록고봉재祿庫逢財

太歲 천간이 묘墓인 곳을 록고祿庫라 한다. 祿庫중에서 지지에 財를 대동하거나 或 납음納音이 財가 되면 귀하지 않지만 富하다. 만일 없으면 직책이 비록 높을지라도 집안은 가난하다. 經에 이르길, 록고祿庫가 공허空虛하면 직책은 重하고 주머니는 텅 비는 것이다. (歲干之墓處,謂之祿庫.祿庫中得帶地財,或納音爲財,不惟貴而主富.如無,則職雖顯,家貧.經云,祿庫空處,囊空職重是也.)

105. 복회상영福會相迎

十干이 생하는 것과 극하는 것인데, 가령 甲이 丙을 생하고, 戊를 극하는 종류로, 곧 食神이 財를 만나며 다른 천간을 犯하지 않아야 貴氣를 동반하는데, 만약 사람의 胎 月 日 時에서 보면 의식衣食이 풍족豊足하며 관작官爵이 숭고崇高하고, 大小 運과 行年이 이에 이르면 역시 관직이 오르고 재물을 얻는 기쁨이 있다. (此十干所生及所剋,如甲生丙剋戊之類,乃食神逢財也.不犯他干,仍帶貴氣,若人胎月日時遇之主衣食豊足,官爵崇高,大小運行年至此,亦有遷官進財之喜.)

106. 생사상취生死相聚

예)

辛 庚 辛 庚　　乙 甲 乙 甲　　癸 壬 癸 壬　　丁 丙 丁 丙

巳 午 巳 辰　　亥 子 亥 戌　　卯 辰 卯 寅　　酉 戌 酉 申

이것은 陽은 사死하고 陰이 생하지만, 감고甘苦를 함께 받아들이는 뜻으로, 소위 庚은 巳에서 생하나 辛은 巳에서 사死하고, 甲은 亥에서 생하나 乙은 亥에서 사死하고, 壬은 卯에서 사死하나 癸는 卯에서 생하고, 丙은 酉에서 사死하나 丁은 酉에서 생하는데, 이것은 서로 떨어지지 않은 것이다. 만약 金이 金을 생하거나 木이 木을 생한다면 귀천貴賤이 서로 맞아들지 않으니 이치에 맞지 않은 것이다. (如庚辰辛巳庚午辛巳,甲戌乙亥甲子乙亥,壬寅癸卯壬辰癸卯,丙申丁酉丙戌丁酉,是陽死陰生,如甘苦同受之意,所謂庚生於巳,辛死於巳,甲生於亥,乙死於亥,壬死於卯,癸生於卯,丙死於酉,丁生於酉,是不相離也.若金則金生,木則木生,貴賤不相入則否.)

107. 일순포과一旬包裹

甲子에서 癸酉를 만나고 甲寅에서 癸亥를 보는 종류인데, 月 日 태胎와 年時에 전부 있으면 더욱 기묘奇妙하다. 만약 4位 5位 7位의 전부 같은 旬에 포함하면 24位, 총 36位는 대연大衍數에서 하나가 비어 중간의 干支를 사용하고, 年 時에 財官 印食이나 혹 녹마祿馬 귀인이면 모두 大貴하게 된다. (乃甲子見癸酉,甲寅見癸亥之類,月日胎俱包年時中尤妙.若四位五位七位,包俱同旬,二十四,統三十六位,大衍虛一,中間干支得用,與年時財官印食,或祿馬貴人者,皆大貴.)

108. 사주순포四柱順布

時는 日 다음이고 日은 月 다음이고 月은 年 다음이면 선후先後가 어지럽지 않은 것이다. (謂時次日,日次月,月次年,先後不亂是也.)

109. 오행일순五行一旬

年 月 日 時 태胎가 같은 旬에 나타난 것이다. [아래 命造가 예이다.]

예) 命造

庚 己 丙 甲

午 巳 寅 子

生旺 六合하며 破敗가 없으면 길하다. 또 年 月 日 時 태胎가 각각 같은 旬에 있으면 오복집상五福集祥이라 말하며 역시 大格인 것이다. 무릇지기 福神이 번갈아들어서 서로 상승(相乘;두 가지 이상의 요소가 서로 효과를 더하는 일)하고 破敗가 없어야 비로소 길하다. (謂年月日時胎,共出一旬,如甲子丙寅己巳庚午之類,帶生旺六合無破敗,則吉.又年月日時胎,各占一旬,謂之五福集祥,亦大格也.須福神遞互相乘,無破敗,方吉.)

110. 귀인황추貴人黃樞

戊己 두 글자와 辰 戌 丑 未가 온전히 있는 것을 일컫는다. [아래 예를 보라.]

예) 命造
戊 己 己 戊
辰 丑 未 戌
貴가 丑위에 모인 己丑일생은 [貴人黃樞]格에 든다. (謂戊己二字,而帶辰戌丑未全.如戊戌己未己丑戊辰,或貴集丑位,而此日生,爲入格.)

고가에서 말하기를, 사진지성四鎭之星은 복이 굳건한데 權인 煞이 어느 곳에 있는지 살펴봐야 하고, 數重한 貴祿이 아울러 생왕生旺하면 공후公侯를 하지 않고 왕王이 된다. [아래 예 命을 보라]

예) 命造
丁 丁 壬 戊
未 丑 戌 辰
明 太祖의 命인데, 土가 四季의 辰 戌 丑 未로 順하게 거하며 음양으로 貴가 온전하므로 창업創業하여 천자天子가 되었다. (古歌曰,四鎭之星福自强,更看權煞在何方,數重貴祿兼生旺,不作公侯便作王.如明太祖,戊辰壬戌丁丑丁未,土居四季,辰戌丑未順,陰陽貴全,所以爲創業天子.)

111. 사충득위四衝得位

四衝이 자리를 얻는 것은 四位가 純全한 것과는 조금 차이가 있다. 寅 申 巳 亥는 自生해야하며 혹 호환互換하여 생해야하고, 子 午 卯 酉는 오히려 自旺해야 하고, 辰 戌 丑 未는 오히려 自墓하여야 비로소 취하는 것을 일컫는다.

예) 命造-1

時 日 月 年
己 辛 丙 甲
亥 巳 寅 申
4位 모두 생왕生旺하고 丁巳 태胎를 더하여 오행이 충족하고, 또 사관 학당이므로 제후에 封해졌다.

예) 命造-2
胎 時 日 月 年
辛 戊 癸 庚 辛
卯 午 酉 子 卯
胎辛卯生이 元命이고 또 자왕自旺한 사중四仲=旺地의 局이 된다 ,

예) 命造-3
胎 時 日 月 年
甲 壬 丙 癸 乙
戌 辰 辰 未 丑
4印이 수려한 局이 되고, 오행의 수가 충족하므로 모든 命이 크게 귀하였다.

예) 命造-4
時 日 月 年
丙 己 辛 壬
寅 巳 亥 申
주사한 평원柱史韓平原의 命을 고찰하다. (四衝得位,與四位純全微不同,謂寅申巳亥欲自生,或互換生,子午卯酉,欲自旺,辰戌丑未,欲自墓,方取.如甲申丙寅辛巳己亥,四位皆自生旺,加丁巳胎,五行足,又是詞館學堂,所以封侯.如辛卯庚子癸酉戊午,乃胎生元命.又爲自旺四仲局.如乙丑癸未丙辰壬辰甲戌胎,四印秀局,五行數足,故皆大貴.考柱史韓平原,壬申辛亥己巳丙寅.)

양 량강이 이르기를, 申은 金의 자리인데 坤 土가 두텁게 있으면 金은 剛한 것으로 더하지 않아야 한다. 그래서 검봉劍鋒의 상象을 취하여 검봉金은 다른 火는 두려워하지 않고, 오직 丙寅만이 검봉金을 制할 수 있으니 丙寅은 干支의 납음도 함께 노중火가 되고 木을 통해 의지하니, 木이 견실하면 火를 생하는데, 생하고 생함이 不窮하다. 비록 剛한 金일지라도 수없이 단련하면 끝내는 소삭(消爍:녹아 없어짐하는 것)이 하늘의 이치이며 자연自然인 것이다. (楊良講云,申爲金位,有坤土以厚之,金之剛者莫加焉.故取象劍鋒,是金不畏他火,惟丙寅能制之,以丙寅干支納音俱火,而履於木,木實生火,生生不窮,雖百鍊剛金,終被消爍,天理之自然也.)

무릇 사람의 생時는 主의 末主이며 이제 곧 만나는데, 年運의 丁卯는 火의 목욕沐浴이 되어 기가 미약하여 패敗하니 회신용갈(灰燼鎔竭;불에 타서 재만 남고 소멸함)하여 스스로 지탱할 수 없다. 歲에 丙寅을 만나 수염금액水炎金液하고 외강중건外强中乾으로 剛이 강렬함을 만나 赫赫하지만 천지는 하나의 화로이며 만물은 하나의 풀무인데, 누가 가까이 다가갈 것인가? 그런데 물物을 거두어들이는 것이 크고 그 쓰임을 다하지 않아 옳은 것은 아니다. 1陽에서 싹이 움트는 그 때인 것이로다. 대개 사맹四孟을 완비完備하면 二氣가 교전交戰하여 비록 막대莫大한 복이 이를지라도 또한 衝擊으로 재앙을 초래한다. (凡人生時,主末主,今乃遇之,年運丁卯,火爲沐浴,氣微而敗,灰燼鎔竭,自不能支,歲遇丙寅,水炎金液,外强中乾,以剛遇烈,赫赫然天地一爐鞴,萬物一橐籥,孰可嚮邇.然受物也大,非盡其用弗可,一陽將萌,亶其時乎.蓋四孟全備,二氣交戰,雖以致莫大之福,亦以招衝擊之災.)

예) 命造
壬 丁 丙 辛
寅 亥 申 巳
오강승 원소吳江丞袁韶는 등과登科하여 뛰어난 재능이 있고 사맹四孟이 온전하며 천간 丁壬, 丙辛이 진화眞化하고, 지지에 巳申, 亥寅로 六合이 되어 格은 원앙합덕鴛鴦德合이 되고 혹 천지덕합天地德合으로 四柱가 분명分明하므로 韓나라에 비할 바가 아니다. 둘의 화기化氣가 함께 생하여 좋으니 韓은 이것으로부터 오히려 미치지 못하는 것이다. 차강득지此講得之 혹은 己는 甲이 官이 되고 丙은 인수印綬가 되며 時의 下에는 귀록歸祿이다. 甲木은 亥月에서 장생長生하며 申과 衝刑하고, 巳에게 형刑을 당하고, 寅과 亥는 합하니, 申은 형刑을 받아, 寅을 衝할 수 없다. 運이 寅卯에 이르면 官星이 득지得地하여 귀하게 경략(經略;나라를 다스리고 경영)하고, 一交하여 丙辰에는 水가 旺하여 인수印綬를 손상하니 無火가 傷官을 제제하며, 丁卯 年에 지극한 형벌을 당하고 수명壽命은 56세에 마쳤는데, 이 역시 일설一說이다. (吳江丞袁韶,登科有雋才,其命辛巳丙申丁亥壬寅,亦全四孟,天干丁壬丙辛眞化,地支巳申亥寅六合,於格爲鴛鴦德合,或天地德合,四柱大分明,所以非韓之比,喜二化氣俱生,韓自此卻不及.此講得之,或以己用甲爲官,丙爲印,歸祿時下,甲木亥月長生,申欲衝刑,爲受巳刑,寅與亥合,申自受刑,不能衝寅,運至寅卯,官星得地,貴爲經略,一交丙辰,水旺傷印,無火制傷官,丁卯年遂遭極刑,壽止五十六,亦是一說.)

112. 사시승왕四時乘旺

예컨대, 甲 乙의 日時가 봄에 생하고 丙丁의 日時가 여름에 생하는 종류로 사람의 심성心性이 밝고, 時에서 온전히 만나면 수명壽命이 충분하며 부귀하고 권력이 크다. (如春生甲乙日時,夏生丙丁日時之類,主人心明,時全見者足壽,富貴多權.)

113. 삼오연합三五連合

上에서 下를 생하며 음양이 서로 합하고, 두 比劫의 干은 위에 있고 하나의 干이 아래에 있는 것을 순배연합順排連合이라 일컫는다. 하나의 干이 위에 있고 두 比劫의 干이 아래에 있는 것을 도수연합倒垂連合이라고 한다. 순배順排라는 것은 甲 乙 丙 丁 戊, 戊 己 庚, 庚 辛 壬, 壬 癸 甲인 것이다. 도수倒垂라는 것은 癸 壬 辛 庚 己, 己 戊 丁, 丁 丙 乙, 乙 甲 癸인 것이다. 도수상련倒垂相連에서 順數는 上이 되고 雜數는 비겁 다음인데 다른 干이 犯하지 않고 생왕生旺 상승相乘하면 福祿이 서로 도와 더욱 훌륭하다. (自上生下,陰陽相合,兩比干在上,一干在下,謂之順排連合.一干在上,兩比干在下,謂倒垂連合.順排者,甲乙丙丁戊,戊己庚,庚辛壬,壬癸甲是也.倒垂者,癸壬辛庚己,己戊丁,丁丙乙,乙甲癸是也.倒垂相連,順數爲上,雜數比次之,不犯他干,生旺相乘,福祿相助尤勝.)

114. 육합쌍원六合雙鴛

[아래 例 命造를 보라.]

예) 命造
甲 戊 癸 戊
寅 寅 亥 辰
하나의 亥가 두 개의 寅인 馬를 합한다.
經에서 이르기를, 육합쌍원은 조정에서 삼공三公의 자리에 앉아 정치를 펴는 것이다.

예) 命造
丙 甲 丙 甲
寅 寅 寅 寅
명칭이 쌍비호접격雙飛胡蝶格인 이 格은 지극히 귀하다. (如戊辰癸亥戊寅甲寅,一亥合兩寅爲馬.經云,六合雙鴛,坐槐庭而布政是也.如甲寅丙寅甲寅丙寅,名雙飛胡蝶格,此格極貴.)

115. 귀기충화貴氣沖和

예컨대, 丁亥옥상土인이 甲辰 丙辰 時를 얻으면 음양 6辰이 되어 자연히 淸貴하고, 다시 천간 납음이 약간의 화기和氣가 있으면 富貴가 극히 왕성旺盛하다. (如丁亥土人,得甲辰丙辰時,爲陰陽六辰,自然淸貴,更天干納音,稍有和氣,富貴極盛.)

116. 인종포승引從包承

年 앞에 거하는 것을 引이라 하고 年 뒤에 거하는 것을 從이라고 한다. [前引 후從] 가령 甲子 인이라면 이전以前의 3辰은 引으로 즉 丙寅 丁卯가 引이 되고, 이후以後의 3辰은 從으로 즉 壬戌 癸亥가 從이 된다. 引은 멀어야하는데 丁卯가 遠이 되고, 從은 가까워야 하는데 癸亥가 近이 된다. 만약 甲子 생인이라면 후는 癸亥를 얻고 前은 乙丑을 얻으며, 丙寅 생인은 후는 乙丑을 얻고 前은 丁卯를 얻는 종류이다. (居年前曰引,年後曰從.如甲子人,以前三辰爲引,則丙寅丁卯爲引,以後三辰爲從,則壬戌癸亥爲從.引宜遠,以丁卯爲遠,從宜近,以癸亥爲近.若甲子生人,後得癸亥,前得乙丑,丙寅人後得乙丑,前得丁卯之類.)

혹 말하기를, 甲子인은 丁卯가 引이 되는데, 그러나 子 卯는 상형相刑하고 食神에 녹마祿馬를 차고 있는 丙寅만 못하다. 만약 壬戌 時를 얻으면 丁과 壬이 합하고 卯와 戌이 합하여 暗中으로 합하니 즉 壬戌 癸亥 甲子가 乙丑을 결缺하면 대신 사용하는 前引의 神에 丙寅 丁卯가 있어야 하나의 甲중에 천지의 기가 완전하다. 前後앞뒤에서 납음의 생왕生旺한 기의 유무有無를 살펴보고 모든 貴煞이 도우면 대귀大貴한데, 年月日時가 다시 같은 旬중에 있으면 더욱 기묘奇妙하다. (或曰,甲子人,以丁卯爲引,然子卯相刑,不若丙寅爲食神帶祿馬.若得壬戌時,則丁與壬合,卯與戌合,暗中有合,則壬戌癸亥甲子,缺乙丑以待用,前引神有丙寅丁卯,一甲中天地氣全.前後要看納音有無生旺之氣,兼諸貴煞助者,大貴.年月日時,更在一旬中尤妙.)

인종포승하여 태세太歲를 拱하면 관리로서 청화清華하게 지내고, 刑衝 破害하면 일생이 피곤하고 괴롭다. 만일 己酉년 癸亥월 戊申일이 후從하고 壬子時가 前引하면 인원종근引遠從近引은 멀고 從은 가까움하여 대귀인大貴人으로 조정朝廷에 머무르며 출입하는 사람이 많다. 대개 引從은 동하는데, 乙丑인이 甲子를 만나면 從이 되고, 혹 앞前에 庚午일을 보면 [承]引하여 乙과 庚이 합하고 己巳를 만나면 승인乘引하니 甲과 己가 합하여 간지가 유정有情하다. 나머지도 예로서 추리하라. 만일 辛卯인이 壬辰일 庚子時를 보면 이는 종원인근從遠引近에 해당하지 않고, 또 壬辰일 壬寅시는 卯를 拱하며 丁酉는 정단문격正端門格이 되어 引從으로 논하지 않는다. (引從包承,拱太歲,則官歷清華,刑害衝破,則一生困苦.如己酉年,癸亥月,戊申日後從,壬子時前引,引遠從近,乃大貴人,居朝廷,則多出入有人,蓋引從動之也,乙丑人見甲子爲從,或前遇庚午日承引,乙與庚合,見己巳乘引.甲與己合,干支有情,餘例推.如辛卯人,遇壬辰日,庚子時,此乃從遠引近,不中.又壬辰日壬寅時拱卯,作丁酉正端門格.不以引從論.)

賦에서 이르길, 引從은 서로 같지 않아 前後를 자세히 살펴야한다. 賦에서 또 이르기를, 官貴의 引從은 위열원반位列鴛班인데 혹 官이 前앞에 있으며 貴가 후뒤에 있고, 혹 貴가 앞前에 있으며 官이 뒤後에 있고, 혹 煞이 앞前에 있으며 吉이 뒤後에 있어도 인종포승引從包承하여 더욱 귀하다.

예) 命造-1
壬 癸 壬 癸
子 未 戌 亥
서계소사의 命인데, 壬戌은 후從인데 近하며 壬子는 前引으로 遠하고, 또 천간이 壬癸로 같은 기이고, 亥子를 서로 교환하여 녹祿이 되니 참된 인종포승格인 것이다. (賦云,引從不同,前後宜乎審察.賦又云,官貴引從,位列鴛班或官在前,貴在後,或貴在前,官在後,或煞在前,吉在後,包承引從尤貴.如徐階少師,癸亥壬戌癸未壬子,壬戌後從則近,壬子前引則遠,又天干俱壬癸一氣,互換亥子爲祿,乃眞引從包承格也.)

예) 命造-2
庚 乙 庚 己
辰 卯 午 巳
양박 소부의 命인데, 1품을 12年 하였다. 庚午는 前引이며 庚辰은 후從이고, 천간은 乙 庚이 합화合化하여 2庚이 官으로 引從하니 바야흐로 기특奇特하다. 만약 前後의 2支라면 포승包承이 本命에 적중한다. 만일 辛亥인이 庚子월 戊戌일을 얻으면, 子는 前에 있으니 包가 되고 戌은 후에 있으니 承이 되어 包承이 머무르니 역시 主는 淸貴하고 福은 두텁고, 공망 衝 破를 두려워한다. (又楊博少傅,一品十二年考滿,己巳庚午乙卯庚辰,庚午前引,庚辰後從,天干乙庚合化,二庚爲官引從,方爲奇特,若前後二支,包承本命在中.如辛亥人,得庚子月,戊戌日,子在前爲包,戌在後爲承,止爲包承,亦主淸貴福厚,怕空亡衝破.)

예) 命造-3
戊 辛 丙 乙
子 丑 戌 亥
손신 도헌의 命이다.

예) 命造-4
丙 乙 丁 乙
戌 丑 亥 亥
맹중 都憲의 命이다. 12位가 包이며 그리고 대부분 같은 格이다. (如孫愼都憲,乙亥丙戌辛丑戊子,孟重都憲,乙亥丁亥乙丑丙戌,則十二位包,又多一格矣.)

고가에서 말하기를, 年은 天子로 中宮에 坐하고 日時는 兩 시종侍從으로 귀성貴星을 보필輔弼하는 것을 마땅히 알아야 하고, 官의 기세氣勢가 최고의 영웅英雄이 된다.『양 소부는 인引종從이 자세하지 않다.』(古歌曰,年爲天子坐中宮,日時相逢兩侍從,輔弼貴星須要識,爲官氣勢最英雄.楊少傅引從未詳.)

117. 사반생일四般生一

고가에서 말하기를, 넷이 하나를 생하고 하나가 넷을 생하면 공경公卿이라는 것을 다시 의심할 여지가 없고, 福神의 후박厚薄을 좇아 첨감添感하며, 官 資를 자세히 찾아서 추리하여 정한다. (古歌曰,四般生一一生四,便斷公卿更莫疑,添感福神隨厚薄,官資仔細定尋推.如許運使癸巳癸亥辛亥壬辰,甲寅胎.納音一金生四水是也.)

예) 命造
胎 時 日 月 年
甲 壬 辛 癸 癸
寅 辰 亥 亥 巳
허 운사의 命인데, 납음으로 하나의 金이 넷의 水를 생하는 것이다.

118. 역마타록驛馬駝祿

예) 命造
己 己 戊 乙
巳 酉 寅 卯
사 참정의 命인데, 甲申을 暗合하고 [己巳가 甲申을 암합], 乙의 祿은 卯에 있고, 遁하여 己卯를 얻으면 己는 녹원祿元 마원馬元이 된다. 따라서 마타록馬駝祿과 암합관暗合官을 말하는 것이다. (如謝參政,乙卯戊寅己酉己巳.甲申暗合,乙祿在卯,遁得己卯,己爲祿元馬元.故曰馬駝祿而暗合官是也.)

119. 안마좌귀鞍馬坐貴

고가에서 말하기를, 옥등금안玉鐙金鞍이 귀인을 坐하면 곧 3품의 관직에 영화가 있고, 만약 이 格에서 煞을 더하지 않으면 양부(兩府;文武)의 中書벼슬이름로 황제 곁에 머문다. (古歌曰,玉鐙金鞍坐貴人,便知三品定官榮.若無的煞加此格,兩府中書居帝京,如王駙馬,庚寅乙酉辛亥乙未,庚寅見乙未爲攀鞍,庚貴在未,納音又是金,號曰貴人坐金鞍.)

예) 命造
乙 辛 乙 庚
未 亥 酉 寅
왕 부마의 命인데, 庚寅이 乙未를 보면 반안攀鞍이 되고, 庚의 귀인은 未이며, 납음도 또한 金

이니, 귀인좌금안貴人坐金鞍이라 부른다.

120. 금의특사錦衣特賜

고가에서 말하기를, 甲 丙 庚일이 寅時를 만나고, 丙 庚 壬이 巳중으로 向하며, 庚 壬 甲의 지지가 申에 坐하여 돌아오고, 壬 甲 丙이 亥에서 이를 취하는 이것이 의금제일국衣錦第一局인데, 時日에 차별 없이 변하지 않고 정定한다. (古歌曰,甲丙庚日遇寅時,丙庚壬向巳中推,庚壬甲地歸申坐,壬甲丙來亥取之,此是衣錦第一局,時日無差定不移,如石參政,壬申己酉甲辰丙寅.又甲申乙亥丙辰庚寅是也.)

예) 命造-1
丙 甲 己 壬
寅 辰 酉 申
석 참정의 命이다.

예) 命造-2
庚 丙 乙 甲
寅 辰 亥 申
또 이 命도 그러하다.

121. 청귀입당淸貴入堂

고가에서 말하기를, 乙 丁 辛이 馬를 만나고, 丁 辛 癸가 계(雞;닭=酉)를 향하면 이것은 정낭격正郎格인데, 청화淸華한 금의(錦衣;비단옷)를 나타낸다. (古歌曰,乙丁辛見馬,丁辛癸向雞,此是正郎格,淸華著錦衣,如林安撫,己酉乙亥癸丑乙卯,卽暗合三奇格也.『內夾戊子寅爲官祿財也』)

예) 命造
乙 癸 乙 己
卯 丑 亥 酉
임 안무의 命인데, 암합삼기격暗合三奇格이다.『속에 戊 子 寅을 夾하여 官 祿 財가 되는 것이다.』

122. 순환상생循環相生

고가에서 말하기를, 생년生年의 둔수遁數는 癸亥를 만나며, 생月도 또한 遁하여 甲寅을 만나고, 日을 쫓아 추리하면 辛未를 만나는 이러한 格局은 공功名이 있다. (古歌曰,生年遁數逢癸亥,生月又遁見甲寅,從日推之逢辛未,此般格局有功名,如陳右相,癸巳癸亥甲寅辛未爲入格.)

예) 命造
辛 甲 癸 癸
未 寅 亥 巳
진 우상右相의 命인데, 入格하였다.

123. 용음호소龍吟虎嘯

고가에 말하기를, 寅辰 두 글자는 龍虎인데, 이를 만나서 태어난 사람은 복이 가장 융성하다. 풍운風雲을 읊조려서 모으니 황제가 하사하는 부귀영화富貴榮華를 받는다. 또 말하기를 壬은 寅을 庚은 辰을 만나는 것을 기뻐하니, 운룡풍호(雲龍風虎:용이 울면 구름이 나고 범이 으르렁거리면 바람이 인다)의 정신精神을 드날린다. 干支에 중첩하여 충衝과 다툼이 없어야 청조식록인淸朝食祿人임을 안다. (古歌曰,寅辰二字是龍虎,遇此生人福最隆,吟嘯風雲成聚會,榮華富貴受皇封,又曰,壬喜逢寅庚喜辰,雲龍風虎越精神,干支重疊無衝戰,知是淸朝食祿人.)

예지자가 이르기를, 용음득수龍吟得水는 戊辰이 甲寅대계水을 만난 것이며, 호소득목虎嘯得木은 甲寅이 戊辰대림木을 만난 것이다. 낙록자가 이르기를, 용음호소龍吟虎嘯는 풍우風雨가 그 상서로운 조짐을 돕는다. (預知子云,龍吟得水,戊辰見甲寅,虎嘯得木,甲寅見戊辰.珞琭子云,龍吟虎嘯,風雨助其休祥.)

옥문관집에 이르기를, 풍룡음호소風龍吟虎嘯는 日時에서 만나면 크게 좋으며, 日月은 다음인데, 日月과 年月에서 이를 만나면 時상에서 祿을 만난 것 보단 못하나 역시 아름답다. 단지 공망을 犯하거나 支干가 서로 破하지 않아야 하는 이것이다. (玉門關集云,風龍吟虎嘯,日時遇之大好,日月次之,日月年月遇之,卻於時上遇祿者亦佳.但不犯空亡支干相破,便是.如王狀元,戊寅甲寅丁酉甲辰是也.)

예) 命造
甲 丁 甲 戊
辰 酉 寅 寅
왕 장원狀元의 命 인데, 이에 해당하는 것이다 .

124. 협귀협록夾貴夾祿

甲人이 卯丑을 얻거나, 乙人이 寅辰을 얻거나, 丙戊人이 辰午를 얻거나, 丁己人이 巳未를 얻거나, 庚人이 未酉를 얻거나, 辛人이 申戌를 얻거나, 壬人이 戌子를 얻거나, 癸人이 亥丑을 얻으면 祿을 공협拱夾하게 되고, 丁 己 庚이 있으며 未를 얻거나 , 丙 戊 乙이 있으며 辰을 얻거나, 甲 癸가 있고 丑을 얻거나, 辛壬이 있고 戌을 얻으면 록과祿窠를 夾하게 된다. (甲人得卯丑,乙人得寅辰,丙戊人得辰午,丁巳[己]人得巳未,庚人得未酉,辛人得申戌,壬人得戌子,癸人得亥丑,爲夾祿鄕.有丁巳[己]庚而得未,有丙戊乙而得辰,有甲癸而得丑,有辛壬而得戌,爲夾祿窠.)

두 종류에서 협록과夾祿窠가 上이 되고, 협록향夾祿鄕은 그 다음이다. 무릇 祿은 묘墓를 가장 기뻐하며 그리고 또 소장所藏함이 있어 고庫라고 말하는 것이다. 공망이나 충을 꺼리지만 그러나 마땅히 고庫印은 생함을 만나야 복수福壽가 되고, [太]歲에서 묘墓印을 만나면 災殃과 흉이 된다. (二者夾祿窠爲上,夾祿鄕次之,凡祿最喜於墓,謂之庫,而又有所藏也,忌空衝,然當生遇庫印,爲福爲壽,歲逢墓印,爲災爲凶.)

丙丁에서 저(豬=亥) 계(雞=酉)는 戌이 협귀夾貴가 되고, 壬癸에서 사(蛇=巳) 토(兔=卯)는 辰이 협귀夾貴가 된다. 丙午 丁未[天河水], 丙子 丁丑[澗下水]은 납음이 水로서 火는 財庫가 되고, 壬子 癸丑[상자木], 壬午 癸未[양류木]는 납음이 木으로 土가 財庫가 된다. 이상이 협귀인고夾貴印庫가 된다. 火의 財가 壬辰[장류水]의 水를 얻거나, 土의 財가 戊辰[大林木]의 木을 얻으면 고중봉귀庫中逢鬼라 하여 먼저는 이루지만 반드시 破한다. (丙丁豬雞,以戌爲夾貴,壬癸蛇兔,以辰爲夾貴.丙午丁未丙子丁丑納音水, 以火爲財庫,壬子癸丑壬午癸未納音木,以土爲財庫,以上爲夾貴印庫.火財而得壬辰之水,土財而見戊辰之木,謂之庫中逢鬼,先成必破.)

또 甲 戊 庚, 乙 己, 丙 丁, 壬 癸, 6辛이 年 月 日 時에서 순서대로 4干이 연결하여 끊어지지 않으면 牛 羊 鼠 猴 雞 豬 馬 虎에 자리한 것이 반드시 필요하지 않다. 그러나 辰 戌의 2位를 만나면 天乙[貴人]의 복을 받게 되어 학문學問에 해박該博하고 문장文章이 화조華藻하며 장원급제하여 이름이 높고, 관직官職은 청화淸華하다. 고庫가 正印을 동반한 묘墓庫는 上이 되고, 묘墓庫가 정인正印이 아닌 것은 그 다음이고, 印綬가 없으면 下가 된다. (又甲戊庚,乙己,丙丁,壬癸,六辛,年月日時,順連四干不斷,不必在牛羊鼠猴雞豬馬虎之位.但見辰戌二位,便爲天乙受福納,主學問該博,文章華藻,科名巍峨,官職淸華.庫帶正印而庫墓者爲上,庫墓而非正印者次之,無印者爲下.)

또 말하기를, 천간의[神] 1字와 지지의 神이 상응相應하고, 앞前에는 貴를 가지고 있고 후뒤에 馬를 타고 있는 中에 建祿이 있으면 협록협귀夾祿夾貴인 것이다. (又曰,干神一字,而支神相應,前有貴擁,後有馬乘,中有建祿者,是夾祿夾貴也.假令己未人,己巳月,己未日,己巳時,四己干神,一字不雜,己貴在申.故曰前有貴擁,未有馬在巳,故曰後有馬乘,貴踰三品之命,若丁巳丁未,則正夾祿,辛卯辛丑,則正夾貴,當從落斷之.)

예) 命造

己 己 己 己

巳 未 巳 未

상기 例의 命을 보면, 4개 己의 천간에 한 글자도 섞이지 않았고, 己의 [天乙]貴人은 申에 있다. 그러므로 말하기를, 앞에는 貴를 가지고 있고 未가 있으며 馬는 巳에 있으니, 따라서 후에 馬를 타고 있어 貴가 올라서 3品의 命이다. 만약 丁巳 丁未라면 正 夾祿이며, 辛卯 辛丑은 正 夾貴인데, 마땅히 그 결단을 따라야 한다.

또 말하기를, 貴祿을 공협拱夾한 사람이 적은데, 만일 戊午인이 丙午의 日 時를 얻으면 戊의 녹祿이 巳에 있으니 夾[祿]은 뒤後에 있고, 戊의 貴는 未에 있으니 夾[貴]는 앞前에 있다. (又曰,貴祿夾持人少得,如戊午人,得丙午日時,戊祿在巳,夾在後,戊貴在未,夾在前.又如己未年,辛未月,己未日,辛未時.蓋己祿在午在後,己貴在申在前,祿與貴人,夾扶其身,不須帶別支神,乃爲貴命.)

예) 命造

辛 己 辛 己

未 未 未 未

무릇, 己의 祿은 午에 있으니 뒤後에 있고, 己의 貴[귀인]은 申에 있으니 앞前에 있다. 祿과 귀인은 身을 夾하여 돕는데, 모름지기 지지에서 다른 것을 동반하지 않으니 귀한 命이 된다.

또 전차후옹(前遮後擁;많은 사람이 앞뒤로 보호하여 따름)한 사람은 仙人인데, 곧 녹마협귀祿馬夾貴하여 本命의 전후前後에 있는 것이다. 이우가에 말하기를, 무릇 제왕의 조정에 입조入朝하려면 貴星은 賤星과 교체하지 않아야하고, 장군將軍은 모름지기 貴煞이어야하고, 재상宰相은 대부분 녹마祿馬가 있어야 한다. 무릇, 귀인格은 모름지기 오행중에 1位라도 박잡(駁雜;뒤섞여 얼룩덜룩함)하지 않고, 아울러 생왕生旺한 기가 왕래往來하며 그 위에 福神을 동반해야하는데, 4位가 귀인은 오히려 우두머리의 格이 아니다. (古曰,前遮後擁人中仙,乃祿馬夾貴,在本命前後是也.理愚歌曰,凡欲持綱入帝朝,貴星不與賤星交,將軍須是貴煞裹,宰相多應祿馬包.凡貴人格,須要五行中無一位駁雜,往來更生旺有氣,帶福神於其上,四位貴,卻不是首格.)

고가에 이르기를, 年이 좋아도 月보다 못하고, 月이 좋아도 時보다 못하고, 존친尊親의 제좌帝座位는 전후前後의 귀인을 따른다. (古歌云,好年不如月,好月不如時,尊親帝座位,前後貴人隨.只如陳國相,庚寅丙戌辛卯己丑,雖是大敗,卻得天乙貴,更本命太歲,爲年中天子,前歌云,尊親帝座位是也.)

예) 命造

己 辛 丙 庚

丑 卯 戌 寅

진 국상의 命인데, 비록 대패大敗일지라도 오히려 天乙貴人을 얻고, 다시 本命의 태세太歲는 年中天子인데, 前歌에서 이르는 존친제좌위尊親帝座位라는 것이다.

또 己丑 庚寅 辛卯가 상련相連하는 것을 연주봉황連珠鳳凰이라 하여 비록 과명(科名;장원급제)이 없을지라도 관직官職에 머물고, 또 寅이 天德을 동반하고, 月의 戌은 太煞과 같지만, 하물며 진성陳姓은 징음徵音에 속하며, 火는 戌과 寅이 합하는데 있다. (又己丑庚寅辛卯相連,謂之連珠鳳凰,雖無科名,官居相位.又寅帶天德,月戌爲太煞同,況陳姓屬徵音,火在戌合其寅.)

經에 이르기를, 본음本音 묘처墓處에 天德 太煞이 동일하면 삼대팔좌三台八座의 영화를 누리고, 자여(自餘;넉넉하여 저절로 남음)하여 太歲가 夾하지 않아도 녹마祿馬와 동일하니 재상宰相이 된다. (經云,本音墓處,天德太煞同,主三台八座之榮,自餘不夾太歲,值祿馬同,入相.)

125. 복신상환福神相還

무릇, 녹마祿馬와 官貴, 六合과 화개華蓋, 금여金轝와 문성귀인文星貴人, 정인正印과 고庫 食奇 德의 종류는 모두 福神이라 하여 체호상환遞互相還格이 된다. 만약 사절死絶 衝破 공망이 없으며 오행에서 왕기旺氣인 福神이 도우면 장상(將相;장수와 재상)이 된다. 이와 같이 또 煞神이 있으면 곧 발달은 미흡하지만 중임重任하는데, 만약 사死 절絶하지만 衝破 공망이 없으면 上格으로 봐야한다. 또 모름지기 존자尊者는 吉해야하고, 천간에서 主는 본래 소중所重하다. (凡祿馬官貴,六合華蓋,金轝文星貴人,正印庫食奇德之類,皆謂之福神,遞互相還爲格.若無死絶衝破空亡,有五行旺氣福神助之,主爲將相.如此而又有煞神,卽少達,歷重任,若有死絶,無衝破空亡,只在格上看之,又須尊者吉方可,干神主本爲重.)

무릇, 천간 神이 생왕生旺 임관(臨官;건록)하고 혹 福神이 되면 모두 길한 자리인데, 납음의 사死 절絶로 더욱 존길비흉尊吉卑凶을 말한다. 만약 납음은 이미 사절死絶되고 다시 衝破 공망이 있으면 성취成就하지 못하니, 州나 縣의 일개 부위簿尉에 불과하며, 설령 다른 자리에서 복이 돕더라도 조정의 관직은 어려울 뿐이다. 만약 공망 衝破하고 거듭하여 三刑이나 六害가 있으면 반드시 하나같이 고독孤獨하고 빈요貧夭하며 혹 僧道와 아울러 擧人도 되지 못한다. 다시 오행의 경중輕重과 소식消息을 살펴보고 생왕生旺한 기를 타면 특달지사特達之士인데, 다만 한 가지는 소멸되지만, 생왕生旺한 기를 많이 타면 모름지기 두 가지도 가능한 것이다. (凡干神作生旺臨官,或作福神,皆是吉位,而納音死絶,玆謂尊吉卑凶.若納音旣死絶,更有衝破空亡,卽不成就,不過一簿尉州縣,縱他位有福助之,亦不過一多難京朝官耳.若空亡衝破,更有三刑六害,必是一孤獨貧夭,或僧道,併無成擧人,更觀五行輕重消息,乘生旺氣者,特達之士,只消一件可作,大乘生旺之氣,須兩件可也.)

126. 사시섭취四時攝聚

甲寅 丙寅은 木火가 寅에 모인 것을 가지고, 丁巳 辛巳는 金火가 巳에 모인 것을 가지고, 庚申 甲申은 金木이 申에 모인 것을 가지고, 壬申 戊申은 水土가 申에 모인 것을 가지고, 癸亥 乙亥는 水木이 亥에 모인 것을 가지니, 청淸하면 현달顯達하는데, 만약 월령月令에서 득지得地하지 않아도 역시 복이 된다. (甲寅丙寅木火攝聚於寅,丁巳辛巳,金火攝聚於巳,庚申甲申,金木攝聚於申,壬申戊申,水土攝聚於申,癸亥乙亥,水木攝聚於亥,遇者主淸要顯達,若月令不得地亦福.)

신백경에 이르기를, 金水는 申에서 聚하고, 火木은 寅에서 聚하며, 水木은 亥에서 聚하고, 火土는 巳에서 聚하는데 전부 日時에 있어야 왕왕往往 복이 있고, 만약 거듭 사시四時의 생을 만나서 有氣하면 열에 아홉은 귀하게 된다. (神白經云,金水聚於申,火木聚於寅,水木聚於亥,火土聚於巳,全在日時,往往有福,若更四時有氣逢生,十有九貴.)

127. 치일응신致一凝神

성인聖人은 하나의 참된 것을 얻으면 거침이 없으며, 貴神이 하나의 신령神靈함을 얻으면 변화變化가 무궁無窮하고, 그리고 음양의 法은 精神을 운용運用하여 하나를 散하고 수렴收斂하며 억양抑揚하기 때문에 命에 일치一致하니, 간세현보(間世賢輔;여러 세대에 드물게 현명한 보좌함)하여 출중한 대귀인貴人인 것이다. 만일 年 月 日 時 태胎 5位의 납음納音이 4木 1水나 4金 1土의 종류로 時에서 일견一見하거나, 혹 1金 4水土나 1水 4金土로 年에서 일견一見하면 각각의 왕기旺氣가 발로發露하여 같은 길로 나아가는 것이다. (聖人得抱一之眞,則所無不達,貴神含得一之靈,則變化無窮,而陰陽之理,精神之運,斂散抑揚於一者.所以爲致一之命,乃間世賢輔,出羣大貴人也.如年月日時胎,五位納音,四木一水,四金一土之類,一見於時,或一金四水土,一水四金土,一見於年,各有旺氣發越一路是也.)

5位 중에서 年 태胎 月이 모두 丑이며 日上 혹은 時上에서 寅을 보는 종류이거나, 年 태胎 月 時가 모두 戊己이며 日上에서 丙을 보는 종류로 혹 天乙 天官 文星 天德이 4位에서 만나 왕래往來하면 福인 貴氣가 된다. (五位中,年胎月俱丑,而日上或時上見一寅之類,年胎月時俱是戊己,而日上見一丙之類,或天乙天官,文星天德,往來見於四位,爲福貴之氣.)

오직 태胎의 일위一位는 福인 貴氣가 없는데, 록마祿馬 관인官印 복덕福德이 帝座의 三合에서 모이고, 日時상에서 本家의 一位를 동반하고, 4位에서 녹마祿馬가 모두 왕기旺氣를 타며, 오직 時상에서 사절死絶의 기을 동반하고 같은 길로 나아가거나, 혹 4位가 사절死絶한 기를 모두 대동하고, 日에서 혹은 時상에서 생왕生旺한 기를 차고 같은 길로 나아가고, 4位에서 혹 甲 乙이 혹 丙丁이 或 庚辛이 혹 壬癸가 日상에서 혹은 時상에서 하나의 진관眞官을 만나면 모두 이와 같은 종류인데, 모름지기 會合하여 왕래往來하고 귀어일자(歸於一者;한 곳으로 돌아감)해야 이 格을 이룬다. 만약 생왕生旺하고 같은 길로 나아가 福貴를 보거나, 사절死絶한데 같은 길로 나아가 福貴를 만나도 마찬가지다. (獨胎一位無福貴之氣,祿馬官印福德,會於帝座三合,於日時上,帶本家一位,祿馬四位,俱乘旺氣,獨於時上帶一路死絶之氣,或四位俱帶死絶之氣,獨於日或時上,帶一路生旺之氣,四位或甲乙,或丙丁,或庚辛,或壬癸,而日上或時上,見一眞官,諸如此類,須往來會合,歸於一者,方成此格.若自生旺一路見福貴,自死絶一路見福貴,亦是.)

128. 허중정실虛中精實

사람은 年時의 상하가 만일 천지天地가 복재覆載하며 運과 日月이 태허太虛하면 허중정실虛中精實한 格으로 가장 기묘奇妙하게 되어 비록 좋고 나쁨이 서로 섞일지라도 애증愛憎을 상반相半하여 포용包容하지 않음이 없으니 진대기원업眞大器遠業한 命이다. (人之年時上下,如天地覆載,而運日月於太虛之中,此虛中精實之格,最爲奇妙.雖美惡相雜,喜憎相半,無不倂包而兼容之,眞大器遠業之命.)

年과 時에서 상하가 생왕生旺한 기운을 타며 단지 日에서 쇠패衰敗 사절死絶한 기운을 동반하고 혹 上下에 혹 금옥강유金玉剛柔한 德을 타거나, 단지 月日상에서 水火가 변통變通한 기운을 세우고 혹 上下에 天乙 天官 文星 녹마祿馬를 갖추며 아울러 호환互換하여 모든 吉神을 만나거나, 다만 日에서 녹마祿馬의 貴氣가 없으며 혹 年 月 時에 생 旺 고庫를 얻어 三合이 순전純全하거나, 단지 日상의 一位가 三合하여 쇠衰 패敗 사死 절絶한 기운을 동반하는 것이 이것 [허중정실한 格]이다. (年與時,上下乘生旺之氣,惟日一路帶衰敗死絶之氣,或上下乘金玉剛柔之德,惟月日上一路建水火變通之氣,或上下俱帶天乙天官文星祿馬,並互換見諸吉神,獨日位無祿馬貴氣,或年月時,得寅午戌生旺庫,三合純全,獨日上一位,帶三合衰敗死絶之氣是也.)

이 格에 들면 세상에서 드물게 꺼리는 것이 없어 휴휴유용休休有容하고 富貴함이 도리에 어긋나지 않으며 위무威武하여 굴복하지 않는다. (入此格者,曠世無忌,休休有容,富貴不能淫,威武不能屈.如陳以勤閣老.辛未戊戌丁卯辛亥,申時行壯元.乙未乙酉甲辰乙亥,其說註蘭臺妙選,是此格也.)

예) 命造
辛 丁 戊 辛
亥 卯 戌 未
진이근각로陳以勤閣老의 命이다.

예) 命造
乙 甲 乙 乙

亥 辰 酉 未
신시행징원申時行壯元의 命인데, 그 說은 『난대묘선』蘭臺妙選에서 주석註釋한 이것이 이 格이다.

129. 공탈조화功奪造化

年 月 日 태胎가 모두 사절死絶 無氣한 곳에 있고 時에서만 생왕生旺한 지지에 있는 것이다. 가령 본명本命이 金에 속하며 年 月 日 태胎가 모두 無氣한데 癸酉[時]를 얻거나, [本命이] 火에 속하며 [年 月 日 태胎가 모두 無氣한데] 戊午[時]를 얻거나, [本命이] 水에 속하며 [年 月 日 태胎가 모두 無氣한데] 丙子[時]를 얻거나, [本命이] 土에 속하며 [年 月 日 태胎가 모두 無氣한데] 庚子[時]를 얻거나, [本命이] 木에 속하며 [年 月 日 태胎가 모두 無氣한데] 辛卯[時]를 얻으면 모두 납음納音으로 旺한 지지이고, 혹 辛巳 丙寅 己亥 甲申 戊申이면 모두 납음納音으로 생지生地이다. 만약 大運 小運과 行年 太歲라면 다만 생時로 재복災福을 교량較量한다. 대개 생왕生旺하지 않으면 성인成人이 될 수 없기 때문이다. (年月日胎,俱在死絶無氣之鄕,而得一時在自生自旺之地是也.假令本命屬金,年月日胎俱無氣,而得癸酉,屬火而得戊午,屬水而得丙子,屬土而得庚子,屬木而得辛卯,皆納音自旺之地,或辛巳丙寅己亥甲申戊申,皆納音自生之地.若大小二運行年太歲,只以生時較量災福.蓋不生不旺,則不能成人故也.)

130. 공모조화功侔造化

木命의 납음이 無氣한 지지에 생거生居하면 오히려 도움을 받는데 本位에서 왕래하여 다시 旺하는 이것이다. 가령 辛酉인이 癸卯를 얻거나, 癸卯인이 辛酉를 얻으면 辛酉의 木이 金鄕에서 곤困하니 오히려 癸卯를 얻고 金은 酉에서 다시 旺하며 木은 卯에서 다시 旺하니, 호환왕래互換往來하기 때문에 吉함이 모이는 것이다. (木命納音,生居無氣之地,卻得救助,而往來復旺於本位是也.假令辛酉人得癸卯,癸卯人得辛酉,蓋辛酉之木,困於金鄕,卻得癸卯,金復旺於酉,而木復旺於卯,往來互換,故爲吉會.)

또 이르기를, 辛酉는 실위失位한 木으로 오직 癸卯를 대對하므로 강유剛柔를 상제相濟하여 얻게 되면 문명文明 준민俊敏하여 과거에 장원급제하게 된다. (又云,辛酉失位之木,惟對以癸卯,則剛柔相濟,得之者文明俊敏,決取巍科.如前朝穆宗,丁酉癸卯癸卯辛酉,嚴嵩閣老,庚子己卯癸卯辛酉,是此格也.)

예) 命造
辛 癸 癸 丁

酉 卯 卯 酉
전조(前朝;앞선대)의 穆宗이고,

예) 命造
辛 癸 己 庚
酉 卯 卯 子
엄숭 각로閣老의 命인데, 상기 두 格이 이공모조화 格인 것이다.

131. 내양외음內陽外陰

예컨대, 年時가 납음으로 金水에 속하며 日月은 火木에 屬하면 金水 는 陰이 되고 火木은 陽이 된다. 또, 年時가 水에 속하며 日月이 木에 속하면 수요화제水繞花堤로 外陰內陽을 갖춘 것이다. 또 이르길, 내외內外에 얽매이지 않고 다만 상象을 이루어야 기묘奇妙하게 된다. (如平年時納音屬金水,日月屬火木,金水爲陰,火木爲陽.又年時屬水,日月屬木,水繞花堤,乃外陰內陽,俱是.又云不拘內外,只要成象爲妙.)

132. 정족자기鼎足鎡基

정족(鼎足;솥발의 뜻)은 三合이 삼기三奇를 보거나, 三合이 馬와 합하거나, 三合이 本干을 보거나, 三合이 本家를 동반하면 생왕生旺함을 얻으므로 귀하게 되는 것을 일컫는다. 金은 寅 午 戌의 종류를 절대 꺼리니 모름지기 旺한 가운데 수명이 감소하고, 三合이 삼기를 보는 것은 곧 乙 丙 丁 혹은 甲 戊 庚이 年 月 日 時에 있으며 지지가 三合인 종류이다. (鼎足之義,謂之三合見三奇,三合見一馬合,三合見本干,三合帶本家,俱以得生旺爲貴.切忌以金當寅午戌之類,須旺中損壽,三合見三奇,乃乙丙丁或甲戊庚在年月日時,而地支三合之類.)

三合이 馬를 보는 것은 곧 申 子 辰이 寅인 馬를 얻거나 巳 酉 丑이 亥인 馬를 [얻는] 종류이다. 三合이 馬와 合을 만나는 것은 곧 寅 午 戌이 巳와 합하는 申을 보는 종류이다. 三合이 본래의 干을 만나는 것은 곧 甲乙人이 亥 卯 未를 얻거나, 丙丁人이 寅 午 戌을 얻은 종류이다. (三合見一馬,乃申子辰而得寅馬,巳酉丑亥馬之類.三合見馬合,乃寅午戌見巳合申之類.三合見本干,乃甲乙人得亥卯未,丙丁人得寅午戌之類.)

三合이 본가本家를 대동한 것은, 가령 寅 午 戌의 火命이 丙寅 戊午 甲戌을 얻으면 本家의 火를 대동한 것이고, 亥 卯 未는 己亥 辛卯 癸未를 얻으면 本家의 木을 대동하는 종류인 것이다. 또 三合에서 寅 午 戌의 馬는 申인데 申은 있고 寅을 缺하거나, 亥 卯 未의 馬는 巳인데 巳는 있고 亥를 缺하거나, 申 子 辰의 馬는 寅인데 寅은 있고 申을 缺하거나, 巳 酉 丑의 馬는 亥인데 亥는 있고 巳를 缺하는 것은 명칭이 삼합마환두지三合馬換頭支인 것이다. (三合帶本家,如寅午戌火命,得丙寅戊午甲戌帶本家火,亥卯未,得己亥辛卯癸未帶本家木之類.又三合,寅午戌馬在申,有申而缺寅,亥卯未馬在巳,有巳而缺亥,申子辰馬在寅,有寅而缺申,巳酉丑馬在亥,有亥而缺巳,名三合馬換頭支也.)

133. 공읍궐문拱揖闕門

궐문은 곧 年에 대음하는 것으로, 본명本命 甲子에서 己巳 辛未는 공읍拱揖이 되며 허虛字 午는 궐문闕門이 되고, 본명本命 乙丑에서 庚午 壬申은 공읍拱揖이 되며 허虛字 未는 궐문闕門이 된다. 나머지 모두는 이것을 따르라. (闕門乃年對處,本命甲子,以己巳辛未爲拱揖,虛午爲闕門,本命乙丑,以庚午壬申爲拱揖,虛未爲闕門,餘皆倣此.)

모든 글들을 살펴보면 子午를 더욱 중히 여기고 나머지는 조금 가벼이 여기는데, 子午는 제좌帝座의 단문端門이 되기 때문이다. 陽의 命은 天천간에서 官의 合을 보고, 陰의 命은 天에서 官과 印綬를 만나야 日時에 공읍拱揖 2位가 있다. 예컨대 甲은 己와 天合하고, 辛은 丙으로 天官이 되며, 壬은 印綬의 종류가 되는데, 혹 두개의 天合, 두 개의 天官, 두 개의 印綬가 협보궐문夾輔闕門해도 귀하다. 천덕天德 천을天乙이면 더욱 귀하다. (考諸書尤重子午,餘稍輕,以子午爲端門帝座故也.陽命見天官合,陰命見天官印綬,在日時拱揖二位者.如甲以己爲天合,辛以丙爲天官,壬爲印綬之類,或二天合,二天官,二印綬夾輔闕門亦貴.資以天德天乙尤貴.)

무릇 2位에서 拱하여 虛로 1位를 夾하고 두 干이 동류同類라야 비로소 진공眞拱이 되며, 공장拱將 공관拱官 공좌拱座 공인拱印이 있는데 같지 않으며 공문拱門에 지나지 않을 뿐이다. 공장拱將은 곧 월장月將, 공관拱官은 관성, 공좌拱座는 곧 時에서 제좌帝座가 되고, 공귀拱貴는 곧 天乙貴人이며, 공인拱印은 곧 甲戌 乙丑 壬辰 癸未로서 본가인本家印이 되고, 단지 破하지 않아야 귀하게 된다. 임개에서 말하기를, 坐實은 拱虛보다 못하고, 明合은 暗會보다 못한 것이라 하였다. (凡拱二位,虛夾一位,兩干同類,方爲眞拱,有拱將,拱官,拱座,拱貴,拱印不同,不特拱門已也.拱將乃月將,拱官乃官星,拱座乃時爲帝座,拱貴乃天乙貴人,拱印乃甲戌,乙丑,壬辰,癸未爲本家印,只須不破爲貴.林開云,坐實不如拱虛,明合不如暗會是也.)

拱은 72개의 格으로 拱刃공인 공해拱害 공마拱馬 공학당拱學堂 공비인拱飛刃 공겁살拱劫煞 공망신拱亡神 공귀拱鬼 공왕拱旺 공파拱破 공고진拱孤辰 공과숙拱寡宿 공암랑拱岩廊 공합拱合 공군신합拱君臣合이 있다. 무릇 拱은 煞과 神의 경중輕重과 고저高低를 나누고 자세히 살펴서 貴賤禍福을 말해야 한다. (拱有七十二格,拱刃,拱害,拱馬,拱學堂,拱飛刃,拱劫煞,拱亡神,拱鬼,拱旺,拱破,拱孤辰,拱寡宿,拱岩廊,拱合,拱君臣合.凡拱須詳煞神輕重,分高低,言禍福貴賤.)

만약 甲子가 甲寅, 乙丑이 乙卯, 丙寅이 丙辰, 丁卯가 丁巳, 戊辰이 戊午, 己巳가 己未, 庚午가 庚申, 辛未가 辛酉, 壬申이 壬戌, 癸酉가 癸亥를 보고 命 앞의 2辰은 유용有用하면 반드시 귀하고 무용無用하면 평상(平常;보통)하다. 일명 금장格이다. (若甲子見甲寅,乙丑見乙卯,丙寅見丙辰,丁卯見丁巳,戊辰見戊午,己巳見己未,庚午見庚申,辛未見辛酉,壬申見壬戌,癸酉見癸亥,命前二辰,有用必貴,無用平常.一名金章格.)

134. 용약천문龍躍天門

辛亥인이 壬辰의 日時를 얻거나, 壬辰인이 辛亥의 日時를 얻고 만일 丁亥를 만나면 올바른 格에 들게 된다. 천문天門은 서북西北의 건乾의 방위에 있는데 壬辰[장류水]가 正印을 얻고 6龍이 통솔하고 있는 亥를 만나야 복이 된다. 만약 丁亥를 얻으면 干神이 합하고, 壬의 녹祿이 亥에 있는데 이 格에 들면 백성을 윤택潤澤하게 하고 세상을 구제하는 공로가 있다. (辛亥人得壬辰日時,壬辰人得辛亥日時,如見丁亥爲正入格,天門在西北處乾位,得壬辰水正印,而六龍在御,見亥所以爲福,若得丁亥,則干神合,壬祿在亥,入此格者,有潤澤生民,濟世功業.)

135. 호와용각虎臥龍閣

庚申인이 辛卯의 日時를 얻으면 정격正格에 들게 된다. 백호白虎家의 庚申이 있으며 辛卯를 重重하게 보면 龍閣용각이 된다. 따라서 호와용각이라 하는데, 이것을 얻으면 귀하며 명성과 칭송이 있고 명신名臣을 억누른다. (庚申人得辛卯日時者,爲正入格,白虎家在庚申,而辛卯重重見之,則爲龍閣,故曰虎臥龍閣,得此者,主貴.有聲譽,彈壓名臣.)

136. 운행우시雲行雨施

[雲行雨施운행우시]는 丙午 丁未인이 戊子 己丑의 日時를 얻거나, 戊子 己丑인이 丙午 丁未의 日時를 얻는 것인데, 丙午 丁未는 천하수天河水이고 戊子 己丑은 벽력화霹靂火이며, 子 午가 음양의 정위正位에 있으니 온전히 만나면 음양이 합하여 비가 된다. 만일 귀격에 들고 다시 이운행우시를 얻는다면, 主는 백성에게 은택恩澤을 내리며, 衝破 공망이 있어도 주州나 현縣의 직책을 잃진 않는다. (丙午丁未人,得戊子己丑日時,戊子己丑人,得丙午丁未日時,蓋丙午丁未天河水,戊子己丑霹靂火,子午居陰陽之正位,今全見之,陰陽合,乃雨,如已入貴格,而更得此,主膏澤及民,有衝破空亡,亦不失爲州縣之職.)

137. 청숙헌대淸肅憲臺

[청숙헌대]는 巳 酉 丑인이 모두 乙字을 얻은 것이다. 가령 乙丑인이 乙酉월, 乙巳일이 乙酉時를 얻으면 정격正格에 들게 된다. 金은 주主를 형하며 乙은 眞金인 巳 酉 丑 金의 정위正位로 上의 천간에서 모두 乙을 만나야 한다. 대부분 대간(臺諫;사헌부, 사간원)의 임무를 맡게 되는데, 만약 태胎월중에서 역마驛馬를 보면 곧 헌사憲司의 직책을 맡는다. (巳酉丑人,皆得乙字者是,假令乙丑人,得乙酉月,乙巳日得乙酉時,爲正入格.金主刑,乙眞金,巳酉丑金之正位,上干全見之,多爲臺諫之任,若胎月中見驛馬,則任憲司之職.)

138. 풍운경회風雲慶會

이[風雲慶會풍운경회格]은 1일이 3日에 이르는 것인데, 甲이 혹 寅을 얻으면 4일이 6일에 이르고, 乙이 혹 卯를 얻으면 7일이 9일에 이르고, 丙이 혹 巳를 얻으면 10일이 12일에 이르고, 丁이 혹 午에 얻으면 13일이 15일에 이르고, 戊가 혹 巳를 얻으면 16일이 18일에 이르고, 己가 혹 午를 얻으면 19日이 21일에 이르고 庚이 申을 얻으면 22일이 24日에 이르고, 辛이 혹 酉를 얻으면 25일이 27일에 이르고, 壬이 혹 亥를 얻으면 28일이 30일에 이르고, 癸가 혹 子를 얻으면 모름지기 3일을 1일로 천간을 나누어야 하는데, 10천간의 日내에서 자세히 살펴서 추리하여야 하고, 甲乙이 寅卯를 만나면 귀하게 된다. (此格一至三日,得甲或寅,四至六日,得乙或卯,七至九日,得丙或巳,十至十二日,得丁或午,十三至十五日,得戊或巳,十六日至十八日,得己或午,十九日至二十一日,得庚或申,二十二至二十四日,得辛或酉,二十五至二十七日,得壬或亥,二十八至三十日,得癸或子,須將三日一分干,十干日內細推看,甲乙逢寅卯爲貴.)

139. 중음중관重蔭重官

중음(重蔭;인수가 거듭되다)이라는 것은, 예컨대 甲인이 癸를 만나고 또 庚을 본 것이다. 중관(重官;官이 거듭되다)이라는 것은, 예컨대 甲인이 辛을 만나고 또 丙을 본 것이다. 대체로 甲은 癸가 인수蔭德가 되며, 癸는 庚이 인수蔭德가 되고, 甲은 辛이 官이 되며 辛은 丙이 官이 된다. 만일 甲인이 두개 辛을 만나는 논리論理는 사용하지 않는다. (重蔭者,如甲人逢癸又見庚.重官者,如甲人逢辛又見丙.蓋甲以癸爲蔭,癸以庚爲蔭,甲以辛爲官,辛以丙爲官,如甲人逢兩辛,不用此論.)

140. 포과기정包裹旗旌

무릇, 命中의 겁살은 기旗라 말하고, 망신은 정旌이라 말하는데, 둘이 서로 만나야 비로소 정기

旌旗가 되며 다만 一位를 만나면 아닌 것이고, 포과(包裹;소포, 물건을 꾸리는 일)하는 것은 곧 귀한 것이다. (凡命中劫煞曰旗,亡神曰旌,二者相見,方爲旌旗.獨遇一位則非,包裹者乃貴也.)

또 예를 들면

丙 庚 丙 庚
子 午 戌 辰
劫煞은 巳에 있으며, 亡神은 亥에 있는데, 庚辰 庚午가 巳상의 겁살을 拱하여 포과기包裹旗라 말하고, 丙戌 丙子는 亥상의 망신을 拱하여 포과정包裹旌이라 말하니, 나머지 格은 이와 비슷하다. (且如庚辰丙戌庚午丙子,劫煞在巳,亡神在亥.庚辰庚午,拱巳上劫煞,曰包裹旗,丙戌丙子,拱亥上亡神,曰包裹旌,餘格類此.)

만약 정기旌旗를 전부 보면 비록 관직이 낮을 지라라도 작은 감사(監司;관찰사)는 하며, 혹 장수將帥가 된다. 만일 刃을 차면 身이 煞을 극하여 사람을 도륙함이 많으며, 煞이 身을 극하면 반드시 칼에 손상당하여 죽게 된다. (若遇旗旌全,官雖卑亦作小監司,或爲帥將,如帶刃,身剋煞,多斬人,煞剋身,必刃來傷死.)

141. 부귀소성富貴所成

예컨대 甲인이 亥 卯 未에 생하여, 甲辰인은 辛亥 丙寅 己亥를 얻거나, 甲寅은 辛未 丙子 己亥를 얻으면 [부귀소성]인 것이다. (如甲人生亥卯未,甲辰得辛亥丙寅己亥,甲寅得辛未丙子己亥.)

142. 진체수위眞體守位

丁人이 壬을 얻고 寅 卯 辰 亥가 있으며 혹 丙 辛을 만나 각기 旺한 지지가 되어 다른 곳에 丁이 없어야 [진체수위]인 것이다. (如丁人得壬而在寅卯辰亥之中,或見丙辛,各在旺地,別位無丁是也.)

143. 허일대용虛一待用

사주에서 본래의 천간이 상련相連하며 한 글자를 뛰어넘는 것은, 예를 들어 甲 乙 丙 戊라면 丁 1자字를 뛰어넘는 이것인데 얻으면 벼슬길이 순탄하다. 만약 사주 본래의 지지가 상련相連하고 1자字가 중복한 것은, 예를 들어 子 子 丑 寅이면 곧 머리는 重하고 꼬리는 輕하니 주主는 요절夭折한다. (四主本干相連,卽跳一字,如甲乙丙戊跳丁一字是也.得之者穩步青雲.若四主本支相連,

而重一字,如子子丑寅,乃頭重尾輕主夭折.)

144. 가음득시假音得時

예컨대, 土인이 하계夏季에 생하거나, 혹 申 子 辰중에 運이 사계四季에 있으면 [가음득시]인 것이다. (如土人生夏季,或居申子辰中運四季.)

145. 보의제벌사사현조寶義制伐四事顯朝

존尊이 비卑를 생하면 보寶라 말하고, 비卑가 존尊을 생하면 의義라 말하며, 上이 下를 극하면 制라 말하고, 下가 上을 극하면 伐이라 말하는데, 이 4가지로 태胎 月 日 時에서 상하의 相生과 상극인 것이다. (尊生卑曰寶,卑生尊曰義,上剋下曰制,下剋上曰伐,以此四者,胎月日時,上下相生相剋.)

146. 오행부잡구명상양五行不雜九命相養

삼원三元이 각처各處에서 한쪽으로 본위本位의 祿을 가지고 화합하는 것은 삼원三元이 각각 旺한 고庫에 머무르며, 납음納音의 간지가 서로 생육生育하는 것을 일컫는다. (謂三元各處一方,帶本位祿而和,及三元各居旺庫,而納音干支相生育也.)

147. 주왕본성회어일방主旺本成會於一方

庚子벽상土는 丙戌월 丁丑태나 庚辰일 癸未시의 종류를 얻고, 만약 衝破가 없으면 도리어 본래의 기가 모여 있는 것인데, 다시 녹마祿馬가 있으면 더욱 기묘奇妙하다. (庚子土得丙戌月丁丑胎,庚辰日癸未時之類,若無衝破,卻會在本氣之方,更有祿馬尤妙.)

148. 월관덕합암봉지록月官德合暗逢支祿

예컨대, 丁亥가 壬辰 壬戌을 얻거나 甲인이 丑 未 亥의 종류를 얻는 것이다. (如丁亥得壬辰壬

戊,甲人得丑未亥之類.)

149. 용형자유시수형자불란用刑者有時守刑者不亂

가령, 寅이 巳를 형하고 춘절에 생하면 制尅이 유용有用하며, 癸巳가 戊申을 형하고 丁의 천간天干이 없는 것이다. (如寅刑巳,而生在春,制尅有用,如癸巳刑戊申,而無丁干者是.)

인생원명에서 四柱의 간지가 이상以上의 모든 格에 상응相應하면 비록 본래 주主가 무기無氣할지라도 역시 명성名聲은 무리에서 특별히 뛰어나게 되고, 삼원三元이 지지地支에 있으면 귀하고, 사주에서 번갈아 합하면 영화롭고, 삼원三元이 모두 유용有用한 지지地支를 얻으면 반드시 富貴가 청현淸顯하고, 태胎 月 日 時가 서로 교차하여 相合하면 조명(朝命;조정의 명령)은 곧 청현淸顯하고 영귀榮貴한 命이다. 다만 공망 사死 절絶 상충하여 파괴되는 것을 싫어한다. (人生元命,支干四柱,應以上諸格,雖主本無氣,亦主名聞挺特出羣,三元有地而貴,四柱遞合而榮,三元俱有用,得地必富貴淸顯,胎月日時,交互相合,而朝命卽是榮貴淸顯之命,但忌空亡死絶相衝爲破壞.)

만약 命이 입격入格하고 다시 복집제좌福集帝座를 얻으면 모름지기 경력經歷이 청화지선淸華之選한데, 혹 刑 破하게 되면 이체감퇴迤遞減退하다고 말하고, 만약 천중(天中살=공망) 상충相衝상형相刑하여 살煞을 대동하면 이는 대부분 우직(右職;현직)보다 높은 벼슬, 오른편에 적은 직분의 사람인데, 다시 天中 刑衝하면 주主는 정체停滯함이 많다. (若入格命,更得福集帝座,須歷淸華之選,或有刑破,迤遞減退言之,若有天中相衝相刑帶煞,多是右職,更天中相刑衝,主多停替.)

150. 십간십이년생대귀인예十干十二年生大貴人例-1~4

1.
六甲年丁卯月乙未日戊寅時,六乙年己卯月甲戌日乙亥時
六丙年庚寅月丁巳日丙午時,六丁年丙午月壬辰日丁未時
六戊年壬戌月己丑日戊寅時,六己年辛未月己未日丙寅時
六庚年甲申月庚申日辛巳時,六辛年丙申月庚午日辛巳時
六壬年辛亥月壬辰日丁未時,六癸年丙辰月丙辰日戊子時

戊 乙 丁 甲 六甲 年　　乙 甲 己 乙 六乙 年
寅 未 卯 ㅁ　　亥 戌 卯 ㅁ

丙 丁 庚 丙 六丙 年　　丁 壬 丙 丁 六丁 年

午 巳 寅 ㅁ　　　　　　未 辰 午 ㅁ

戊 己 壬 戊 六戊 年　　　丙 己 辛 己 六己 年
寅 丑 戌 ㅁ　　　　　　寅 未 未 ㅁ

辛 庚 甲 庚 六庚 年　　　辛 庚 丙 辛 六辛 年
巳 申 申 ㅁ　　　　　　巳 午 申 ㅁ

丁 壬 辛 壬 六壬 年　　　戊 丙 丙 癸 六癸 年
未 辰 亥 ㅁ　　　　　　子 辰 辰 ㅁ

2.
이상은 해마다 단지 1日 1時로 세상의 형편에 따라서 대귀大貴한 사람인데, 건공입업建功立業의 命이나, 그렇지 않으면 속세를 벗어난 신선神仙인데 상술常術로 깨달을 수 없는 것이다. 대귀인도 제왕帝王을 초월할 수 없는데, 고찰해보면 역대歷代 창업創業한 임금과 命造(明朝;명나라)의 모든 제왕도 부합되는 者가 없었다. (以上逐年只有一日一時,主有大貴人應世,建功立業之命,不然,出塵神仙,常術不能曉也.大貴人莫過帝王,考歷代創業之君,及明朝諸帝,無一合者.)

내가 생각하건데 天下는 광활한데, 일반 백성의 무리 중에도 만일 이 年 月 日 時에 태어난 사람이라면 어찌 그 사람이 아니겠는가! 그렇지만 반드시 모두가 大귀인이 되지는 않는다. 중요한 것은 하늘이 大귀인을 태어나게 하는데 반드시 주主로서 그 기運을 헤아리기가 어려우니 年 月 日 時로는 근거로 삼기에 부족함이 많은 것이다. (余嘗謂天下之大,兆民之衆,如此年月日時生者,豈無其人,然未必皆大貴人.要之天生大貴人,必有冥數氣運以主之,年月日時多不足憑.)

내가 진신(縉紳;벼슬아치)과 일반백성의 命이 동일한 사람을 모두 산정算定할 수 없지만, 잠간 진신을 논하여 예를 들면 황 무관 시랑侍郎과 신개 부사副使의 命이 같지만. 黃황 무관은 병화(兵禍;전쟁의 재앙)로 죽었고, 신개는 유하牖下에서 죽었다. 申이 黃보다 먼저 죽었으며 관직도 차이가 있었다. 또 주형朱衡과 이정용李庭龍도 동일한 命인데, 주형은 壬辰에 벼슬에 나아갔고, 이정용는 癸丑에 벼슬에 나아갔으며, 주朱는 벼슬이 상서에 이르고, 이李는 대참大參에 그쳤으며 수명도 길지 않았는데, 그 자손의 다과(多寡;많고 적음)와 현우(賢愚;어짊과 어리석음)는 또한 論하지 못하였다. (余記縉紳與凡民沒者,不能悉數,姑就縉紳論,如黃懋官侍郎,與申价副使沒,黃死於兵禍,申死牖下,申先黃死,官之大小,又不論也.朱衡與李庭龍沒,朱發科壬辰,李發科癸丑,朱官至尙書,李止大參,壽又不永,其子孫之多寡賢否,又不論也.)

만채萬寀와 요재饒才도 命이 동일한데, 만萬은 진사進士에서 벼슬은 경이卿貳에 이르렀고, 요饒는 과거를 보는 데 그쳤으며 벼슬은 태수太守에 이르렀고 그러나 요饒는 자식이 많았지만 만萬

은 자식이 적었다. 그리고 만萬은 귀양처에서 죽었으나 요饒는 그렇지 않았으니, 그 수요壽夭와 喪을 論하기 어려운 것이다. (萬宋與饒才沒,萬擧進士,官至卿貳,饒止擧人,官至太守,然饒多子而萬則少,又萬以謫戌死,而饒則否,其壽夭得喪又難論也.)

3.
삼하三河의 王도 또 재齋의 兄弟도 함께 태어났으나 공명功名의 先後가 역시 동일하지 않았는데, 하물며 天下는 광활하고 구주九州로 넓어서 많은 백성의 무리들이 그 八字가 동일하다고 어찌 같을 것이며, 또 어떻게 例로서 論하겠는가! (三河王且齋兄弟同産,而功名先後,亦自不同,況天下之大,九州之廣,兆民之衆,其八字同者何限,又烏可以例論耶.)

내가 조금 설명하여 적어보면, 주졸(走卒;심부름하는 사람)과 노공魯公의 命이 같은 것을 보았는데, 노공은 조정朝廷의 큰 은총이 있었지만 이 주졸走卒은 크게 벌을 받았으며, 노공은 조금의 경사스런 기쁨이 있었지만 이 주졸走卒은 작은 견책(譴責;꾸지람)이 있었으니, 그 상반相反함이 이와 같은 것이고, 또 염가(染家;직물織物에 물을 들이는 것을 업으로 삼는 집)에 태어난 자식은 노공과 命이 같았으나, 전후가 60年의 차이인데, 술사術士들은 노공魯公의 命으로 그 [염가의 집안] 집안의 큰 기쁨을 증명하였고, 다른 날도 반드시 귀하다고 말하였으나, 어린아이 때부터 방자放恣하여, 마침내 나중에는 방탕한 주정뱅이가 되어 취醉중에 물에 빠져 19세의 나이에 죽었으니, 어찌 가르침을 잃어버린 소치所致가 아니겠는가? (余記小說,見有走卒,與魯公沒,魯公遇朝廷有大恩寵,則此卒受大責罰,魯公有小喜慶,則此卒有小譴責,其相反有如此者,又染家生子,與魯公沒,前後差六十年,術者以魯公之命證之,其家大喜,謂他日必貴,自孩童時恣其所爲,後遂酗酒游蕩,醉死於水,年止十九,豈非失教之所致耶.)

4.
또 낙선록樂善錄에 기록한, 태학太學의 두 선비의 命이 동일하고 그리고 초시初試에 합격한 것도 같았는데, 세월이 흘러서 살펴보니 다른 곳에서 서로 비슷한 벼슬을 하였고, 피차彼此간의 화복禍福을 알게 되었는데, 나중의 한 사람은 악주鄂州에서 교수教授직을 하였고, 한 사람은 황주黃州에서 교수教授직을 하였는데, 얼마 지나지 않아 황주黃州 사람은 죽었으나 악주鄂州 사람은 후사後事까지 하였다. (又記樂善錄,太學二士人沒,又同發解,過省約就相近遊宦,庶彼此得知災福,後一人受鄂州教授,一人受黃州教授,未幾黃州者死,鄂州者爲治後事.)

축사祝史에서 이르길, 나와 공은 한날한시에 같은 곳에서 태어났으나, 公은 내가 먼저 죽은 다음에 죽었는데, 만일 내가 지금 죽는다면 공은 7日 후에 죽은 것이다. 만약 영靈이 있다면 마땅히 꿈에서 일러줄 것이니, 그 밤에 꿈속에서 말하기를, 나는 부귀하게 태어나서 향락을 과용過用하여 죽은 것이고, 공은 한미寒微하게 태어나서 향락을 누리지 않았으니 살게 된 것이다. 후에 악鄂의 벼슬은 군郡의 수령에 이르렀으니, 어찌 두려워하고 경계하여 향락을 과용過用하지 않은 까닭이 아니겠는가? (祝曰,我與公生年月日時同,出處同,公先捨我去,使我今死,巳已後公七日矣.若有

靈,當托夢以告,其夜果夢云,我生於富貴,享用過當故死,公生於寒微,未得享用故活,後鄂官至典郡,豈非有所警惕,享用不過之所致乎.)

또 나의 관아에 안 수방顏守芳 생원生員과 창민廠民 원대강袁大綱의 命이 동일한데, 안顏은 가난하고 원袁은 부유하며, 안顏은 자식이 많았고 원袁은 겨우 자식이 둘이며, 안顏은 살아 있지만 원袁은 이미 죽었다. 안顏은 독서讀書하여 예절이 있었고 위태로운 병病에서 스스로 보호할 수 있었으며 그런데 세공歲貢[44]의 출신出身이였으나, 원袁은 이와 반대였다. (又吾郡有顏守芳生員,與廠民袁大綱沒,顏貧袁富,顏多子袁僅二子,顏在而袁已死,顏讀書守禮, 有危疾而能自保,竟歲貢出身,袁則反是.)

종합하여 命을 관찰하였는데, 태어난 집안이 같지 않고, 개개인의 습관과 직업이 또한 다르더라도, 몸을 수양하고 보호하여 검약하면 오래 살게 되니, 우리는 스스로 다복多福함을 구해야 할 뿐이다. 만약 나의 命을 말하자면, 부귀富貴와 장수長壽를 겸했지만, 덕德을 닦고 학문에 매진邁進하지 않고, 교만하며 방자하게 법을 어겼다면 命이 어찌 [이 같은] 命이 되었겠는가! (合是數命觀之,豈所生之家不同,而各人所習之業,又異,其保身愼修克儉長年,在吾人自求多福耳.若曰我命該富貴長壽,而不修德進學,驕恣不法,豈命之所以爲命也耶.)

第 6 券 終

44) * 세공歲貢 : 과거보던 시대에 장학금을 받고 국자감에서 공부하던 생원, 명과청 두 왕조시대에 매년 혹 2~3년사이 '부'주'현'에서 과거 공부하는 학생중에 장학금을 받은 학생을 먼저 국자감에 진학시켜 학업을 계속하게 한다. 그러므로 "세공"이라 칭한다. 歲貢:科擧時代 貢入國子監的生員一種 明淸兩代 每年或兩三年從府州縣 進送廩生升入國子監肄業 故稱. 출처:한어대사전 卷五-357